Motorway (with junction number)	(22a)
Primary route (dual carriageway and single)	
A road (dual carriageway and single)	
B road (dual carriageway and single)	
Minor road (dual carriageway and single)	
Other minor road (dual carriageway and single)	
Road under construction	
Pedestrianised area	
Postcode boundaries	DY7
County and Unitary Authority boundaries	
Railway	
Tramway, miniature railway	
Rural track, private road or narrow road in urban area	
Gate or obstruction to traffic (restrictions may not apply at all times or to all vehicles)	
Path, bridleway, byway open to all traffic, road used as a public path	

The representation in this atlas of a road, track or path is no evidence of the existence right of way

Adjoining page indicators — 126 / 94 / 154

The map area within the pink band is shown at a larger scale on the page indicated by the red block and arrow

Acad	**Academy**
Crem	**Crematorium**
Cemy	**Cemetery**
C Ctr	**Civic Centre**
CH	**Club House**
Coll	**College**
Ent	**Enterprise**
Ex H	**Exhibition Hall**
Ind Est	**Industrial Estate**
Inst	**Institute**
Ct	**Law Court**
L Ctr	**Leisure Centre**
LC	**Level Crossing**
Liby	**Library**
Mkt	**Market**
Meml	**Memorial**
Mon	**Monument**
Mus	**Museum**
Obsy	**Observatory**
Pal	**Royal Palace**
PH	**Public House**
Recn Gd	**Recreation Ground**
Resr	**Reservoir**
Ret Pk	**Retail Park**
Sch	**School**
Sh Ctr	**Shopping Centre**
TH	**Town Hall/House**
Trad Est	**Trading Estate**
Univ	**University**
YH	**Youth Hostel**

Walsall	(railway station)
	(train/heritage railway)
Ambulance station	
Coastguard station	
Fire station	
Police station	
Accident and Emergency entrance to hospital	
H	**Hospital**
Places of worship	
i	**Information Centre** (open all year)
P	**Parking**
P&R	**Park and Ride**
PO	**Post Office**
Camping site	
Caravan site	
Golf course	
Picnic site	
Prim Sch	**Important buildings, schools, colleges, universities and hospitals**
River Medway	**Water name**
Stream	
River or canal (minor and major)	
Water	
Tidal water	
Woods	
Houses	
House	**Non-Roman antiquity**
VILLA	**Roman antiquity**

■ The dark grey border on the inside edge of some pages indicates that the mapping does not continue onto the adjacent page

■ The small numbers around the edges of the maps identify the 1 kilometre National Grid lines

**The scale of the maps is 5.52 cm to 1 km
3½ inches to 1 mile 1: 18103**

0	¼	½	¾	1 mile
0	250m 500m	750m	1 kilometre	

The scale of the maps on pages numbered in red is 11.04 cm to 1 km 7 inches to 1 mile 1: 9051.4

0	220 yards	440 yards	660 yards	½ mile
0	125m 250m	375m	½ kilometre	

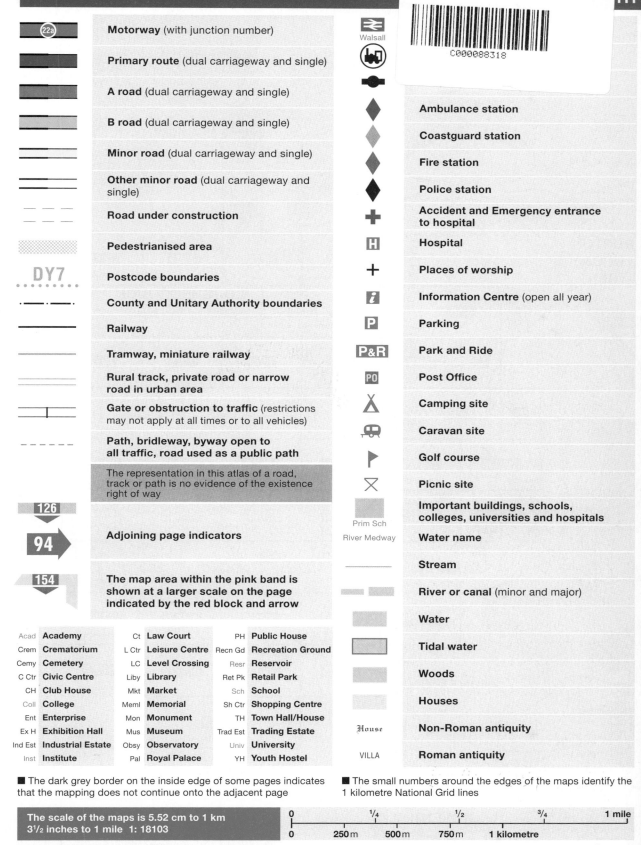

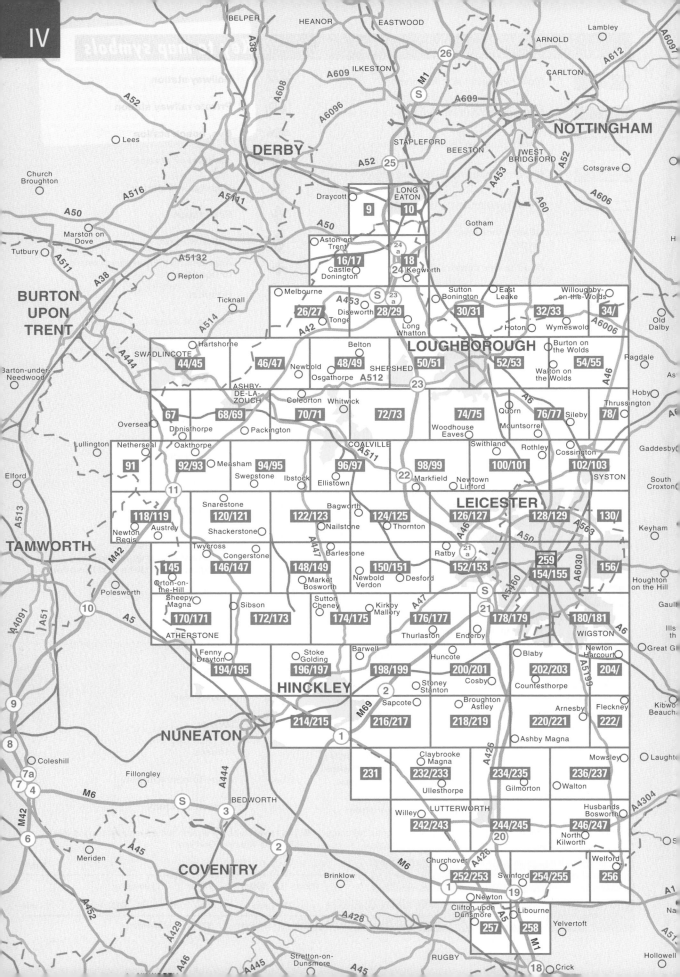

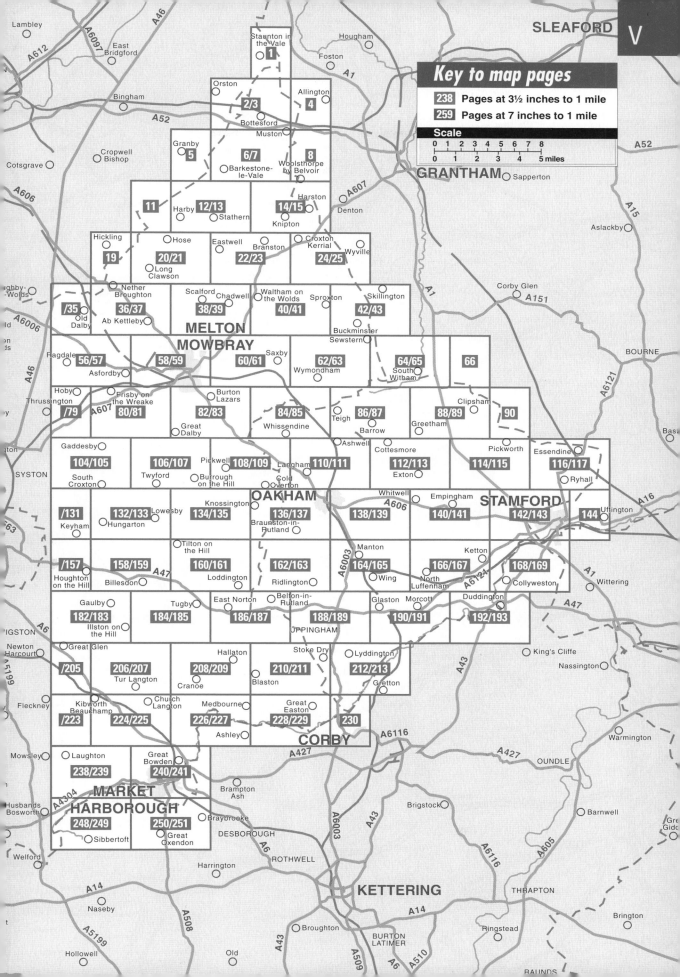

SLEAFORD **V**

Key to map pages

238 Pages at 3½ inches to 1 mile
259 Pages at 7 inches to 1 mile

Scale

0 1 2 3 4 5 6 7 8
0 1 2 3 4 5 miles

Lambley
East Bridgford
A612
A6097
A46
Staunton in the Vale **1**
Hougham
Foston
A1
GRANTHAM
Sapperton
A52
A15

Bingham
Orston **2/3**
Allington **4**
Bottesford
Muston
A607

Cropwell Bishop
Granby **5**
6/7
Barkestone-le-Vale
Woolsthorpe by Belvoir **8**
Harston
Denton
A607

Cotsgrave
A606

A606
11
Harby
Stathern **12/13**
Knipton **14/15**
Aslackby

Hickling **19**
Hose **20/21**
Long Clawson
Eastwell
Branston **22/23**
Croxton Kerrial
Wyville **24/25**
Corby Glen
A151

Nether Broughton
Scalford Chadwell **38/39**
Waltham on the Wolds **40/41**
Sproxton
Skillington **42/43**

/35 Old Dalby
36/37 Ab Kettleby
MELTON MOWBRAY
Buckminster
Sewstern
BOURNE

Ragdale
56/57 Asfordby
58/59
Saxby **60/61**
Wymondham **62/63**
South Witham **64/65**
66
A6121

Hoby
Thrussington
/79
A607
Frisby on the Wreake **80/81**
Burton Lazars **82/83**
Whissendine **84/85**
Teigh
Barrow **86/87**
Greetham **88/89**
Clipsham **90**

Gaddesby
104/105 South Croxton
Twyford **106/107**
Pickwell **108/109**
Cold Overton
Langham **110/111**
Ashwell
Cottesmore
Exton **112/113**
Pickworth **114/115**
Essendine **116/117**
Ryhall
A16

SYSTON
Burrough on the Hill
OAKHAM
Whitwell
A606
Empingham
STAMFORD
Uffington **144**

/131 Keyham
Hungarton **132/133**
Lowesby **134/135**
Braunston-in-Rutland **136/137**
138/139
140/141
142/143

/157 Houghton on the Hill
Billesdon **158/159**
A47
Tilton on the Hill
Loddington **160/161**
Ridlington **162/163**
A6003
Manton
Wing **164/165**
North Luffenham
Ketton **166/167**
168/169 Collyweston
A1
Wittering

Gaulby
182/183 Illston on the Hill
Tugby **184/185**
East Norton **186/187**
Belton-in-Rutland **188/189**
UPPINGHAM
Glaston Morcott **190/191**
Duddington **192/193**
A47
King's Cliffe
Nassington

Newton Harcourt
Great Glen
/205
Tur Langton **206/207**
Cranoe
Hallaton **208/209**
Blaston
Stoke Dry **210/211**
Lyddington **212/213**
Gretton
A43

Fleckney
Kibworth Beauchamp /223
224/225
Church Langton
Medbourne **226/227**
Ashley
Great Easton **228/229**
230
CORBY
A6116
OUNDLE
Warmington
A427

Mowsley
Laughton **238/239**
Great Bowden **240/241**
Brampton Ash
A427
Brigstock
Barnwell

Husbands Bosworth
MARKET HARBOROUGH
A4304
248/249
Sibbertoft
250/251 Great Oxendon
Braybrooke
DESBOROUGH
A6
ROTHWELL

Welford
Harrington
BURTON LATIMER
A6116
A605
Brington

A14
Naseby
A5199
A508
KETTERING
A14
THRAPSTON
Ringstead

Hollowell
Old
A43
Broughton
BURTON LATIMER
A510
A6
RAUNDS

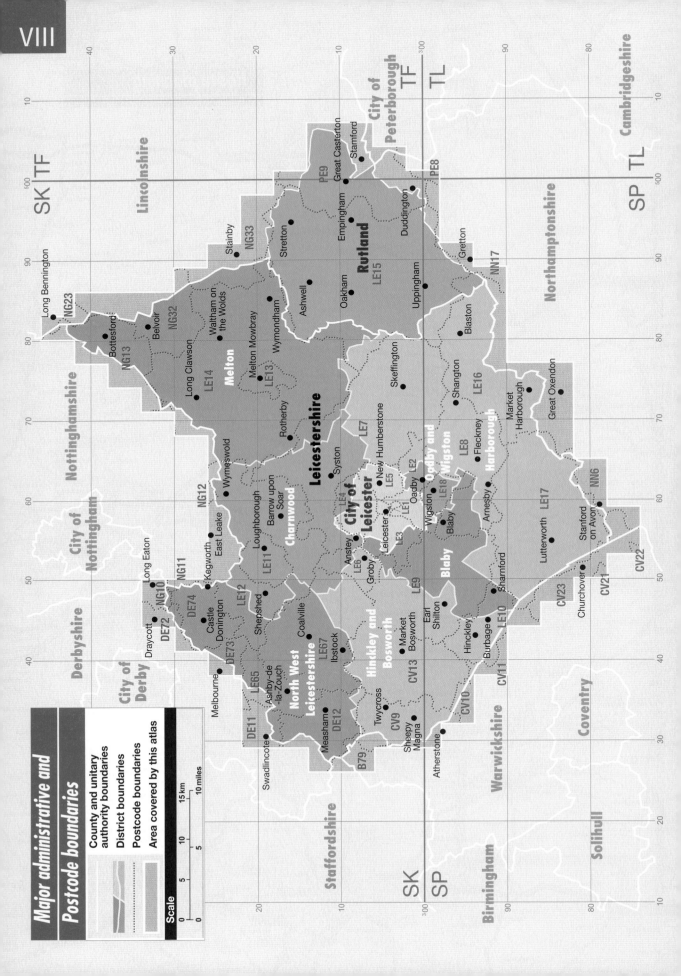

Major administrative and
Postcode boundaries

County and unitary
authority boundaries
District boundaries
Postcode boundaries
Area covered by this atlas

Scale

0   5   10   15 km
0   5   10 miles

Staffordshire
Derbyshire
City of Derby
City of Nottingham
Nottinghamshire
Lincolnshire
City of Peterborough
Cambridgeshire
Northamptonshire
Warwickshire
Coventry
Solihull
Birmingham

SK | TF
SP | TL
SK
SP
TF
TL

Leicestershire
Rutland
Melton
Charnwood
Hinckley and Bosworth
North West Leicestershire
Blaby
Harborough
Oadby and Wigston
City of Leicester

Long Bennington
NG23
Bottesford
Belvoir
NG13
NG32
Stainby
NG33
Waltham on the Wolds
Stretton
PE9
Great Casterton
Stamford
Empingham
Duddington
PE8
Ashwell
Oakham
Rutland
LE15
Uppingham
Gretton
NN17
Blaston
LE16
Long Clawson
LE14
Wymondham
Melton Mowbray
LE13
Rotherby
Skeffington
Shangton
Market Harborough
Great Oxendon
LE17
Wymeswold
LE7
New Humberstone
LE5
LE2
Fleckney
LE8
LE18
Arnesby
NN6
Barrow upon Soar
Loughborough
NG12
East Leake
Kegworth
NG11
Long Eaton
NG10
NG72
DE74
Castle Donington
DE73
Melbourne
Draycott
DE11
DE65
Ashby-de-la-Zouch
Measham
DE12
Swadlincote
Sheepy Magna
CV9
B79
Atherstone
Twycross
Coalville
LE67
Ibstock
Shepshed
LE12
LE11
Anstey
LE6
Groby
LE4
LE1
Leicester
LE3
Syston
Wigston
Blaby
LE18
Oadby
Wigston
LE9
Earl Shilton
Market Bosworth
CV13
Hinckley
CV11
Burbage
LE10
Sharnford
CV10
Churchover
CV21
Stanford on Avon
CV22
CV23
Lutterworth

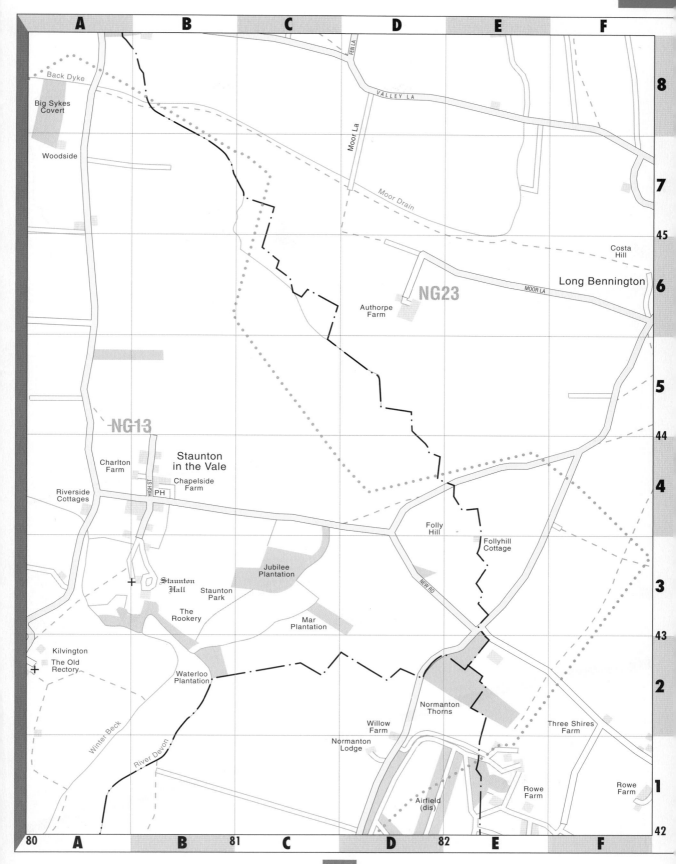

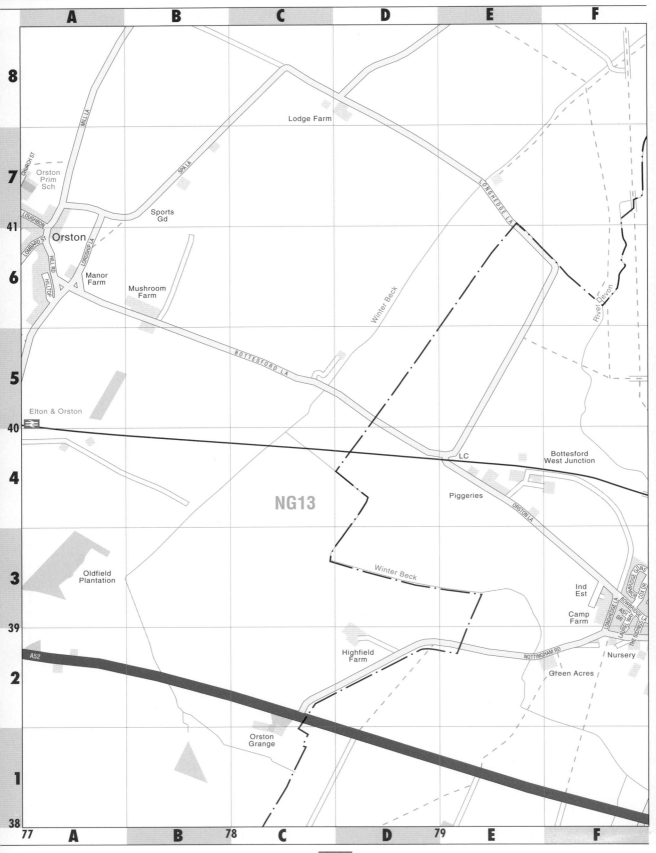

A B C D E F

8

Lodge Farm

7

CHURCH ST
Orston
Prim
Sch

MILL LA

SPA LA

41

LOUGHBON

Orston

Sports
Gd

LONGHEDGE LA

6

LOMBARD ST

HILL RD

HILLTOP

LORDSHIP LA

Manor
Farm

Mushroom
Farm

Winter Beck

River Devon

BOTTESFORD LA

5

Elton & Orston

40

LC

Bottesford
West Junction

4

NG13

Piggeries

ORSTON LA

3

Oldfield
Plantation

Winter Beck

Ind
Est

BOWBRIDGE LA

LONGHEDGE LA

AST LA

GR

OAK LA

OX CL DR

Camp
Farm

THE SQUINS

LAUREL

39

A52

Highfield
Farm

Nursery

NOTTINGHAM RD

Green Acres

2

1

Orston
Grange

38

77 A B 78 C D 79 E F

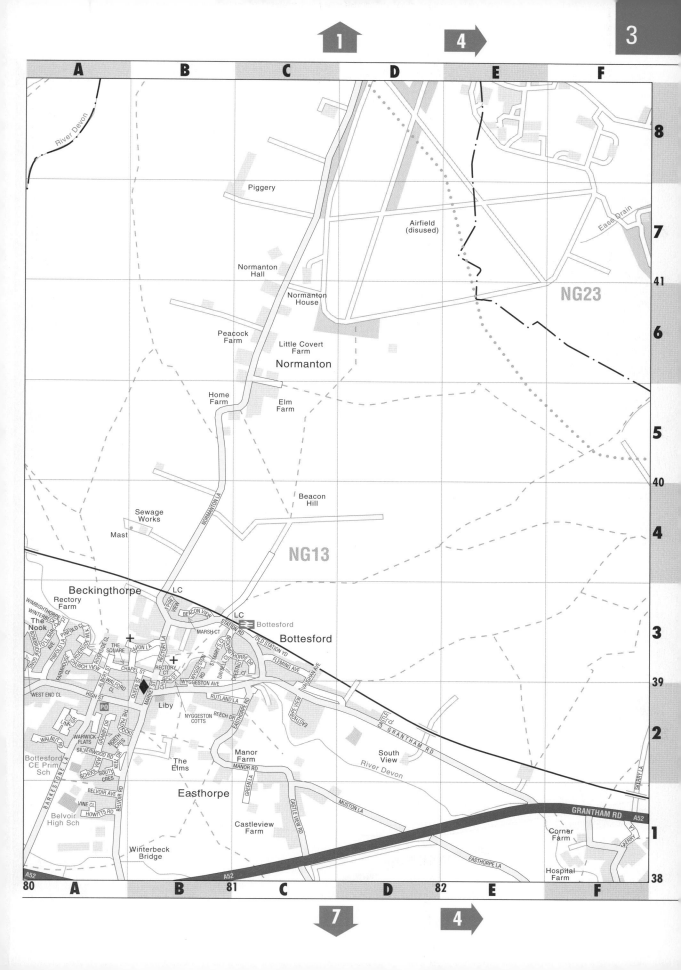

A B C D E F

1

4

8

7

41

NG23

6

Piggery

Airfield
(disused)

Ease Drain

Normanton
Hall

Normanton
House

Peacock
Farm

Little Covert
Farm

Normanton

5

40

Home
Farm

Elm
Farm

4

Sewage
Works

Beacon
Hill

NG13

Mast

Beckingthorpe

LC

Rectory
Farm

LC

Bottesford

Bottesford

3

39

The Nook

Beacon View

Spire View

Marsh Ct

Station Rd

Old Station Yd

Wimbishthorpe Cl

Winterbeck Cl

Pinfold Cl

Bowbridge Cotts La

Farmhouse Cl

Rectory La

Church View

Church St

St Mary's Ct

Chestnut Dr

Thorpe Dr

Davbell Av

Fleming Ave

Vaughan Av

Avon La

The Square

Riverside Cl

Pinfold Wlk

Rectory
Ct

Wyggeston Av

Wyggeston Ave

West End Cl

High St

Albert St

Chapel St

Walford
Cl

Queen St

Market St

PO

Liby

Rutland La

Beech Dr

Eastthorpe Rd

Easthorpe View

Castle Cl

Grantham Rd

2

Walnut St

Warwick
Flats

Granby Dr

North
Cres

Nyggeston
Cotts

Silverwood Rd

School View

South
Cres

Keel Dr

Manor
Farm

Manor Rd

Green La

South
View

River Devon

Bottesford
CE Prim
Sch

The Elms

Barkestone La

Belvoir Ave

Vine Cl

Howitts Rd

Belvoir Rd

Easthorpe

Castle View Rd

Muston La

Grantham Rd

A52

1

Belvoir
High Sch

Castleview
Farm

Corner
Farm

Skerry La

Winterbeck
Bridge

Easthorpe La

Hospital
Farm

38

A52

A52

A B C D E F

80 81 82

7

4

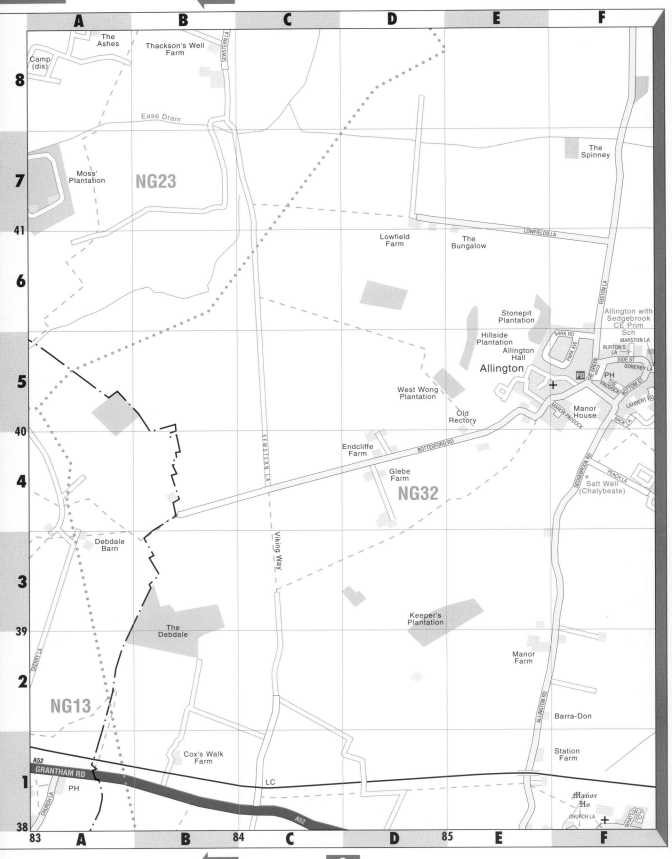

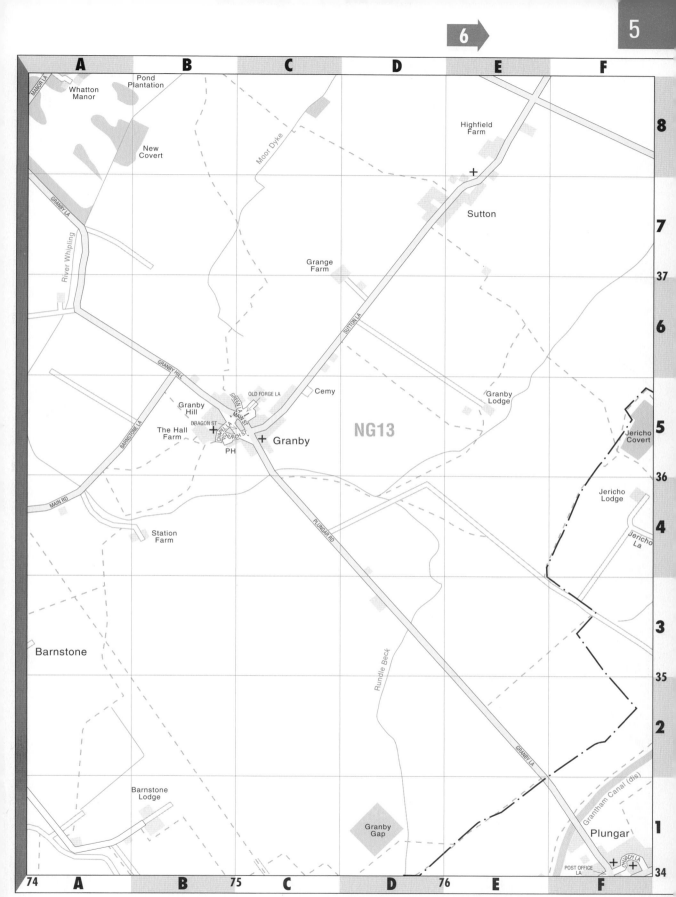

A   B   C   D   E   F

The Becks
Plantation

8

New Vale
Farm

Eady's
Farm

7

BARKESTONE LA

37

Lodge
Farm

The Grimmer

6

Old Hill
Farm

Glebe
Farm

5

Jericho
Covert

36

Grantham Canal (dis)

NG13

4

The
Lodge

MAIN RD

EASTHORPE
LA

Jericho La

CHURCH CNR

PH

DRIFT HILL

BAKER'S LA

POST OFFICE LA

REDMILE LA

CHURCH LA

MAIN ST

BELVOIR RD

3

Redmile
CE Prim
Sch

Redmile

Sewage
Works

35

Ivy House
Farm

JERICHO LA

THE GREEN

MARSHALL FARM CL

NEW CAUSEWAY

FISHPOND LA

Barkestone-le-Vale

2

CHAPEL ST

MIDDLE ST

RUTLAND SQ

PH

THE OLD LA

TOWN END

WOOD LA

LONG LA

PLUNGAR LA

1

WOODVIEW

Vale
House

34

77   A   B   78   C   D   79   E   F

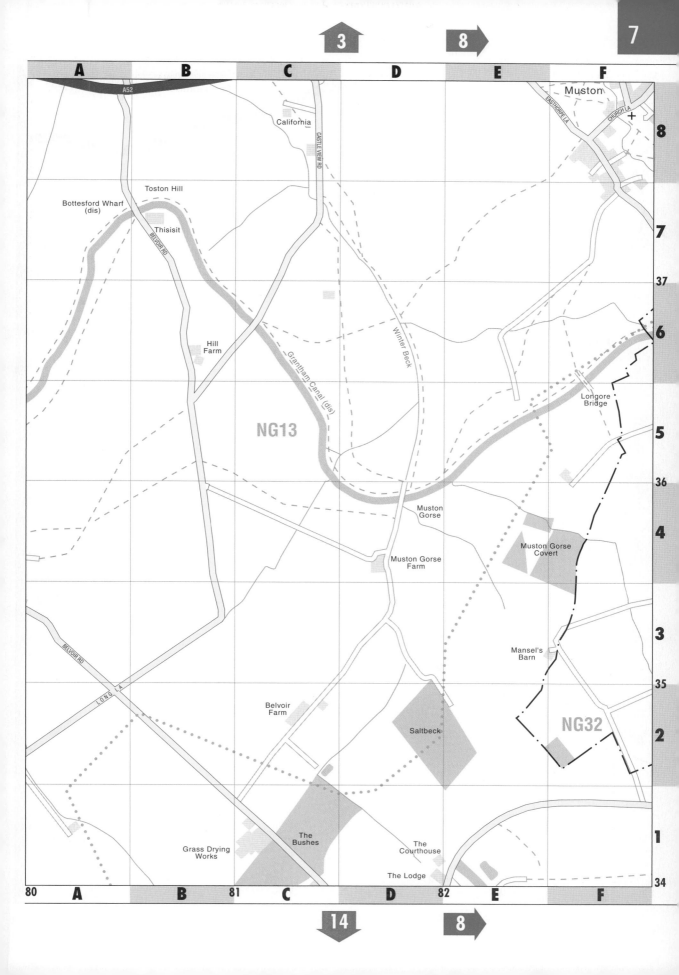

A52

A B C D E F

Muston

California

CASTLE VIEW RD

CASTHORPE LA

CHURCH LA

8

Toston Hill

Bottesford Wharf
(dis)

Thisisit

BELVOIR RD

7

37

Hill
Farm

Winter Beck

6

Grantham Canal (dis)

Longore
Bridge

NG13

5

36

Muston
Gorse

4

Muston Gorse
Covert

Muston Gorse
Farm

3

Mansel's
Barn

35

BELVOIR RD

LONG LA

Belvoir
Farm

Saltbeck

NG32

2

Grass Drying
Works

The
Bushes

The
Courthouse

The Lodge

1

34

80 A B 81 C D 82 E F

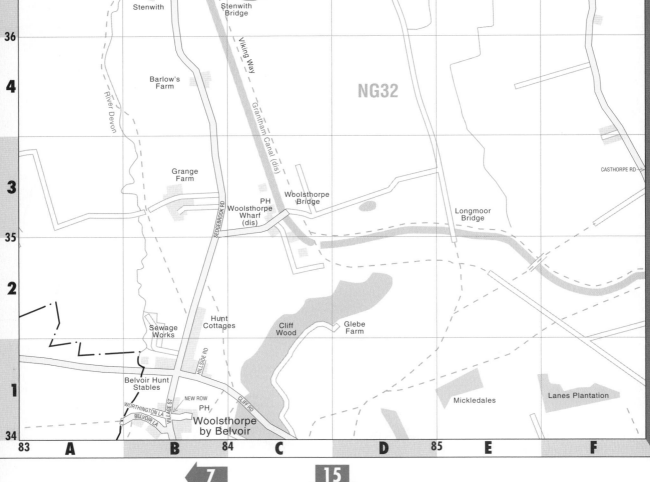

	A	B	C	D	E	F

8

Sedgebrook

Mill Farm
Cottages

White House
Farm

VILLAGE ST

CHURCH LA

ABBEY LA

SCHOOL LA

A52

NG13

A52

SEVISTERN LA

Mill Farm

Willow
Bridge

Mill Farm

7

Shipman's
Plantation

DENTON LA

37

6

Muston
Bridge

Breeder Hills
Farm

Lock
House

New
Cottages

Casthorpe
Farm

Coe Farm

WOOLSTHORPE LA

5

Stenwith

Stenwith
Bridge

Viking Way

36

Barlow's
Farm

River Devon

NG32

4

Grantham Canal (dis)

CASTHORPE RD

3

Grange
Farm

PH
Woolsthorpe
Wharf
(dis)

Woolsthorpe
Bridge

Longmoor
Bridge

SEDGEBROOK RD

35

2

Sewage
Works

Hunt
Cottages

Cliff
Wood

Glebe
Farm

Mickledales

Lanes Plantation

HILLSIDE RD

CLIFF RD

Belvoir Hunt
Stables

1

NEW ROW

PH

Woolsthorpe
by Belvoir

WORTHINGTON LA

VILLAGE ST

BELVOIR LA

34

83	A		B	84	C		D	85	E		F

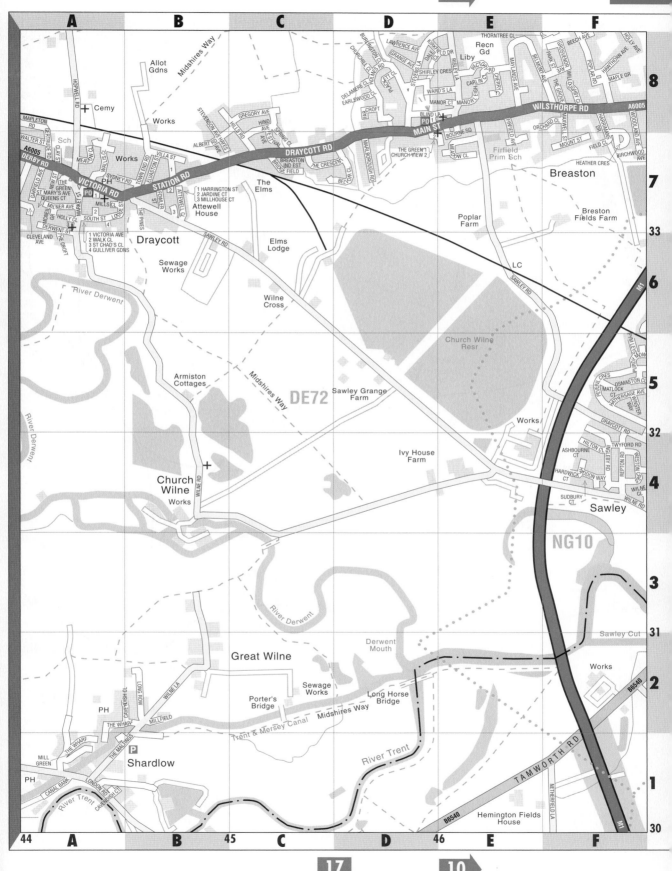

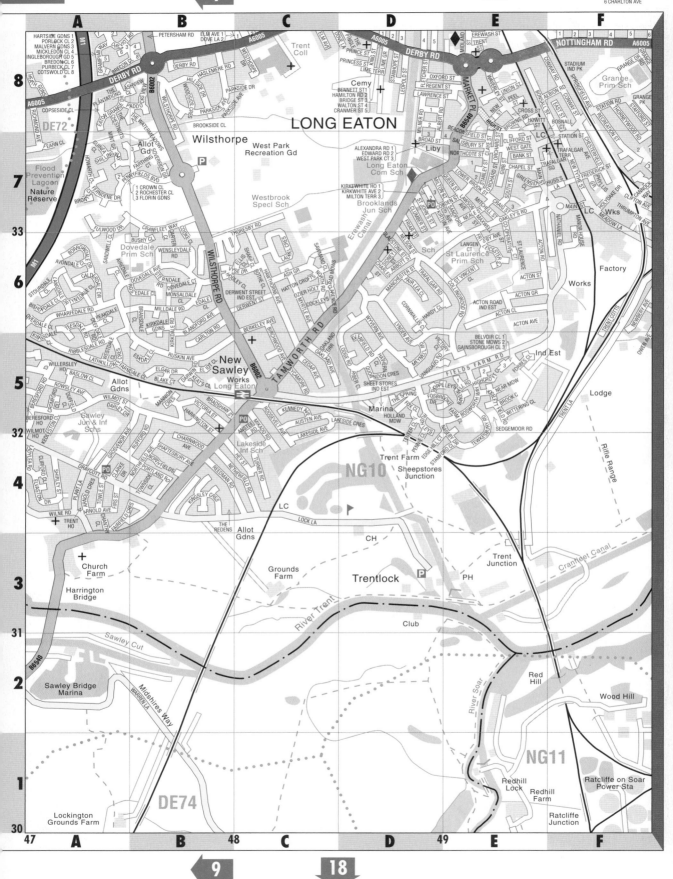

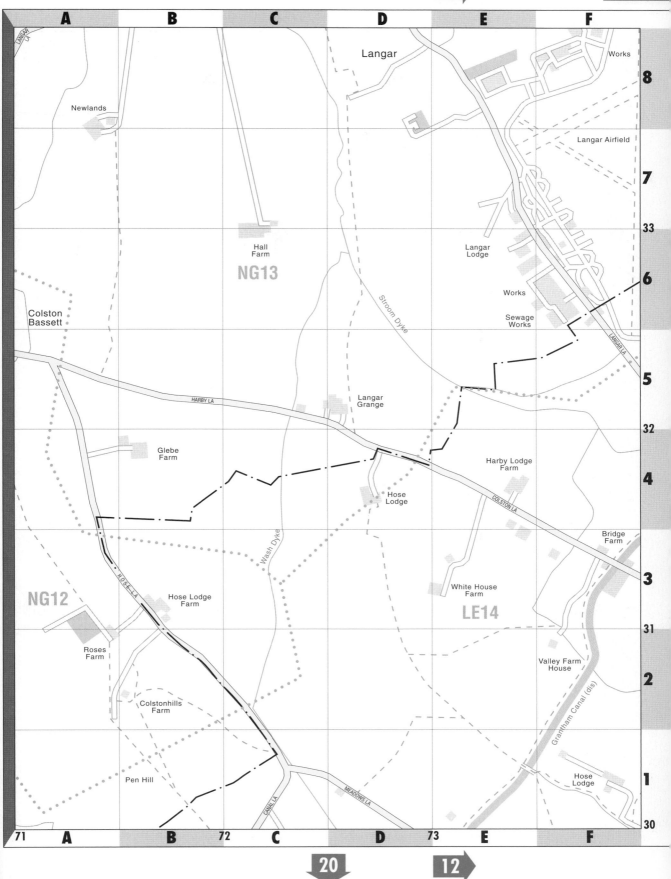

Langar

Works

Newlands

Langar Airfield

Hall
Farm

Langar
Lodge

NG13

Stroom Dyke

Works

Colston
Bassett

Sewage
Works

HARBY LA

Langar
Grange

Harby Lodge
Farm

Glebe
Farm

Hose
Lodge

COLSTON LA

Wash Dyke

Bridge
Farm

NG12

HOSE LA

Hose Lodge
Farm

White House
Farm

LE14

Roses
Farm

Valley Farm
House

Colstonhills
Farm

Grantham Canal (dis)

Pen Hill

Hose
Lodge

CANAL LA

MEADOWS LA

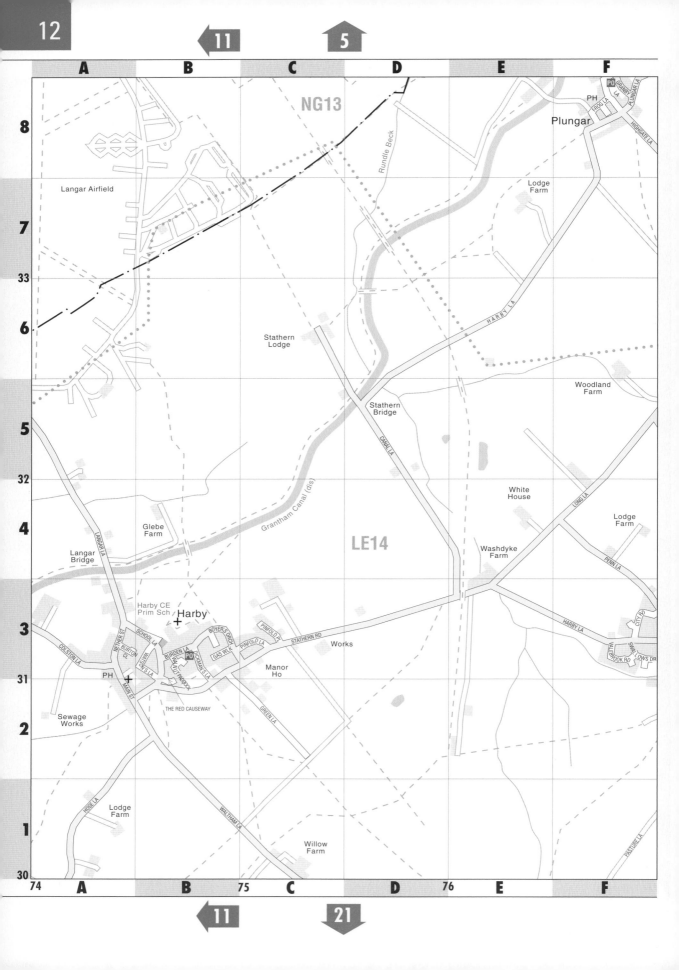

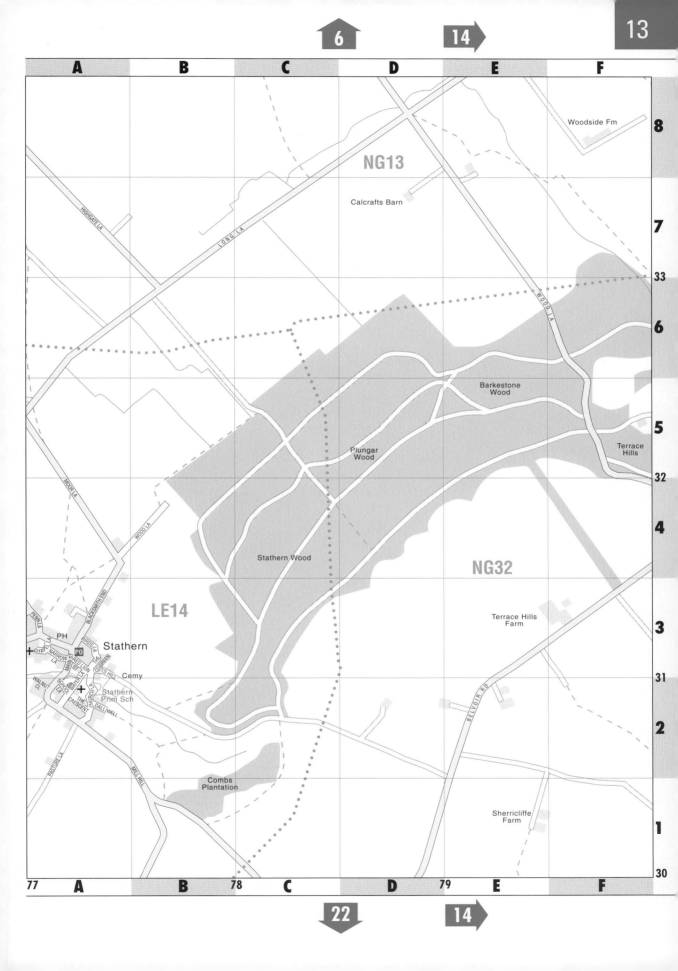

A B C D E F

8

Woodside Fm

NG13

7

Calcrafts Barn

33

HIGHGATE LA

LONG LA

6

WOOD LA

Barkestone
Wood

5

Plungar
Wood

Terrace
Hills

32

MOOR LA

WOOD LA

4

Stathern Wood

NG32

LE14

Terrace Hills
Farm

3

PENN LA

BLACKSMITH END

PH
CHAP
NARROW LA
MAIN ST
SPRED LION
BIRDS LA
THE GREEN
TOFTS HILL
Stathern
PO

Cemy

WALNUT
CL
SCHOOL LA
VICARAGE LA
DALLIWELL
THE
CRESCENT
Stathern
Prim Sch

31

BELVOIR RD

PASTURE LA

MILL HILL

2

Combs
Plantation

Sherricliffe
Farm

1

30

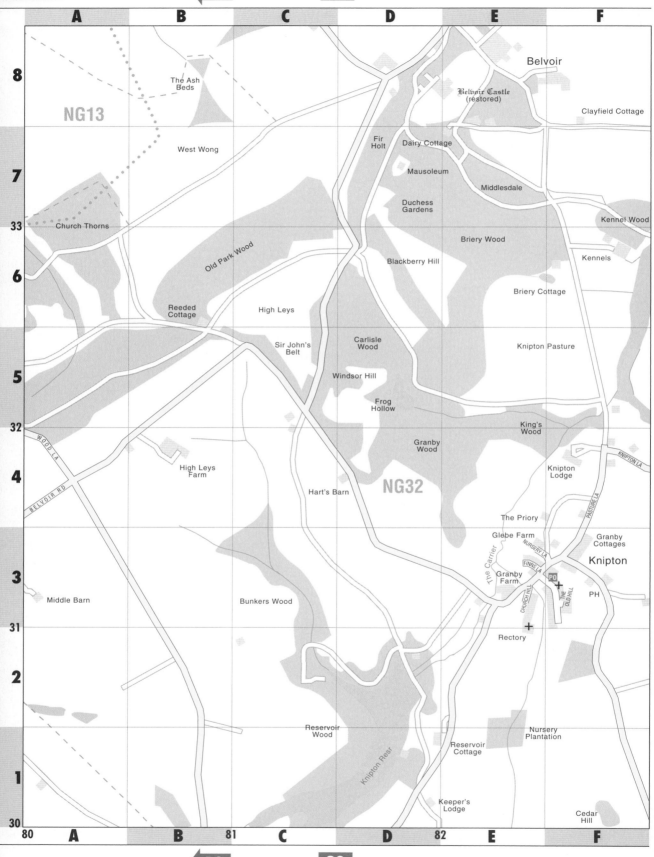

A B C D E F

8

NG13

The Ash
Beds

West Wong

Belvoir

Belvoir Castle
(restored)

Clayfield Cottage

7

Fir
Holt

Dairy Cottage

Mausoleum

Middlesdale

33

Church Thorns

Duchess
Gardens

Kennel Wood

Briery Wood

6

Old Park Wood

Blackberry Hill

Kennels

Reeded
Cottage

High Leys

Briery Cottage

5

Sir John's
Belt

Carlisle
Wood

Knipton Pasture

Windsor Hill

32

Frog
Hollow

King's
Wood

4

WOOD LA

High Leys
Farm

Granby
Wood

Knipton
Lodge

KNIPTON LA

BELVOIR RD

Hart's Barn

NG32

PASTURE LA

The Priory

Granby
Cottages

Glebe Farm

Knipton

3

Middle Barn

Bunkers Wood

The Carrier

Granby
Farm

NURSERY LA

FINNS LA

PO

THE OLD HILL

PH

CHURCH HILL

31

Rectory

2

Reservoir
Wood

Knipton Resr

Reservoir
Cottage

Nursery
Plantation

1

Keeper's
Lodge

Cedar
Hill

30

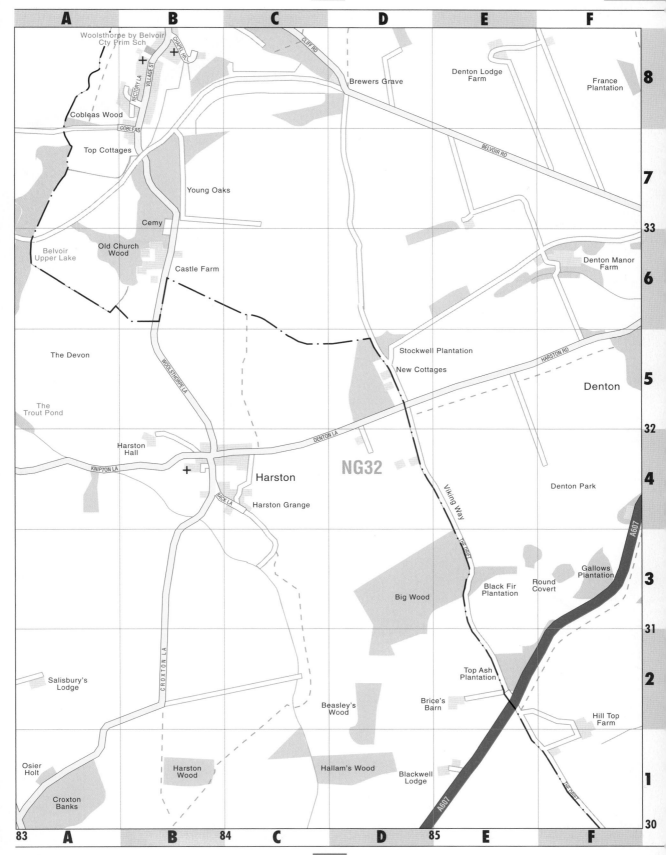

A B C D E F

Woolsthorpe by Belvoir Cty Prim Sch

CLIFF RD

Denton Lodge Farm

France Plantation

8

Brewers Grave

BELVOIR RD

RECTORY LA
VILLAGE ST
CHAPEL HILL

Cobleas Wood

COBLEAS

Top Cottages

Young Oaks

7

33

Cemy

Old Church Wood

Denton Manor Farm

Belvoir Upper Lake

Castle Farm

6

The Devon

Stockwell Plantation

HARSTON RD

New Cottages

WOOLSTHORPE LA

Denton

5

The Trout Pond

32

Harston Hall

KNIPTON LA

DENTON LA

NG32

Harston

Denton Park

4

BACK LA

Harston Grange

Viking Way

CROXTON LA

Big Wood

Black Fir Plantation

Round Covert

Gallows Plantation

THE DRIFT

A607

3

31

Salisbury's Lodge

Top Ash Plantation

2

Beasley's Wood

Brice's Barn

Hill Top Farm

Osier Holt

Harston Wood

Hallam's Wood

Blackwell Lodge

THE DRIFT

1

Croxton Banks

A607

30

83 A 84 B C D 85 E F

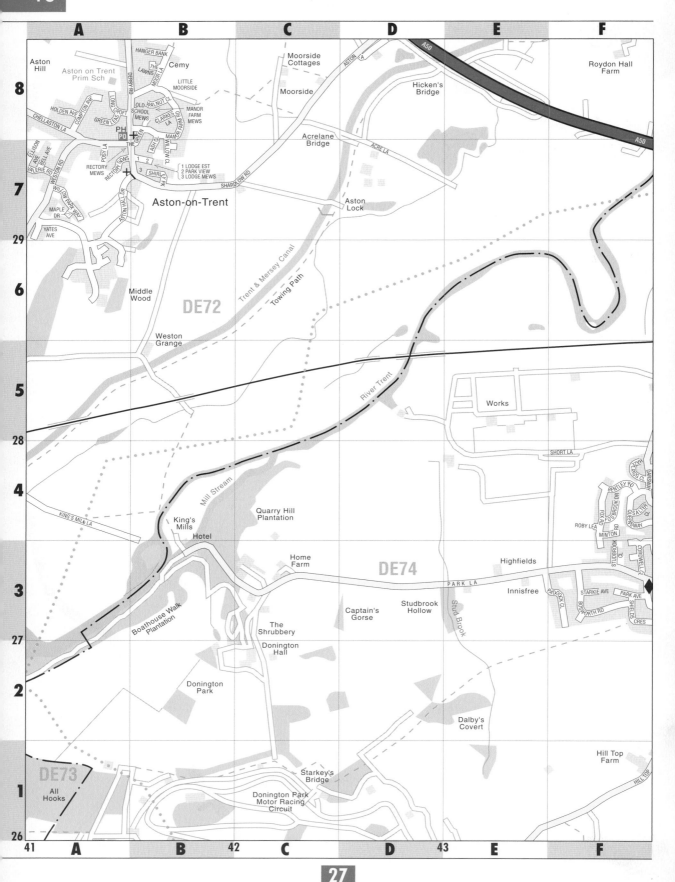

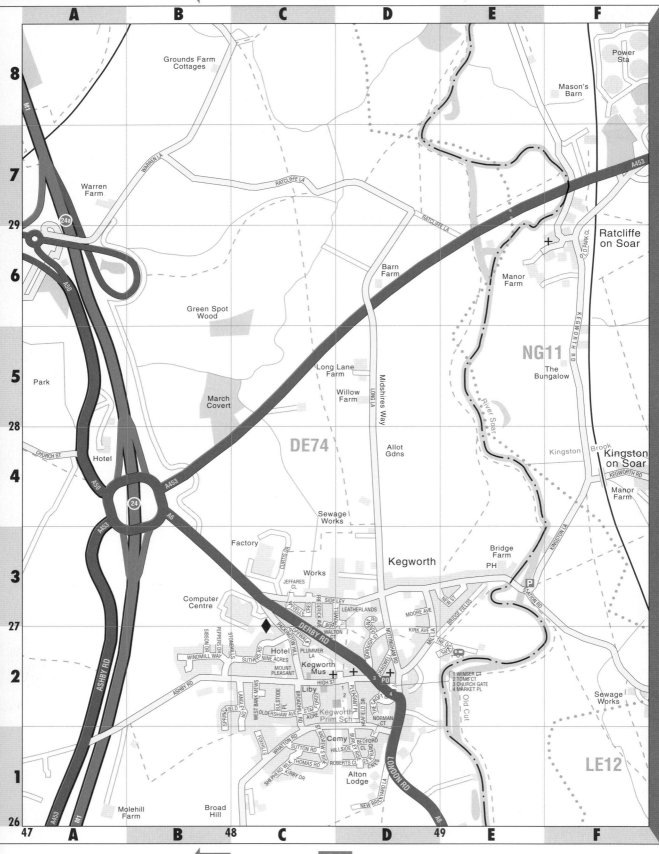

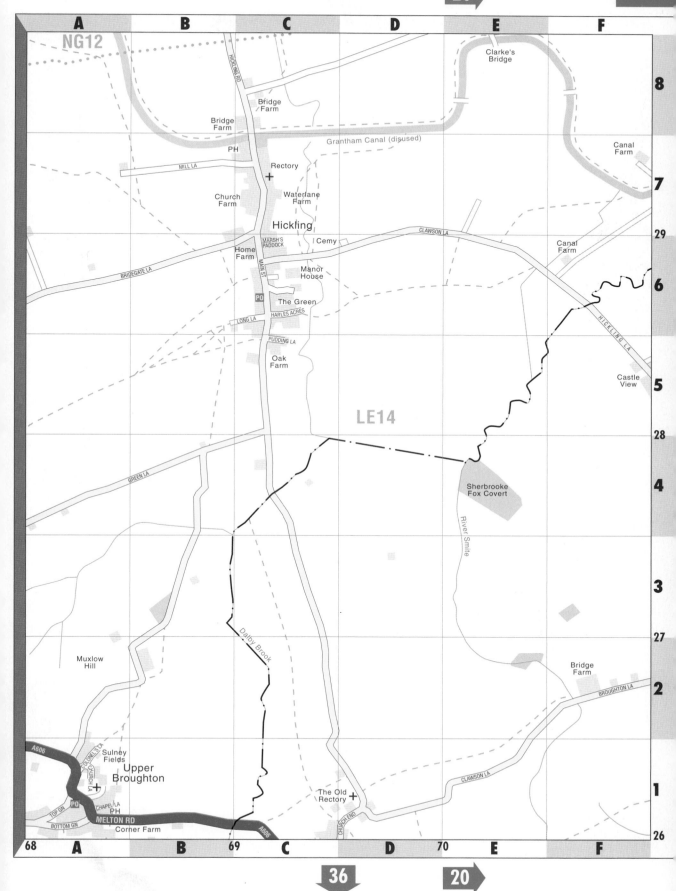

19
11

| A | B | C | D | E | F |

8

Grantham Canal (disused)

Long Clawson Bridge

Hose Thorns

Marriott's Bridge

Wash Dyke

MEADOWS LA

Bridge House

CANAL LA

Hose Grange

STROUD'S CL

Hose

Hose Lodge

Works

THE GREEN

CHAPEL LA

CHURCH WALK

COAL LA

HARBY LA

PASTURES

PH

MIDDLE CHURCH CL

ST. CHURCH CL

DAIRY LA

7

River Smite

Hose CE Sch

BOLTON LA

The Farm

PH

29

6

Brook Farm

Glebe Farm

CANAL LA

Dam Dyke

HOSE LA

5

Castle View

Highfield Farm

28

LE14

Hall Farm

4

HICKLING LA

WATER LA

Barkers Farm

Long Clawson CE Prim Sch

PAGET'S END

BARKERS FIELD

PH

EAST END

3

West End Farm

HOLLYTREE LA

CHURCH LA

SCHOOL LA

THE SANDS

PO

PH

BACK LA

Long Clawson

MILL LA

27

WEST END

CLAXTON RISE

Manor Farm

KINGS RD

2

BROUGHTON LA

Hill Farm

CORONATION AVE

Cemy

SANDPIT LA

Mill Farm

Windmill (disused)

WALTHAM LA

Brookhill Cottage

Slyborough Hill

MELTON RD

Old Mill House

1

Sandpit Farm

26

| 71 | A | | B | 72 | C | | D | 73 | E | | F |

19
37

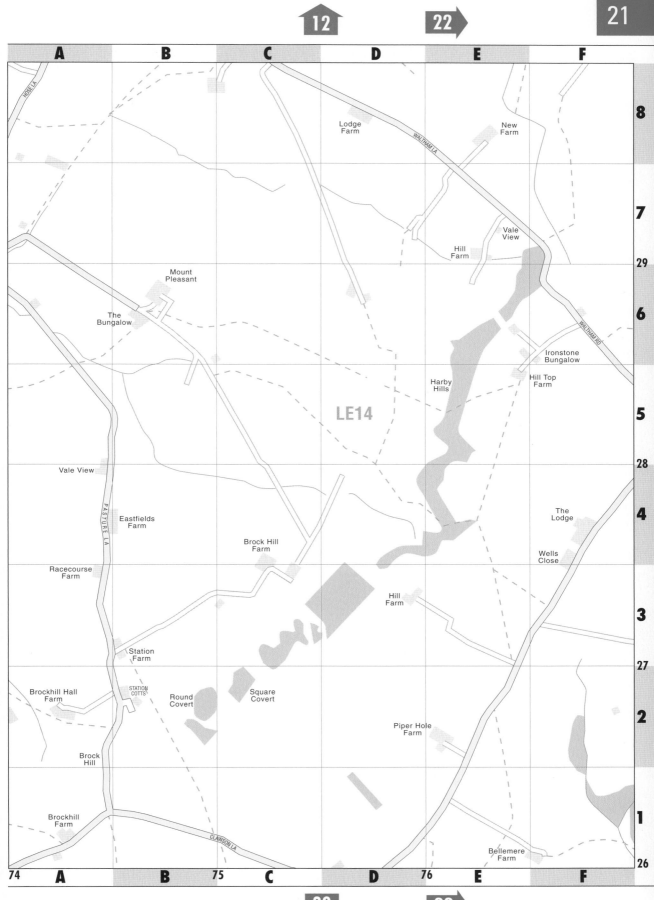

A   B   C   D   E   F

8

7

29

6

5

28

4

3

27

2

1

26

Lodge Farm

New Farm

WALTHAM LA

Vale View

Hill Farm

Mount Pleasant

The Bungalow

WALTHAM RD

Ironstone Bungalow

Hill Top Farm

Harby Hills

LE14

Vale View

PASTURE LA

Eastfields Farm

The Lodge

Brock Hill Farm

Wells Close

Racecourse Farm

Hill Farm

Station Farm

STATION COTTS

Brockhill Hall Farm

Round Covert

Square Covert

Piper Hole Farm

Brock Hill

Brockhill Farm

CLAWSON LA

Bellemere Farm

74   A   B   75   C   D   76   E   F

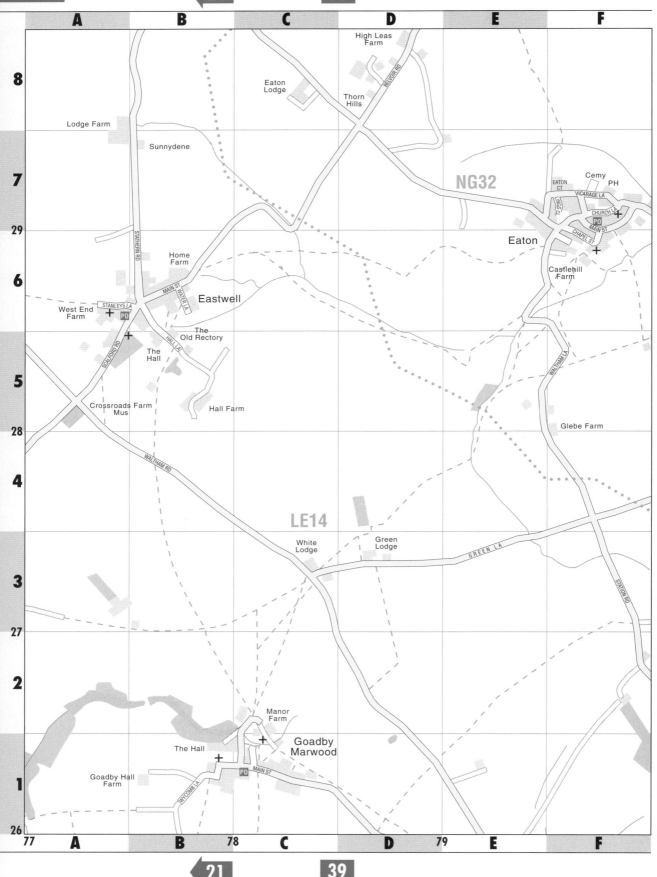

| | A | B | C | D | E | F |

High Leas Farm
Eaton Lodge
Thorn Hills
BELVOIR RD
Lodge Farm
Sunnydene
NG32
Cemy
EATON CT
PH
VICARAGE LA
LINGS CL
CHURCH LA
PO
MAIN ST
Eaton
CHAPEL ST
STATHERN RD
Home Farm
MAIN ST
WATER LA
Eastwell
Castlehill Farm
West End Farm
STANLEYS LA
PO
The Old Rectory
SCALFORD RD
The Hall
HALL LA
WALTHAM LA
Crossroads Farm Mus
Hall Farm
Glebe Farm
WALTHAM RD
LE14
White Lodge
Green Lodge
GREEN LA
STATION RD
Manor Farm
The Hall
Goadby Marwood
Goadby Hall Farm
IVYCOMB LA
PO
MAIN ST

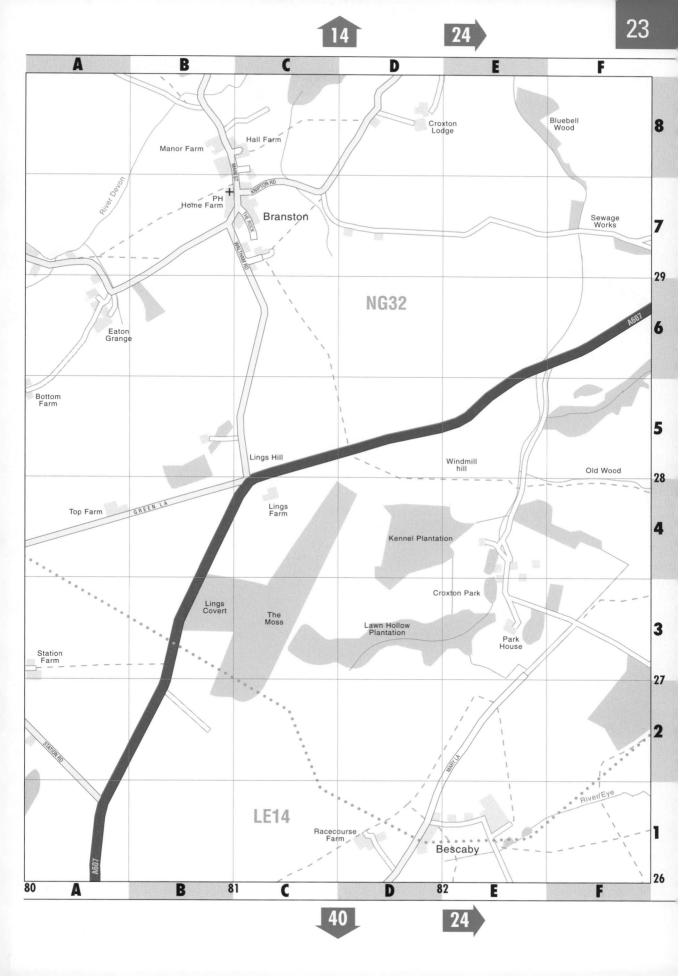

| A | B | C | D | E | F |

8 — Croxton Lodge, Bluebell Wood

Manor Farm, Hall Farm

River Devon

PH, Home Farm

Branston

Sewage Works

7

29

NG32

A607

6

Eaton Grange

Bottom Farm

5

Lings Hill, Windmill hill, Old Wood

28

Top Farm, GREEN LA, Lings Farm

4

Kennel Plantation

Lings Covert, The Moss, Croxton Park

Lawn Hollow Plantation, Park House

3

Station Farm

27

STATION RD, MARY LA

2

River/Eye

LE14

Racecourse Farm

Bescaby

1

26

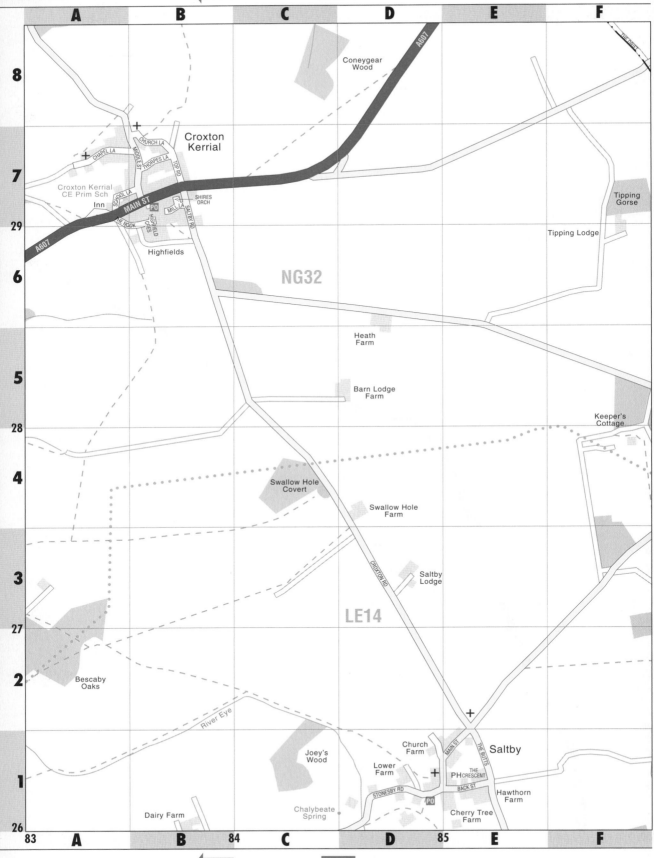

A B C D E F

8

Coneygear
Wood

A607

7

Croxton
Kerrial

CHURCH LA

CHAPEL LA

MIDDLE ST

THORPES LA

TOP RD

Croxton Kerrial
CE Prim Sch

SCHOOL LA

SHIRES
ORCH

Inn

MAIN ST

PO

MILL LA

SALTBY RD

THE HOOK

HIGHFIELD CRES

29

Highfields

Tipping
Gorse

Tipping Lodge

6

NG32

Heath
Farm

5

Barn Lodge
Farm

Keeper's
Cottage

28

4

Swallow Hole
Covert

Swallow Hole
Farm

3

CROXTON RD

Saltby
Lodge

LE14

27

2

Bescaby
Oaks

River Eye

Joey's
Wood

Church
Farm

MAIN ST

THE BUTTS

Saltby

Lower
Farm

PH

THE
CRESCENT

1

STONESBY RD

PO

BACK ST

Hawthorn
Farm

Dairy Farm

Chalybeate
Spring

Cherry Tree
Farm

26

83 A 84 B C 84 D 85 E F

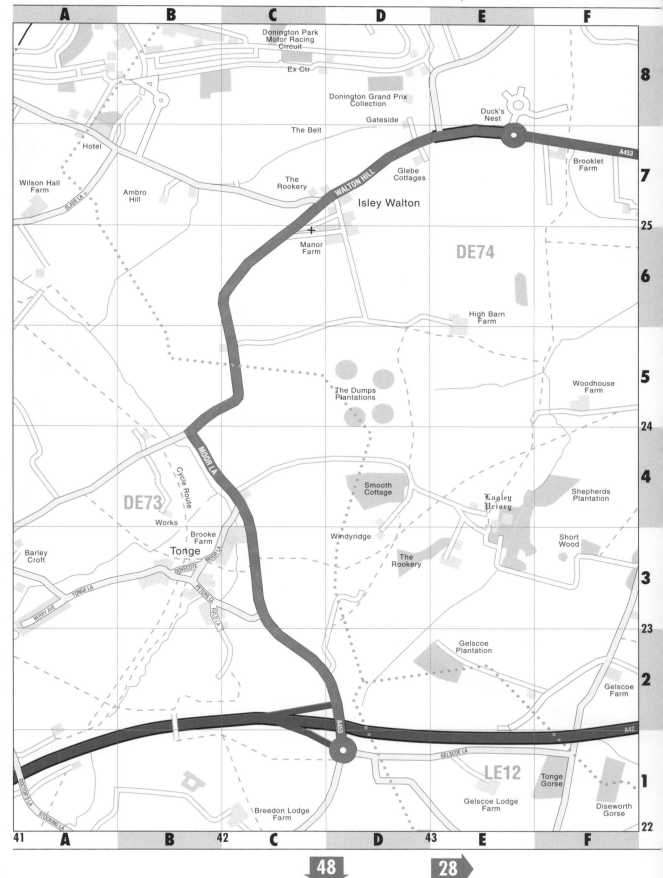

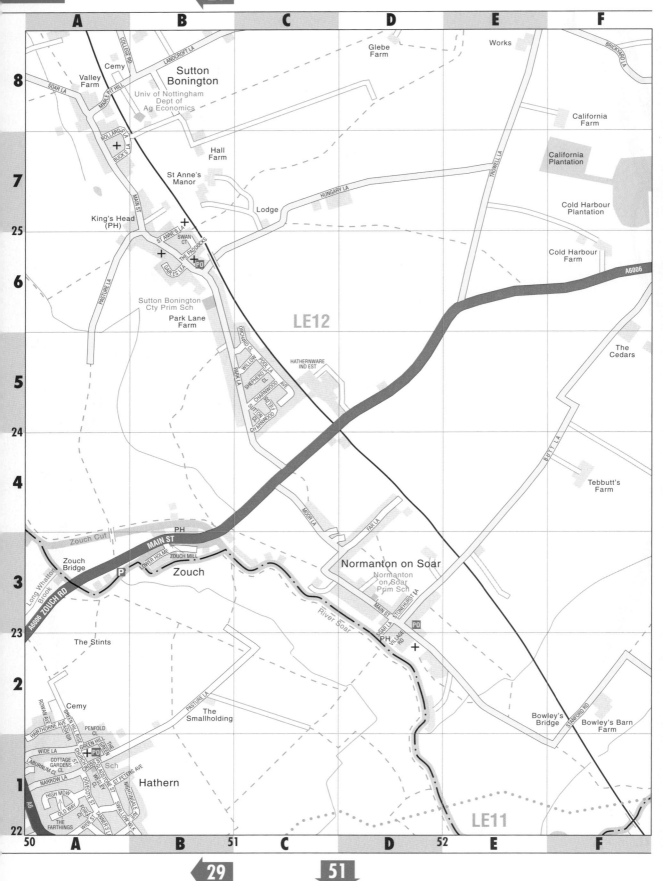

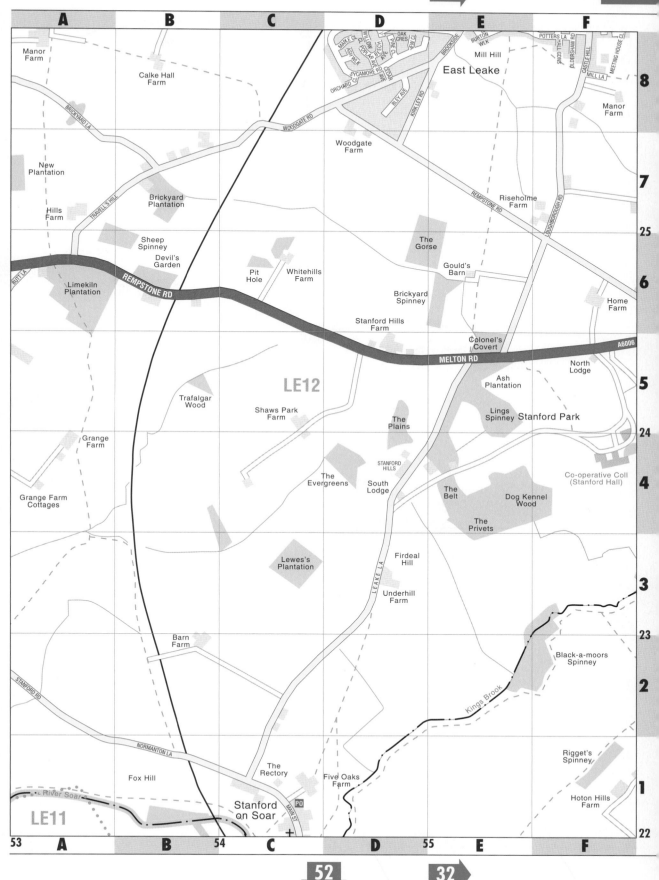

A B C D E F

8

7

25

6

5

24

4

3

23

2

1

22

Manor Farm

Calke Hall Farm

BRICKYARD LA

New Plantation

Hills Farm

TRAVELL'S HILL

Sheep Spinney

Devil's Garden

BUTT LA

Limekiln Plantation

REMPSTONE RD

Brickyard Plantation

Pit Hole

Whitehills Farm

LE12

Trafalgar Wood

Shaws Park Farm

Grange Farm

Grange Farm Cottages

The Evergreens

Lewes's Plantation

Barn Farm

STANFORD RD

NORMANTON LA

Fox Hill

The Rectory

MAIN ST

PO

Stanford on Soar

LE11

River Soar

WOODGATE RD

Woodgate Farm

East Leake

Mill Hill

MARLE CL
ASH WALK
WILTON CL
BEECH AVE
POPLAR AVE
PINE CL
CEDAR AVE
OAK CRES
SYCAMORE RD
ORCHARD CL
BLEA AVE
KIRK LEY RD
BROOKSIDE

BURTON WLK

POTTERS LA
OLDERSHAW RD
CASTLE HILL
MEETING HOUSE CL
KINGS HALL
MILL LA

Manor Farm

REMPSTONE RD

Riseholme Farm

LOUGHBOROUGH RD

The Gorse

Gould's Barn

Brickyard Spinney

Home Farm

Stanford Hills Farm

Colonel's Covert

MELTON RD

A6006

Ash Plantation

North Lodge

The Plains

Lings Spinney

Stanford Park

STANFORD HILLS

South Lodge

The Belt

Dog Kennel Wood

Co-operative Coll (Stanford Hall)

The Privets

Firdeal Hill

Underhill Farm

LEAKE LA

Kings Brook

Black-a-moors Spinney

Rigget's Spinney

Five Oaks Farm

Hoton Hills Farm

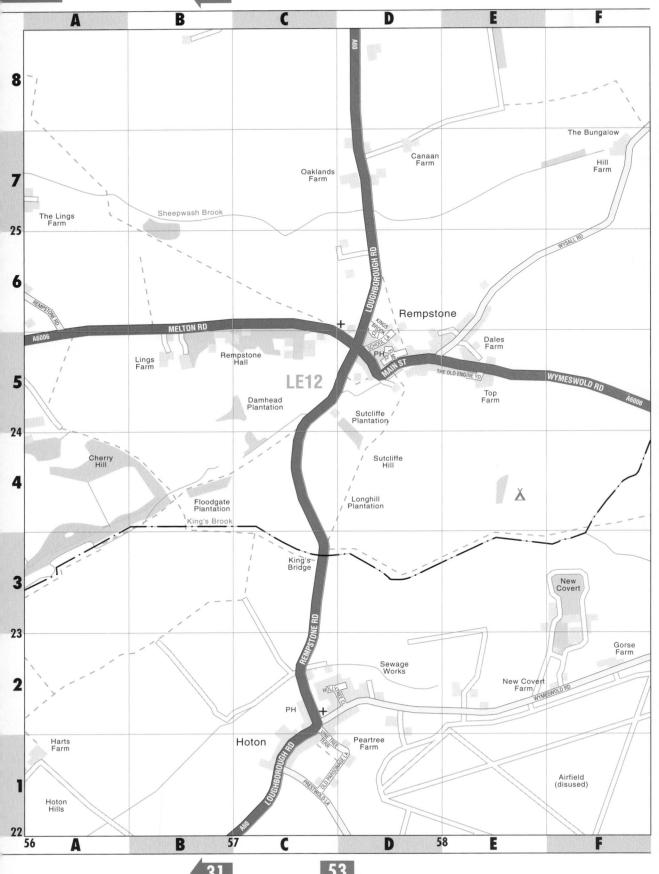

31

A　B　C　D　E　F

8

7

25

6

The Lings
Farm

Sheepwash Brook

Oaklands
Farm

Canaan
Farm

The Bungalow

Hill
Farm

WYSALL RD

LOUGHBOROUGH RD

A60

Rempstone

KINGS
BROOK
CL

SCHOOL LA

PH

MAIN ST

THE OLD ENGINE YD

Dales
Farm

WYMESWOLD RD

A6006

REMPSTONE RD

MELTON RD

A6006

Lings
Farm

Rempstone
Hall

LE12

Damhead
Plantation

Sutcliffe
Plantation

Top
Farm

24

Cherry
Hill

Floodgate
Plantation

King's Brook

King's
Bridge

Sutcliffe
Hill

Longhill
Plantation

New
Covert

3

23

Gorse
Farm

Sewage
Works

New Covert
Farm

WYMESWOLD RD

2

REMPSTONE RD

HOLLY TREE CL

PH

Hoton

VINE TREE
TERR

OLD PARSONAGE LA

PRESTWOLD LA

Peartree
Farm

Airfield
(disused)

1

Harts
Farm

LOUGHBOROUGH RD

A60

Hoton
Hills

22

56　A　B　57　C　D　58　E　F

31　53

5

4

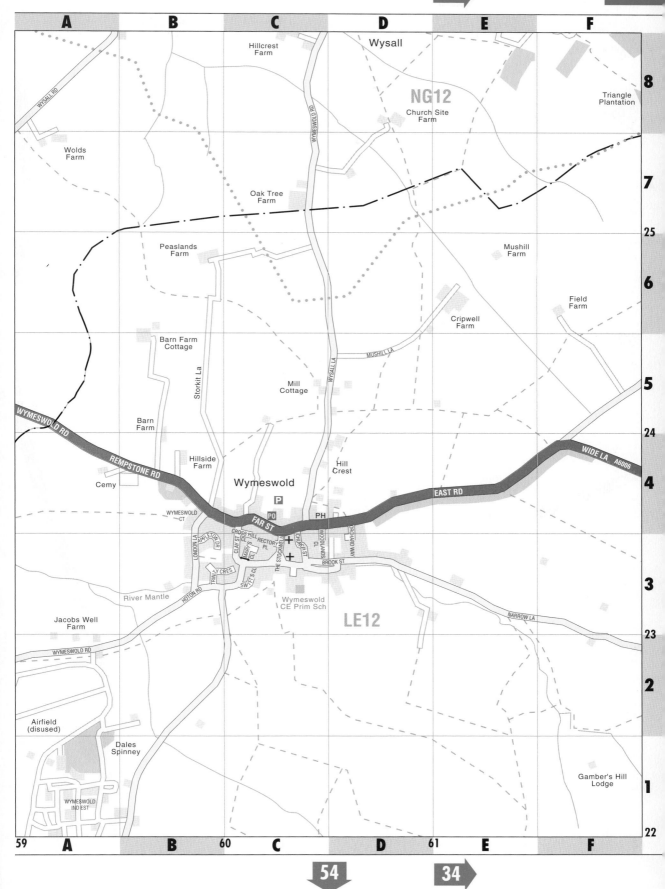

NG12

A   B   C   D   E   F

8

Eclpool
Field

NG12

Willoughby-on-the-Wolds

Field
Farm

Bryans La

Willoughby
-on-the-Wolds
Prim Sch

WIDMERPOOL LA

MILL LA

NEW
ROW

Willoughby
Gorse

7

Old Hall
Farm

CHAPEL LA

MAIN ST   PO   PH

WEST THORPE

BROOK FARM
CT

Green La

CHAPEL LA

LONDON LA

BACK LA

25

Barrack
Cottages

6

OCCUPATION LA

Turnpost
Farm

5

HADES LA

24

Kingston Brook

4

A6006

Dungehill
Farm

LE12

Eller's
Gorse

LE14

Hill
Farm

WIDE LA

3

Ella's Farm

Pasture
Lodge

23

Highthorn
Farm

A46

2

NARROW LA

Willoughby Fields
Farm

PADDY'S LA

A6006

Common
Farm

Wymeswold
Lodge

1

LE14

Wolds
Farm

The
Lodge

A46

22

62   A   B   63   C   D   64   E   F

A B C D E F

8

Nether Broughton

7

25

6

5

24

4

LE14

3

23

2

1

22

68 A B 69 C D 70 E F

CHURCH END

Moat Farm

A606

HECADECK LA

BEACHNAM'S CL

CHAPEL LA

MIDDLE LA

KING ST

BLACKSMITHS CL

PO

Manor Farm

PH

The Grange

NOTTINGHAM RD

Works

GREAVES AVE

THE CRESCENT

QUEENSWAY

PRINCES RD

EARLS RD

DUKES RD

MARQUIS RD

Hatton Lodge

Broughton Lodges

A606

Playing Field

Broughton Lodge

OLD DALBY LA

Lodge Farm

STATION LA

Broughton Hill

Railway Research Station

Greenhill Farm

Stonepit Spinney

Crompton's Plantation

Marriott's Spinney

Green Hill

Berlea Farm

Friars Well Farm

Saxelbye Lodge

Marriott's Wood

Barnes Hill Plantation

Friars Well

SIX HILLS LA

Air Shafts

Grimston Tunnel

Tunnel Farm

Ten Acres Plantation

Old Dalby Wood

Saxelbye Wood

PERKINS LA

Grimston Gorse

Barn Farm

Saxelbye Pastures

Hillside Farm

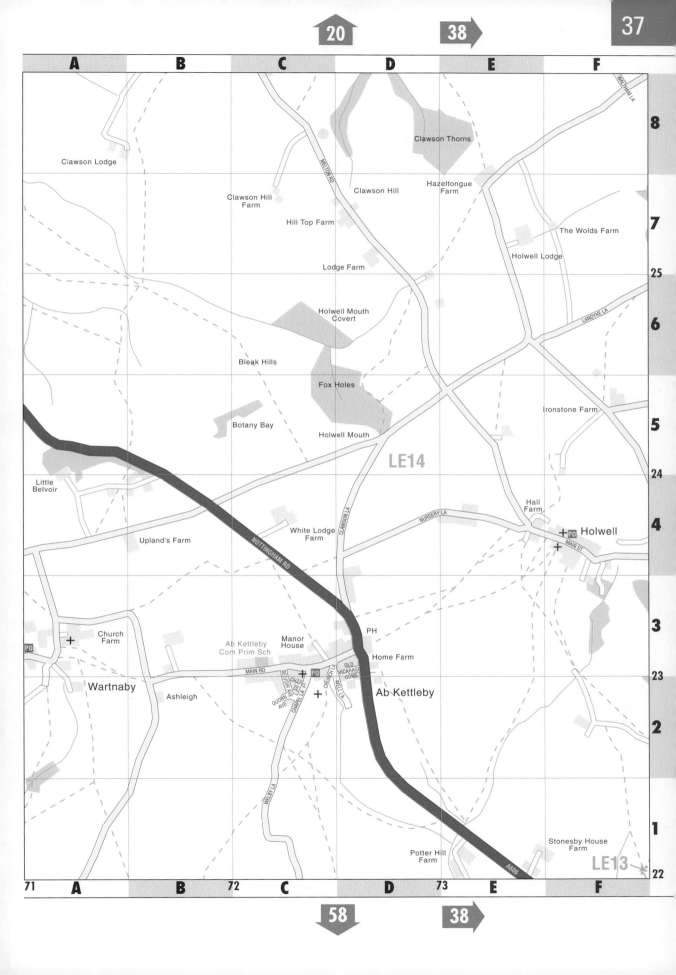

37
21

A **B** **C** **D** **E** **F**

8

CLAWSON LA

Cranyke
Farm

Wolds
Farm

LIONVILLE
COTTS

Deben
Farm

Red House
Farm

LANDYKE LA

7

The
Cottage

25

Mawbrook
Lodge

Old Brickyard
Cottages

Landyke Lane
Farm

6

Mawbrook
Farm

Manor
House

The
Willows

Scalford

5

Grange
Farm

The
Elms

KING ST
PL
PO
SANDY LA

PH

24

Cemy

PH
SOUTH
CL

QUEEN'S
CL
NEW ST
SCHOOL LA
THORPE ST

Scalford
CE Sch

SOUTH ST

4

LE14

Netherhall
Barn

THORPE SIDE

Mill Top
Farm

Brown's
Hill

Clayfield
Farm

Scalford
Lodge

3

Scalford Brook

Scalford
Hall

23

Sans
Souci

Cumberland
Lodge

Old Hills
Wood

2

Long-gate
Lodge

Old
Hills

MELTON RD

MELTON SPINNEY RD

Glebe
Farm

Melton
Spinney

1

Scalford
Gorse

SCALFORD RD

Melton
Spinney
Farm

22

LE13

74 **A** **B** 75 **C** **D** 76 **E** **F**

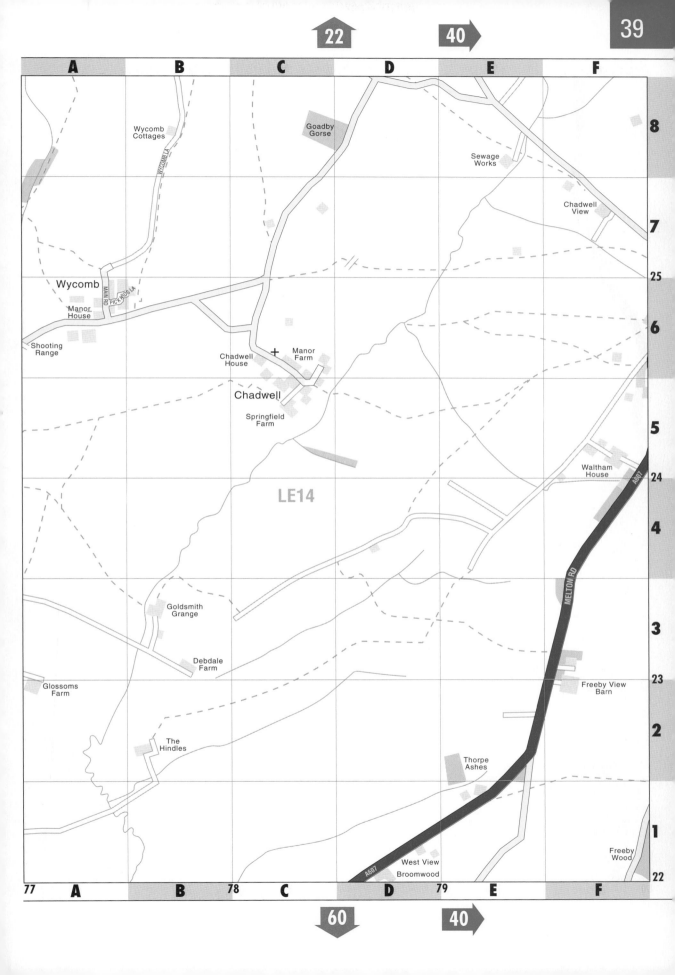

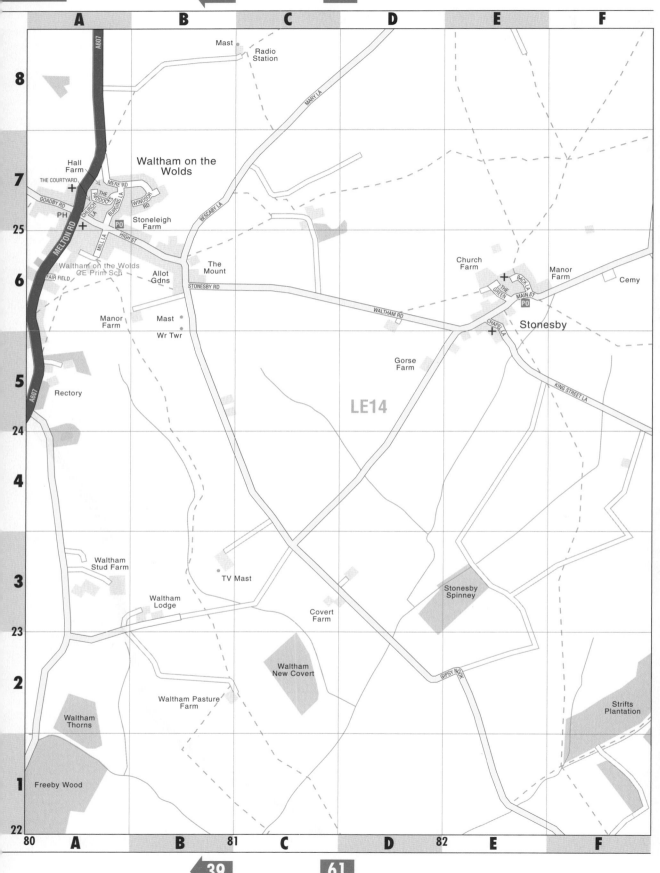

A B C D E F

8

7

25

6

5

24

4

23

3

2

1

22

Mast
Radio
Station

MARY LA

Waltham on the
Wolds

Hall
Farm
THE COURTYARD
GOADBY RD
PH
MERE RD
THE
PADDOCKS
BURBINS LA
WINDSOR
RD
CHURCH
PO
Stoneleigh
Farm
MILL LA
HIGH ST
Waltham on the Wolds
CE Prim Sch
FAIR FIELD
Allot
Gdns
The
Mount
STONESBY RD
BESCABY LA

MELTON RD
A607

Manor
Farm
Mast
Wr Twr

Rectory
A607

Gorse
Farm

Church
Farm
THE GREEN
BACK LA
MAIN ST
PO
CHAPEL LA
Manor
Farm
Cemy
Stonesby

WALTHAM RD

KING STREET LA

LE14

Waltham
Stud Farm

Waltham
Lodge
TV Mast

Covert
Farm

Stonesby
Spinney

Waltham
New Covert

GIPSY NOOK

Strifts
Plantation

Waltham Pasture
Farm

Waltham
Thorns

Freeby Wood

80 A B 81 C D 82 E F

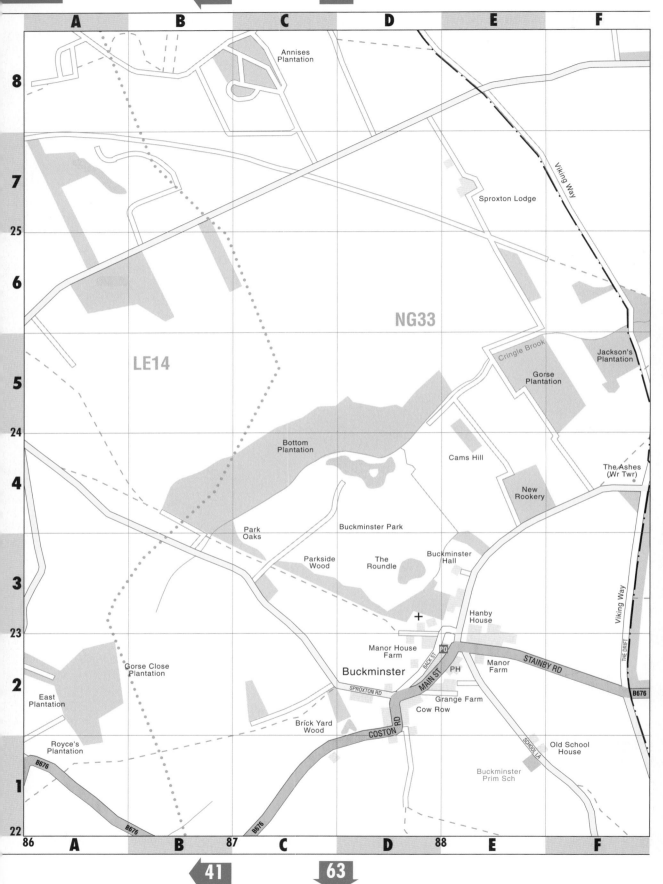

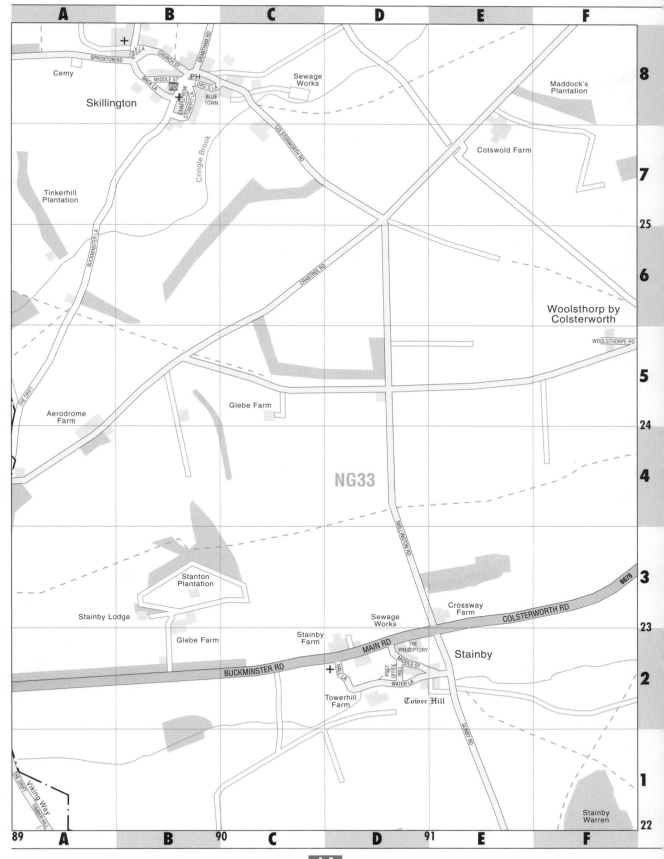

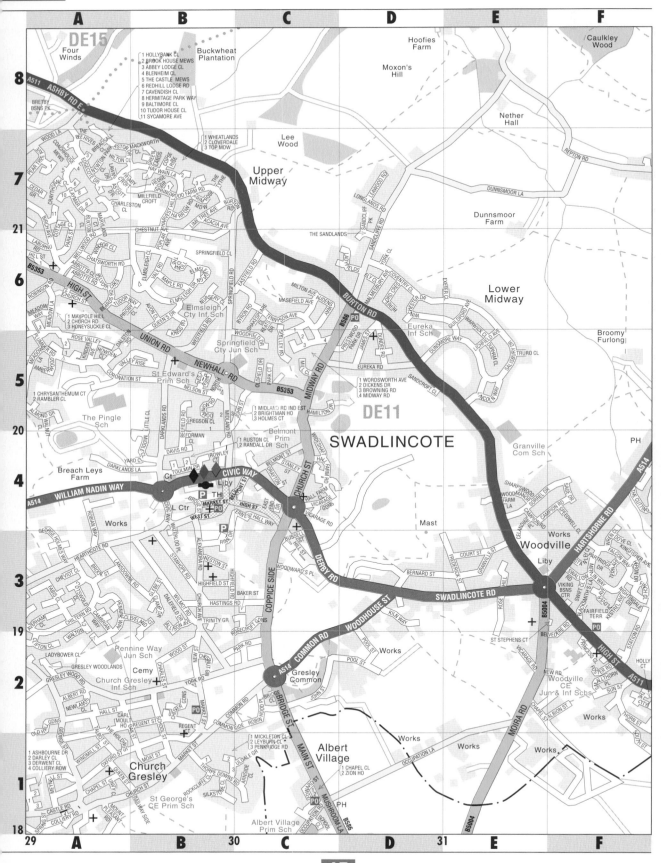

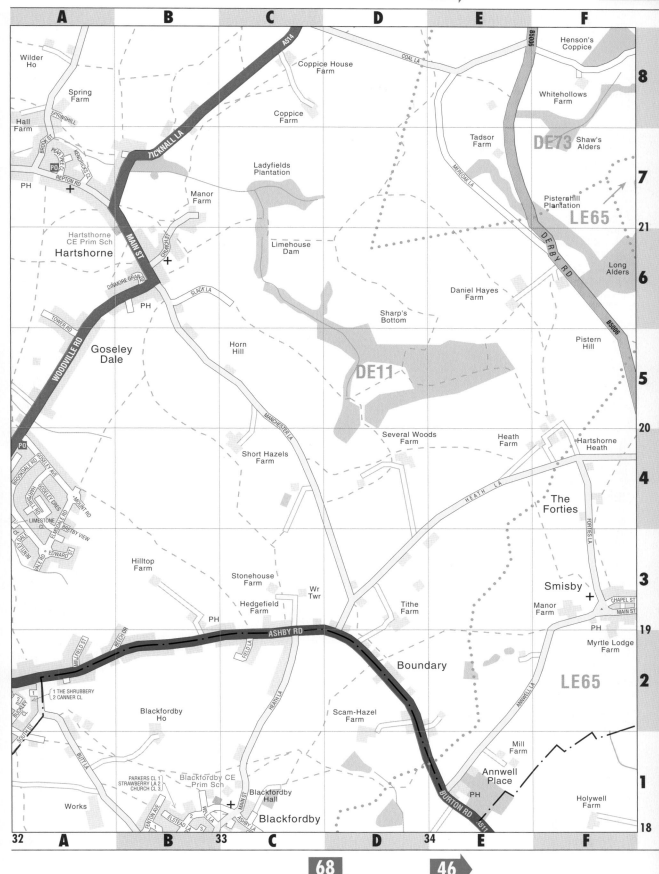

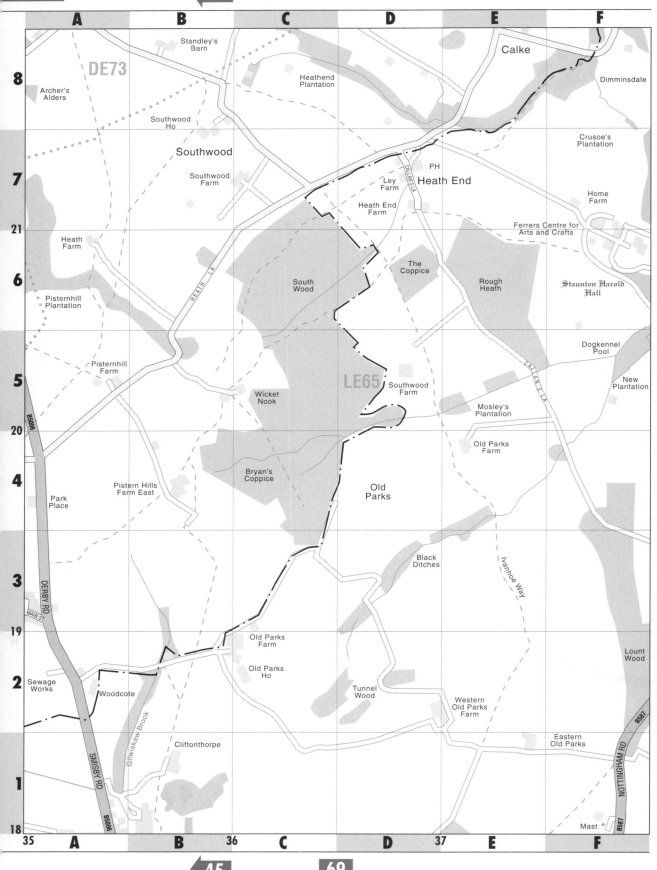

Map labels:

DE73

Standley's Barn

Archer's Alders

Heathend Plantation

Calke

Dimminsdale

Southwood Ho

Crusoe's Plantation

Southwood

Southwood Farm

PH

Ley Farm

Heath End

Home Farm

Heath End Farm

Ferrers Centre for Arts and Crafts

Heath Farm

HEATH LA

CALLAN'S LA

The Coppice

Pisternhill Plantation

South Wood

Rough Heath

Staunton Harold Hall

Dogkennel Pool

Pisternhill Farm

LE65

Southwood Farm

New Plantation

Wicket Nook

Mosley's Plantation

Park Place

Bryan's Coppice

Old Parks

Old Parks Farm

Pistern Hills Farm East

Black Ditches

Ivanhoe Way

Lount Wood

Sewage Works

DERBY RD

MAIN ST

Old Parks Farm

Old Parks Ho

Woodcote

GILWISKAW BROOK

Tunnel Wood

Western Old Parks Farm

NOTTINGHAM RD

B587

B5006

SMISBY RD

Cliftonthorpe

Eastern Old Parks

Mast

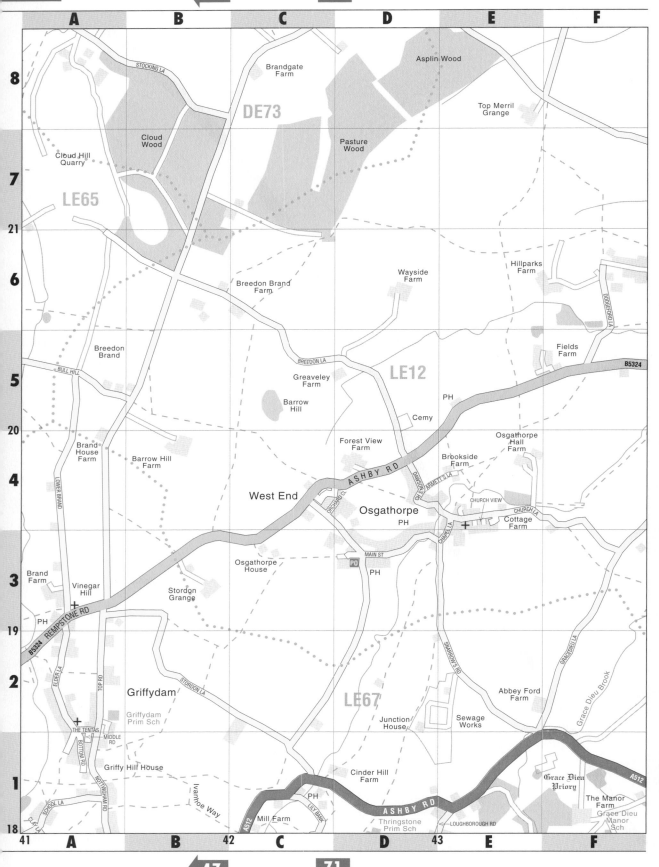

STOCKING LA

Brandgate
Farm

Asplin Wood

DE73

Cloud
Wood

Top Merril
Grange

Cloud Hill
Quarry

Pasture
Wood

7

LE65

21

Breedon Brand
Farm

Wayside
Farm

Hillparks
Farm

6

DODGEFORD LA

Breedon
Brand

BREEDON LA

LE12

Fields
Farm

B5324

BULL HILL

Greaveley
Farm

PH

5

Barrow
Hill

Cemy

20

Osgathorpe
Hall
Farm

Brand
House
Farm

Barrow Hill
Farm

Forest View
Farm

Brookside
Farm

LOWER BRAND

ASHBY RD

West End

CHURCH VIEW

Cottage
Farm

4

DAWSON'S LA
JARMETT'S LA

Osgathorpe

ORCHARD CL

PH

CHURCH LA

CHURCH LA

Brand
Farm

Osgathorpe
House

MAIN ST

Vinegar
Hill

PO

Stordon
Grange

PH

PH   +

3

REMPSTONE RD

ELDER LA

+

SWARROW'S RD

19

PH

B5324

TOP RD

GRACEDIEU LA

2

STORDON LA

Griffydam

LE67

Abbey Ford
Farm

Grace Dieu Brook

Griffydam
Prim Sch

Junction
House

Sewage
Works

THE TENTAS

+

MIDDLE
RD

Grace Dieu
Priory

A512

BOTTOM RD

NOTTINGHAM RD

Griffy Hill House

Cinder Hill
Farm

1

The Manor
Farm

SCHOOL LA

CLAY LA

Ivanhoe Way

A512

PH

LILY BANK

ASHBY RD

Grace Dieu
Manor
Sch

Mill Farm

Thringstone
Prim Sch

LOUGHBOROUGH RD

18

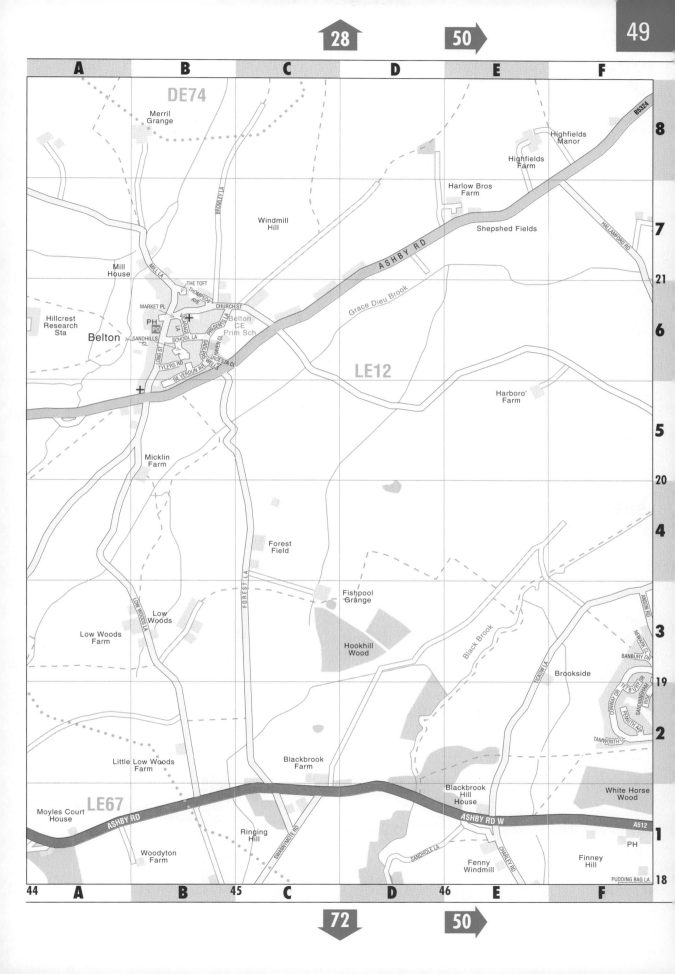

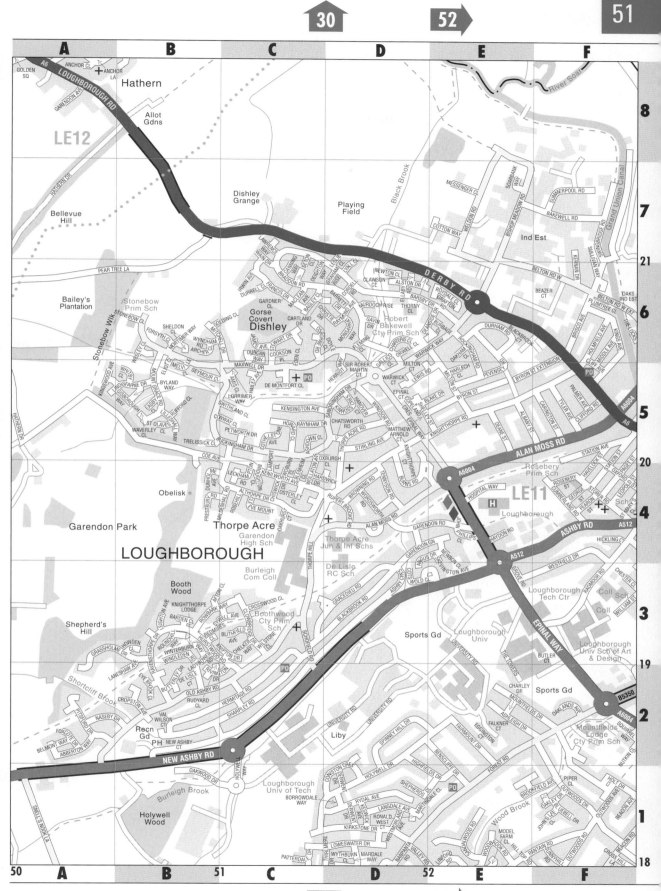

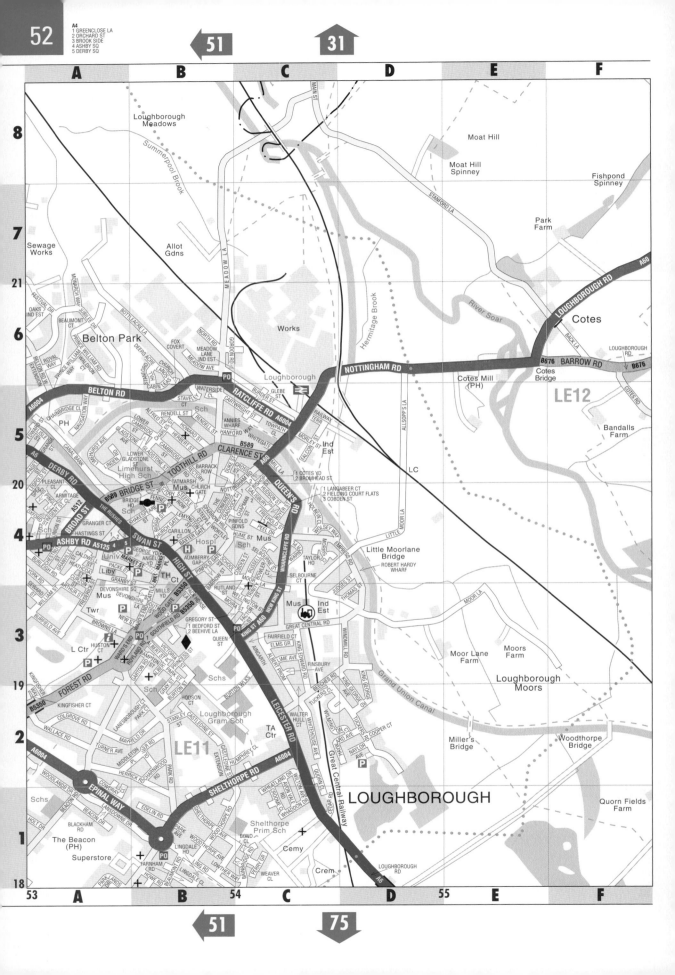

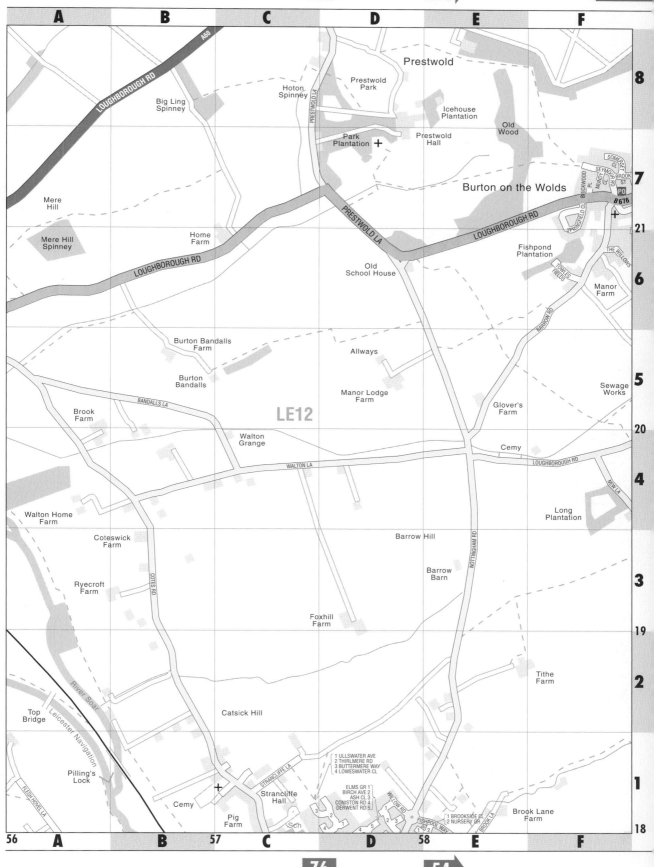

53
33

A **B** **C** **D** **E** **F**

8

The Cliff

Cliff House
Farm

Cliff
Farm

West
View

Valley
Farm

Harrow
Farm

Works

WYMESWOLD LA

Cemy

MELTON RD

B676

HUNTINGDON
CL

7

ST
ANDREWS
CL

St
Leonards

Hurst Hill
Farm

Horse Leys
Farm

Keeper's
Lodge

B676

PH

ST MARYS
CL

ST LEONARDS
CL

HALL DR

21

SEALS
CL

SOWTERS LA

LE14

Burton
Hall

Sturdee
Poultry Farm

Rancliff
Wood

6

Four Acre
Wood

The Clump

Walton Brook

Shuttlewood's
Farm

5

Middle
Plantation

Lime Hole
Plantation

Meadow
View

Bailiff's
Covert

Three
Oaks

Top
Farm

20

PO

White Lodge
Farm

LOUGHBROUGH RD

PH

SIX HILLS RD

4

SCHOOL
HILL

Middle
Farm

POPLAR
HILL

Walton on the Wolds

LE12

NEW LA

The
Manor House

BLACK LA

North
Farm

Fishpool Brook

3

19

Seagrave
Grange

2

PAUDY LA

BIG LA

PAUDY
CROSS ROADS

Cream
Lodge

Home
Farm

1

Barrow Fields
Farm

QUORN
PK

Rose
Farm

Whitehouse
Farm

MUCKLE GATE
LA

GREEN LA

MELTON RD

18

53
77

A   B   C   D   E   F

LE12

8

Burton Wolds

Lodge Farm

Willoughby Lodge

LE14

Ashbrook Farm

Egmont Farm

LE12

NARROW LA

Holly Lodge Farm

MELTON RD

7

Seldom Seen Farm

Park Farm

Twenty Acre

Six Hills Farm

21

Hotel

B676

Egypt Lodge Farm

SIX HILLS LA

Old Park Farm

LE14

Six Hills

6

Cradock's Ashes

The Oaks Farm

Walton Thorns

A46

5

Walton Thorns

Ragdale Wood

PAUDY LA

Mount Pleasant Farm

20

Wolds Farm

Lodge Farm

4

Seagrave Wolds

Thrusington Wolds Gorse

New York Farm

LE12

3

The Lodge

Bunker Hill Farm

Charlton Gorse Farm

BERRYCOTT LA

19

LE7

2

OLD GATE RD

Thrussington Grange

Ox Brook

North Hill Farm

A46

1

18

62   A   B   63   C   D   64   E   F

55
35

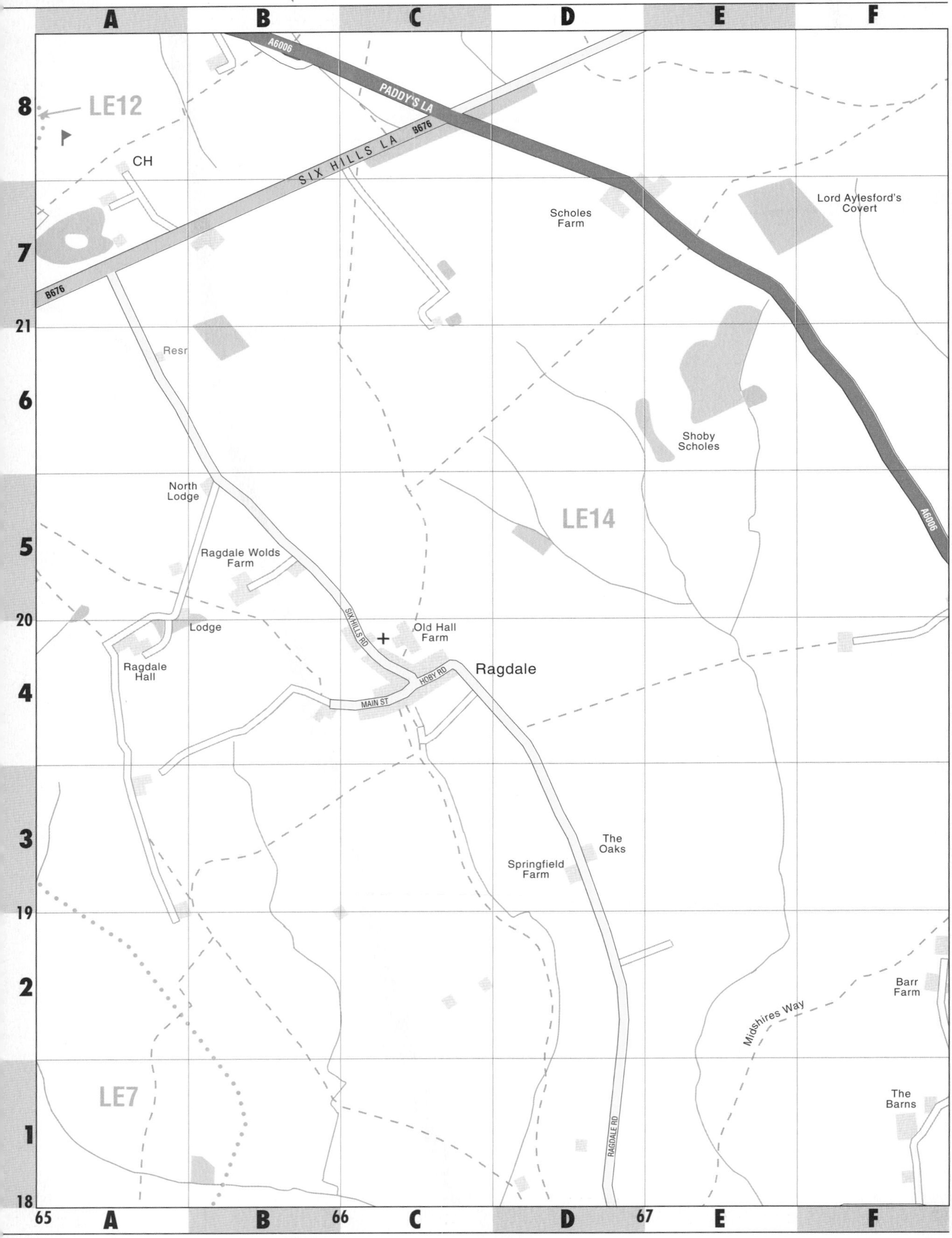

A   B   C   D   E   F

8

LE12

CH

A6006

PADDY'S LA

SIX HILLS LA

B676

Scholes
Farm

Lord Aylesford's
Covert

7

B676

21

Resr

6

Shoby
Scholes

North
Lodge

LE14

5

Ragdale Wolds
Farm

20

SIX HILLS RD

Old Hall
Farm

+

Lodge

Ragdale

Ragdale
Hall

HOBY RD

4

MAIN ST

A6006

3

The
Oaks

Springfield
Farm

19

2

Midshires Way

Barr
Farm

RAGDALE RD

LE7

The
Barns

1

18

65   A   B   66   C   D   67   E   F

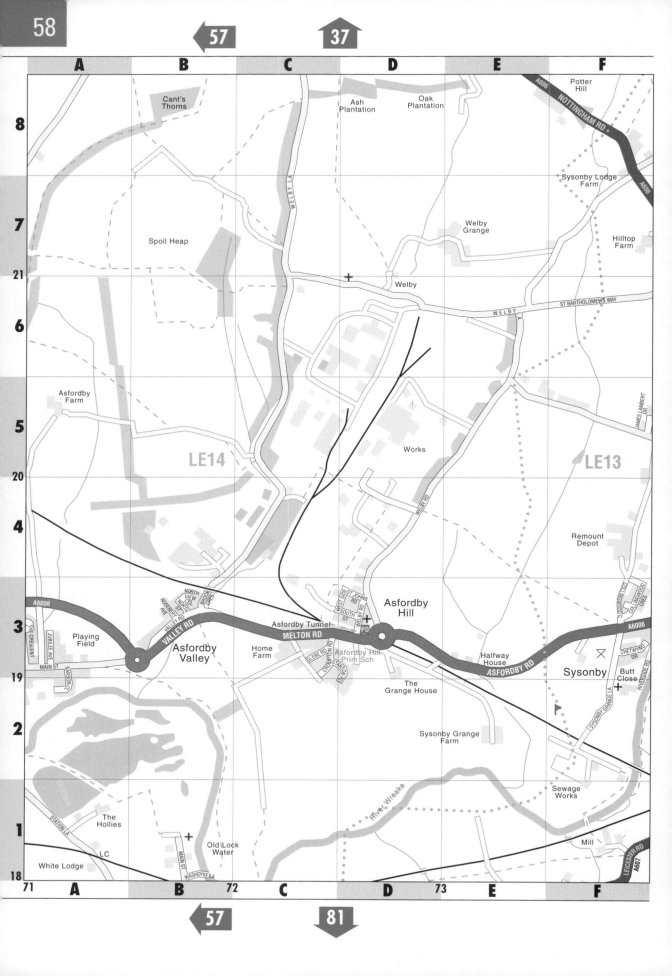

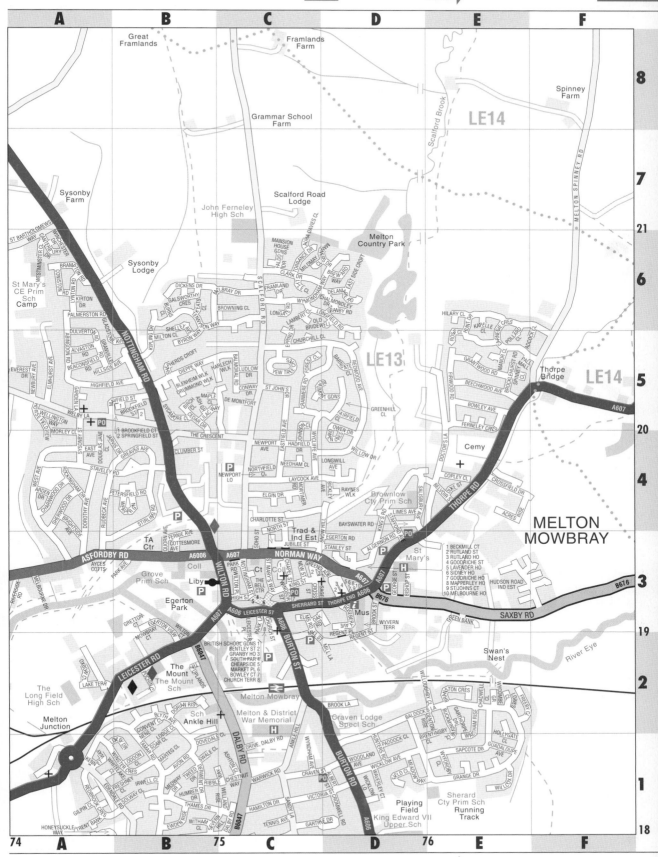

A607

West
Lodge

Pooles Lodge
Farm

New
Plantation

Brentingby
Wood

CH

Tumbledown
Farm

Lodge
Farm

Hills Barn
Farm

LE13

Ashleigh

Bell's
Plantation

WOODFOLD LA

Brentingby Lodge
Farm

LE14

Thorpe
Arnold

Covermill
Hill

Church
Farm

Brentingby
Lodge

LAG LA

Rippons
Plantation

Wyfordby
Grange

Shipmans Barn
Stud

B676

B676

Pinfold Lees
Hill

Dovecot Nook
Hill

Wyfordby

Woodbine
Farm

LC

Mill Hill

LAG LA

Brentingby

Brentingby
Junction

West End
Farm

The
Hall

LC

LE13

River Eye

Burbage's
Covert

Gravel Hole
Spinney

A B C D E F

8

7

21

6

B676

Freeby
Lodge

Sycamore
Farm

Grange
Farm

5

Highfield
Farm

Freeby

Manor House
Farm

GARTHORPE RD

Saxby

20

Glen
Farm

LE14

Ivy House
Farm

Manor
Farm

Rickett's
Spinney

Rustic House
Farm

4

River Eye

The
Elms

Warehouse

OLD STATION DR

Pile
Bridge

Grange
Farm

3

19

Freeby
Crossing

River Eye

Bedehouses

2

Ham
Bridge

Manor House
Farm

Miniature
Rly

1

Stapleford

Stapleford
Hall

18

61
41

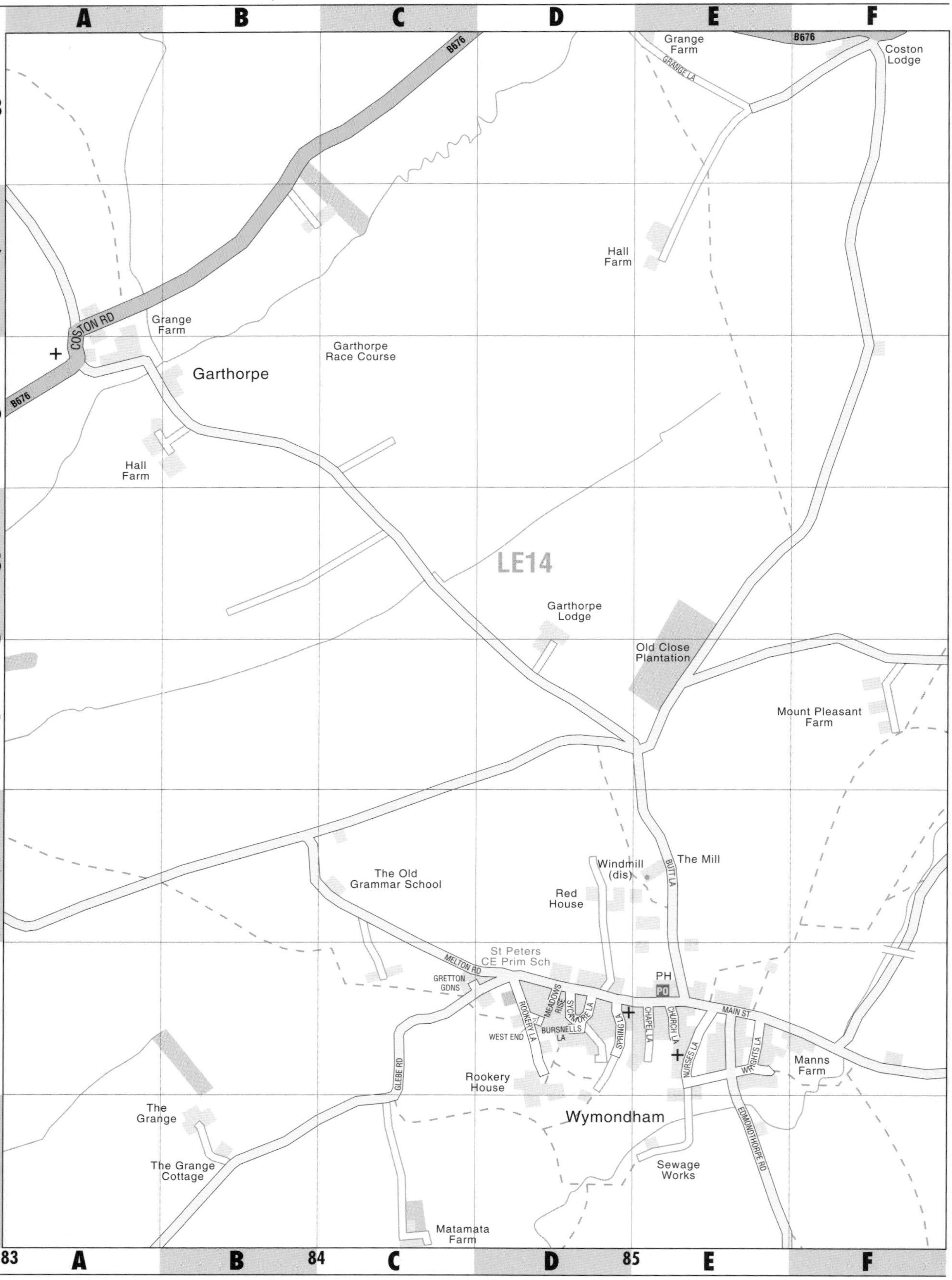

A B C D E F

8

B676

Grange
Farm

Coston
Lodge

GRANGE LA

7

Hall
Farm

21

COSTON RD

Grange
Farm

6

B676

Garthorpe

Garthorpe
Race Course

Hall
Farm

5

LE14

Garthorpe
Lodge

20

Old Close
Plantation

4

Mount Pleasant
Farm

3

The Old
Grammar School

Windmill
(dis)

The Mill

BUTT LA

Red
House

19

St Peters
CE Prim Sch

MELTON RD

PH
PO

2

GRETTON
GDNS

MEADOWS
RISE

SYCAMORE LA

SPRING LA

CHAPEL LA

CHURCH LA

Main St

HIGH ST LA

ROOKERY LA

WEST END

BURSNELLS
LA

NESER LA

Manns
Farm

GLEBE RD

Rookery
House

Wymondham

EDMONDTHORPE RD

The
Grange

1

The Grange
Cottage

Sewage
Works

18

Matamata
Farm

83 A B 84 C D 85 E F

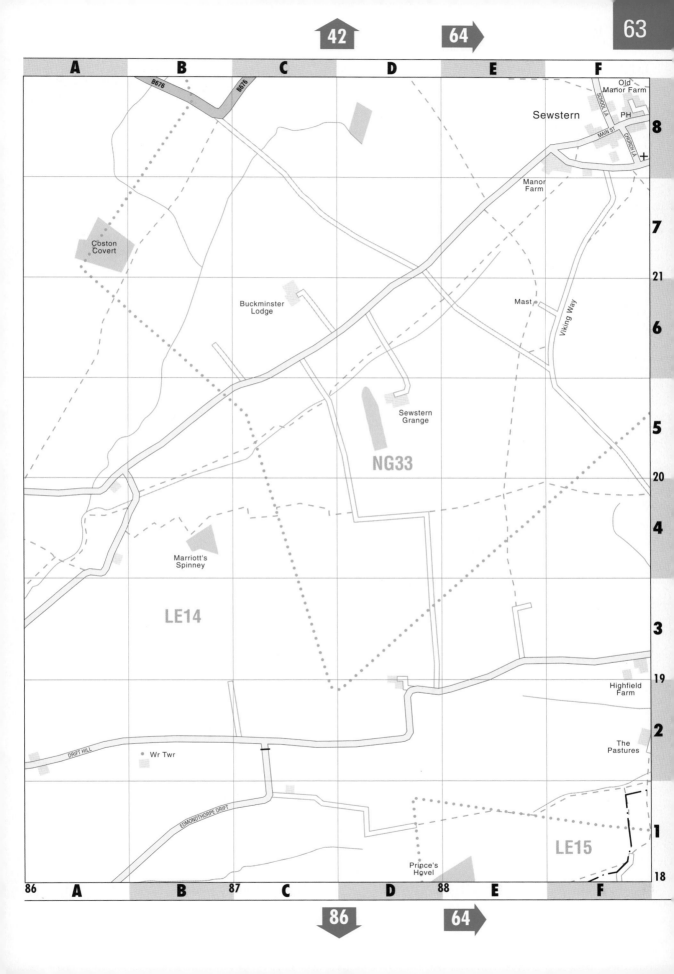

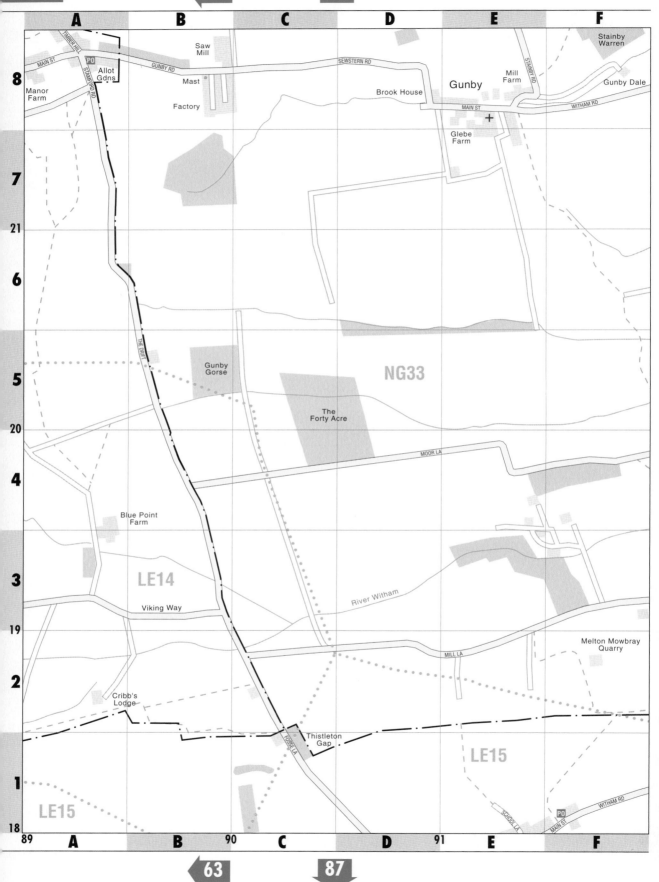

A B C D E F

8

Manor
Farm

Main St

Timber Hill

PO

Stamford Rd

Allot
Gdns

Gunby Rd

Saw
Mill

Mast

Factory

Sewstern Rd

Brook House

Gunby

Mill
Farm

Stainby
Warren

Stainby Rd

Mill
Farm

Gunby Dale

Main St

Witham Rd

7

21

6

Glebe
Farm

NG33

The Drift

5

Gunby
Gorse

The
Forty Acre

20

Moor La

4

Blue Point
Farm

LE14

3

Viking Way

River Witham

Melton Mowbray
Quarry

19

Mill La

2

Cribb's
Lodge

Thistleton
Gap

Fosse La

LE15

1

LE15

School La

Main St

PO

Witham Rd

18

89 A B 90 C D 91 E F

North Witham

Hillview

Temple Hill

River Witham

NG33

Witham Common

Black Bull Farm

Mast

South Lodge Farm Cottages

WOOLLEY'S LA

Mickley Cottage

Mickley Wood

Battlebourn Head

Woodbine Farm

Fox Hill (PH)

Cemy

Sewage Works

THE PARKSIDE

GREAT CL

MOOR LA

UNWIN GR

LAUNDS GR

TROUGHTON WLK

WIMBERLEY WAY

TEMPLARS WAY

WELLFIELD CL

1 HALFORD CL
2 COVERLEY RD
3 HARRINGTON RD

South Witham

GUNBY RD

OLD POST LA

NORTHERN'S LA

RECTORY LA

CHURCH ST

BULL LA

NORTH WITHAM RD

A1

HONEY POT LA

PRIORY CT

WATER LA

CHURCH ST

RUTLAND CL

HILL VIEW RD

CHURCH LA

South Witham Com Prim Sch

PO

HIGH ST

MARKET CT

STATION AVE

RAILWAY CL

THISTLETON LA

MILL LA

PH

Manor Farm

BROADGATE RD

MORKERY LA

South Witham Nature Reserve

WITHAM RD

NEW RD

Green La

Stanton Plantation

Morkery Wood

LE15

LE15

A1

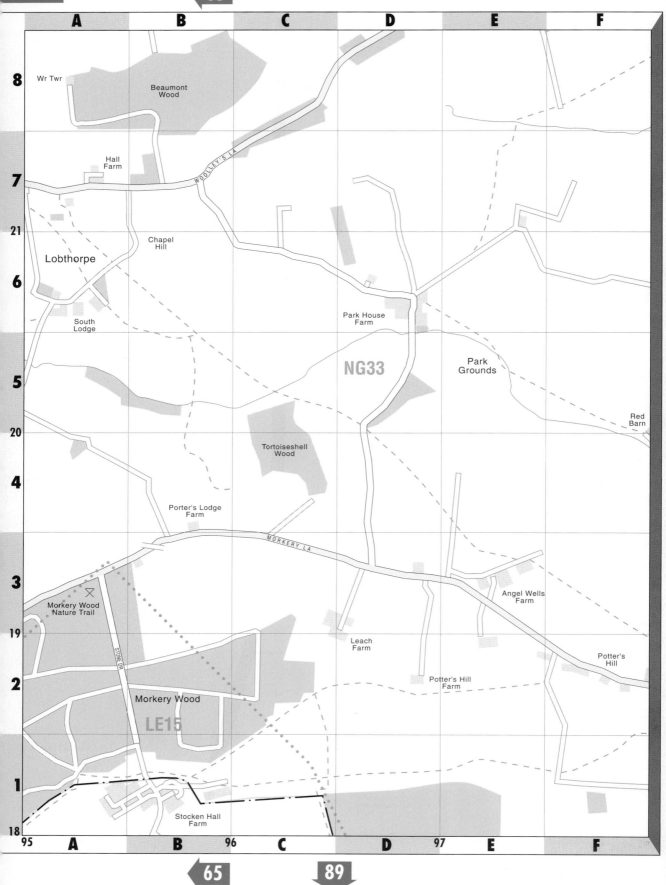

A B C D E F

8 Wr Twr
Beaumont
Wood

7 Hall
Farm
WOOLLEY'S LA

21 Chapel
Hill

Lobthorpe

6

South
Lodge

Park House
Farm

NG33

Park
Grounds

5

Red
Barn

20

Tortoiseshell
Wood

4

Porter's Lodge
Farm

MORKERY LA

3 Morkery Wood
Nature Trail

Angel Wells
Farm

19

STONE DR

Leach
Farm

Potter's
Hill

2 Morkery Wood

LE15

Potter's Hill
Farm

1

18

Stocken Hall
Farm

95 A B 96 C D 97 E F

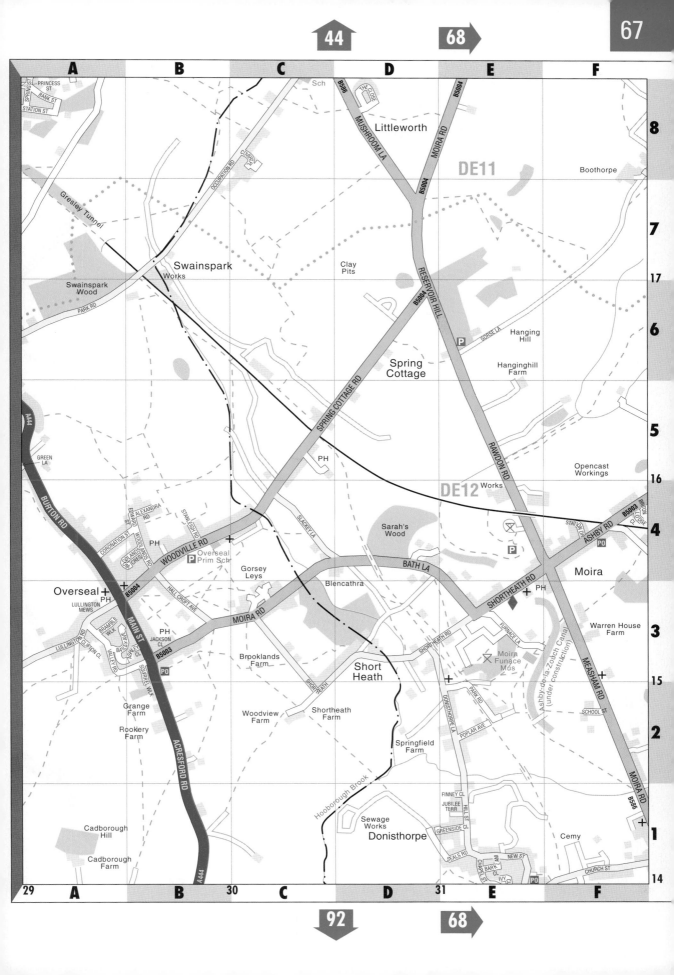

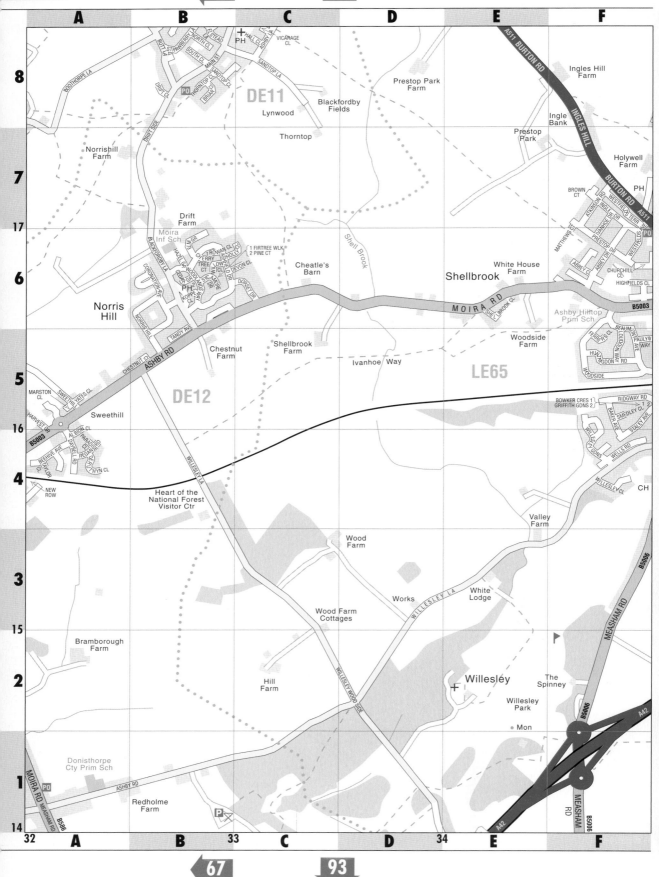

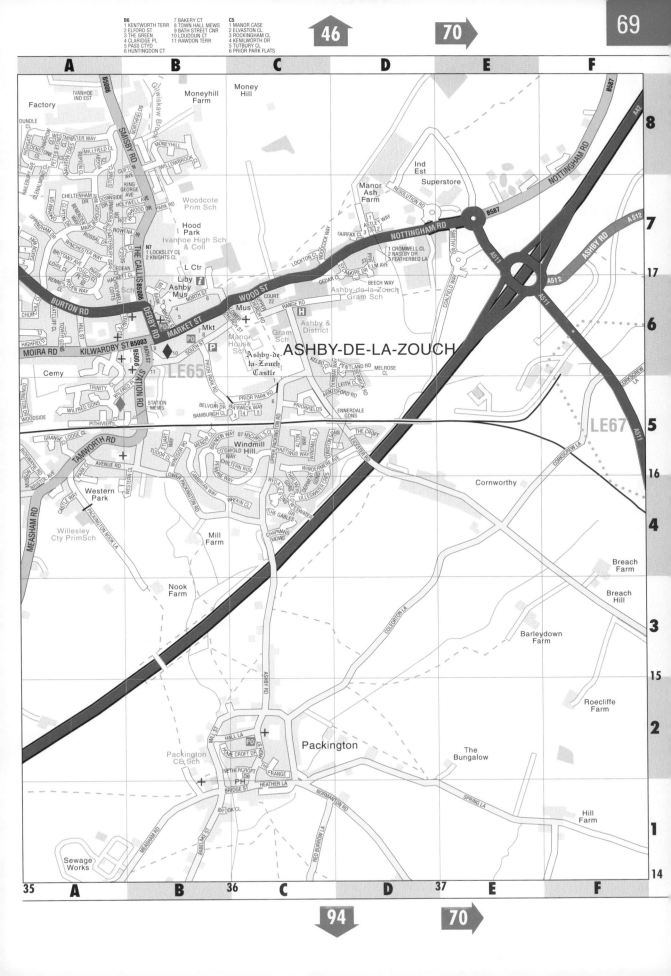

69
47

A B C D E F

8

Bishops
Cottage

B5324

Keepers
Cottage

Ginn Stables
Farm

OUTWOODS LA
AQUEDUCT RD

THE WOOLROOMS

SCHOOL
LA

ZION HILL

Hall
Farm

Coleorton
Hall

CHAPEL
LA

LOWER MOOR RD

BEAUMONT CN

STONEY LA

BAKEWELLS LA

Coleorton

PO

The
Cottage

7

A512

ASHBY RD

Flagstaff
Farm

LE65

B5324

WORDSWORTH
CL

BRADFORD'S LA

OVERTON CL

PH

LOUGHBOROUGH RD

A512

17

Church
Town

ASHBY RD

Viscount Beamonts
CE Prim Sch

PRESTON'S LA

MOOR LA

Windmill
(dis)

6

Rectory

Bottom
Farm

West
Farm

Pastures
Farm

Farm Town

CORKSCREW LA

THE MOOR

P

PITT LA

THE ROWLANDS

LIMBY HALL LA

Coleorton
Moor

5

Gamekeepers
Cottage

PH

Limby
Hall

16

A511

Moor
Farm

LE67

Broomy
Husk

4

FORRESTER CL

THE MOORLANDS

Botany
Bay

LE65

Little Alton
Farm

Sinope

3

Demonaic
Plantation

ALTON HILL

ASHBY RD

A511

HOUGH HILL

15

Hoo Ash
Farm

GLEBE
VIEW

A447

Alton
Grange

Alton
Grange

Glebe
Farm

Ravenstone

THORNTREE
CL

ORCHARD
CL

CLAREMONT DR

ASPEN CL

SWANNINGTON RD

CHAPEL
CL

2

PH

BEAMANS GDN

COALVILLE
LA

1

SPRING LA

The
Altons

CHURCH LA

PIPER LA

WASH LA

A447

14

38 A B 39 C D 40 E F

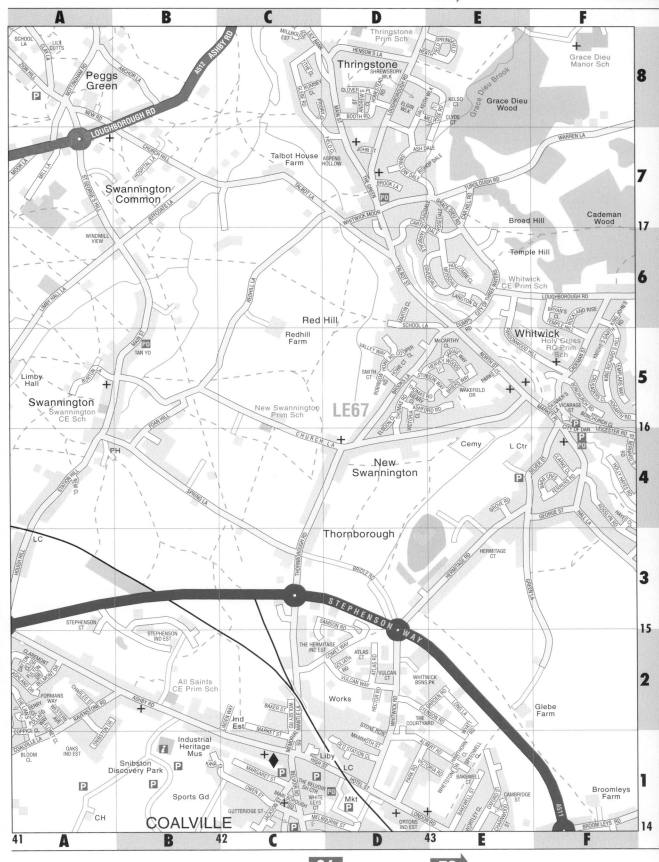

A B C D E F

8
7
17
6
5
16
4
3
15
2
1
14

41 A B 42 C D 43 E F

SCHOOL LA
CLAY LA
LILY COTTS
ZION HILL
NOTTINGHAM RD
ANCHOR LA
Peggs Green
P
NEW RD
LOUGHBOROUGH RD
A512 ASHBY RD
MOOR LA
MILL LA
ST GEORGE'S HILL
CHURCH HILL
HOSPITAL LA
Swannington Common
JEFFCOATS LA

MILLHOUSE EST
LILY BANK
TITHE CL
RUMSEY
GLEBE RD
PRIORY CL
MAIN ST
CLOVER ST
ST ANDREW'S LA
HOMESTEAD
BOOTH RD
ELGIN WLK
DALKEITH WLK
MELROSE RD
CLYDE CT
KELSO CT
SPRINGFIELD
HEATH
FIELD
Thringstone
Thringstone Prim Sch
SHREWSBURY WLK
HENSON'S LA
Grace Dieu Manor Sch
Grace Dieu Brook
Grace Dieu Wood
WARREN LA

Talbot House Farm
TALBOT LA
FIELD CL
ASPENS HOLLOW
THE GREEN
JOHN ST
BROOK LA
PO
WHITWICK MOOR
ASH DALE
WILLOW DALE
BISHOP DALE
LOW DALE
CARTER DALE
PROSEDALE
CAR HILL RD
TUROLOUGH RD
Broad Hill
Cademan Wood
Temple Hill

WINDMILL VIEW
Limby Hall LA
Red Hill
Redhill Farm
CRAGDALE
FANDALE
COVERDALE
HOLCOMBE CL
LANGTON CL
CITY OF THREE WATERS
MOSSDALE
Whitwick CE Prim Sch
TEMPLE HILL
BRYAN'S CL
RICK AND RISE
KING JOHN'S RD
LOUGHBOROUGH RD

MAIN ST
PO
TAN YD
BURTON LA
FOAN HILL
VALLEY WAY
ROBINSON WAY
CO OPER
BROOK'S LA
ELSTON CL
SCHOOL LA
MARTIN CL
DUMPS
PARSONWOOD HILL
McCARTHY CL
JARVIS WAY
HERVEY WOODS
THOMAS RD
GEARY CL
Whitwick
Holy Cross RC Prim Sch
CADEMAN ST
KNIGHT'S GARTH
CRUSADER'S WAY
TEMPLARS WAY
HOGARTH RD
MARKET PL
SKINNER'S
VICARAGE ST
BONCHURCH ST
BONCHURCH CL
ST BERNARD'S RD

Limby Hall
Swannington
Swannington CE Sch
STATION HILL
NEW CL
PH
SPRING LA
New Swannington Prim Sch
SMITH CT
NORTH ST
JOWE CT CL
STINSON WAY
THOMAS ST
VICTORIA RD
ASHFORD RD
PAINS CT
WAKEFIELD DR
BRIERS WAY
CHURCH LA
New Swannington
Cemy
L Ctr
P
SILVER LA
BAER CR'S
CLARKE CL
FERRERS RD
P
LEICESTER RD
PO
CITY OF DAN
HOLLY HAYES RD
ROSSLYN RD
HAYES CT

LC
HOUGH HILL
SPRING LA
Thornborough
THORNBOROUGH RD
BRIDLE RD
GREEN LA
HERMITAGE RD
HERMITAGE CT
GROVE RD
GEORGE ST
HALL LA

STEPHENSON CT
STEPHENSON WAY
STEPHENSON IND EST
SAMSON RD
COMET WAY
THE HERMITAGE IND EST
GOLIATH RD
ATLAS CT
ATLAS RD
VULCAN CT
VULCAN WAY
WHITWICK BSNS PK
Glebe Farm
A511

CLAREMONT DR
CRESCENT DR
BELMONT DR
FULLEN CL
CHARLES ST
RAVENSTONE DR
ASHBY RD
All Saints CE Prim Sch
LINDEN WAY
Ind Est
BAKER ST
WOLSEY RD
MANTLE LA
Works
HECTOR RD
STONE ROW
STEPHENSON RD
GARDEN RD
LONG LA
WYATT RD
THE COURTYARD
ASHLAND DR
FORMANS WAY
WESTERN AVE
THE LIMES
BERRY
POTLARD WAY
ST LORET CT
COPPICE CL
COALVILLE LA
BLOOM CL
OAKS IND EST
Industrial Heritage Mus
i
Snibston Discovery Park
P
P
P
KANE
MARGARET ST
OWEN ST
BELVOIR RD
MEMORIAL SQ
MARKET ST
HIGH ST
Liby
LC
P
Mkt
P
THE BELVOIR SH CTR
WHITE LEYS CT
OLD STATION CL
MAMMOTH ST
ALBERT RD
HAWTHORN
WHETSTONE DR
SPEEDWELL
PARK RD
Victoria RD
BAKEWELL RD
BAKEWELL CT
WORTLEY CL
OXFORD ST
CAMBRIDGE ST
LONDON RD
CHARNWOOD ST
ORTONS IND EST
Sports Gd
P
CH
GUTTERIDGE ST
JACKSON ST
COALVILLE
MELBOURNE ST
P
WHITWICK RD
SNIBSTON DR

LE67

71
49

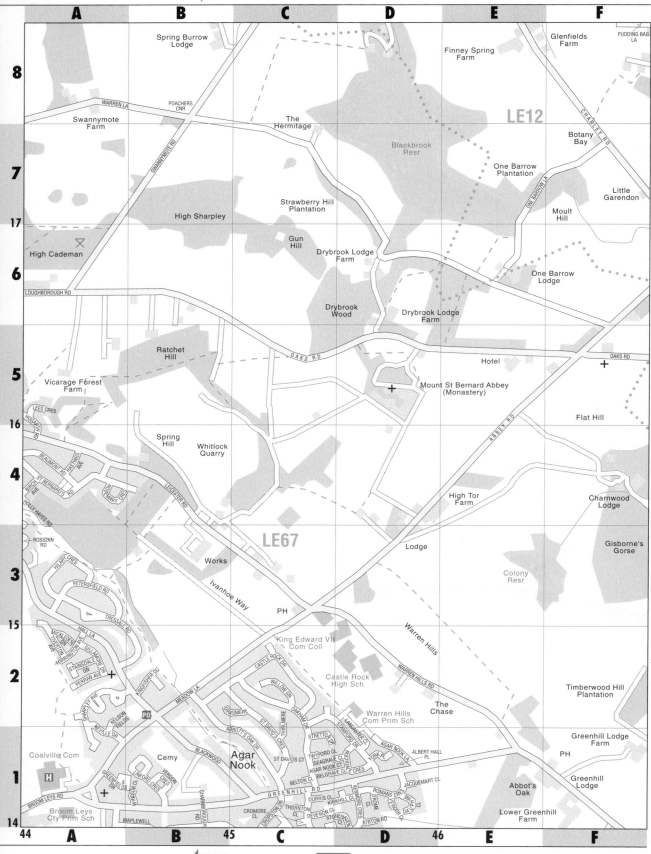

71
97

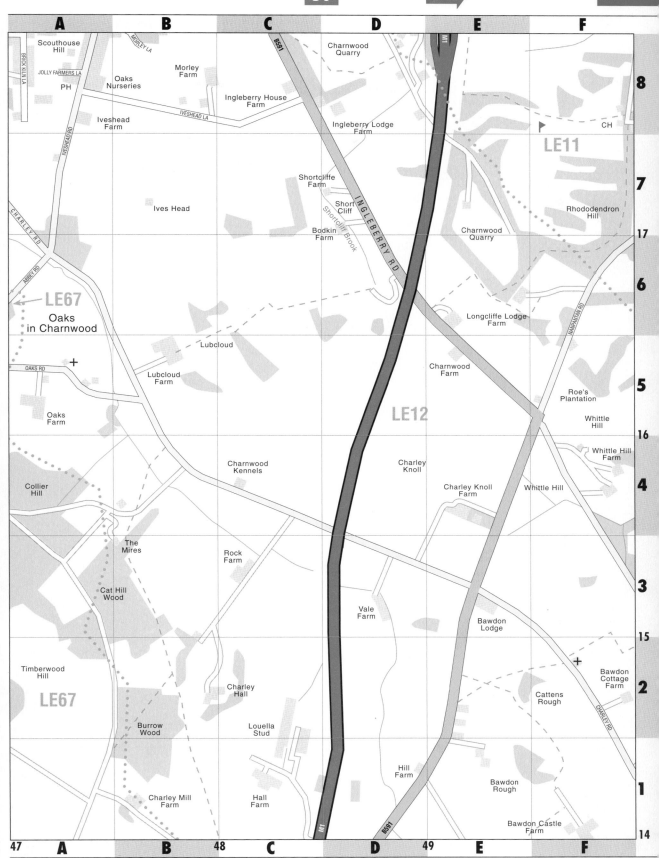

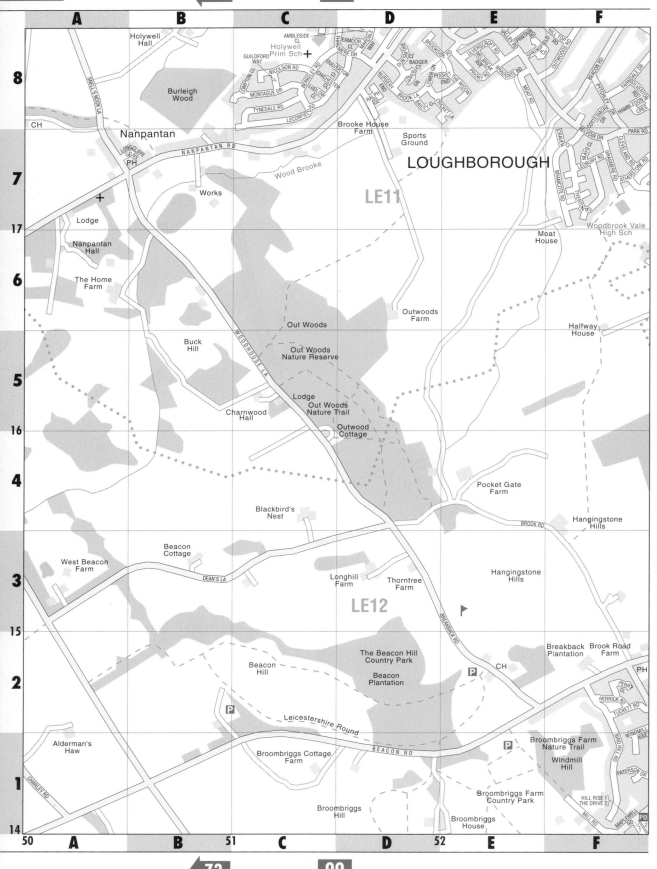

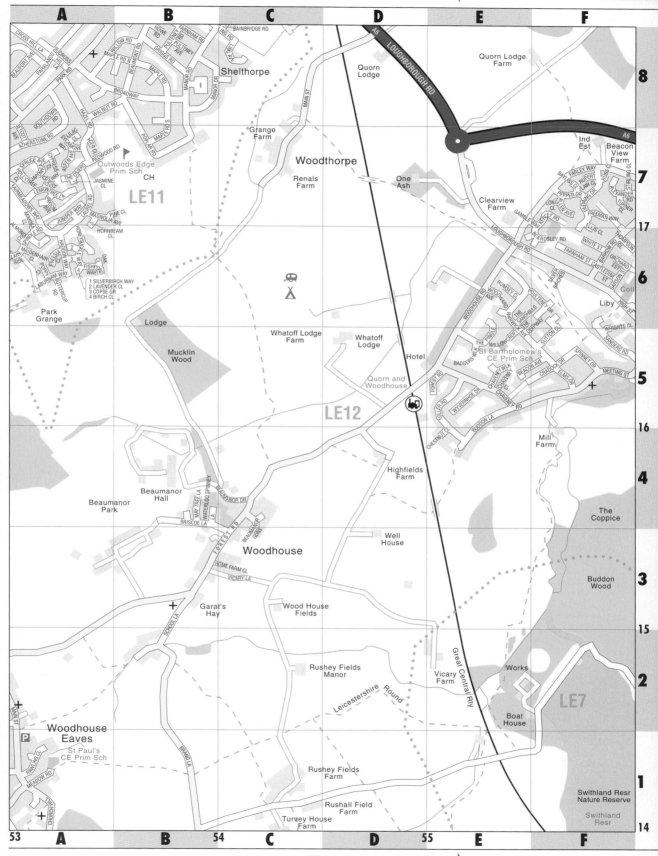

54
78

A B C D E F

Melton Rd

Paudy
Farm

Muckle Gate La

Green Lane Cl

Water La

Church
St

8

King St

Orchard

PO

Seagrave

PH

Cemy

Swan St

Pond St

Hall
Farm

Big La

Quebec
House

Hayhill La

7

17

Canbyfield
Lodge

Seagrave Rd

LE12

6

Belle
Isle

Gypsum
Works

Hanover
Lodge

Hayhill

Sileby Rd

Jubilee Ave

5

Greedon Rise

Highgate
Com Prim Sch

16

Highgate
Lodge

Pryor Rd

Canbyfield
Lodge

Barrow Rd

Homefield Rd

Forest Dr

Barradale Ave

Hudson
Rd

Low Rise

Weldon
Ave

Brushfield

Sileby

LE7

4

Albert Ave

Collingwood Dr

New
Rd

Bold Cl

Langs Cl

Heathcote

Gibson Rd

Parsons Dr

Barnards Dr

Stanage Rd

St Mary's St

Park Rd

Marshall
Ave

Pychin Way

Moore
Rd

Hickinson
Dr

Haybrooke

Hanover
Dr

Calvin
Kins
Worth
Cl

Wright's
Acre

Redlands
Com Prim Sch

Sileby
Memorial
Park

Highgate Rd

St Gregory's

Finsbury Ave

Hedrick Cl

Lovett
Ct

High
Bridge

Swan St

PO

Wellbrook Ave

Storer Cl

3

15

Mountsorrel La

King St

Sileby

St

The Banks

Ward's End

Cemetery Rd

Ratcliffe Rd

Peashill Cl

Little
Church
La

High St

Brook
St

Back La

Albion Rd

Banks Cl

The
Fir

Avenue Rd

Kirby

Cemy

Peas Hill
Farm

Liby

Works

Manor Dr

Phoenix Dr

Staveley Cl

Chy

Kilbourne Cl

Charles St

Blossom
Farm

2

Preston Cl

Cossington Rd

Milner Cl

Holland Cres

Sherrard Dr

Mallard

Quaker Rd

East
Orch

Middle
Orch

Chalfont Dr

Moltendor

LC

LE7

LE7

River Soar

Leicestershire Round

Weir

LE7

Rothley
Lodge

West
Orch

Main St

Blackberry La

Leicestershire Round

LE7

Glebe Lodge
Farm

Humble La

1

14

Brook
Farm

59 A 60 B C 61 D E F

A B C D E F

8

7

LE12

Park Hill

Park Hill House

PARK HILL LA

KING ST

BUTCHERS LA

BERRYCOTT LA

17

6

16

5

A46

Motel

Jericho Farm

The Lodge Farm

Hilltop

OLD GATE RD

SEAGRAVE RD

Padge Hall

GLEBELAND CL

REGENT ST

THE GREEN

FERNLEY RISE

PH

HORY RD

BACK LA

CHURCH LA

REARSBY RD

Thrussington

4

LE7

Ratcliffe Farm

Longlands

Leicestershire Round

Spinney Farm

Ratcliffe Barn

Manor Farm

RATCLIFFE RD

River Wreake

3

15

Ratcliffe Coll

The Elms Farm

THRUSSINGTON RD

North's Lodge

Rearsby Mill (disused)

LC

Manor Farm

BROOK HOUSE CL

2

Ratcliffe on the Wreake

MAIN ST

CHURCH LA

PO

Ratcliffe Hall

Priory Farm

Rearsby House Farm

MILL RD

ORTON LA

Rearsby

PH

NEW AVE

WESTON CL

MELTON RD

ABBEY

1

HUMBLE LA

RATCLIFFE RD

Ratcliffe Mill (disused)

BROOME LA

LC

14

A46

62 A B 63 C D 64 E F

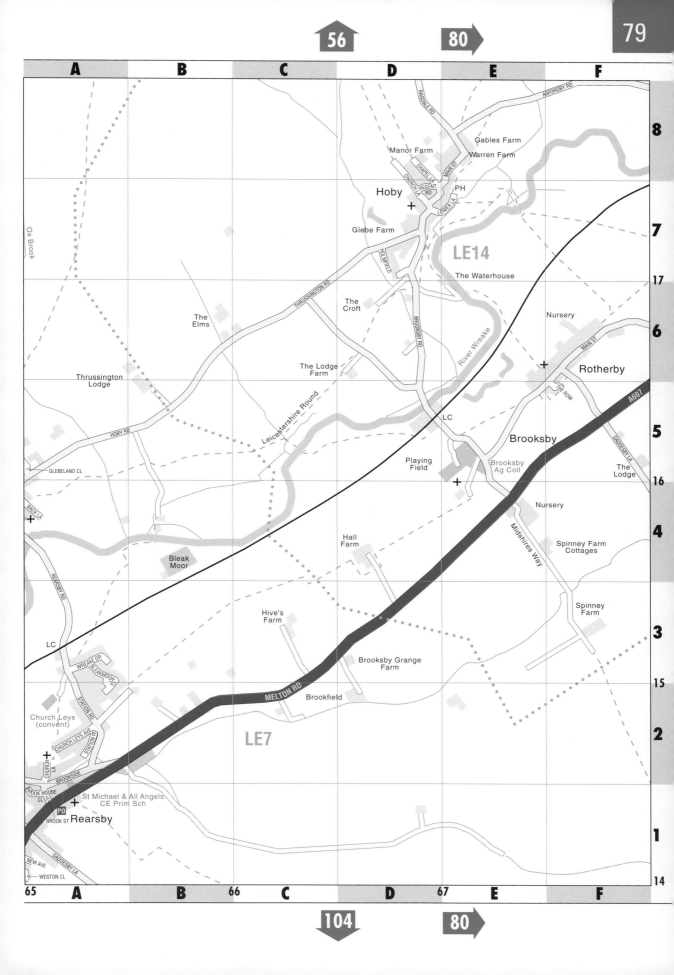

A B C D E F

8
7
17
6

5
16
4

3
15
2

1
14

ASFORDBY RD

RAGDALE RD

Gables Farm
Manor Farm
Warren Farm

CHAPEL LA
CHURCH LA
REGENT RD
MAIN ST
Hoby
LOWER LA
PH

Glebe Farm

LE14

The Waterhouse

HOLMFIELD

Nursery

Ox Brook

The Elms

THRUSSINGTON RD

The Croft

BROOKSBY RD

River Wreake

Rotherby

MAIN ST

THE ROW

Thrussington Lodge

The Lodge Farm

Leicestershire Round

LC

Brooksby

A607

GADDESBY LA

HOBY RD

Playing Field

Brooksby Ag Coll

The Lodge

GLEBELAND CL

16

BACK LA

Nursery

Midshires Way

Spinney Farm Cottages

Bleak Moor

Hall Farm

Spinney Farm

REARSBY RD

LC

Hive's Farm

Brooksby Grange Farm

WREAKE DR
BLEAKMOOR

MELTON RD

Brookfield

STATION RD

LE7

Church Leys (convent)

CHURCH LEYS AVE
STATION RD

BROOKSIDE

CHURCH LA

BROOK HOUSE CL

St Michael & All Angels CE Prim Sch

PO
BROOK ST
Rearsby

NEW AVE

GADDESBY LA

WESTON CL

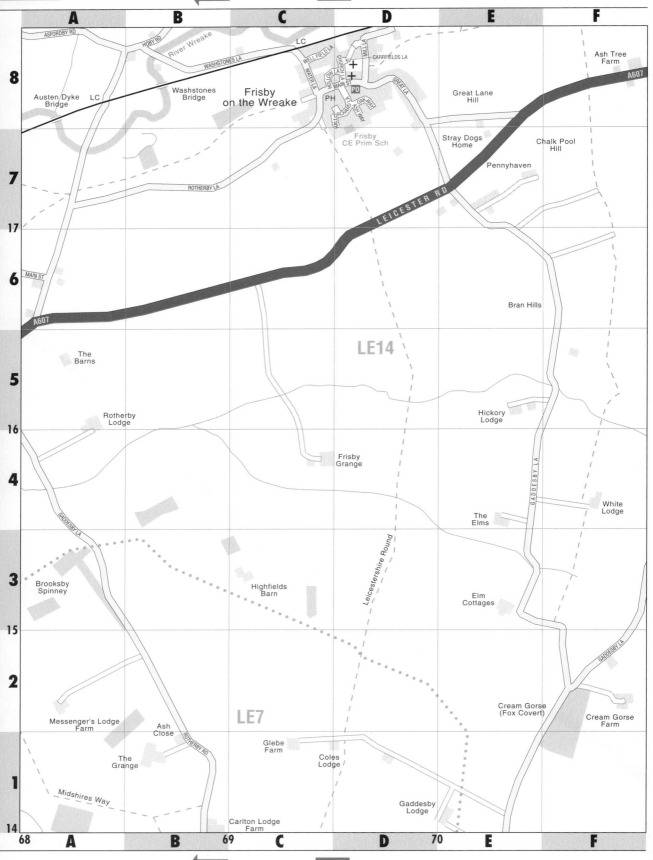

A B C D E F

8

Frisby on the Wreake

ASFORDBY RD
HOBY RD
River Wreake
WASHSTONES LA
WELL FIELD LA
LC
MILL LA
CARRFIELDS LA
Ash Tree Farm
A607
Austen Dyke Bridge
LC
Washstones Bridge
WATER LA
CHURCH LA
HIGH
MAIN ST
GREAT LA
Great Lane Hill
Great Lane Hill
PH
ORCHARD LA
HALL ORCHARD LA
OAK WAY
ASH WAY
PO
Frisby CE Prim Sch
Stray Dogs Home
Chalk Pool Hill

7

ROTHERBY LA
LEICESTER RD
Pennyhaven

17

6

MAIN ST
Bran Hills

A607

LE14

The Barns

5

Hickory Lodge

16

Rotherby Lodge

Frisby Grange

GADDESBY LA

4

White Lodge

The Elms

GADDESBY LA

3

Brooksby Spinney

Highfields Barn

Leicestershire Round

Elm Cottages

15

2

Messenger's Lodge Farm

Ash Close

ROTHERBY RD

LE7

Cream Gorse (Fox Covert)

Cream Gorse Farm

GADDESBY LA

The Grange

Glebe Farm

Coles Lodge

1

Midshires Way

Gaddesby Lodge

14

Carlton Lodge Farm

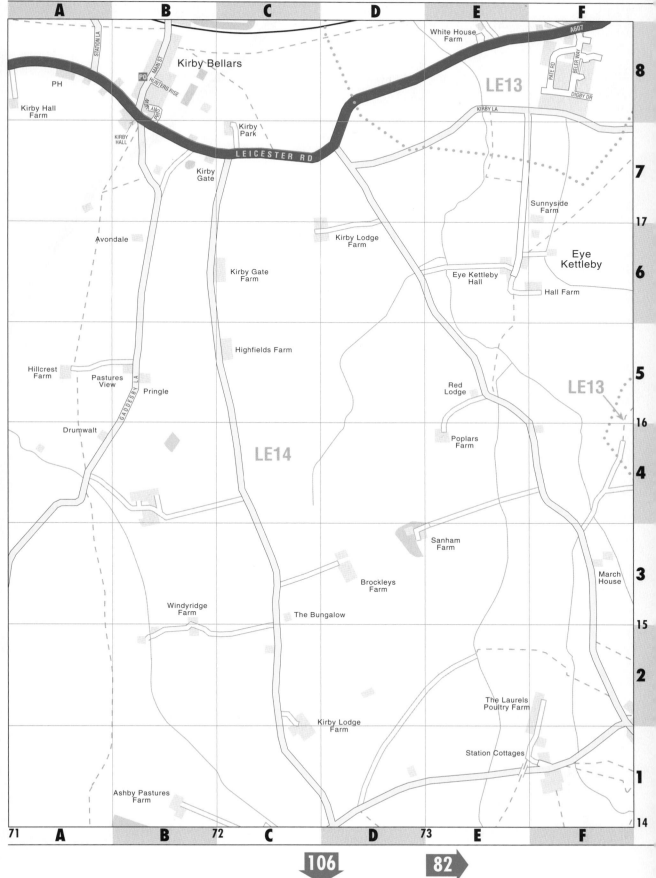

A607

White House Farm

LE13

PATE RD

BELER WAY

DIGBY DR

STATION LA

PH

Kirby Bellars

PO

MAIN ST

HUNTERS RISE

KBY WAY

KBY PK

Kirby Hall Farm

KIRBY HALL

KIRBY LA

Kirby Park

LEICESTER RD

Kirby Gate

Sunnyside Farm

Eye Kettleby

Avondale

Kirby Lodge Farm

Kirby Gate Farm

Eye Kettleby Hall

Hall Farm

Highfields Farm

Hillcrest Farm

Pastures View

Pringle

GADDESBY LA

Red Lodge

LE13

Drumwalt

LE14

Poplars Farm

Sanham Farm

March House

Brockleys Farm

Windyridge Farm

The Bungalow

The Laurels Poultry Farm

Kirby Lodge Farm

Station Cottages

Ashby Pastures Farm

71   **A**   **B**   72   **C**   **D**   73   **E**   **F**

8
7
17
6
5
16
4
3
15
2
1
14

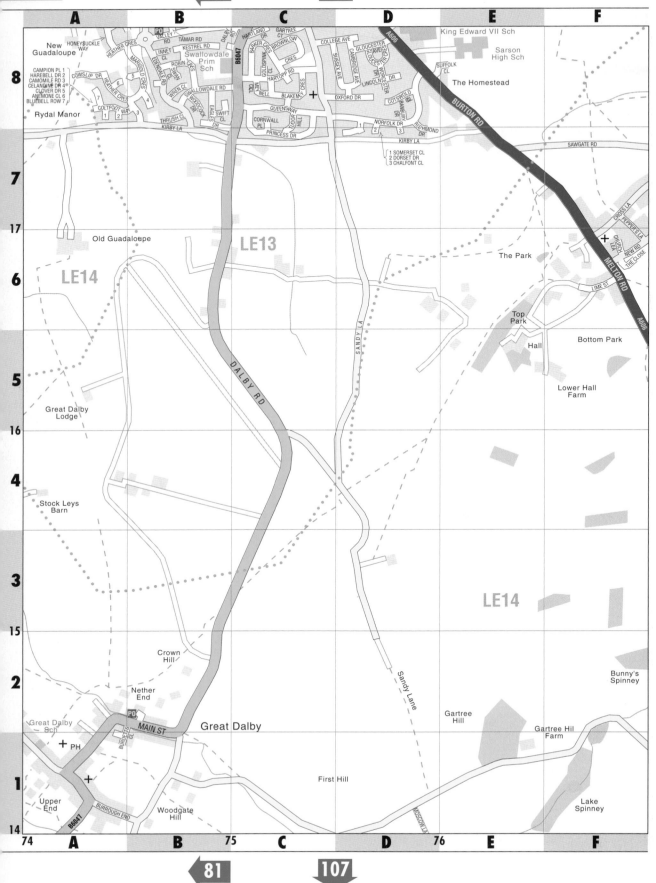

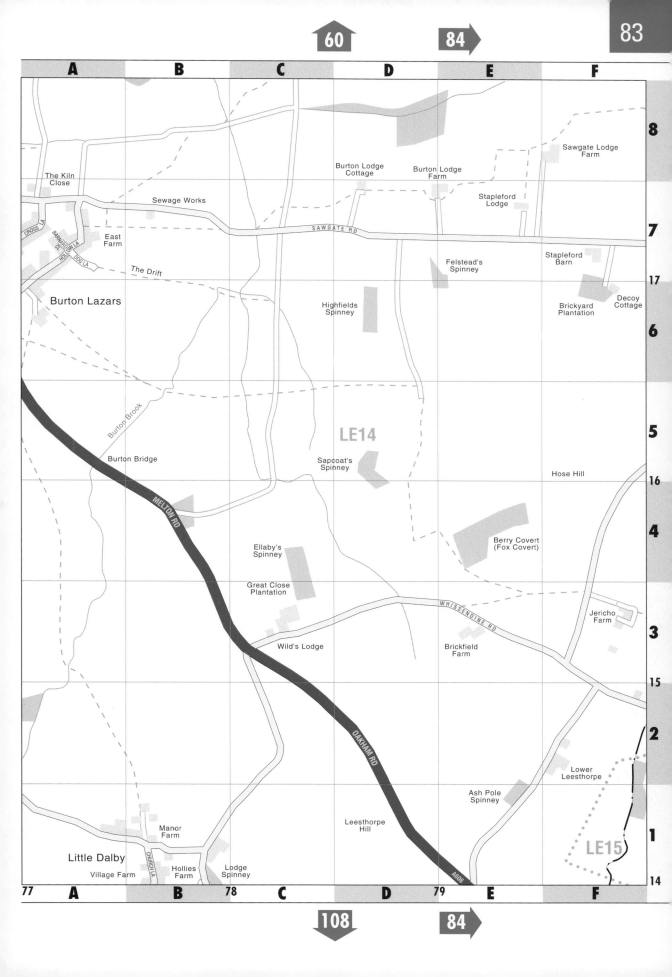

83
61

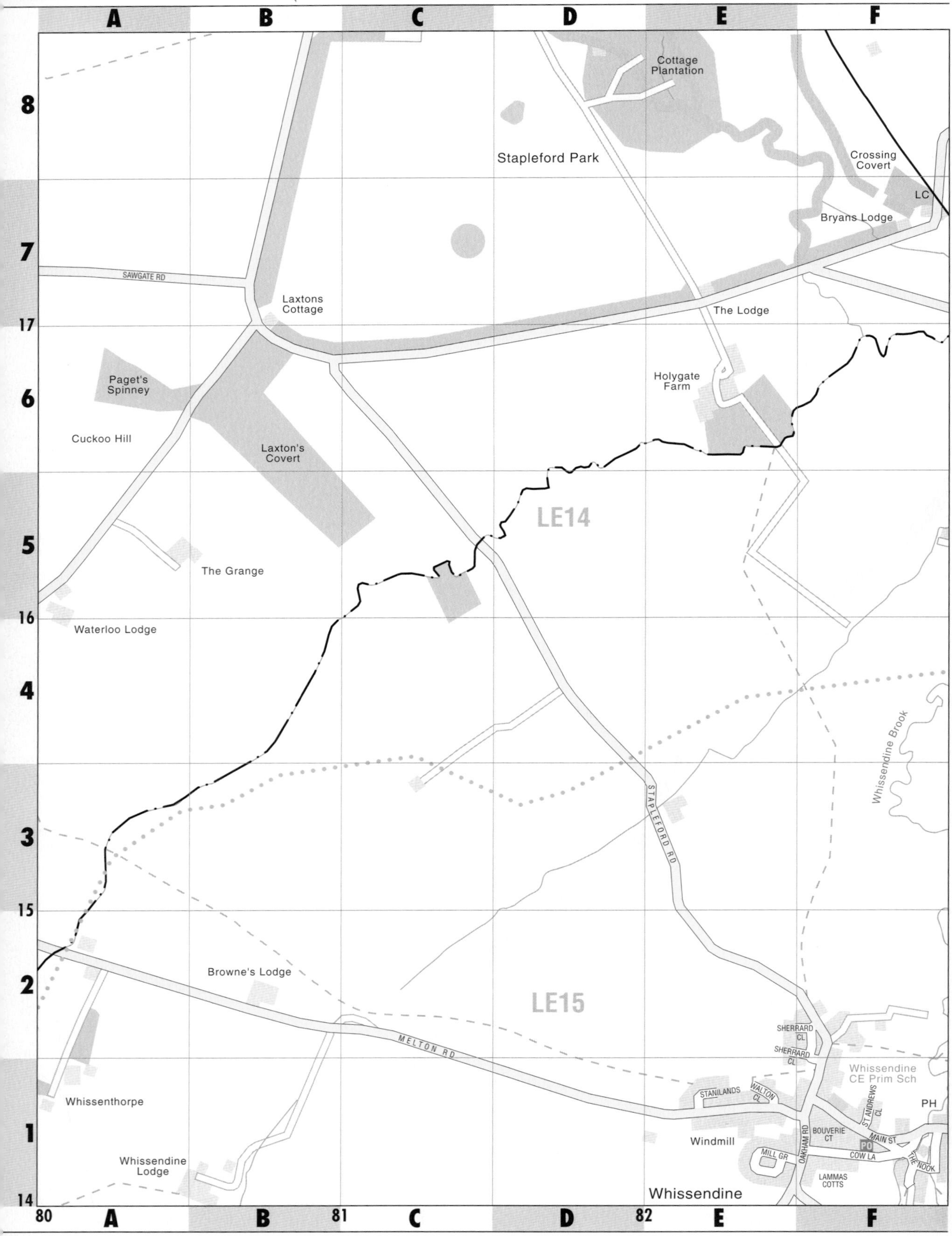

A **B** **C** **D** **E** **F**

8

Cottage Plantation

Stapleford Park

Crossing Covert

LC

7

Bryans Lodge

SAWGATE RD

The Lodge

17

Laxtons Cottage

6

Paget's Spinney

Holygate Farm

Cuckoo Hill

Laxton's Covert

LE14

5

The Grange

16

Waterloo Lodge

4

Whissendine Brook

3

STAPLEFORD RD

15

2

Browne's Lodge

LE15

MELTON RD

SHERRARD CL

SHERRARD CL

Whissendine CE Prim Sch

PH

STANILANDS

WALTON CL

ST ANDREWS CL

Whissenthorpe

1

BOUVERIE CT

OAKHAM RD

MAIN ST

PO

COW LA

THE NOOK

Windmill

MILL GR

LAMMAS COTTS

Whissendine Lodge

14

Whissendine

80 **A** **B** 81 **C** **D** 82 **E** **F**

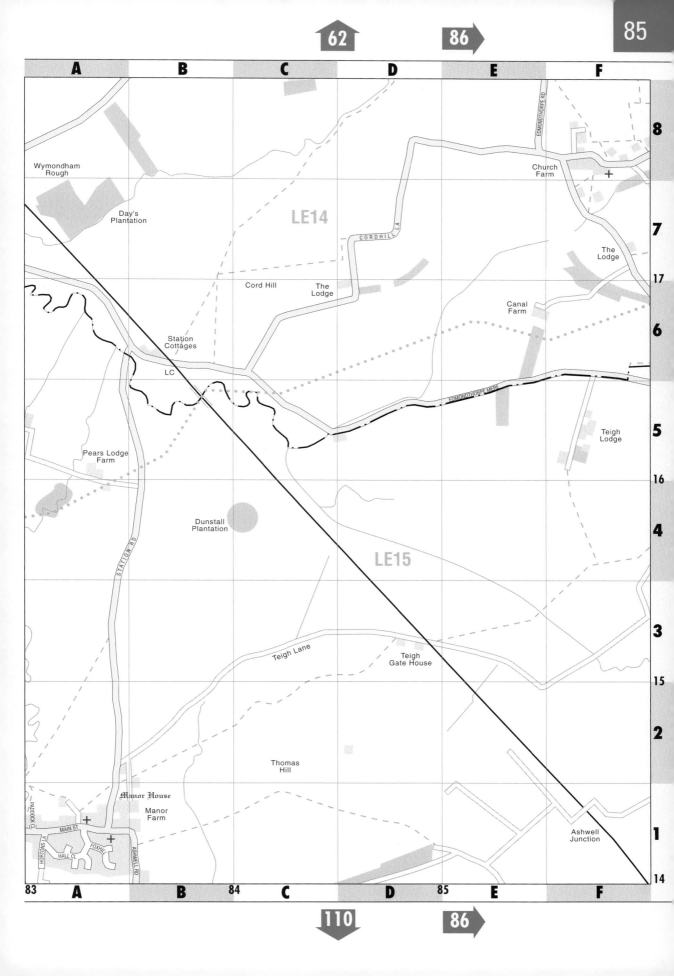

85
63

A B C D E F

8

Edmondthorpe

LE14

Woodwell
Head

Works

P.O.

Edmondthorpe

Hall
Farm

7

Edmondthorpe
Hall

17

6

Catmose
Lodge

Market Overton

LAWRENCE CL
THISTLETON RD
PINFOLD LA
CHURCH LA
KINGS CL
BOWLING GREEN LA
P.O.
FOUNTAIN'S
ROW
1

5

Angus
Farm

Netherfields

BERRYBUSHES
CORDLE WAY 1
THE LIMES 2
MAIN ST

Woodhead
Farm

Teigh

P.O.

The Green

TEIGH RD

The
Wharf

16

Yew Tree
Farm

Chestnut
Farm

LE15

4

15

3

Sewage
Works

2

Blackthorn
Covert

1

TEIGH RD

14

86 A B 87 C D 88 E F

85
111

64
88
112
88

LE14

Thistleton

Top House Farm

FOSSE LA

MAIN ST

LAWS LA

PO

SCHOOL LA

Silverwood Farm

Viking Way

Top Farm

THISTLETON RD

PINFOLD LA

Caseys

PINFOLD LA

LE15

THE FINCHES

MAIN ST

HOOBY LA

Cottesmore Airfield

Heath Spinney

PYTCHLEY CL

ZETLAND SQ

HEYTHROP RD

BELVO SQ

OUDBY CRES

Barrow

Middle Farm

Barrow House

Cottesmore Cty Prim Sch

Peep-a-Day Cottage

Warren Farm

OAKLEY RD

HAMBLEDON CRES

DEVON WLK

PO

COTSWOLD ST

GARTH ST

BEAUFORT RD

COTSMORE RD

BLANKLEY RD

PERCY RD

CUTLEY CRES

BEDE ST

LEDBURY WLK

3

1

6

2

4

BURGHLEY CIRC

SOMERSET RD 1
WOODLAND RD 2
TIVERTON RD 3
WHADDON CH 4
HUNT ST 5
FITZWILLIAM WLK 6

Sewage Works

Glebe House

ROGUES LA

Cemy

GREETHAM RD

B668

B668

B668

NG33

A B C D E F

8

7

17

6

Hooby Lodge

NEW RD

HOOBY LA

5

16

LE15

The Viking Way

Ram Jam Inn

B668

GREETHAM RD

CLIPSHAM RD
WALNUT CL
SPINNEY LA
MANOR RD
PH
ROOKERY LA
CHURCH LA

Stretton

Hotel

4

Greetham Lodge Farm

3

White House

GREAT LA

15

STRETTON RD

Ye Olde Greetham Inn

2

Greetham Falconry Centre

CHURCH LA
SHEPHERDS LA
BULLFIELD CL
BARN LA
LITTLE LA
PO
BRIDGE LA

Greetham Quarry

Greetham Wood Near

NORTH BROOK CL
LOCK'S CL
OAKHAM RD
MAIN ST
PH
KIRK'S CL
WHEATSHEAF LA

Works

Brook Farm

Mast

B668

1

Greetham

14

92 A B 93 C D 94 E F

89

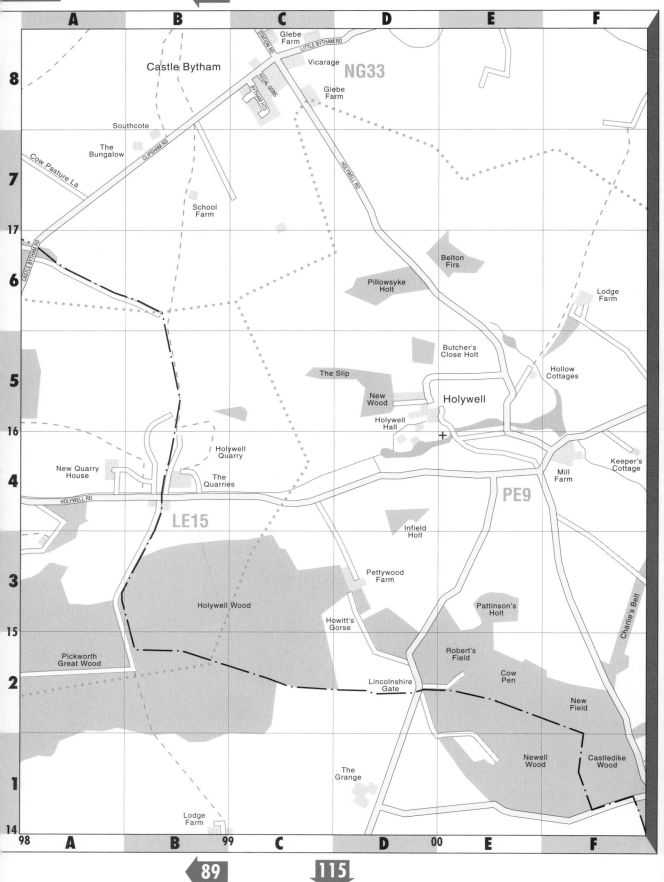

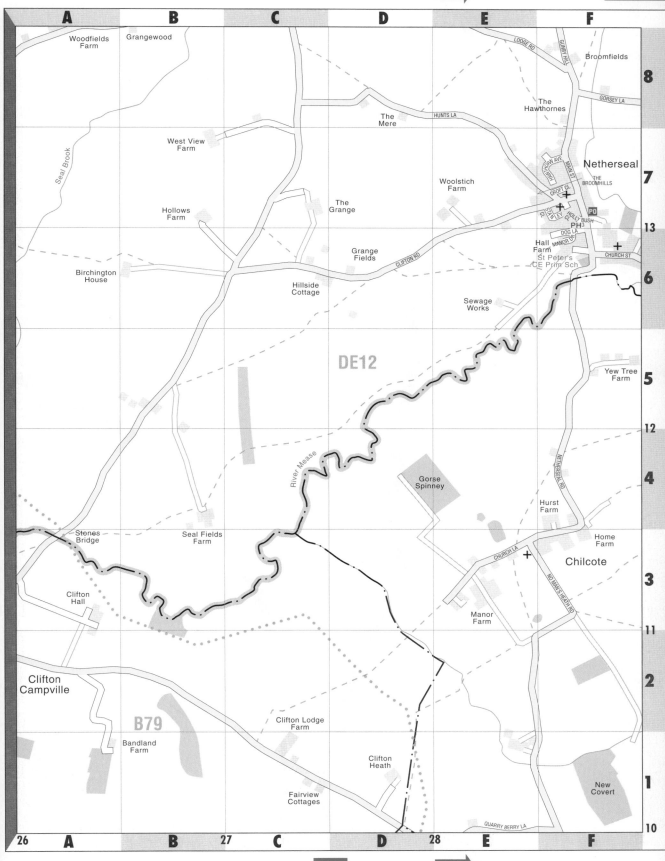

Woodfields Farm

Grangewood

Seal Brook

West View Farm

Hollows Farm

Birchington House

The Mere

HUNTS LA

LODGE RD

GUNBY HILL

Broomfields

GORSEY LA

The Hawthornes

HAWTHORN AVE

MAIN ST

Netherseal

THE BROOMHILLS

CROFT CL

STANLEY CL

HOLLY BUSH CL

PO

PH

DOG LA

MANOR RD

CHURCH ST

Woolstich Farm

The Grange

Grange Fields

CLIFTON RD

Hillside Cottage

Hall Farm

St Peter's CE Prim Sch

Sewage Works

DE12

Yew Tree Farm

River Mease

Gorse Spinney

NETHERSEAL RD

Hurst Farm

Home Farm

Stones Bridge

Seal Fields Farm

CHURCH LA

NO MAN'S HEATH RD

Manor Farm

Chilcote

Clifton Hall

Clifton Campville

B79

Bandland Farm

Clifton Lodge Farm

Clifton Heath

New Covert

Fairview Cottages

QUARRY BERRY LA

91
67

A **B** **C** **D** **E** **F**

8

MOUNT PLEASANT LA

A444

Seal Pastures
Plantation

Seale
Pastures

GORSEY LA

Hooborough Brook

CHURCH WLK

PH

Chapel St

Narrow La

Church St

New St

Ramscliffe Ave

Hall LA

TALBOT PL

Hall
Farm

Ivanhoe Way

7

PH

BROOKFIELD
COTTS

Acresford

ACRESFORD RD

Acresford Rd

Stanleigh
Plantation

Saltersford Brook

13

Eastfield

ACRESFORD RD

CORONATION LA

CHAPEL ST

6

CHURCH ST

MEASHAM RD

Saltersford
Cottages

Saltersford
Bridge

Mine
(dis)

Moneyhill
Farm

Saltersford
Farm

Oak
Villa

5

Stretton Bridge

River Mease

DE12

12

Hall
Farm

A42

4

RECTORY LA

Stretton en le Field

3

Park Farm

Manor House
Farm

11

TAMWORTH RD

2

A42

M42

Heath
Lodge

MEASHAM RD

1

Hill
Farm

11

The Old
Rectory

RECTORY LA

PARKFIELD CRS

STONEY LA

OLD END

10

Old House

B5493

M42

A444

Appleby Fields

29 **A** **B** 30 **C** **D** 31 **E** **F**

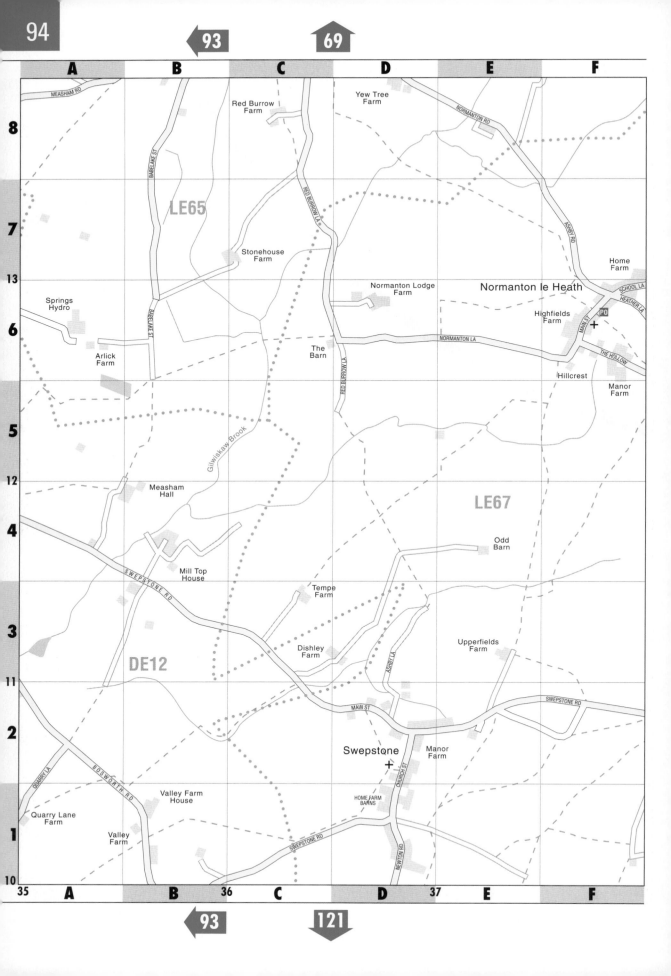

93
69

A B C D E F

8

7

13

6

5

12

4

3

11

2

1

10

MEASHAM RD

BABELAKE ST

LE65

Red Burrow
Farm

Yew Tree
Farm

NORMANTON RD

Home
Farm

Stonehouse
Farm

ASHBY RD

Normanton Lodge
Farm

Normanton le Heath

SCHOOL LA

Springs
Hydro

BABELAKE ST

Highfields
Farm

HEATHER LA

MAIN ST

PO

Arlick
Farm

The
Barn

NORMANTON LA

THE HOLLOW

Hillcrest

RED BURROW LA

Manor
Farm

Gilwiskaw Brook

LE67

Measham
Hall

Odd
Barn

SWEPSTONE RD

Mill Top
House

Tempe
Farm

Upperfields
Farm

DE12

Dishley
Farm

ASHBY LA

SWEPSTONE RD

MAIN ST

Swepstone

Manor
Farm

QUARRY LA

BOSWORTH RD

CHURCH ST

Valley Farm
House

HOME FARM
BARNS

Quarry Lane
Farm

Valley
Farm

SWEPSTONE RD

NEWTON RD

35 A B 36 C D 37 E F

93
121

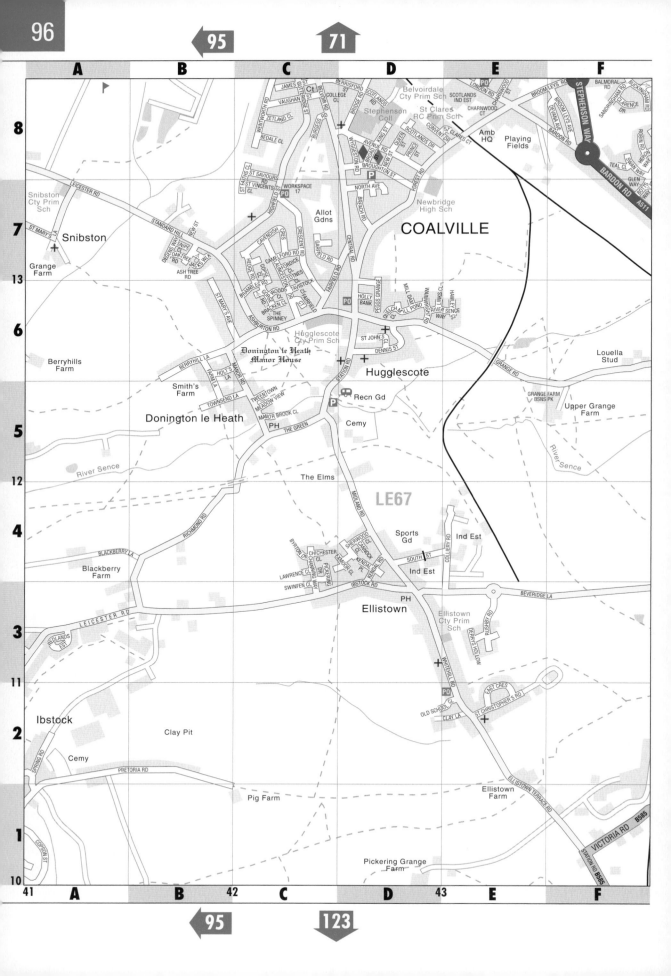

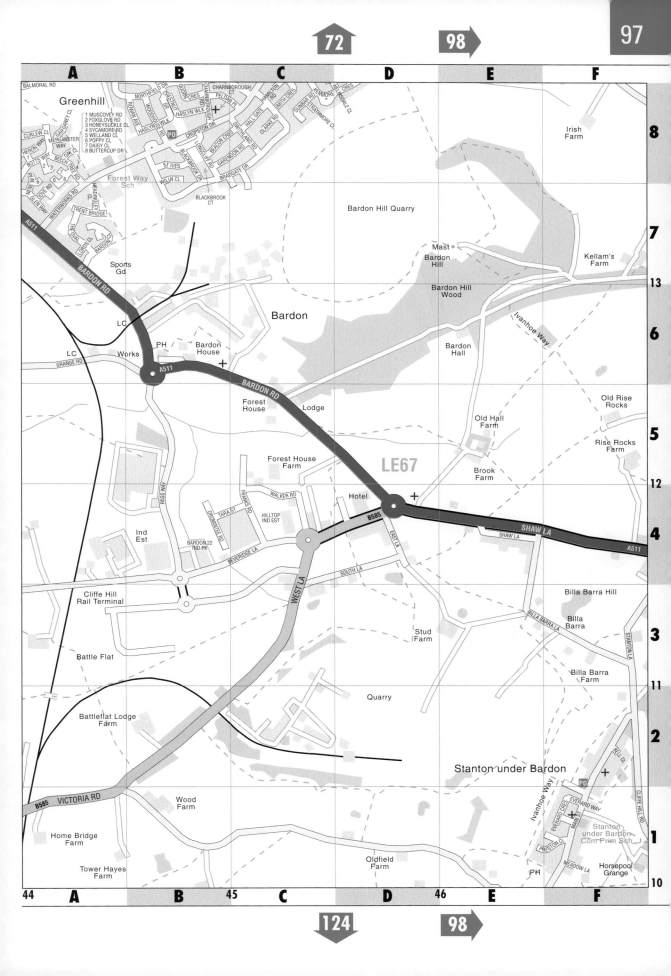

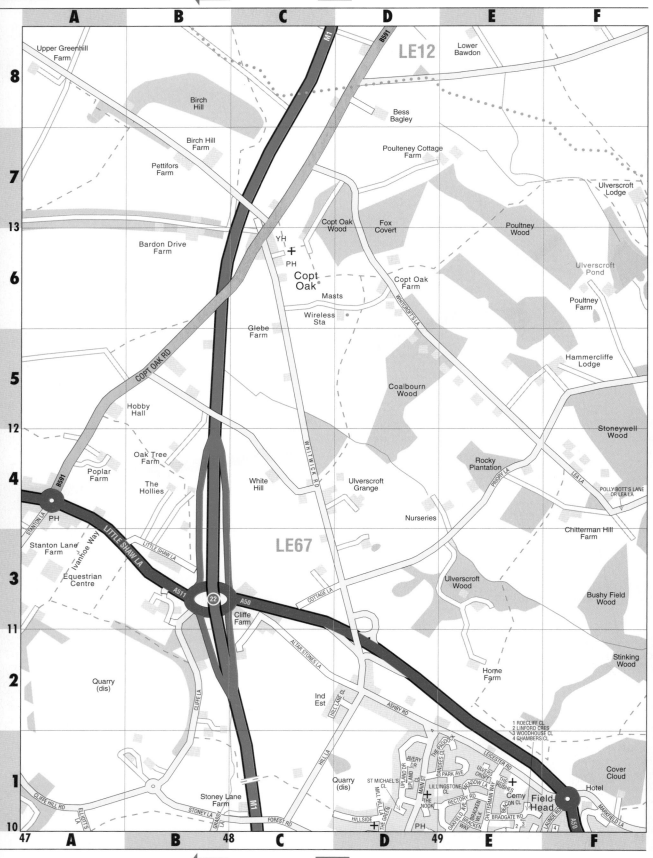

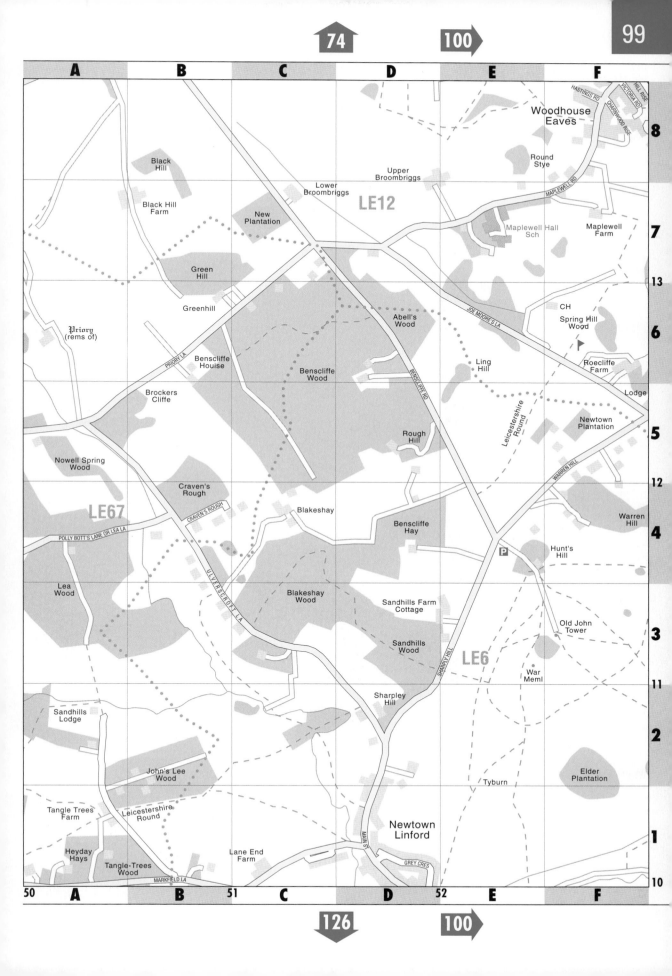

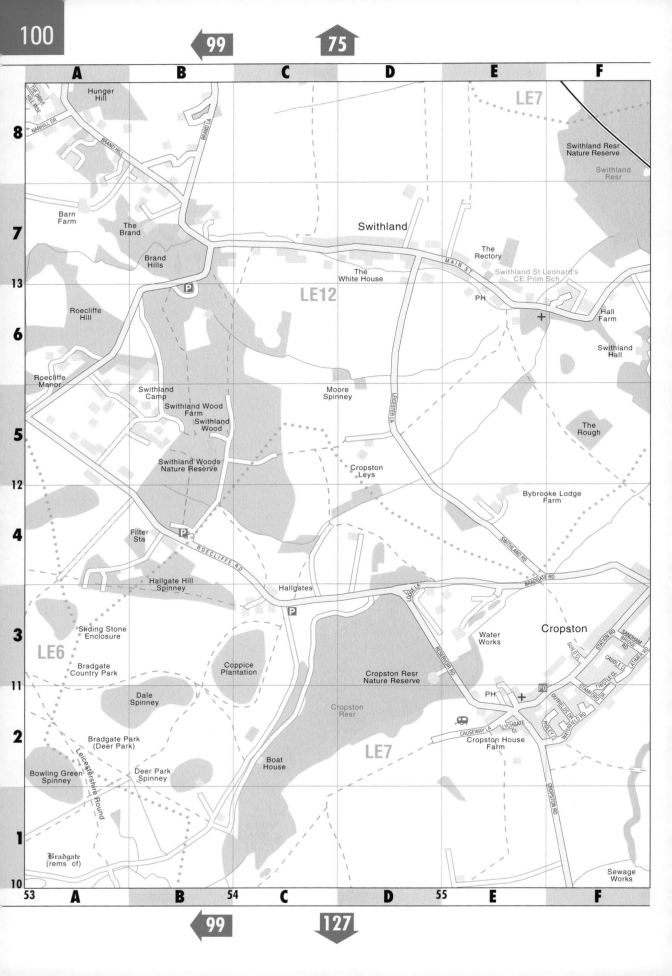

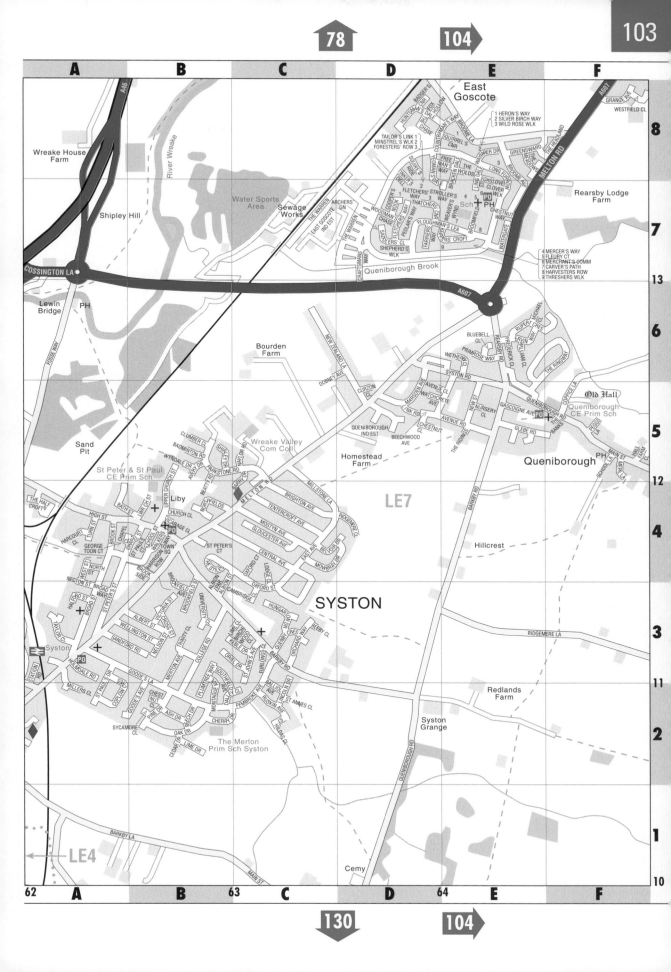

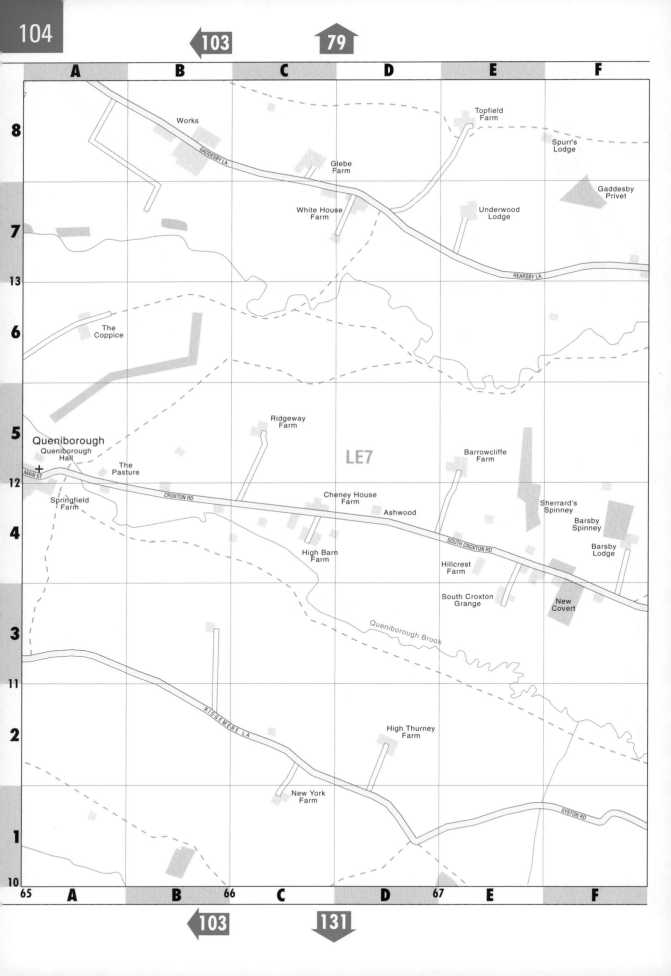

A B C D E F

8 Works

Topfield
Farm

Spurr's
Lodge

GADDESBY LA

Glebe
Farm

Gaddesby
Privet

White House
Farm

Underwood
Lodge

7

REARSBY LA

13

6 The
Coppice

5 Ridgeway
Farm

Queniborough

Queniborough
Hall

Barrowcliffe
Farm

LE7

The
Pasture

12 MAIN ST

Cheney House
Farm

Sherrard's
Spinney

CROXTON RD

Springfield
Farm

Ashwood

Barsby
Spinney

4 SOUTH CROXTON RD

Barsby
Lodge

High Barn
Farm

Hillcrest
Farm

South Croxton
Grange

New
Covert

3 Queniborough Brook

11

RIDGEMERE LA

2 High Thurney
Farm

New York
Farm

SYSTON RD

1

10

65 A B 66 C D 67 E F

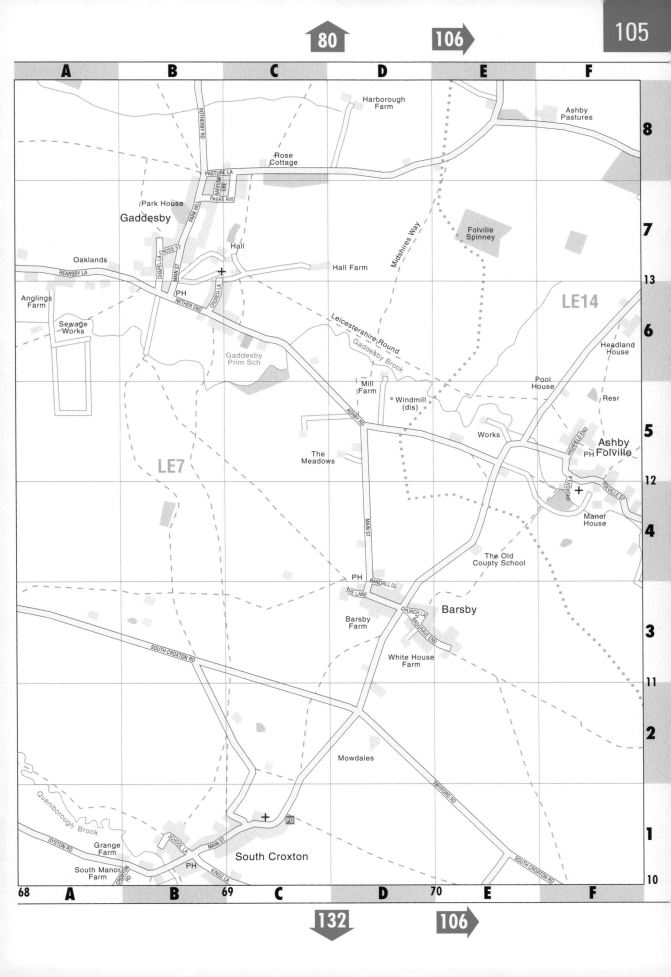

105
81

A **B** **C** **D** **E** **F**

8

Ashby
Pastures

Gifford
Lodge

Carington
Spinney

7

Capon
Gate

13

Thorpe
Trussels

6

Grange
Farm

Dalby Lodge
Farm

Ashby
Grange

Hall
Farm

LE14

Victory Lodge
Farm

KLONDYKE LA

5

Hare
Spinney

Hermitage
Farm

12

The
Hall

SALTER'S HILL DR.

BAKERS LA

Folville
House

GREAT DALBY RD

PO
CHURCH LA

4

Markham
House

Leicestershire Round

Thorpe
Satchville

MAIN ST

PH

White
Lodge

PINFOLD CT

Adam's Gorse
(Fox Covert)

3

TWYFORD RD

White House
Farm

11

ASHBY RD

2

Midshires Way

Twyford
Lodge

LE7

THORPE SATCHVILLE RD

1

Twyford

TILTON RD

B6047

KINGFISHER CL

CHURCH VIEW

THORPE...

HOLLAND'S TA

MAIN ST

KIRK ST

PH

LOWESBY LA

10

71 **A** **B** **72** **C** **D** **73** **E** **F**

B6047

THORPE SATCHVILLE RD

105
133

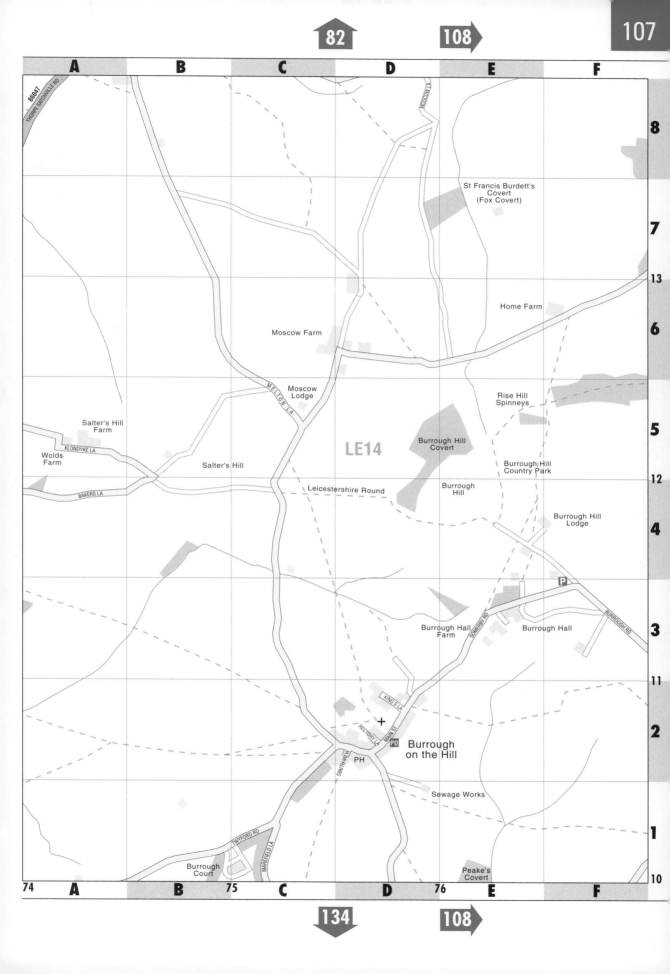

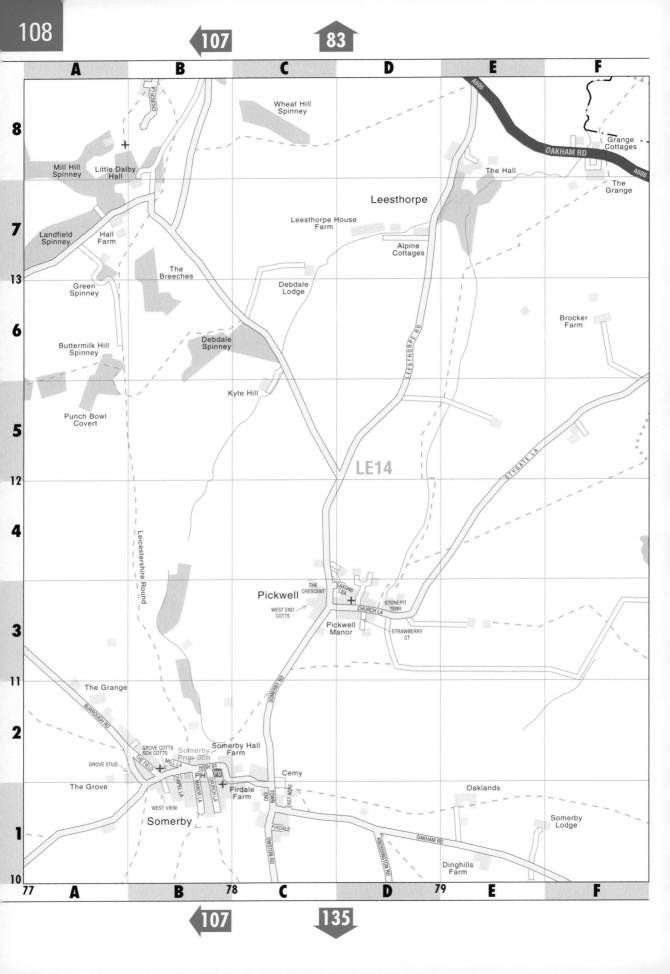

A B C D E F

8

Wheat Hill
Spinney

CHURCH LA

Mill Hill
Spinney

Little Dalby
Hall

Grange
Cottages

OAKHAM RD

The Hall

A606

The Grange

A606

Leesthorpe

7

Landfield
Spinney

Hall
Farm

Leesthorpe House
Farm

13

The Breeches

Green
Spinney

Alpine
Cottages

Debdale
Lodge

6

Buttermilk Hill
Spinney

Debdale
Spinney

Brocker
Farm

LEESTHORPE RD

Kyte Hill

5

Punch Bowl
Covert

STYGATE LA

12

LE14

4

Leicestershire Round

3

Pickwell

THE
CRESCENT

SAXONS
LEA

WEST END
COTTS

Pickwell
Manor

CHURCH LA

STONEPIT
TERR

STRAWBERRY
CT

11

The Grange

SOMERBY RD

2

BURROUGH RD

Somerby Hall
Farm

GROVE COTTS
SCH COTTS

Somerby
Prim Sch

MILL LA

HIGH ST

THE FIELD

GROVE STUD

CHAPEL LA

PH

MANOR LA

PO

Cemy

Oaklands

CHURCH LA

Firdale
Farm

WEST VIEW

The Grove

TOWN
END

EAST ACRE

Somerby
Lodge

FIRDALE

1

Somerby

OWSTON RD

KNOSSINGTON RD

OAKHAM RD

Dinghills
Farm

10

77 A B 78 C D E 79 F

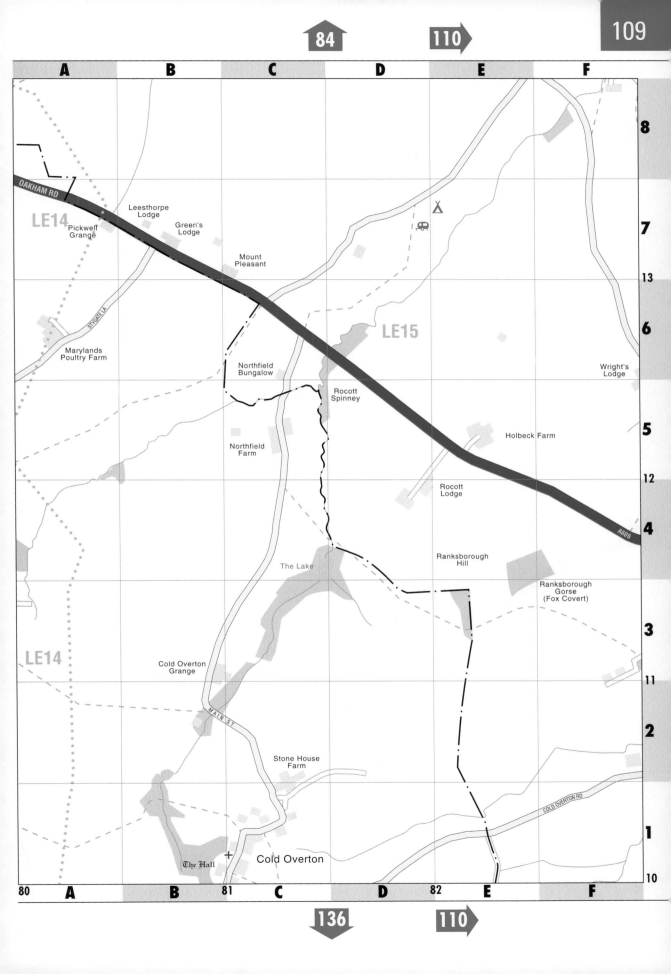

109
85

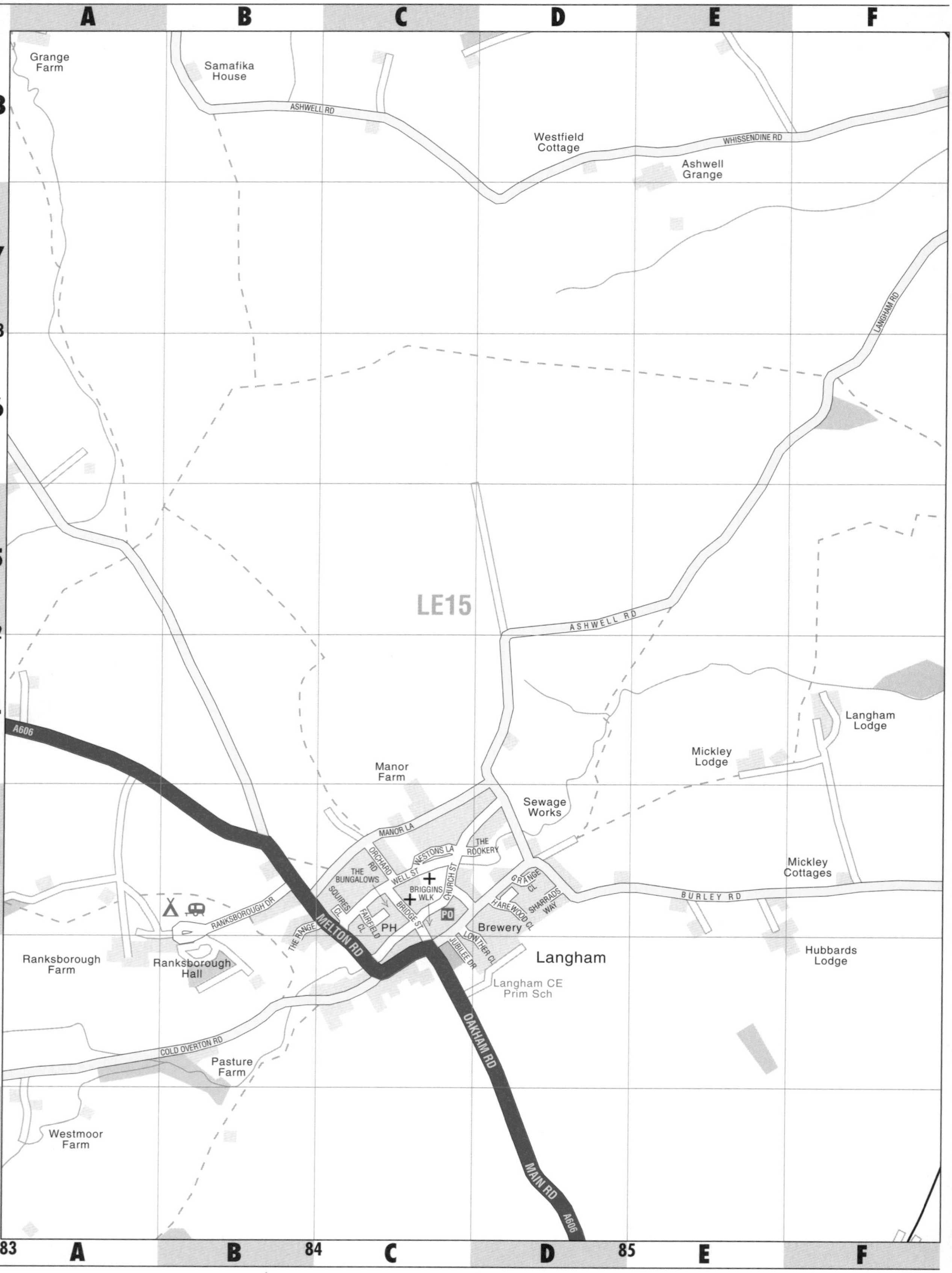

A B C D E F

8

7

13

6

5

12

4

3

11

2

1

10

Grange Farm

Samafika House

ASHWELL RD

Westfield Cottage

WHISSENDINE RD

Ashwell Grange

LANGHAM RD

LE15

ASHWELL RD

Langham Lodge

Mickley Lodge

Manor Farm

Sewage Works

The Rookery

Mickley Cottages

MANOR LA

WESTONS LA

ORCHARD RD

WELL ST

THE BUNGALOWS

SQUIRES CL

FAIRFIELD

BRIGGINS WLK

CHURCH ST

GRANGE CL

YAREWOOD

SHARRADS WAY

BURLEY RD

RANKSBOROUGH DR

THE RANGE

MELTON RD

PH

PO

Brewery

LOWTHER CL

JUBILEE DR

Langham

Langham CE Prim Sch

Hubbards Lodge

Ranksborough Farm

Ranksborough Hall

COLD OVERTON RD

Pasture Farm

OAKHAM RD

MAIN RD

A606

A606

Westmoor Farm

83 A 84 B C 84 C D 85 E F

111
87

A **B** **C** **D** **E** **F**

St Nicholas CE Prim Sch

SHEEPDYKE
MILL LA
CLATTERPOT LA
DEBDALE WELL
CRESSWELL DR
ROGUE'S LA
LONG MEADOW WAY
WESTLAND RD
HEATH DR
NETHER CL
GREETHAM RD
B668

8

HALL CL
TOLL BAR
THE PASTURES
PO +
MAIN ST
THE SPINNEY
THE LEAS
PH
Manor Farm
Cottesmore

ASHWELL RD
MERTON CL
BURLEY RD
AUSTHORPE
GR

7

Cottesmore House
EXTON RD

13

Cottesmore Lodge

Cottesmore Wood

6

Watkin's Gorse

Rattling Jack Spinney

Chapel Farm

5

Hall Farm

12

LE15

Alstoe Farm

Nursery

4

Cow Close Farm

COTTESMORE RD

Ry Gate Lake

Brook Farm

Exton Park

Brick Kiln Spinney

3

B668
COTTESMORE RD

Wr Twr

The Grange

Ry Gate Plantation

OAKHAM RD

Glebe Farm

11

Barnsdale Gardens

Egg Spinney

Crow Spinney

2

EXTON LA

BARNSDALE AVE

Springfield Barn

Lodge

1

Burley Park

Burley Bushes

10

A **B** **C** **D** **E** **F**
89 90 91

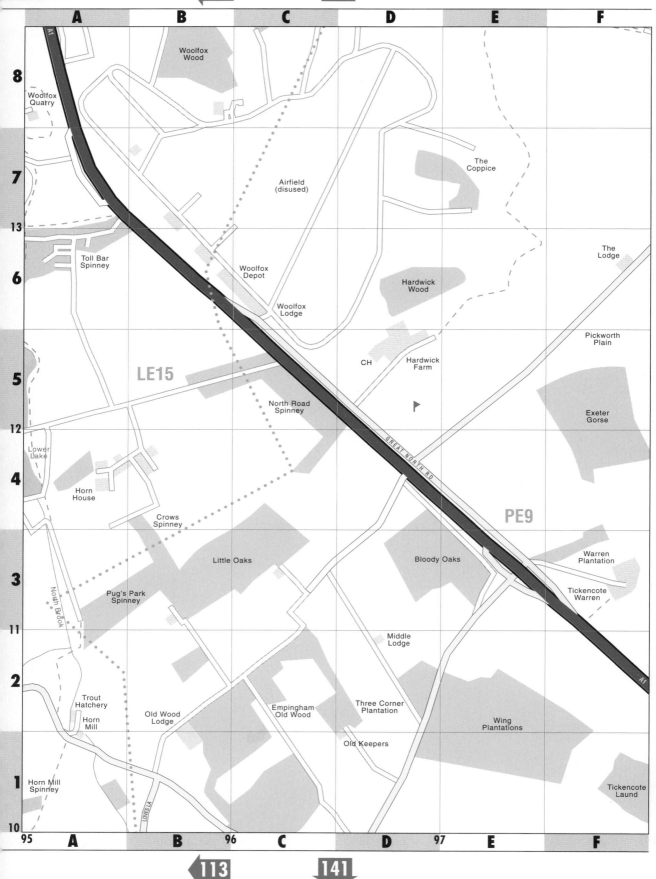

A B C D E F

8

Woolfox Wood

Woolfox
Quarry

7

The Coppice

13

Toll Bar
Spinney

6

Woolfox
Depot

Airfield
(disused)

Hardwick
Wood

The Lodge

Woolfox
Lodge

LE15

CH

Hardwick
Farm

Pickworth
Plain

5

North Road
Spinney

12

Lower
Lake

Exeter
Gorse

4

Horn
House

PE9

Crows
Spinney

Little Oaks

Bloody Oaks

Warren
Plantation

3

Pug's Park
Spinney

Tickencote
Warren

North Brook

11

Middle
Lodge

2

Trout
Hatchery

Old Wood
Lodge

Empingham
Old Wood

Three Corner
Plantation

Wing
Plantations

Horn
Mill

Old Keepers

1

Horn Mill
Spinney

LOVES LA

Tickencote
Laund

10

A B C D E F

The Limekiln
Manor Farm
Pickworth

8

7

13

Christian's Lodge

Turnpole Wood

6

Taylor's Farm

5

PE9

Eayres Lodge

Woodhead

12

East Wood

4

3

Mounts Lodge

PICKWORTH RD

11

2

Tickencote Laund

A1

RYHALL RD

1

10

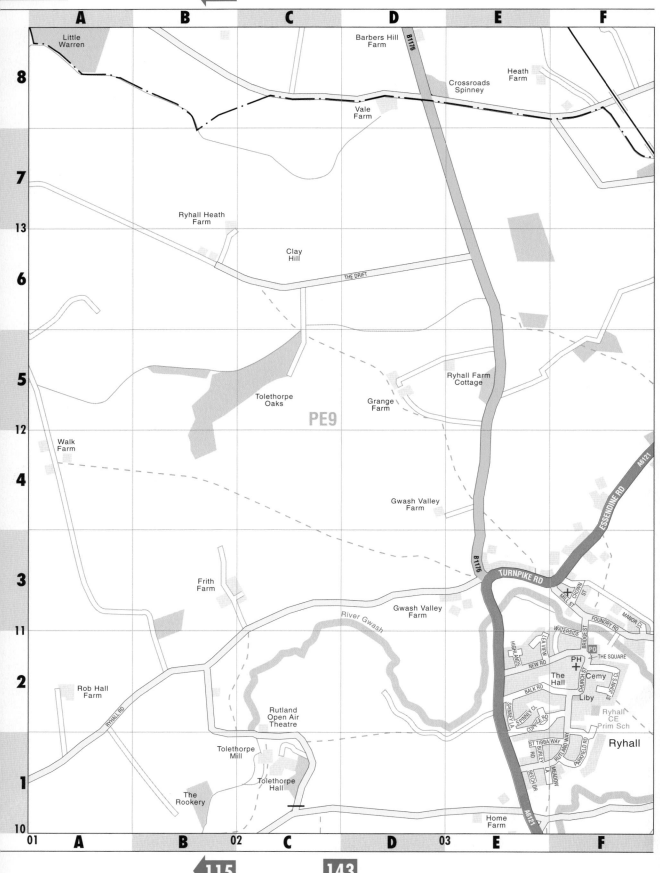

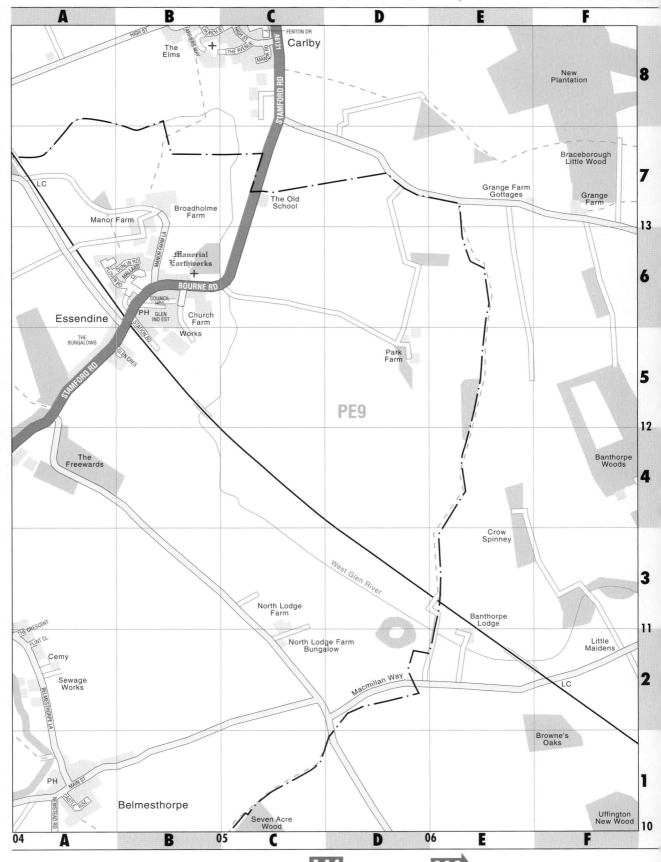

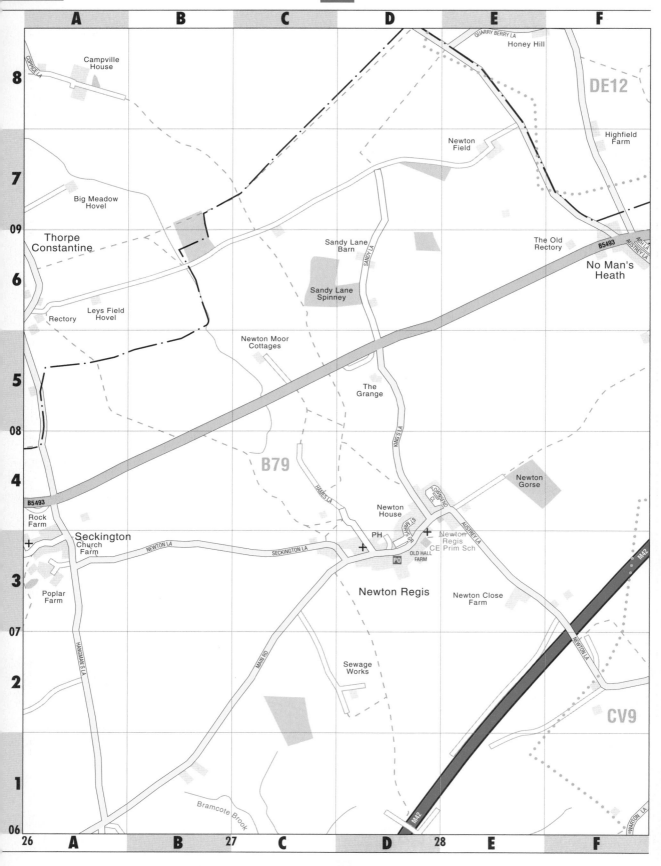

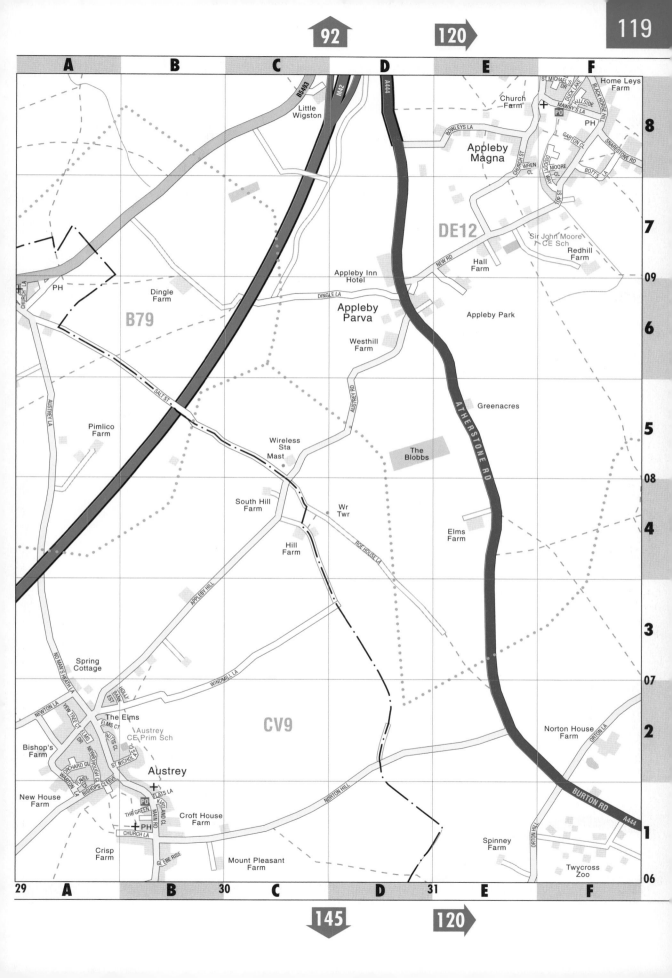

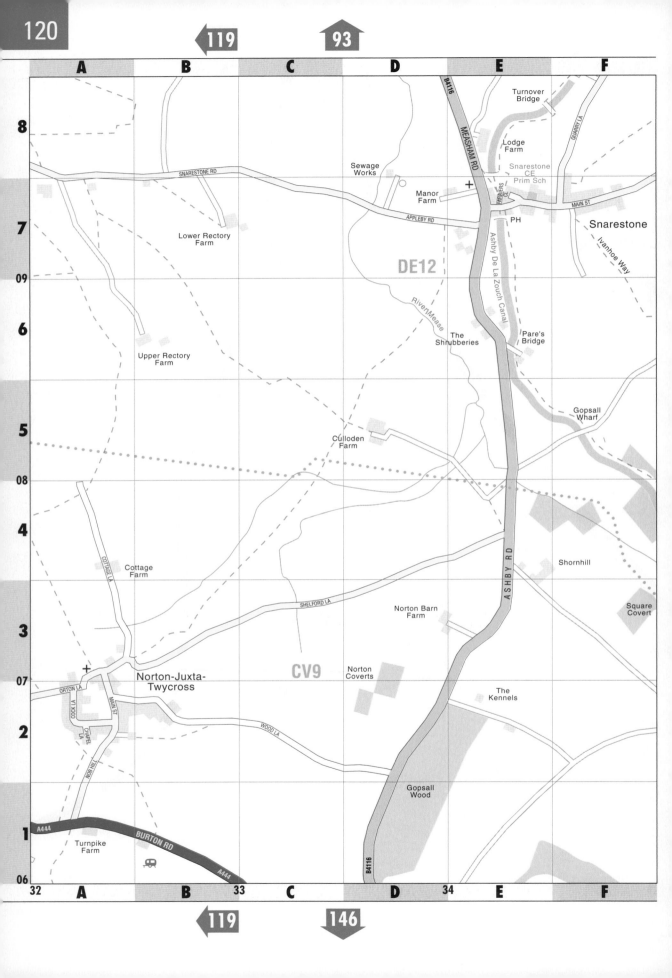

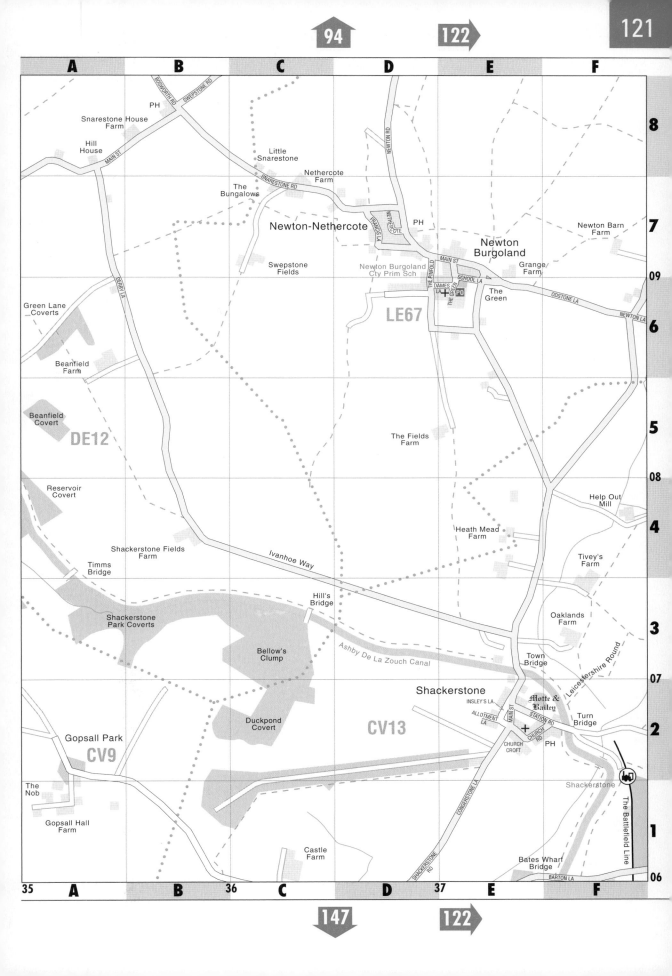

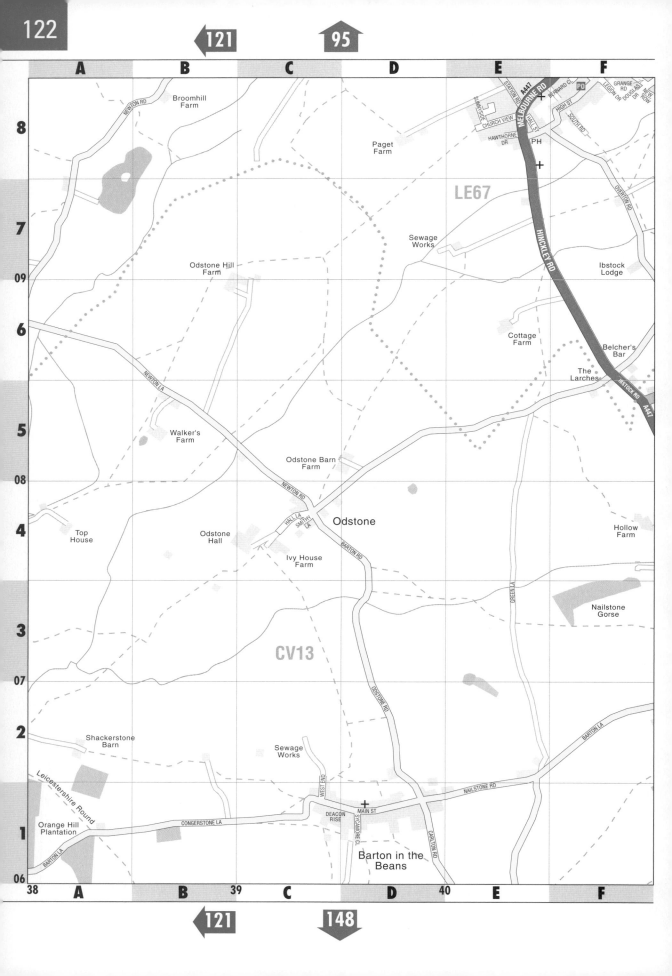

A B C D E F

8

7

09

6

5

08

4

3

07

2

1

06

Broomhill Farm

NEWTON RD

Paget Farm

LE67

STATION RD
MELBOURNE RD
A447
BERNARD CL
PO
GRANGE RD
LEGION DR DOUGLAS DR
NEW ROW
SUNNYSIDE
CHURCH VIEW
HALL ST
HIGH ST
SOUTH RD
HAWTHORNE DR
PH

Sewage Works

Odstone Hill Farm

HINCKLEY RD

Ibstock Lodge

OVERTON RD

NEWTON LA

Cottage Farm

Belcher's Bar

The Larches

JESTOCK RD
A447

Walker's Farm

Odstone Barn Farm

Top House

NEWTON RD

Odstone Hall

HALL LA
SMITHY LA

Odstone

BARTON RD

Hollow Farm

Ivy House Farm

GREEN LA

Nailstone Gorse

CV13

ODSTONE RD

Shackerstone Barn

BARTON LA

Sewage Works

WEST END

BARTON LA

Leicestershire Round

Nailstone Rd

Orange Hill Plantation

CONGERSTONE LA

DEACON RISE
MAIN ST
SYCAMORE CL
CARLTON RD

Barton in the Beans

38 A B 39 C D 40 E F

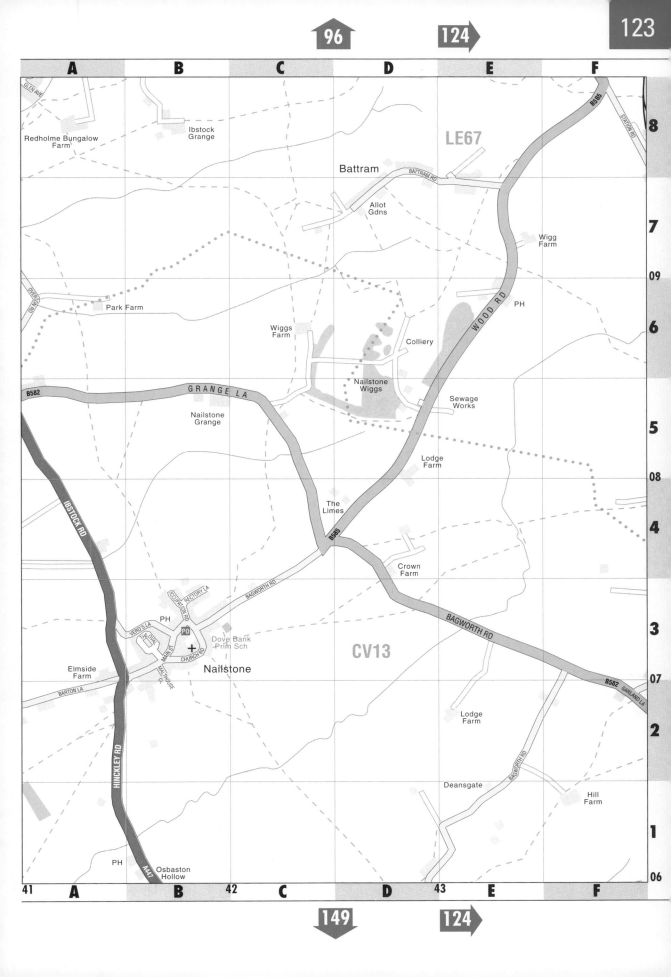

A B C D E F

8

Manor Farm

Sewage Works

7 PH

NORTHFIELD STATION TERR PO

Spring Farm

Willow Farm

09

STATION RD

PARK LA

Bagworth Park

LE67

STANTON LA

MARKFIELD LA

6

ALMOND WAY

Factories

Sports Ground

5 Bagworth

Leicestershire Round

THE SQUARE

MEADOW CL

LIME GR

BAGWORTH LA

THE HOLLOW

Thornton Com Prim Sch

08 WHITE HOUSE CL 1
CHANTRELL CL 2

1 2

MAIN ST

THORNTON LA

MILL LA

HAWTHORNE DR

BEECH DR

MAIN ST PO

Thornton Resr

PH

CHURCH HILL

OLD SCHOOL LA

4

Thornton

CHURCH

SHARPE'S CL

BARLESTONE RD

HEATH RD

PH

WARWICK CL

GEARY'S CL

HIGHFIELDS

RESERVOIR RD

MERRYLEES RD

3

ST PETER OAKWOOD CL

Bagworth Heath

Spoil Heap

07 CV13

2 B582 GARLANDS LA

Oak Farm

FoxCovert Farm

BAGWORTH RD

HEATH RD

Works

Sewage Works

LEESIDE

Garland Lane Farm

Pit

Heath Farm

1

LE9

B582

Little Fox Covert

LE9 LE9

06

44 A B 45 C D 46 E F

125
99

A **B** **C** **D** **E** **F**

MARKFIELD LA

GREY CRES

MAIN ST

Newtown Linford
Prim Sch

Leicestershire
Round

8

Lawn
Wood

Newtown
Linford

PO

P

BRACKEN HILL

BRADGATE RD

GROBY LA

Cemy

Riding
School

Cork Hall
Farm

LEICESTER RD

A50

LE67

7

Old
Wood

Chaplain's
Rough

New
Plantation

BRADGATE HILL

Bradgate
House

09

Groby Park
Farm

6

Sheet Hedges
Wood

Carter's
Rough

NEWTOWN LINFORD LA

Lady Hay
Wood

5

Little
John

ELSADENE DR

LENA DR

WALLACE DR

Nature
Reserve

Groby Pool

Groby
Quarries

Alder
Spinney

Bradgate
Home Farm

Pool
House

08

Groby Lodge
Farm

Slate Brook

MARKFIELD RD

1 THE ORCHARD
2 HOLMES CL
3 STEPHENSON CL
4 WINDMILL RISE
5 FIRTREE WLK

4

LE6

Martinshaw
Prim Sch

GREYLAND
PADDOCK

FERN CRES

FAR WOOD CL

SHAW WOOD CL

FIR TREE LA

Liby

PARKSIDE

A50

3

M1

Martinshaw Wood

WOODLANDS DR

PARKLANDS AVE

FOREST VIEW

FOREST RISE

FOREST CL

STEPHENSON WAY

POPLARS CL

RATBY RD

CHAPEL HILL

ROOKERY LA

PO

LEICESTER RD

PYMM LEY GDNS

FIELD COURT RD

Groby

WNWOOD RD

MARTINSHAW LA

FERRERS CL

CRANE LEY RD

PYMM LEY LA

MEADOW COURT RD

SLATE BROOK

07

LARY CRES

WOODBANK RD

CARMAN CL

MALLARD AVE

FLAXFIELD CL

SYCAMORE DR

OLD HALL CL

2

Groby
Com Coll

Brookvale
High Sch

OAKTREE CL

SPINNEY CL

WHITE
HOUSE CL

GLEBE RD

SPINNEY
SIDE

HIGHFIELD

Lady Jane Grey
Prim Sch

BEACON CL

LARKWOOD

CEDAR CT

ELM CL

CHESTNUT WLK

BEAUMONT GN

PINE TREE AVE

Cowpen
Spinney

BUCKINGHAM WAY

CHARNWOOD WAY

TIMBERWOOD DR

QUEENSMEAD

QUEENSMEAD

LAUNDE CL

BEDFORD

ULVERSCROFT DR

STAMFORD DR

LANCASTER CT 1
WARRINGTON DR 2

LAUNDON WAY

SOLSEY CL

WINDSOR

CASTLE RD

VICTORIAN CL

MARKFIELD RD

THE POPLARS

GROBY RD

WILLOW

BEECH

TUDOR GR

KINGS WAY

LOUSE AVE

ASH LME

SACHEVERELL WAY

A46

1

BEVINGTON

CHARNWOOD

ASH CL

BRADGATE DR

WOLSEY

WHITTINGTON DR

STAMFORD ST

SAXONS RISE

MAIN ST

DANE HILL

WOK

COTTAGE CL

OVERFIELD WLK

M1

1 SOUTH WLK
2 EAST WLK
3 THE CLOSE

LE3

A46

BURROUGHS RD

06

50 **A** **B** **51** **C** **D** **52** **E** **F**

125
152

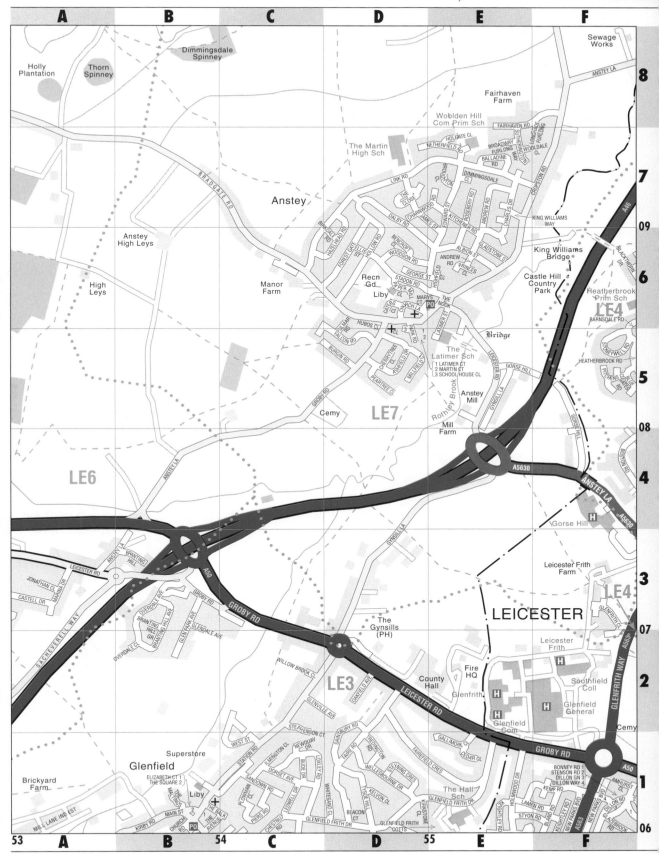

127
101

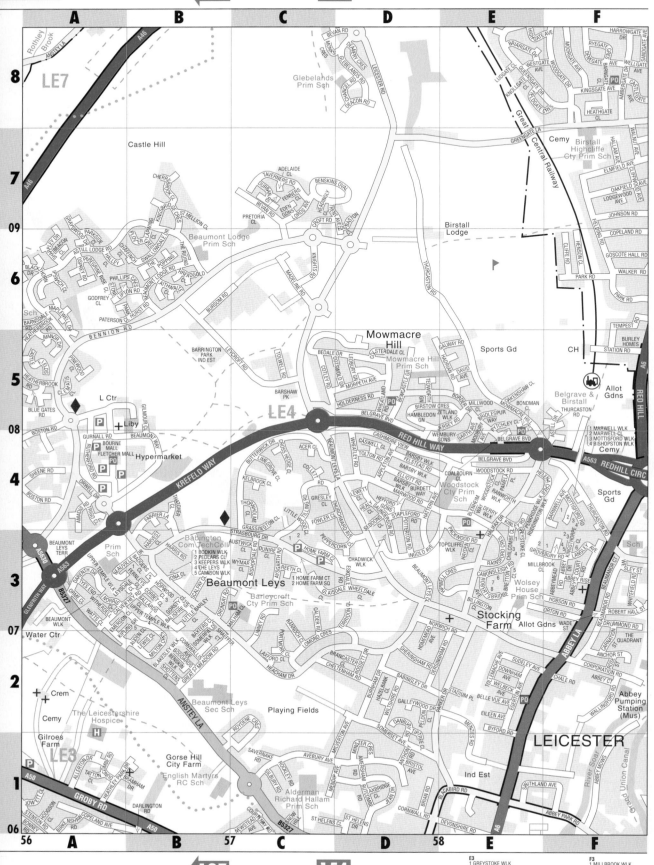

127
154

E3
1 GREYSTOKE WLK
2 PIPEWELL WLK
3 KIRKSTEAD WLK
4 CHILCOMBE WLK
5 BRETTON WLK
6 CANONSLEIGH WLK
7 SHELFORD WLK
8 ROBERTSBRIDGE WLK

F3
1 MILLBROOK WLK
2 WAINGROVES WLK
3 LANGLEY WLK
4 GROVEBURY WLK
5 MELCOMBE WLK
6 KIRKSCROFT WLK

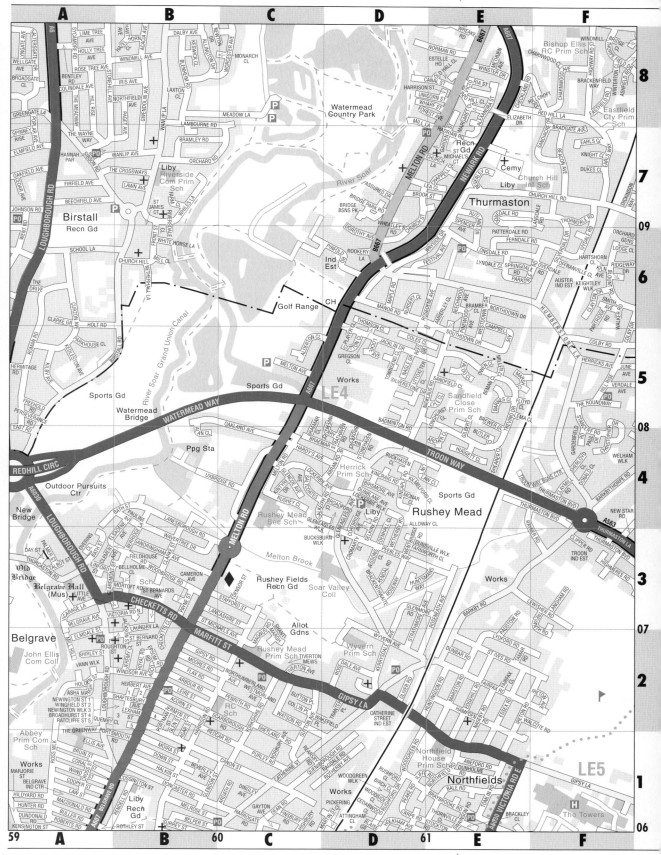

A B C D E F

8

Brooklands Farm
MAW ST
QUENIBOROUGH RD
The Hall
PH PO
Barkby
BRACKENFIELD WAY
BARKBY THORPE LA
Barkby Pochin Sch
SCHOOL LA
VICARAGE LA
PH
BROOKSIDE
BARKBY HOLT LA

7

PRICE WY
GREGORY CL
FIELD VIEW
THE COPPICE
1 CHURCH HILL RD
2 APPLEBY RD
Barkby Thorpe
Manor Farm
Thorpe Farm
QUEEN ST
KING ST
Hill Top Farm
BARKBY BROOK
BEEBY RD
Grange Farm

09

SHENTON CL
ORCHARD GDNS
EVERETT CL
COLBY DR
HOLLYBROOK CL
CRESSWELL CL

6

GRIFFIN CL
COLBY RD
LE4
LE7
Spinney House

5

JUNE AVE
VERDALE AVE
BARKBY THORPE RD
Barkby Thorpe Spinney

08

TILBURY CRES
STAYTHORPE RD
NEWNHAM CL
COLEFORD RD
MANSTON CL
WARREN AVE
WARREN DR
STANIER DR
CHENEY RD
MOUNTAIN RD
VALLEY RD
1 BLEASBY CL
2 GRIMSTON CL

4

NEW STREET RD
TROON IND AREA
WENLOCK WAY
CANNOCK ST
HILLTOP RD
WALTHOUSE
HAMILTON BSNS PK
TUXFORD RD

3

A563
THURMASTON BVD
THURMASTON LA
PROGRESS WAY
HIGHMERES RD
HYNCLIFFE RD
Humberstone Farm
P
P
BELTON DOWER RD
SANDHILLS AVE
JASMINE RD
LARKSPUR LA
SPEEDWELL DR
DRYPWE
HAREBELL
COLUMBINE
MALLOW CL
TRITIUM CL
CLOVERDALE RD
OAKRIDGE
Hamilton
CELANDINE RD
ORCHID RD
BRYONY RD
SAMPHIRE
Hamilton Grounds

07

Quakesick Spinney
HOLLY BANK
RAMSON CL
COLTSFOOT
SUNDEW RD
CHARLOCK RD
BURDOCK

2

LE5
ELMTREE
HONEYSUCKLE
ASHTREE RD
TREFOIL
WILLOWTREE
MAIDENWELL AVE
CORNFLOWER
SORREL RD
CLOVE RD
BRAMBLE CL
HAZELDENE RD
Kestrel's Field Prim Sch
Hamilton Com Coll
HAMILTON LA

LEICESTER

1

CH
THE BEECHES
GIPSY LA
GIMSON CL
Humberstone Manor
Manor Farm
THURMASTON LA
Church Farm House
COLIN GRUNDY DR
HUMBERSTONE BVD
A563
Humberstone Jun & Inf Schs
Liby
LOWER KEYHAM LA
KEYHAM LA
HANOVER CL
HUMBER CL
Humberstone Garden
BURNET
YARROW
CRANESBILL
MEADOWSWEET
PRESTON RISE
FERN RISE
LILAC AVE
LABURNUM RD
CHESTNUT RD
KEYHAM LA
BARRY RD
LIMEHURST RD
PREACH
GREENBANK RD
SELBY RD
NEWLYN
CROXDALE
CRANBROOK
ROSEBARN WAY
KEYHAM LA W
SEATON RISE
MAPLIN RD
RAYLEIGH GN
BRIARFIELD DR
RINGWOOD RD
ROMNEY CRES
NEW BRIDGE RD
BRINKLEY
PORTCULLIS RD
LYDFORD CRS
LYTHAM RD
Netherhall Sch
Nether Hall
HAMFORD CL
BARKFORD CL
1 BARONET WAY
2 RAYLEIGH WAY
3 RAMSEY WAY
4 RAMSEY GDNS

06

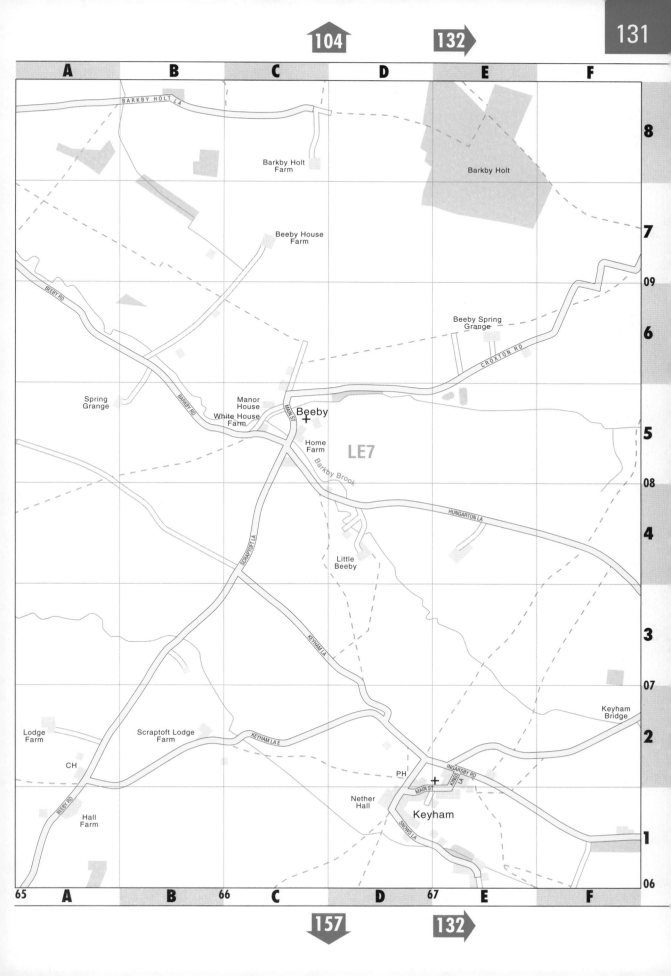

A B C D E F

8
7
09
6
5
08
4
3
07
2
1
06

BARKBY HOLT LA

Barkby Holt
Farm

Barkby Holt

Beeby House
Farm

BEEBY RD

Beeby Spring
Grange

CROXTON RD

Spring
Grange

BARKBY RD

Manor
House
White House
Farm

MAIN ST

Beeby

Home
Farm

LE7

Barkby Brook

HUNGARTON LA

SCRAPTOFT LA

Little
Beeby

KEYHAM LA

Lodge
Farm

Scraptoft Lodge
Farm

KEYHAM LA E

Keyham
Bridge

CH

PH

INGARSBY RD

KINGS LA

Nether
Hall

MAIN ST

Keyham

BEEBY RD

Hall
Farm

SNOWS LA

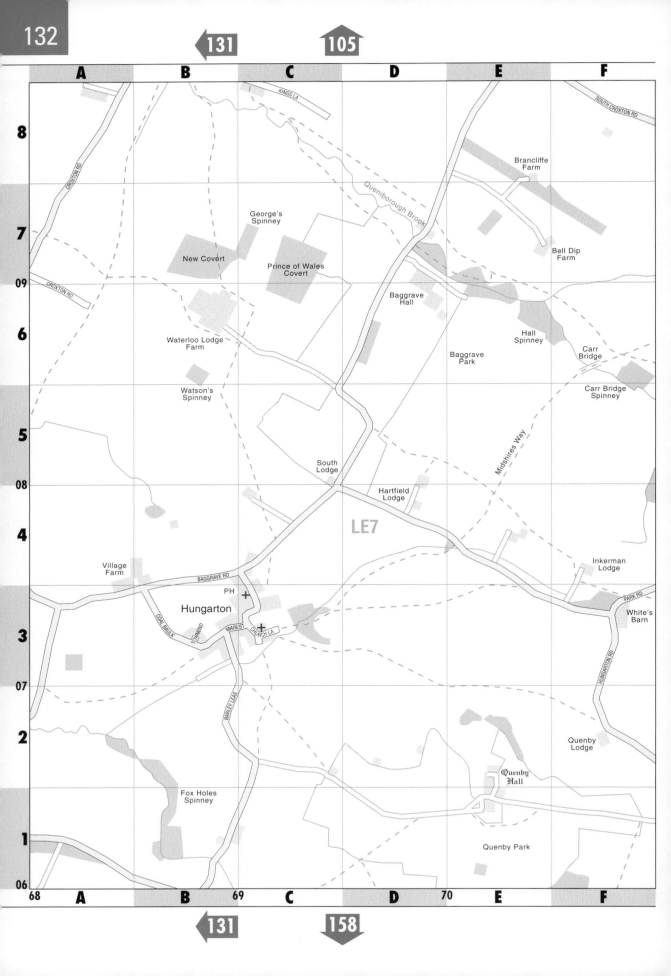

131
105

A   B   C   D   E   F

8
7
09
6
5
08
4
3
07
2
1
06

KINGS LA

SOUTH CROXTON RD

Brancliffe
Farm

Queniborough Brook

George's
Spinney

Bell Dip
Farm

New Covert

Prince of Wales
Covert

Baggrave
Hall

CROXTON RD

CROXTON RD

Waterloo Lodge
Farm

Hall
Spinney

Carr
Bridge

Baggrave
Park

Carr Bridge
Spinney

Watson's
Spinney

Midshires Way

South
Lodge

Hartfield
Lodge

LE7

Inkerman
Lodge

Village
Farm

BAGGRAVE RD

PH

White's
Barn

PARK RD

Hungarton

COAL BAULK

TOWNEND

MAIN ST

CHURCH LA

HUNGARTON RD

BARLEY LEAS

Quenby
Lodge

Fox Holes
Spinney

Quenby
Hall

Quenby Park

68   A   B   69   C   D   70   E   F

131
158

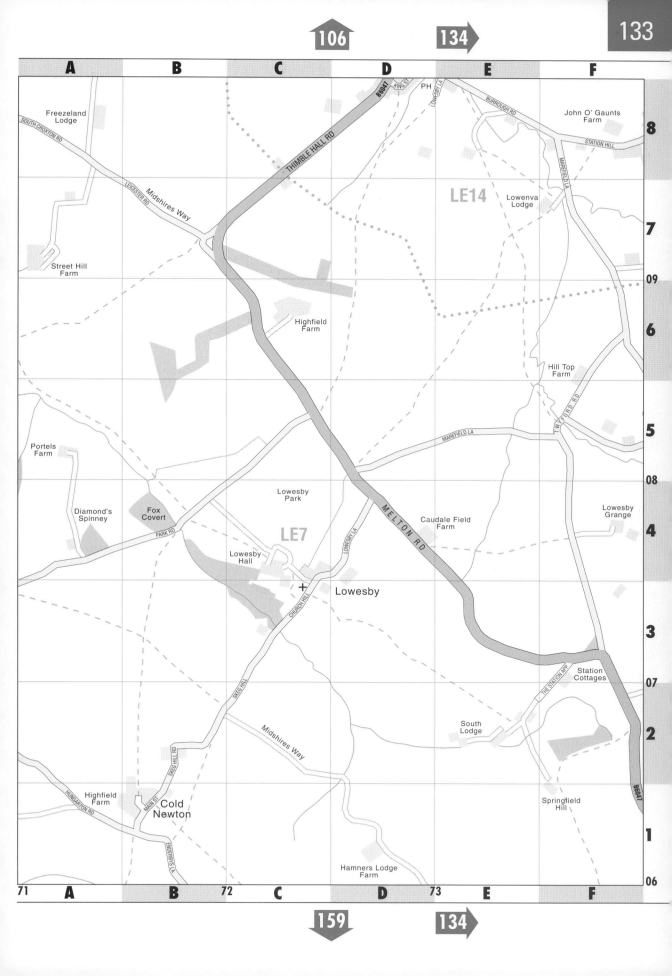

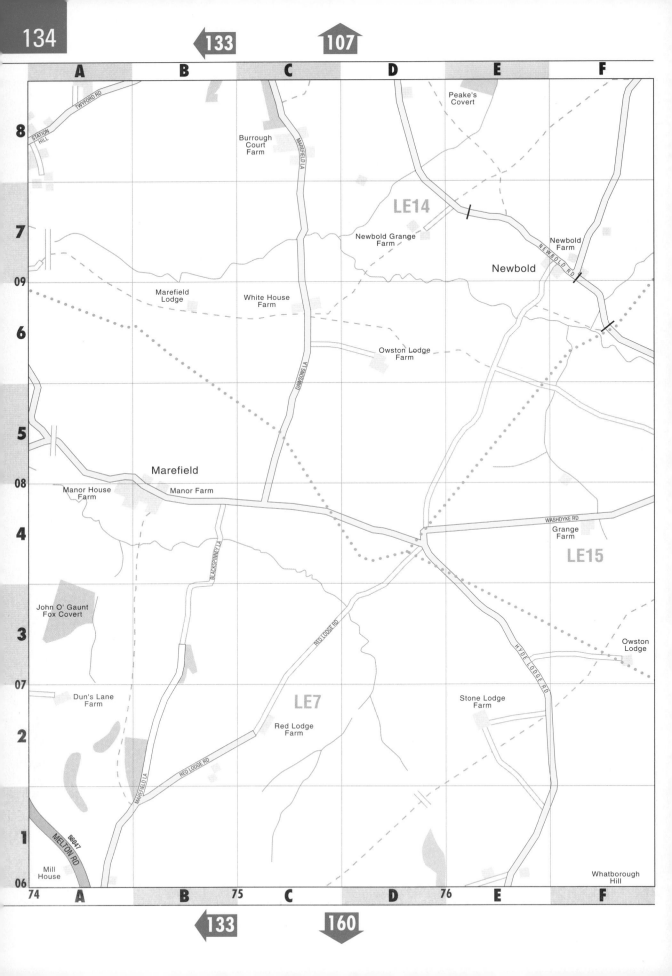

133
107

Peake's Covert

Burrough Court Farm

LE14

Newbold Grange Farm

Newbold Farm

Newbold

Marefield Lodge

White House Farm

Owston Lodge Farm

Marefield

Manor House Farm

Manor Farm

WASHDYKE RD

Grange Farm

LE15

John O' Gaunt Fox Covert

BLACKSPINNEY LA

RED LODGE RD

Owston Lodge

HYDE LODGE RD

Dun's Lane Farm

LE7

Stone Lodge Farm

Red Lodge Farm

MAREFIELD LA

RED LODGE RD

MELTON RD

B6047

Mill House

Whatborough Hill

STATION HILL

TWYFORD RD

MAREFIELD LA

DALBY LA

NEWBOLD RD

74   75   76

133
160

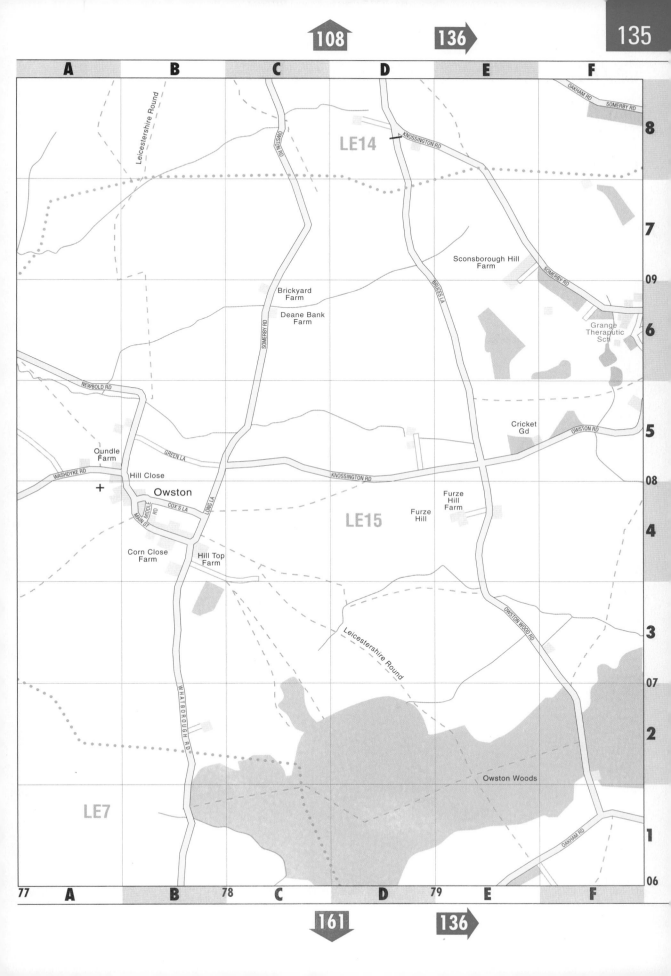

135
109

LE14

Clint's Crest

Manor Farm

The Bugalow

Nursery

MAIN ST

SOMERBY RD

COLD OVERTON RD

OAKHAM RD

Lockwood Cottage

THE CARRIAGEWAY

LARCHWOOD RISE

SOMERBY RD

PH

Knossington

MAIN ST

OVSTON RD

THE HOLLOW

Bleak House

Manor House

BRAUNSTON RD

Knossington Lodge Farm

Windmill Lodge

Lady Wood Farm

Lady Wood Lodge

LE15

Lady Wood

Flitteriss Park Farm

Woodend Farm

Cold Overton Park Wood

Spring Farm

Sheep Wash

KNOSSINGTON RD

Preston Lodge

Pacey's Lodge

THE WISP

Cheseldyne Spinney

OAKHAM RD

South Lodge Farm

135
162

A B C D E F

Mill Hill

Barleythorpe
Hall

The Barleythorpe
Stud

PILLINGS RD

Wks

Barleythorpe

MANOR LA

PASTURE LA

MAIN RD

A606

+ Cemy

The
Rutland Coll

KILBURN RD

LANDS END WAY

BARLEYTHORPE RD

OAKHAM

Vale of Catmore
Coll

Playing
Field

Brooke Priory
Sch

Oakham

1 WATCHORN CT
2 PURDY CT

The
Parks Sch

STATION RD

Radio Relay
Sta

Westward

HILLTOP DR

REDLAND RD

HILL RD

PARKFIELD RD

Rutland
Meml

H

B668

LC

09

• Mast

COLD OVERTON RD

FERRERS CL

PARK LA

STATION RD

WESTGATE
ST

MELTON RD

NORTHGATE ST

DEAN S ST

+

PO

A606

Ferrers
Sch

CHEVIOT CL

ALPINE CL

SHANNON

PRINCESS AVE

WESTFIELD

KING'S RD

CLIFTON RD

WEST RD

LONG ROW

ST ANNES CL

STABLES CT

GAOL ST

HIGH ST

+

6

PENTLAND CT 1
COTSWOLD WLK 2
MALVERN WLK 3

MENDIP CL

GRAMPIAN WAY

ALEXANDER CRES

CHURCHILL RD

KENNEDY

LONSDALE WAY

BROWNING DR

SOUTH ST

THOMAS
DALBY
WLK

+

NEW ST

JOHN S ST

P

TA
Ctr

HUDSON CL

VYVYAN CRES

GLEBE WAY

PYE CL

MOUNTBATTEN

DIGBY WLK

WIL LOUGHBY GDNS

BALMORAL RD

HAYWOOD

BUCKINGHAM RD

DEVENT DR

LC

HANBURY CL

BRAUNSTON RD

HARRINGTON WAY

SANDRINGHAM CL DR

Sch

WINDSOR DR

NENE CRES

5

Works

ADEL AVE

RIBBLE WLK

SEVERN CL

WEL AND WAY

WITHAM
CL

WALTHAM
HO

CHATER RD

TEES CL

TYNE RD

Banky
Meadow

IRWELL CL

SHANNON

DOVE CL

WREAKE
WLK

CALDER

CONWAY

FORTH CL

AVON CL

GLEN

08

Mast •

Hill Top
Farm

LE15

DEE CL

TRENT RD

DON CL

TAY CL

SPEY DR

BROOKE RD

Brooke Hill
Prim Sch

4

Macmillan Way

3

DUNHAM RD

Brooke
Covert

07

Old Plough
(PH)

Priory
Farm

Brooke Covert
East

2

PO

HIGH ST

KNOSSINGTON RD

CHURCH ST

CEDAR ST

LAMMAS CL

HANBURY GDNS

BROOKE RD

Braunston-in-Rutland

PARTS LA

+

Chapter
Farm

WOOD LA

Wood Lane
Farm

Sewage
Works

Waterdown

Brooke Priory

1

Hillside
Cottage

06

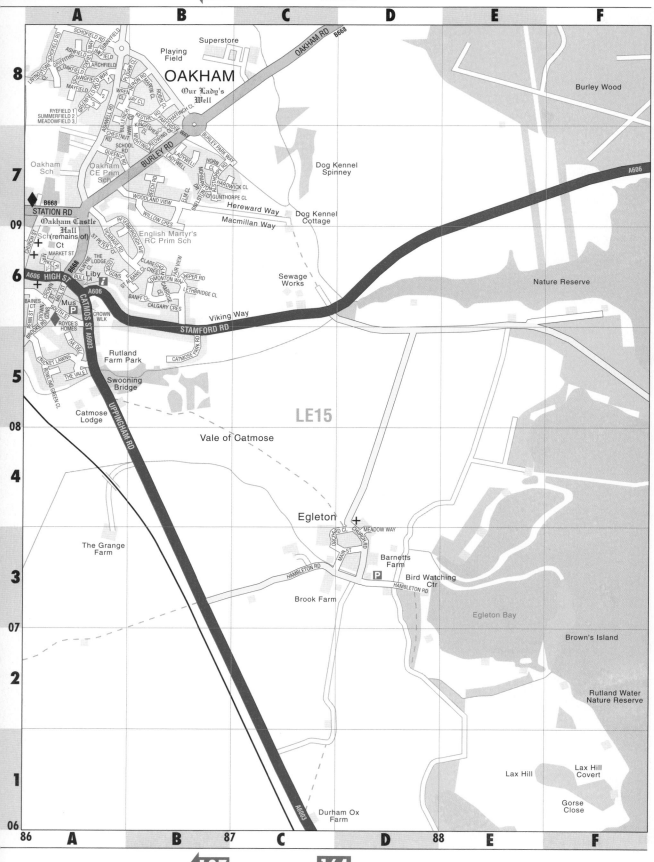

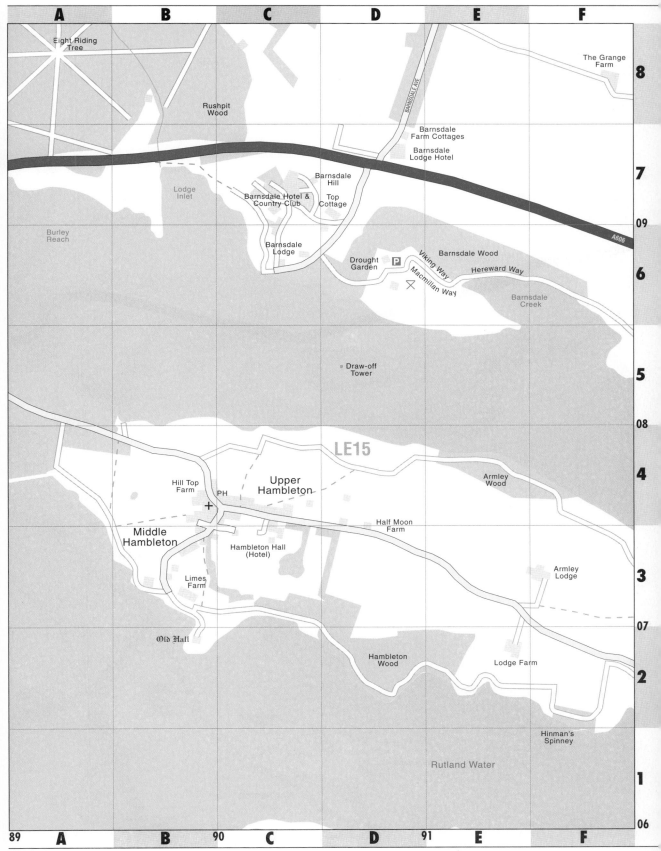

A   B   C   D   E   F

Eight Riding
Tree

Rushpit
Wood

8

The Grange
Farm

BARNSDALE AVE

Barnsdale
Farm Cottages

Barnsdale
Lodge Hotel

Lodge
Inlet

7

Barnsdale
Hill

Barnsdale Hotel &
Country Club

Top
Cottage

09

A606

Burley
Reach

Barnsdale
Lodge

Barnsdale Wood

Drought
Garden

P

Viking Way

Hereward Way

6

Macmillan Way

Barnsdale
Creek

Draw-off
Tower

5

08

LE15

Armley
Wood

4

Hill Top
Farm

PH

Upper
Hambleton

Half Moon
Farm

Middle
Hambleton

Hambleton Hall
(Hotel)

Armley
Lodge

3

Limes
Farm

07

Old Hall

Hambleton
Wood

Lodge Farm

2

Hinman's
Spinney

Rutland Water

1

06

89   A   B   90   C   D   91   E   F

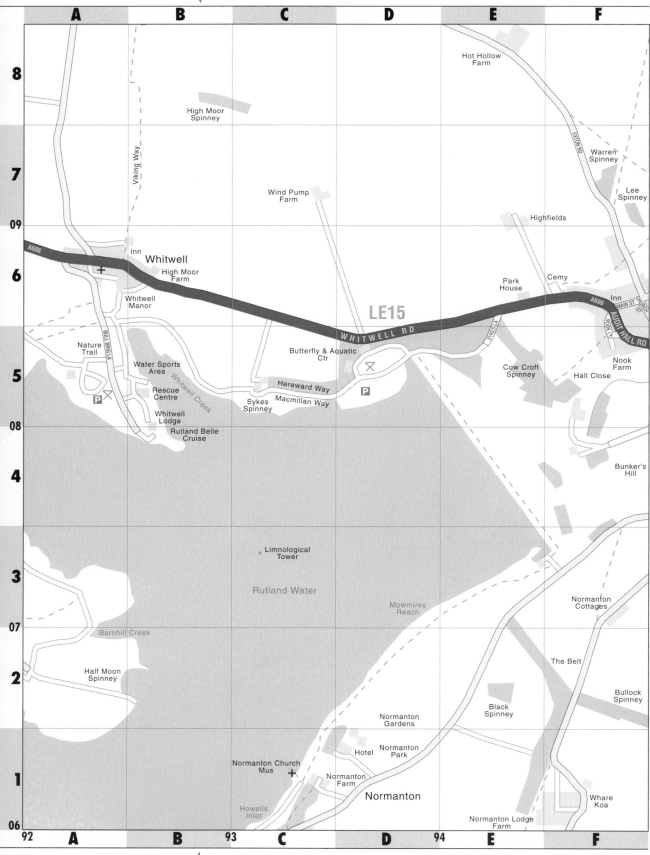

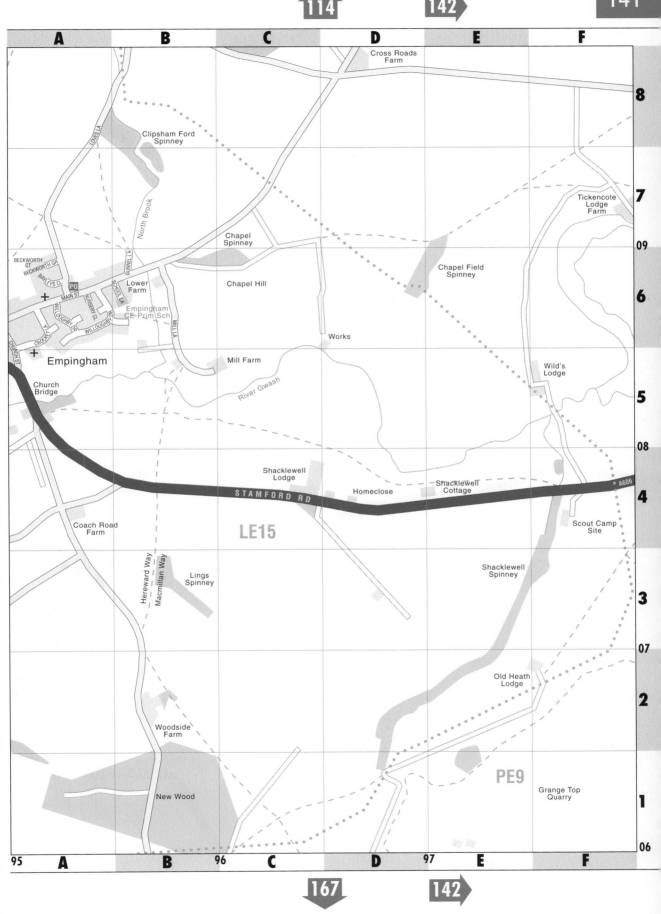

A B C D E F

8

7

09

6

5

08

4

07

3

2

1

06

95 96 97

Cross Roads Farm

Clipsham Ford Spinney

LONGS LA

North Brook

Chapel Spinney

Tickencote Lodge Farm

Chapel Field Spinney

BECKWORTH CT
BECKWORTH GR
BAYLEYS CL
PO
MAIN ST
Lower Farm
GUNNEL LA
SCHOOL LA
Chapel Hill

Empingham CE Prim Sch

WILLOUGHBY DR
NURSERY CL
MILL LA
Works

Wild's Lodge

CROCKET LA
WILLOUGHBY
CHURCH ST
Empingham

Mill Farm

River Gwash

Church Bridge

Shacklewell Lodge
Homeclose
Shacklewell Cottage
A606

STAMFORD RD

Scout Camp Site

Coach Road Farm

LE15

Hereward Way
Macmillan Way
Lings Spinney

Shacklewell Spinney

Old Heath Lodge

Woodside Farm

PE9

Grange Top Quarry

New Wood

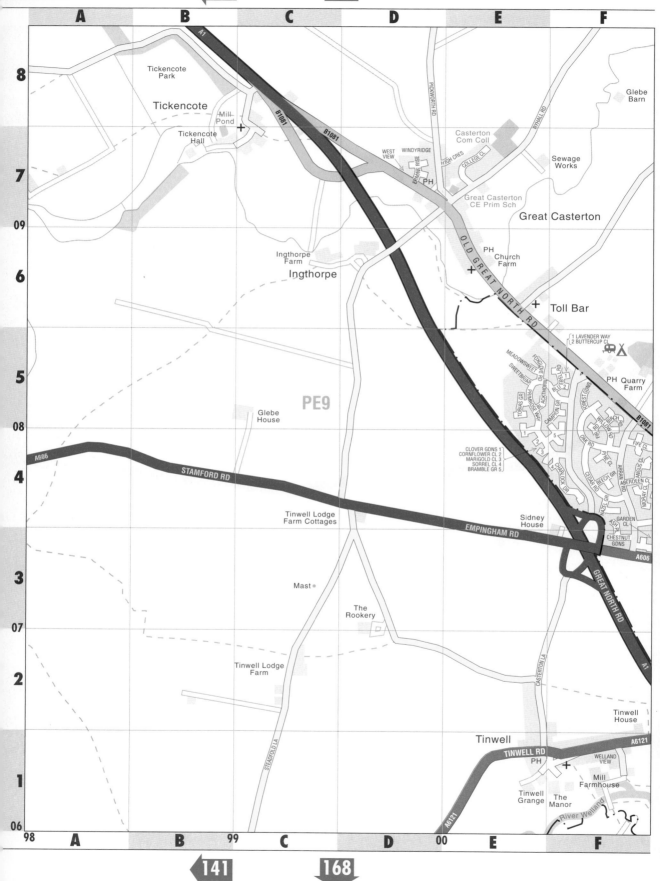

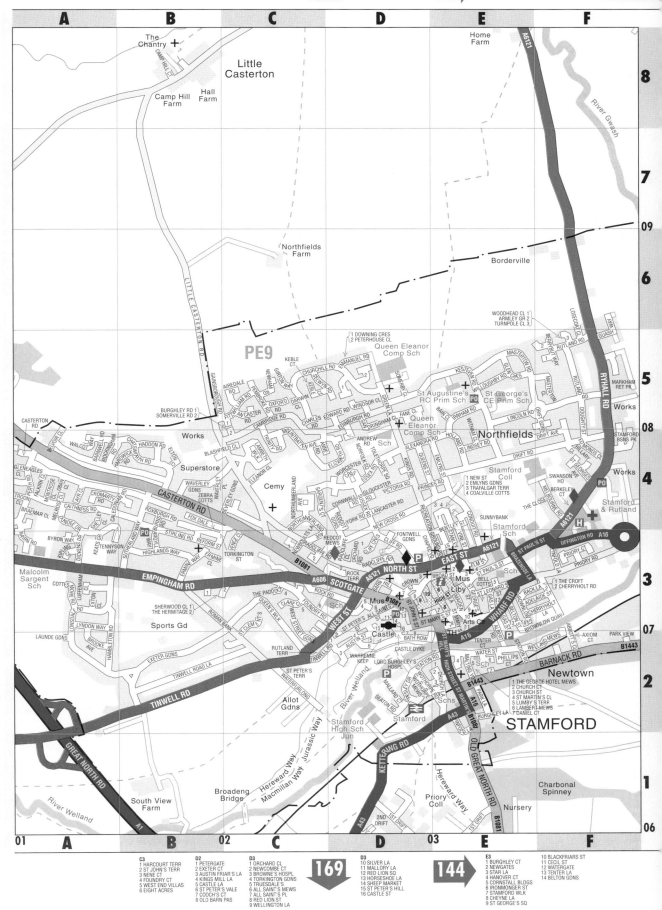

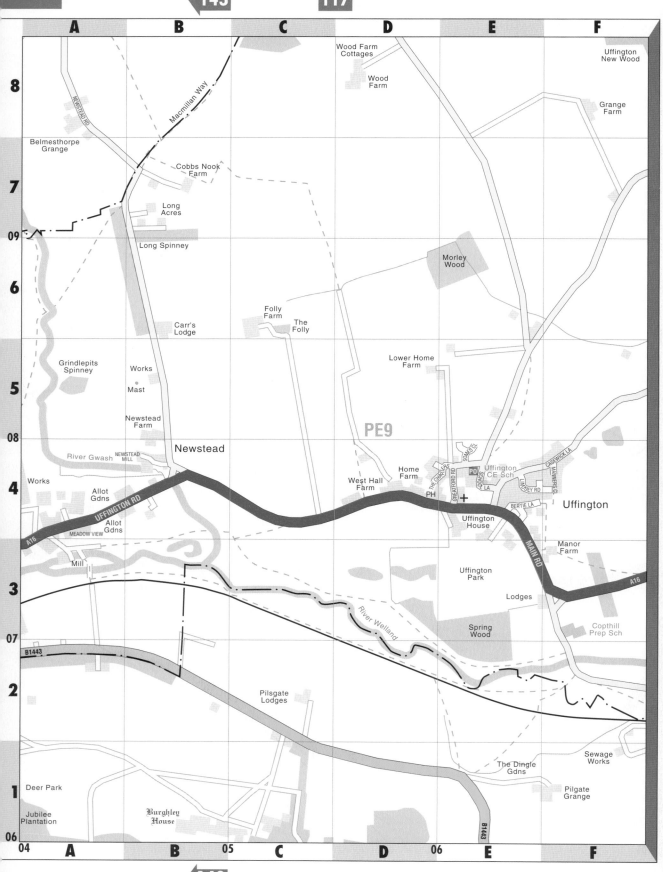

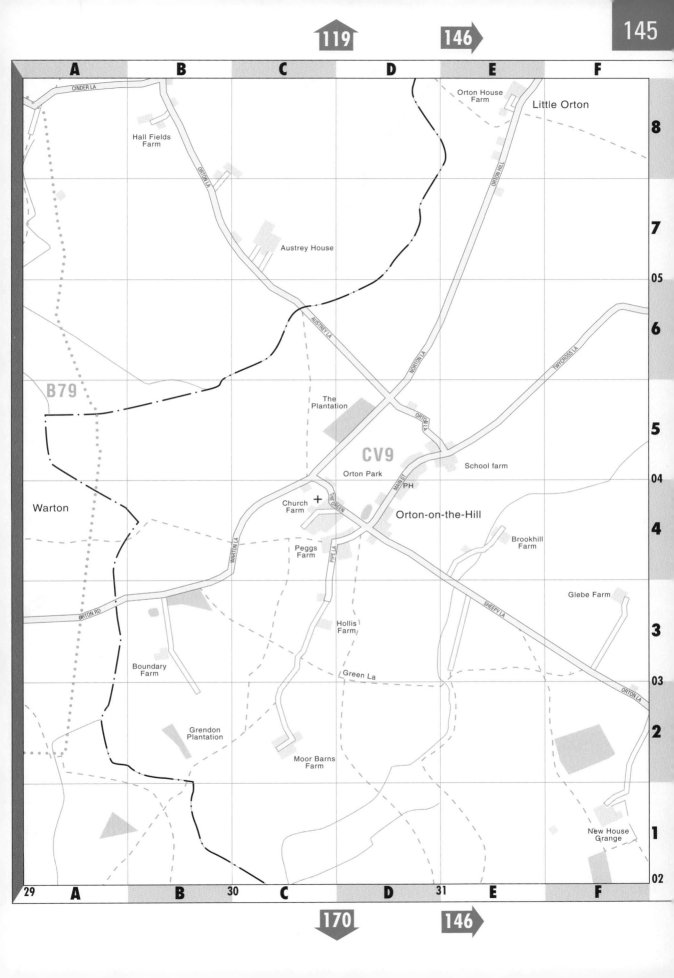

119
146

A   B   C   D   E   F

8

7

05

6

CINDER LA

Hall Fields Farm

ORTON LA

Orton House Farm

Little Orton

ORTON HILL

Austrey House

AUSTREY LA

B79

The Plantation

NORTON LA

CV9

ORTON LA

TWYCROSS LA

School farm

Orton Park

PH

Warton

Church Farm

THE GREEN

MAIN ST

Orton-on-the-Hill

5

04

4

Peggs Farm

PIPE LA

WARTON LA

Brookhill Farm

Glebe Farm

ORTON RD

Hollis Farm

SHEEPY LA

ORTON LA

03

Boundary Farm

Green La

Grendon Plantation

Moor Barns Farm

2

New House Grange

1

02

170
146

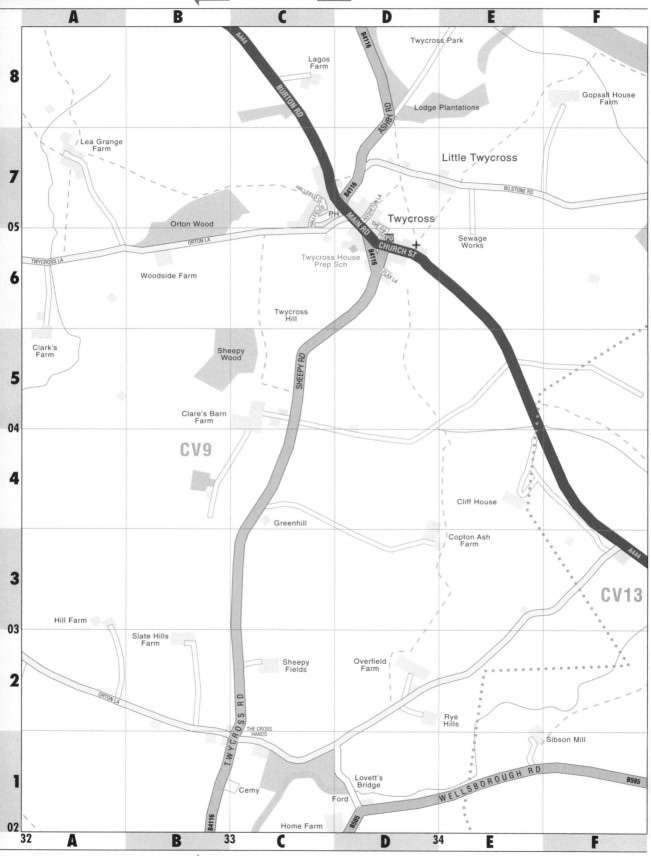

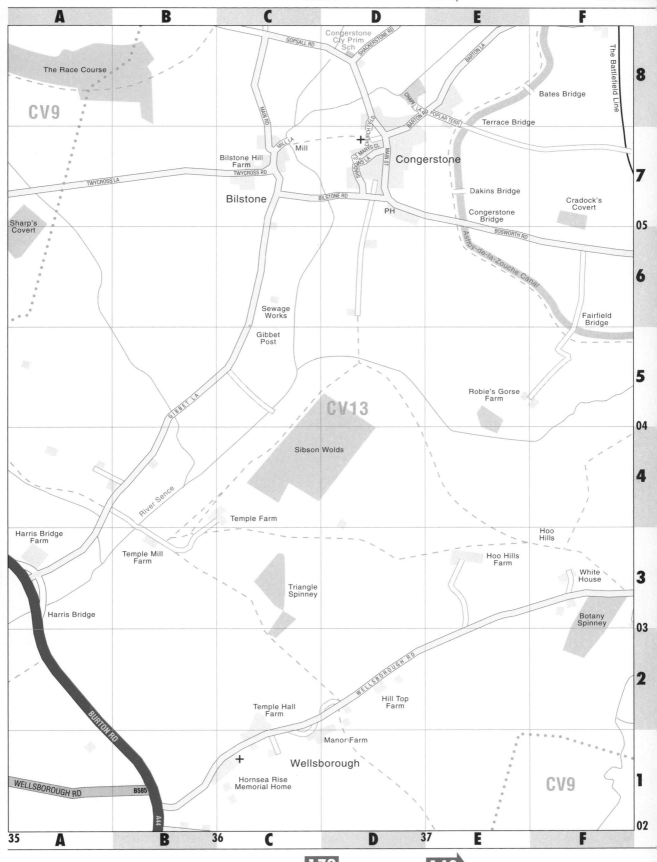

121　**148**

A　B　C　D　E　F

The Race Course

CV9

8

The Battlefield Line

GOPSALL RD

Congerstone
Cty Prim
Sch

SHACKERSTONE RD

BARTON LA

Bates Bridge

Terrace Bridge

MILL LA

Mill

Bilstone Hill
Farm

CHAPEL LA RD

BARTON RD

POPLAR TERR

SHADOWS LA

ST MARYS CL

CHURCH FIELD

MAIN ST

Congerstone

7

TWYCROSS LA

TWYCROSS RD

Bilstone

BILSTONE RD

PH

Dakins Bridge

Congerstone
Bridge

Cradock's
Covert

Sharp's
Covert

BOSWORTH RD

05

Ashby-de-la-Zouche Canal

6

Sewage
Works

Gibbet
Post

Fairfield
Bridge

GIBBET LA

CV13

Robie's Gorse
Farm

5

04

Sibson Wolds

4

River Sence

Temple Farm

Hoo
Hills

Harris Bridge
Farm

Temple Mill
Farm

Triangle
Spinney

Hoo Hills
Farm

White
House

3

Harris Bridge

Botany
Spinney

03

WELLSBOROUGH RD

2

BURTON RD

Temple Hall
Farm

Hill Top
Farm

Manor Farm

Wellsborough

CV9

1

WELLSBOROUGH RD

B585

Hornsea Rise
Memorial Home

A44

02

35　A　B　36　C　D　37　E　F

172　**148**

A B C D E F

8

05

7

6

05

04

5

4

04

3

03

2

03

1

02

Long Covert

Leicestershire Round

Bufton

Bufton LA

CARLTON RD

Bufton Lodge

MILESTONE RD

LOUNT RD

Carlton Gate

PH

Carlton

MAIN ST

New House Farm

SHACKERSTONE WLK

Stonehouse Farm

BOSWORTH RD

Lineage Farm

CONGERSTONE LA

Bank Farm

Bottle Neck

Common Farm

Bosworth Mill

BARTON RD

CV13

Carlton Bridge

The Battlefield Line

Mill Covert

Westfield Farm

Old Park Spinney

Ashby de la Zouch Canal

Allotment Covert

King's Bridge

Jubilee Spinney

Little Friezeland

HARCOURT SPINNEY

Friezeland Farm

Works

Market Bosworth

St Peters CE Prim Sch

WARWICK

St Peters CT

Hotel

Market Bosworth High Sch & Com Coll

CHURCH ST

WELLSBOROUGH RD

Bosworth Wharf Bridge

St Peter's CL

STATION RD

SPRINGFIELD AVE

BACK LA

PARK ST

PO

PH

THE PARK

MARKET MEWS

Bosworth Water Trust

Ind Est

GODSONS HILL

HILLSIDE

PRIORY RD

HEATH RD

AMBION RISE

REDMOOR CL

SPINNEY HILL

ST CATHERINES AVE

WESTHAVEN

WESTHAVEN CT

SOUTHFIELD

WESTON DR

WEAVERS AND

RECTORY LA

SCHS

WARWICK CL

SYCAMORE WAY

CEDAR DR

Sewage Works

LANCASTER AVE

YORK CL

STANLEY RD

NORTHUMBERLAND AVE

BECKETT AVE

CHESTNUT CT

Coton Bridge

Coton Priory

SHENTON LA

SUTTON LA

Nursery Barn

CV9

Fox Bridge

Far Coton

38 A B 39 C D 40 E F

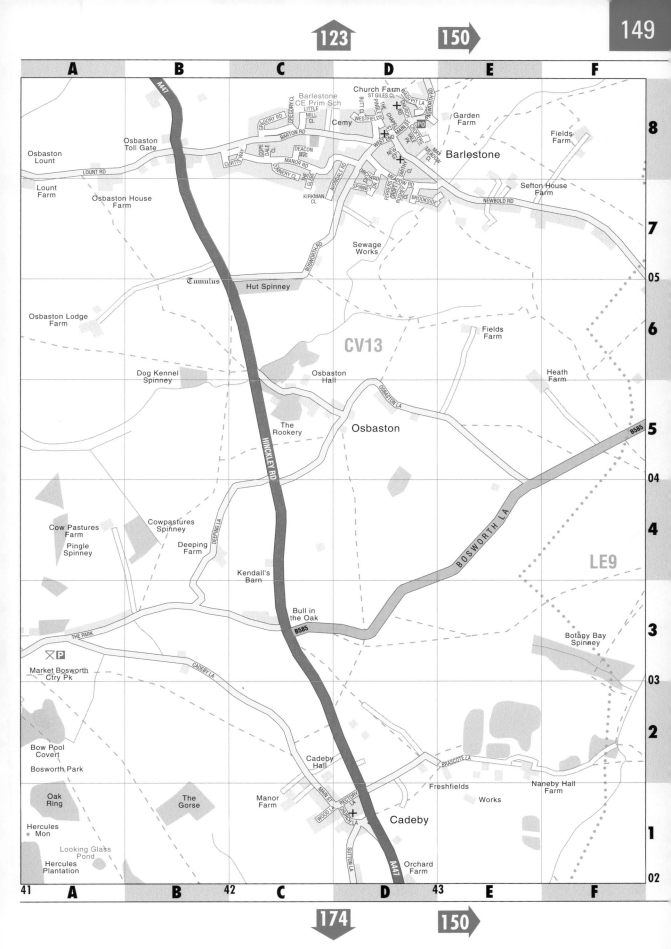

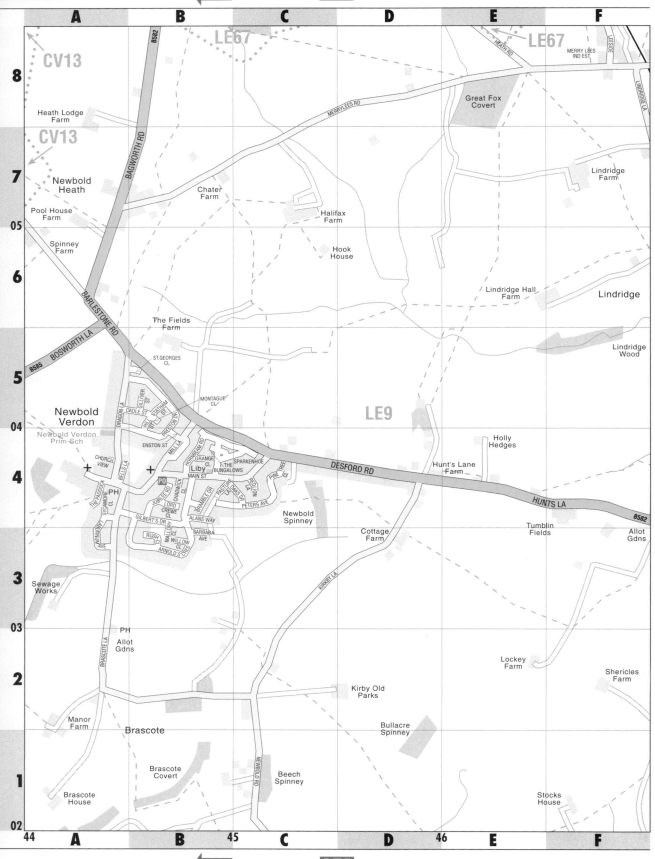

CV13

CV13

LE67

LE67

Heath Lodge Farm

Newbold Heath

Pool House Farm

Spinney Farm

BAGWORTH RD

B582

MERRYLEES RD

Great Fox Covert

MERRY LEES IND EST

HEATH RD

LEESIDE

LINDRIDGE LA

Lindridge Farm

Lindridge

Chater Farm

Halifax Farm

Hook House

Lindridge Hall Farm

Lindridge Wood

BARLESTONE RD

BOSWORTH LA

B585

The Fields Farm

ST.GEORGES CL

LE9

DRAGON LA

CADLE ST

GILLIVER ST

HILL ST

STATHAM ST

PRESTOP DR

MONTAGUE CL

Newbold Verdon

Newbold Verdon Prim Sch

ENSTON ST

MILL LA

NORTHEND RD

GRANGE CL

SPARKENHOE

THE BUNGALOWS

PINE TREE CL

Holly Hedges

Hunt's Lane Farm

DESFORD RD

HUNTS LA

B582

CHURCH VIEW

BELLS LA

Liby

MAIN ST

REDLION

PASTURE LA

OAKS RD

PETERS AVE

PH

THE PADDOCK

SYCAMORE CL

PO

JUBILEE RD

LORD CREWE CL

CHADWICK CL

BRAMBLE DR

ALANS WAY

Newbold Spinney

Cottage Farm

Tumblin Fields

Allot Gdns

WINFREY AVE

GILBERT'S DR

RUSH

MALLORY

WILLOW CL

BARBARA AVE

ARNOLD'S CRES

Sewage Works

KIRBY LA

BRASCOTE LA

PH

Allot Gdns

Lockey Farm

Shericles Farm

Manor Farm

Brascote

Kirby Old Parks

Bullacre Spinney

Brascote Covert

NEWBOLD RD

Beech Spinney

Brascote House

Stocks House

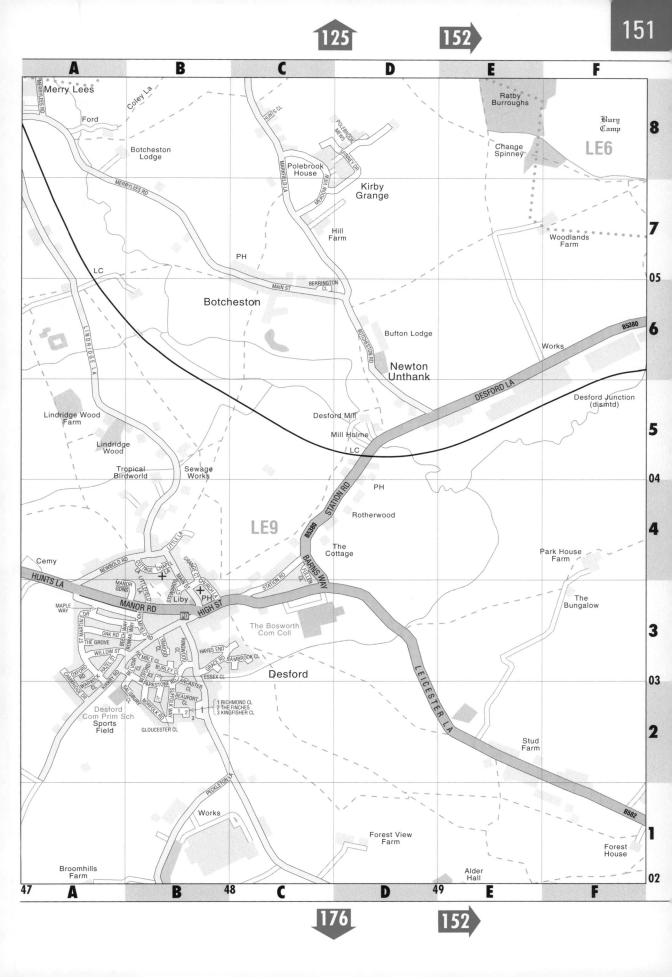

Merry Lees

Coley La

Ford

Botcheston
Lodge

MERRYLEES RD

MERRYLEES RD

HUNTS CL

Polebrook
House

POLEBROOK
MEWS

MARKFIELD LA

MEADOW VIEW

SPINNEY DR

Kirby
Grange

Ratby
Burroughs

Bury
Camp

LE6

Change
Spinney

Woodlands
Farm

Hill
Farm

PH

LC

MAIN ST

BERRINGTON
CL

Botcheston

Bufton Lodge

BOTCHESTON RD

Newton
Unthank

Works

DESFORD LA

B5380

Desford Junction
(dismtd)

LINDRIDGE LA

Lindridge Wood
Farm

Lindridge
Wood

Desford Mill

Mill Holme

LC

Tropical
Birdworld

Sewage
Works

PH

STATION RD

B5380

Rotherwood

Park House
Farm

LE9

The
Cottage

The
Bungalow

Cemy

Newbold Rd

LITTLE LA

COTTAGE LA

LITTLEFIELD

CHAPEL LA

STEWARDS CT

MAIN ST

GRANGE CL

CHURCH LA

Liby

PH

BARNS WAY

FULTER CL

STATION RD

HUNTS LA

MANOR
GDNS

MANOR RD

HIGH ST

PO

LEICESTER LA

MAPLE
WAY

ST MARTIN'S DR

HOLMFIELD RD

ROWAN WAY

BEECH WAY

OAK RD

The Bosworth
Com Coll

Desford

The Grove

WILLOW ST

HAZEL ST

BELVOIR DR

PALMERSTON RD

RINGWOOD CL

LYNWOOD CL

HAYES END

GRACE RD

BAMBROOK CL

Stud
Farm

OXFORD
RD

WARWICK
DR

CAMBRIDGE DR

KIRBY RD

SALISBURY
CL

PARKSTONE RD

BURLEY CL

LANCASTER
CL

ESSEX CL

NORFOLK RD

BEAUFORT
CL

SUFFOLK WAY

1 RICHMOND CL
2 THE FINCHES
3 KINGFISHER CL

1
2
3

Desford
Com Prim Sch

Sports
Field

GLOUCESTER CL

PECKLETON LA

Works

Forest View
Farm

B582

Forest
House

Broomhills
Farm

Alder
Hall

8
7
05
6
5
04
4
03
3
03
2
1
02

A B C D E F

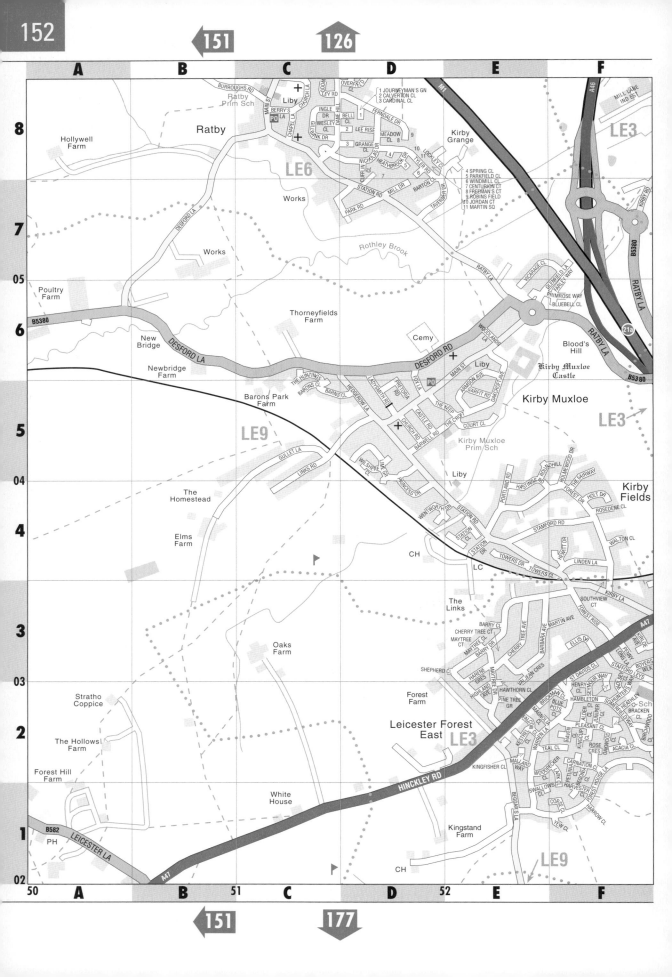

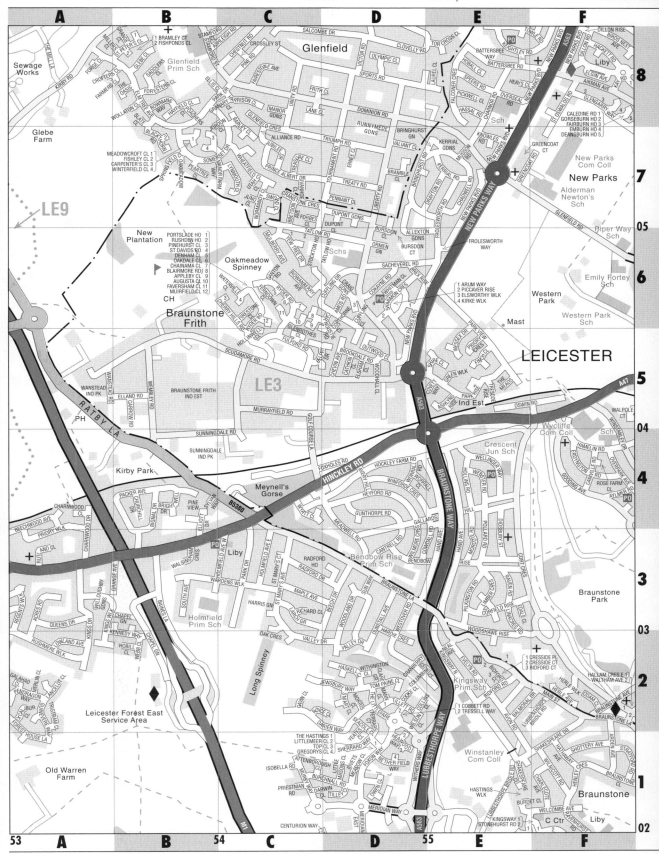

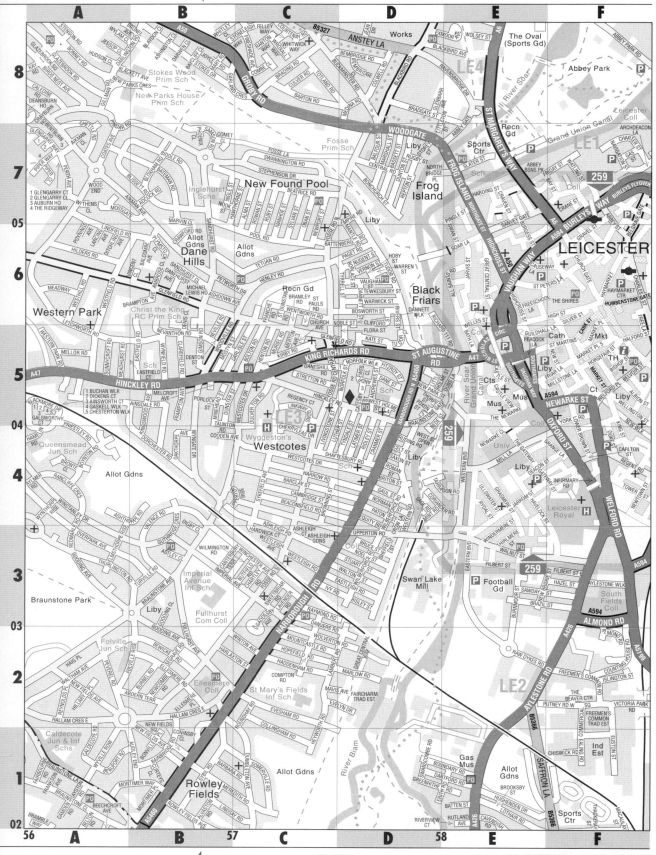

153   128

D5
1 ARUNDEL ST
2 ANDREWES WLK
3 MUSGROVE CL
4 COVENTRY ST
5 EARL HOWE TERR

For full street detail of the
highlighted area see page 259.

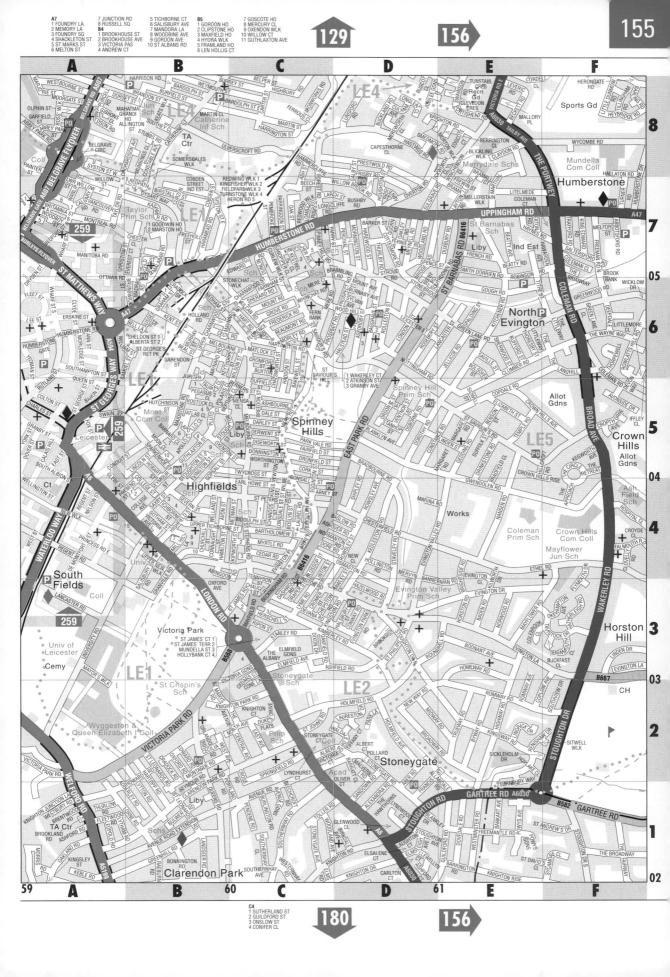

A   B   C   D   E   F

8

HEYBRIDGE RD
MONTROSE CT
HERONGATE RD
GREENLAND DR
GREENLAND AVE
NORTH
WEST
SOUTH DR
PINE TREE AVE
HATLING WAY
HUMBERSTONE DR
KEYHAM
CEDAR CT
WARREN
LOBBS WELL CL
VICARAGE LA
STANLEY DR
TENNIS COURT DR

Humberstone

HUMBERSTONE
CT
HUMBERSTONE RD N
ABBOTS RD N
MAIN
PO
ABBOTS CL
WANSBECK GDNS
ST MARYS CT
HOTOFT RD
HOUSE LA
MANOR
Schs
STEINS LA
NETHERHALL RD
TOLCARNE RD
ARNCLIFFE RD
GRANTHAM RD
WINSON
WIGLEY RD
UPPER HALL GN
ARMADALE DR
UPPER HALL GN
Scraptoft Valley
Prim Sch
MOORFIELDS
LYMINGTON RD
RENFREW RD
BROCKLESBY WAY
HAMILTON LA
HALL RD
THE DRIVE
KEY'S WAY
HINCKLEY AVE
BEEBY RD
MAIN ST
PO
STOCKS RD
De Montfort
Univ
(Scraptoft
Campus)

Scraptoft

7
A47
SCRAPTOFT LA
THE CRO
TREETOPS CL
FETTERS DR
BARBARA AVE
PARKWAY
BRYNGARTH CRES
HATHCRES
COLCHESTER RD
A563
HUNGARTON BVD
ELMCROFT AVE
AVERIL RD
OCCEAN CL
GLENDOWER CL
THURNCOURT
SOMERS RD
DUDLEY AVE
RADANT RD
SEXTANT RD
PO
SCRAPTOFT LA
COMPASS RD
FLAMBOROUGH RD
BROOK RD
BRIAR RD
TUSKAR RD
ST MABELL RD
ST ASTFEDICOTT
THE ORCHARDS
FASTNET RD
BEXHILL RD
LYNCROFT RD
GRETNA WAY
KIRKWALL CRES
ROSS
BODWILLIAN
SOUTHFIELD
STATION LA

Thurnby
Lodge

LE7

05

1 BOTLEY WLK
2 HARROWDEN CT
3 CHALGROVE WLK
4 MERTON HO
5 GODSTOW WLK
6 ORIEL HO
7 SANDFORD CL
8 SANDFORD CT
9 IFFLEY CL

GERVAS RD
WHISTON CL
IRVINGTON CL
SHE CHLEY
THURNCOURT RD
WILLOWBROOK VIEW
PO
HOMESTONE RISE
CROYLAND
HOMESTEAD RISE
SPRINGBROOK DR
Fernvale
Prim Sch
SOMERBY RD
STURROCK CL
GRESLEY
STIRLING RD
PULFORD DR
PADGATE

6
ROWLATTS HILL RD
WICKLOW DR
AVOCA
DAVETT CL
CHRISETT
HAM CL
WALSHE RD
GREYSTONE RD
WESTMEATH AVE
SILVERWOOD CL
UPPINGHAM RD
LODGE FARM RD
PERKYN RD
OGWEN RD
GELERT AVE
SUMMERLEA RD
WINTERSDALE RD
VALENTINE RD
Recn Gd
Thurnby
Lodge
Cty Prim Sch
Willowbrook
Prim Sch
BRIXWORTH RISE
COLTHURST WAY
HAVEN WLK
DRUMCLIFF RD
ROXBOROUGH RD
KINROSS AVE
TELFORD WAY
CHARNWOOD RD
FOREST RISE
THE CUTTINGS
LEAS

Rowlatts
Hill
Prim Sch
IFFLEY RD
HURST RISE
BLACKBIRD
MCKENZIE WLK
HUMPHRIES CL
STEEL CL
BARNES HEATH
BOOTH CL
CHURCH
DIGGES
DAVENPORT RD
SKAMPTON GN
SUNFIELD CL
BECKWOOD CL
OAKSIDE
KNOWLE
ST NHILIM'S
SPRINGFIELD
THURNBY HILL
Nurseries
LE7
HERRICK DR

5
Crown
Hills
COLEMAN RD
GAMEL WLK
GAMEL RD
SKAMPTON RD
NELOT WAY
ST PAULS
RC SCH
ENGLEFIELD RD
FRINTON AVE
FERMAIN CL
WALSGRAVE AVE
MILLERSDALE AVE
DAWLISH CL
AINTREE CL
FIELBECK AVE
UPPINGHAM RD
A47
Thurnby
BRADGATE
THE SPINNEY
GRANGE LA
HOLMLEIGH GDNS
CHURCH LA
St Luke's
CE Sch

LE5
Sports
Field

04

Leicester
General
H
COVERACK WLK
WOODBOROUGH RD
HAZELNUT CL
BRACKEN CL
ELLWOOD CL
Whitehall
Prim Sch
Leicester
Gram Jun Sch
Oaklands
Sch
WELLAND VALE RD
KINGSCLIFFE CRES
ALCESTER CRES
DURSTON CL
WOODNEWTON DR
RIDGEBROOK RD
SEDGEBROOK RD
BATHURST RD
DELAIRE RD
Hardwick
RD
Lodge
Mews
PO
LUKE'S CL
LAKESIDE CT
GILSTEAD CL
PH
HILL CT

4
HOSPITAL CL
FALMOUTH
LULWORTH CL
ETHEL RD
HARWIN RD
WOODBOROUGH RD
ANGELA DR
JUDITH AVE
SUSAN AVE
WHITEHALL RD
SPENCEFIELD LA
LANDSCAPE DR
WYCONEWTON DR
FALLOWFIELD
EARL SHILTON
SWINSTEAD RD
HEMINGTON DR
HANBURY RD
CHATTERIS AVE
EARL
SHILTON
MEWBURN CL
BORROWDALE
WAY

LEICESTER

Evington
Park
HEXTALL RD
BLUNDELL RD
HEADLAND RD
PILGRIM GDNS
Evington
House
ALDGATE AVE
ST DENYS RD
CORDERY RD
GIFFORD CL
MICKLETON DR
ANSBURY DR
THE City of
Leicester Sch
CRANTOCK RD
BARNSTAPLE RD
YELVERTON AVE
PEVENSEY AVE
KILVERSTON RD
BIDEFORD RD
BALLATER CL

3
Linden
Prim Sch
LINDEN DR
HAWTHORNE
B667
EVINGTON LA
TYNE CT
THE COMMON
Evington
P
MAIN ST
FAIRFORD AVE
BIGGIN HILL RD
THURNLOW RD
INGARSBY DR
CHALVINGTON CL
MARYDENE DR
Judgemeadow
Com Coll
LE2

03
B667
EVINGTON LA
Liby
THE HOLLOW
PO
CHURCH LA
RECTORY GDNS
CRANWELL CL
STOUGHTON LA

2
SHADY LA
POLTON
Hill
Stoughton Lodge
Farm
Jones's
Spinney
THURNBY LA
LE2
OLD CHARITY FARM
HOUGHTON LA

Evington Brook
Evington
Aboretum
Dam's
Spinney
Stoughton
CHURCH LA
GAULBY LA

1
B582
GARTREE RD
Leicester
Hosp (BUPA)
THE BROADWAY
Stoughton Farm
Park
B582

02

62   A   B   63   C   D   64   E   F

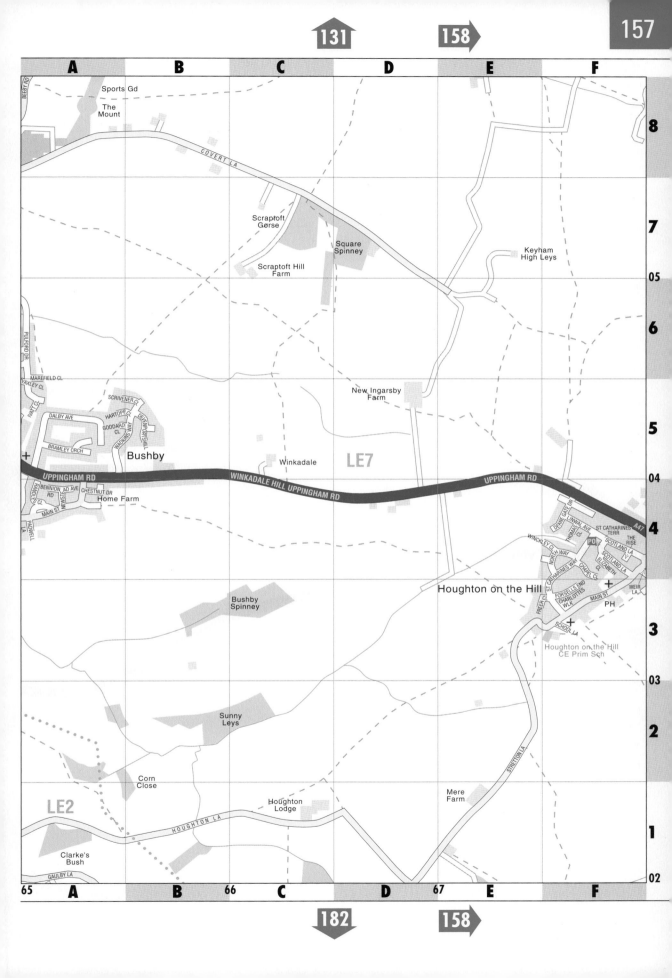

A B C D E F

8
7
05
6
05
5
04
4
3
03
2
1
02

Sports Gd
The Mount
COVERT LA
Scraptoft Gorse
Square Spinney
Scraptoft Hill Farm
Keyham High Leys
BEEBY RD
PULFORD DR
MAREFIELD CL
YAXLEY CL
IVATT CL
New Ingarsby Farm
DALBY AVE
SCRIVENER CL
HARTOPP CL
GODDARD CL
DEVONPORT WAY
WATKINS WAY
BRAMLEY ORCH
Bushby
LE7
Winkadale
UPPINGHAM RD
WINKADALE HILL UPPINGHAM RD
UPPINGHAM RD
BENNION RD
RANDLES CL
AD AVE
CHESTNUT DR
Home Farm
MAIN ST
PADWELL
DANE GATE DR
LINWAL AVE
THOMAS CL
ST CATHARINES TERR
THE RISE
SCOTLAND LA
A447
WINCKLEY CL
NORTH WAY
ST CATHARINES WAY
CHAPEL CL
ELIZABETH CL
SCOTLAND LA
PO
Houghton on the Hill
FREER CL
FORSELLS END
CHARLOTTES WLK
MAIN ST
PH
WEIR LA
SCHOOL LA
Houghton on the Hill CE Prim Sch
Bushby Spinney
STRETTON LA
Sunny Leys
Mere Farm
Corn Close
LE2
Houghton Lodge
HOUGHTON LA
Clarke's Bush
GAULBY LA

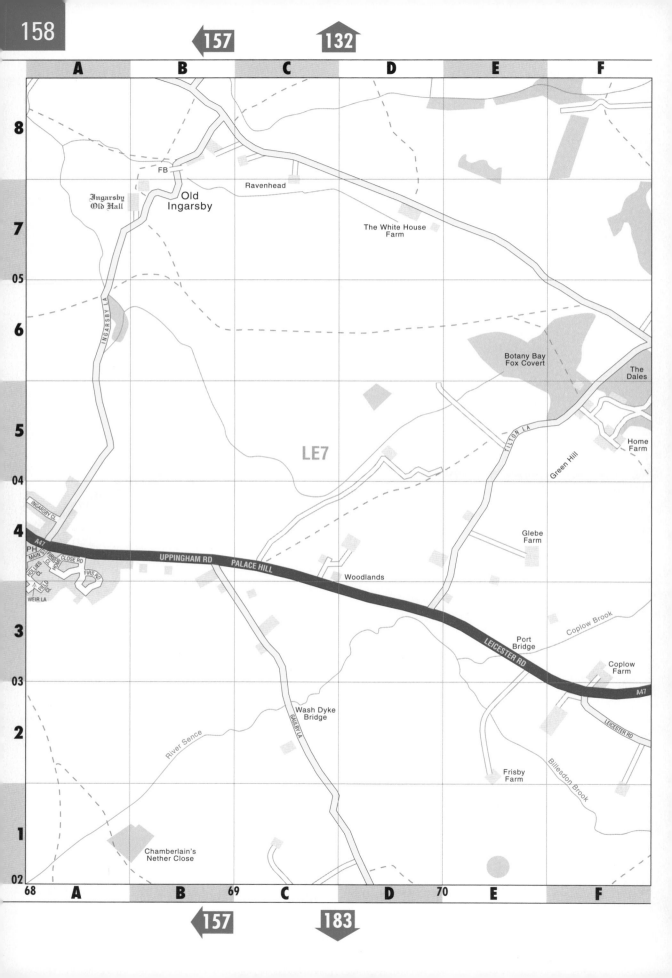

157
132

157
183

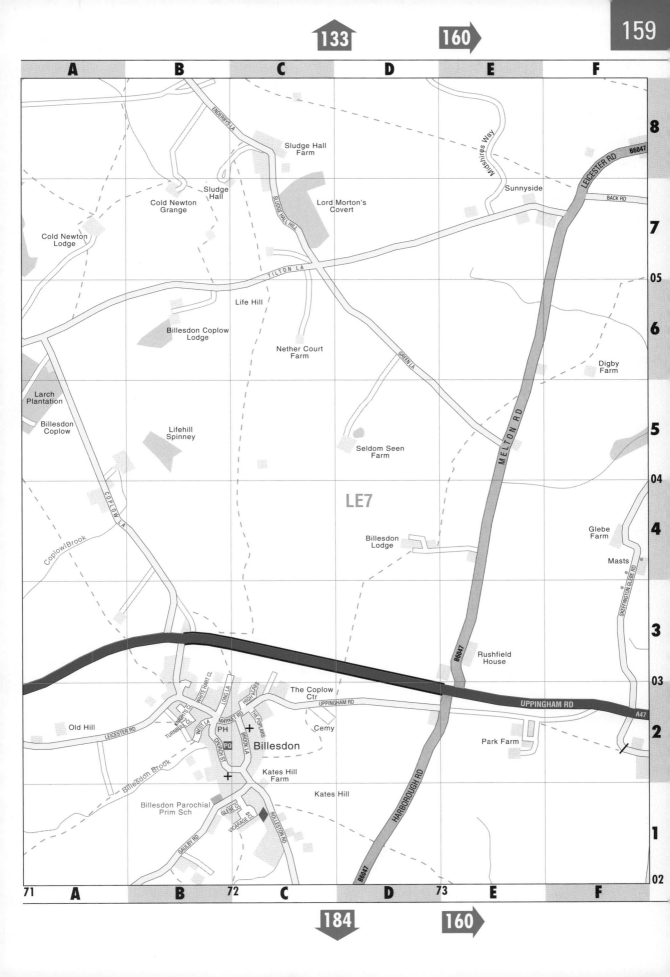

A B C D E F

8
7
05
6
5
04
4
3
03
2
1
02

Enderbys La

Sludge Hall Farm

Sludge Hall

Cold Newton Grange

Cold Newton Lodge

Sludge Hall Hill

Lord Morton's Covert

Midshires Way

Sunnyside

Leicester Rd

B6047

Back Rd

Tilton La

Life Hill

Billesdon Coplow Lodge

Nether Court Farm

Green La

Digby Farm

Larch Plantation

Billesdon Coplow

Lifehill Spinney

Seldom Seen Farm

Melton Rd

LE7

Coplow Brook

Coplow La

Billesdon Lodge

Glebe Farm

Masts

Skeffington Glebe Rd

B6047

Rushfield House

Old Hill

Leicester Rd

White Hart Cl

Long La

High Acres

The Coplow Ctr

Uppingham Rd

Uppingham Rd

A47

Knights Cl

Turnbull Cl

West La

Market Rd

PH

The Poplars

Brook La

PO

Cemy

Billesdon

Church St

Kates Hill Farm

Park Farm

Billesdon Brook

Kates Hill

Harborough Rd

Billesdon Parochial Prim Sch

Glebe Cl

Vicarage Cl

Rolleston Rd

Gaulby Rd

B6047

159
134

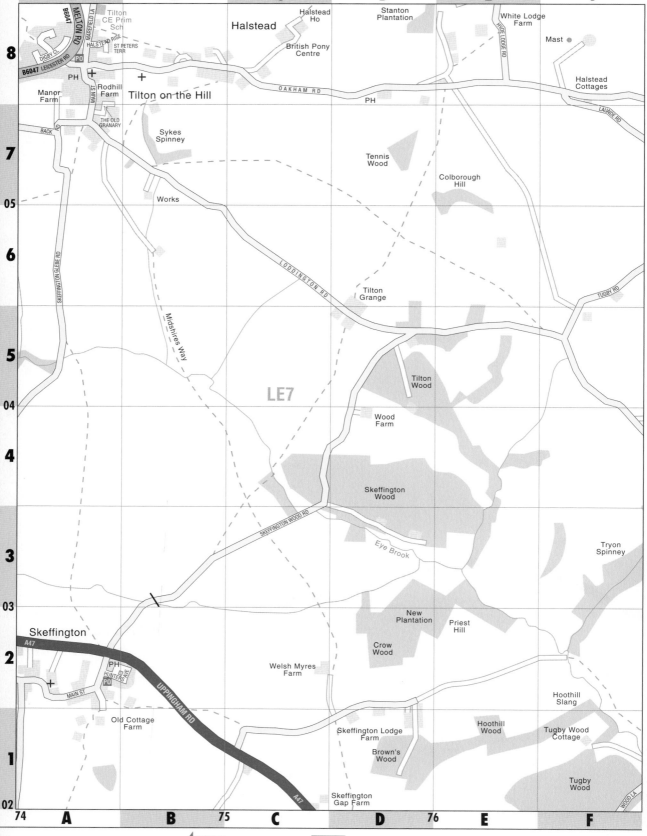

159
185

161
136

A B C D E F

8

Haycock
Spinney

Bushy
Wood

WOOD LA

7

Avenue
Farm

Cottage
Farm

05

Top
Windmill

Swintley
Lodge

6

Withcote
Lodge

River Chater

Leigh
Lodge

5

LE15

04

Launde Park
Wood

Seven
Acre
Wood

4

Leicestershire Round

LE7

Park Wood
Farm

Macmillan Way

Leigh Lees

3

03

Long
Wood

HOLYGATE RD

2

College
Farm

COLLEGE FARM LA

Bluestones

Lambley
Lodge

1

LAMBLEY LODGE LA

02

80 A B 81 C D 82 E F

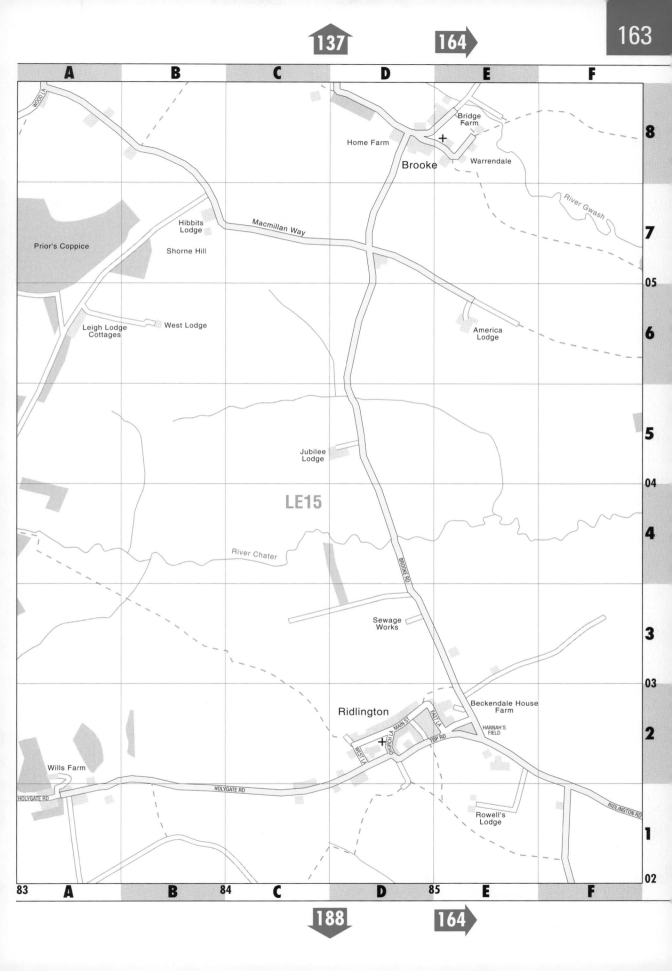

A B C D E F

8
7
05
6
5
04
4
3
03
2
1
02

WOOD LA

Home Farm

Bridge
Farm

Brooke

Warrendale

River Gwash

Prior's Coppice

Hibbits
Lodge

Macmillan Way

Shorne Hill

Leigh Lodge
Cottages

West Lodge

America
Lodge

Jubilee
Lodge

LE15

River Chater

Sewage
Works

BROOKE RD

Ridlington

Beckendale House
Farm

HANNAH'S
FIELD

CHURCH LA

MAIN ST

EAST LA

TOP RD

WEST LA

Wills Farm

HOLYGATE RD

HOLYGATE RD

Rowell's
Lodge

RIDLINGTON RD

163
138

	A	B	C	D	E	F

8

Gunthorpe

Gunthorpe Bridge

The Bungalows

A6003

Manton Bay

7

River Gwash

05

Sounding Bridge

6

CEMETERY LA

PRIORY RD

THOMAS FRYER'S ALMSHOS

Cemy

St Mary's Rd

CHURCH LA

Manton

LYNDON RD

Wellfield

Martinsthorpe

PH

STOCKS HILL

SOUTH VIEW CL

CHATER ST

BADGERS CL

Fox Covert

LE15

Manton Lodge Farm

Manton Junction

5

04

WING RD

Works

4

River Chater

Crown Well Bridge

3

OAKHAM RD

Crown Well Farm

STATION RD

03

2

Preston Hall

PRESTON RD

Wing Grange

Preston

Holly Farm

MAIN ST

CROSS LA

CHURCH LA

BROOKLANDS

1

RIDLINGTON RD

PH

SOUTH VIEW

UPPINGHAM RD

A6003

GLASTON RD

02

86	A	B	87	C	D	88	E	F

163
189

A B C D E F

Rutland Water

Gibbet Gorse

Berrybut Spinney

Visitor Ctr
P

8

CH

Edith Weston Lodge Farm

CONISTON RD
ULLSWATER AVE
WINDERMERE RD
GIBBET LA

7

Water Booster Station
MANTON RD

05

Mast
LYNDON RD

Lyndon Wood

Top Hall

6

Weston Barn

Lodge

Lyndon Hall Farm

CHURCH RD
THE ORCHARD
POST OFFICE LA

Lyndon

Fiona Wood

5

Edward's Wood

THE GREEN
LUFFENHAM RD

04

LE15

Great Ground Barn

4

River Chater

Pilton Fox Covert

3

Manor Farm

BOTTOM ST
WESTHORPE CL
REEVES LA
MIDDLE ST
THE JETTY
PO
MORCOTT RD
TOP ST
CITY YD
PH

Wing

Maze

Highlands Farm

Bayhouse Farm

Pilton

03

Wing Hall

MILL CL

2

GLASTON RD

Works

PILTON RD

1

89 A B 90 C D 91 E F 02

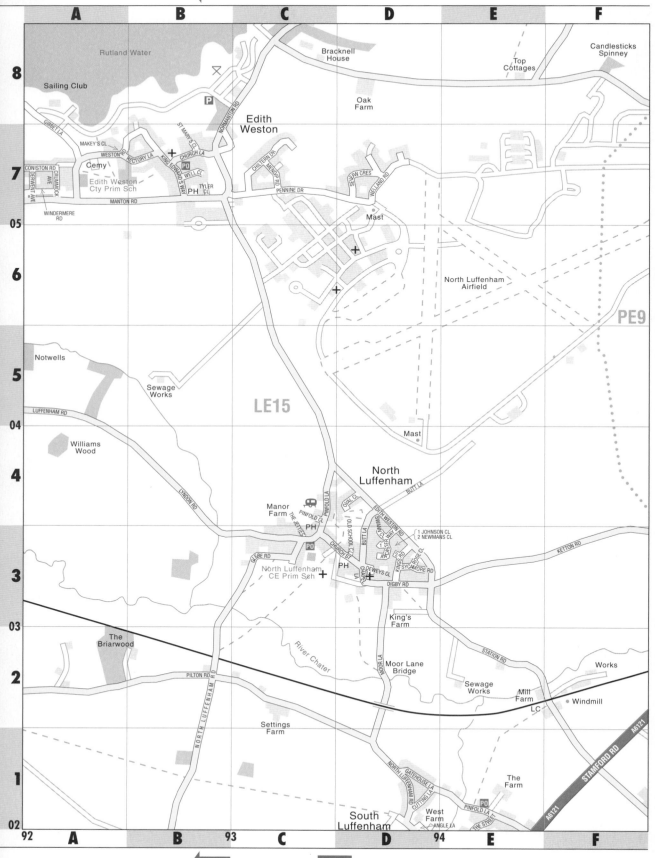

A B C D E F

8

Rutland Water

Bracknell
House

Top
Cottages

Candlesticks
Spinney

Sailing Club

Oak
Farm

GIBBET LA

Edith
Weston

MAKEY'S CL

P

ST MARY'S CL

NORMANTON RD

Cemy

WESTON RD

RECTORY LA

KING EDWARD'S WAY

CHURCH LA

CHILTERN DR

MENDIP RD

SEVERN CRES

WELLAND RD

7

CONISTON RD

CRUMMOCK

DERWENT AVE

Edith Weston
Cty Prim Sch

PO

WELL CL

PH

TYLER
CL

PENNINE DR

WINDERMERE
RD

MANTON RD

Mast

05

Mast

North Luffenham
Airfield

6

Notwells

PE9

5

Sewage
Works

LE15

LUFFENHAM RD

04

Williams
Wood

LYNDON RD

North
Luffenham

4

BUTT LA

Manor
Farm

PINFOLD CL

PINFOLD LA

OVAL CL

EDITH WESTON RD

KETTON RD

THE JETTIES

PH

SWANN LA

BUTT LA

FRASER WAY

1 JOHNSON CL
2 NEWMANS CL

PO

CHURCH ST

OLD SCHOOL CT

KINGS RD

ROSE CL

SYCAMORE RD

GLEBE RD

North Luffenham
CE Prim Sch

PH

CHAPEL LA

DEWEYS CL

DIGBY RD

3

The
Briarwood

King's
Farm

STATION RD

03

River Chater

MOOR LA

Works

2

PILTON RD

NORTH LUFFENHAM RD

Moor Lane
Bridge

Sewage
Works

Mill
Farm

Windmill

LC

STAMFORD RD

A6121

Settings
Farm

A6121

1

NORTH LUFFENHAM RD

GATEHOUSE LA

CUTTING LA

The
Farm

PO

PINFOLD LA

02

South
Luffenham

West
Farm

ANGLE LA

THE STREET

92 A 93 B C 94 D E F

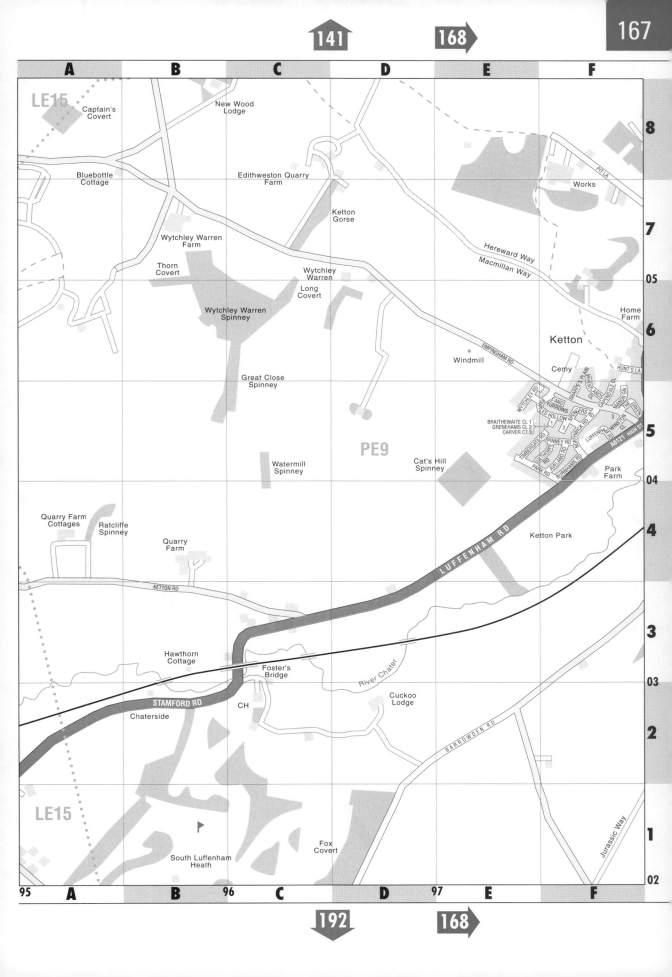

141
168

LE15

Captain's
Covert

New Wood
Lodge

8

Bluebottle
Cottage

Edithweston Quarry
Farm

Ketton
Gorse

PIT LA

Works

7

Wytchley Warren
Farm

Hereward Way

Macmillan Way

05

Thorn
Covert

Wytchley
Warren

Home
Farm

Long
Covert

Wytchley Warren
Spinney

Ketton

6

Great Close
Spinney

Windmill

EMPINGHAM RD

Cemy

HUNT'S LA

WYTCHLEY RD

SAND
FURROWS

SHARPE'S PLAIN

WHITLANDS RD

CAPSTANDALE CL

MANOR GN

THE GREEN

A6121 HIGH ST

PE9

Watermill
Spinney

Cat's Hill
Spinney

MILES HOLLOW

SPENCERS RD

BRAITHEWAITE CL 1
GRENEHAMS CL 2
CARVER CT 3

1 2 3

LUFFENHAM RD

WINSTON CT

5

TIMBERGATE RD

SPINNEY RD

SIXTHORPE RD

AVELAND RD

NORTHWICK RD

PARK RD

BURNHAMS RD

Park
Farm

04

Quarry Farm
Cottages

Ratcliffe
Spinney

Quarry
Farm

Ketton Park

LUFFENHAM RD

4

KETTON RD

3

Hawthorn
Cottage

River Chater

03

Foster's
Bridge

STAMFORD RD

CH

Cuckoo
Lodge

Chaterside

BARROWDEN RD

2

LE15

Fox
Covert

Jurassic Way

1

South Luffenham
Heath

02

95 A B 96 C D 97 E F

192
168

167
142

A **B** **C** **D** **E** **F**

8

Works

STAMFORD RD
A6121

Tinwell
Crossing

7

PIT LA
THE CRESCENT
KETTON AVE

Home
Wood

Keeper's
Lodge

05

The
Firs
MOLESWORTH
BGLWS

6

MANOR
VIEW
PH
Home
Farm
PO
HIGH ST

BULL LA

Ketton CE
Prim Sch
Liby

Sewage
Works

WEST ST
HIGHFIELD RD

Manor
Farm

5

A6121
STOCK'S HILL
ST MARY'S
PREMY
CHAPEL CL
CHURCH MILL LA
STATION RD
EDMUNDS DR

Aldgate

River Welland

NEVILLE
DAY CL

WESTFIELDS

THE CRESCENT
WESTERN AVE
THE CLOSE
WEST MILL
THE RETREAT

04

LC

PE9

A43

4

BARROWDEN RD
KELTHORPE CL

Geeston

Macmillan Way
Hereward Way   Jurassic Way

STAMFORD RD

Windmill
dis

Collyweston
Bridge

KETTON RD

SLATE DRIFT

3

Kilthorpe
Grange

Sewage
Works

Nursery

03

Manor
Farm

BACK LA
NEW RD
HALL YD
PO
HIGH ST

MAIN RD

THE DRIFT
PH

2

THE WALKS

ASHTREE GDNS
STONYALE

Collyweston

Cemy

WOODFIELD

Wr
Twr

THE DROVE

1

Vigo
Woods

02

A43

98 **A** **B** 99 **C** **D** 00 **E** **F**

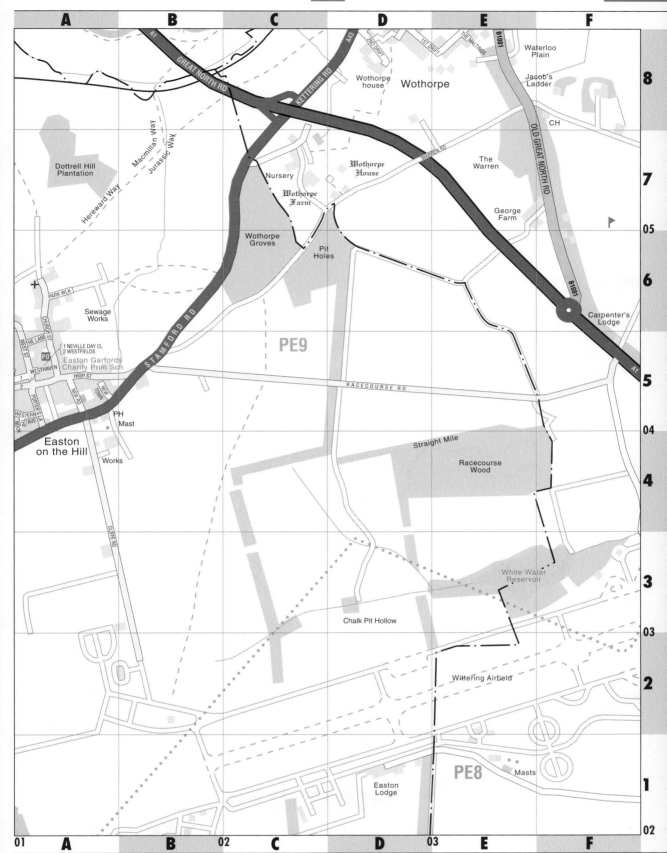

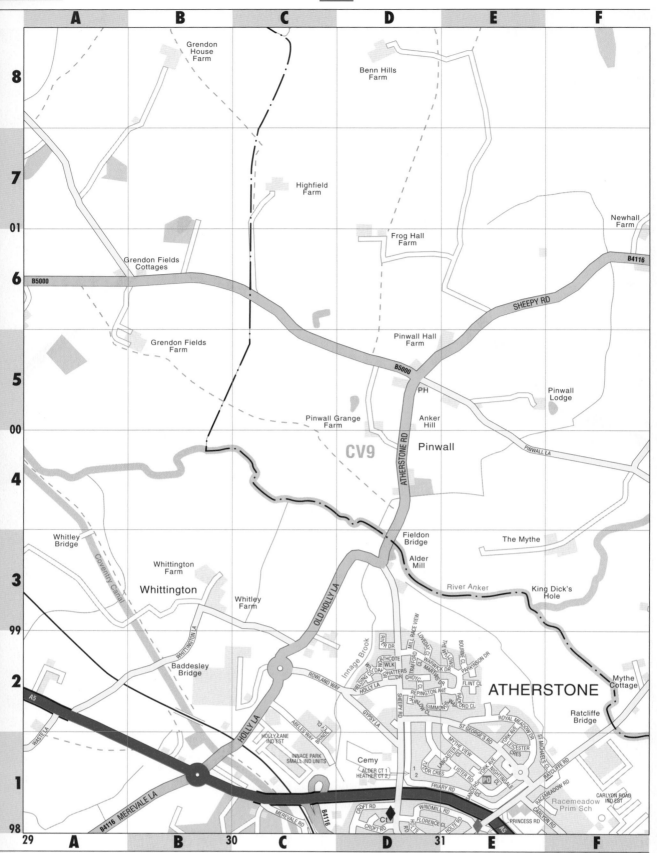

Grendon House Farm

Benn Hills Farm

Highfield Farm

Newhall Farm

Frog Hall Farm

Grendon Fields Cottages

B5000

SHEEPY RD

B4116

Pinwall Hall Farm

Grendon Fields Farm

PH

Pinwall Lodge

Pinwall Grange Farm

Anker Hill

Pinwall

CV9

ATHERSTONE RD

PINWALL LA

Whitley Bridge

Coventry Canal

Fieldon Bridge

The Mythe

Whittington Farm

Alder Mill

Whittington

Whitley Farm

River Anker

King Dick's Hole

OLD HOLLY LA

WHITTINGTON LA

Baddesley Bridge

ROWLAND WAY

Innage Brook

ATHERSTONE

Mythe Cottage

A5

HOLLY LA

HOLLY LANE IND EST

INNAGE PARK SMALL IND UNITS

GYPSY LA

Ratcliffe Bridge

WASTE LA

Cemy

ALDER CT 1
HEATHER CT 2

FRIARY RD

PO CL

Racemeadow Prim Sch

CARLYON ROAD IND EST

B4116 MEREVALE LA

MEREVALE RD

B4116

CROFT RD

CROFT RD

WINDMILL RD

FLORENCE CL

PRINCESS RD

29   A   30   B   C   30   D   31   E   F

98

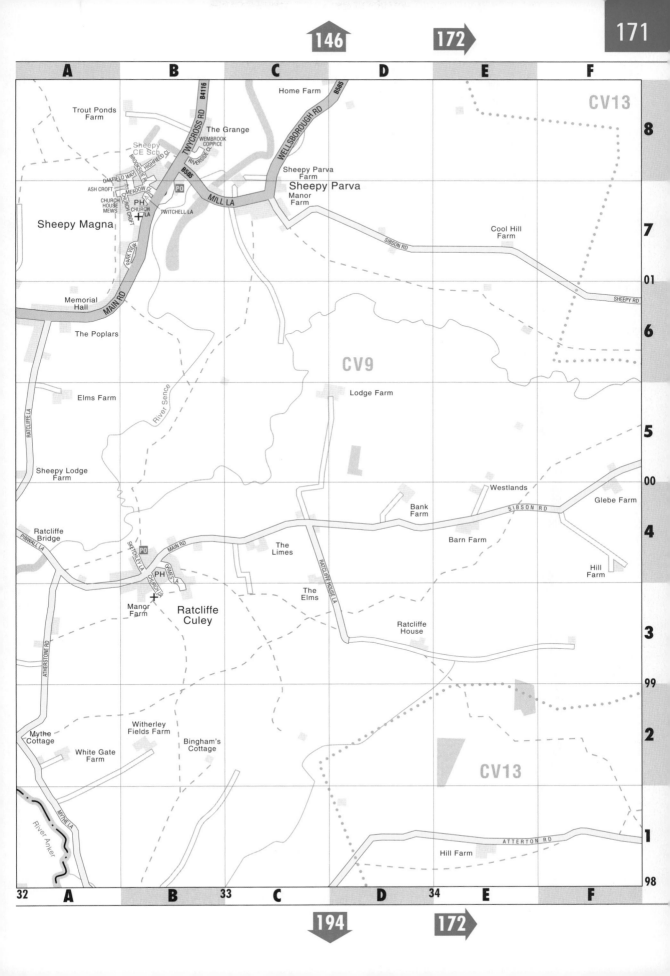

CV13

CV9

CV13

Trout Ponds Farm

Home Farm

The Grange

WEMBROOK COPPICE

Sheepy CE Sch

Sheepy Parva Farm

Sheepy Parva

Manor Farm

Cool Hill Farm

OAKFIELD WAY

ASH CROFT

CHURCH HOUSE MEWS

PH

CHURCH LA

TWITCHELL LA

Sheepy Magna

MILL LA

SIBSON RD

SHEEPY RD

Memorial Hall

MAIN RD

PARK VIEW

The Poplars

Elms Farm

River Sence

Lodge Farm

RATCLIFFE LA

Sheepy Lodge Farm

Westlands

SIBSON RD

Glebe Farm

Ratcliffe Bridge

PINWALL LA

PO

MAIN RD

SMITCHLEY LA

The Limes

Bank Farm

Barn Farm

Hill Farm

PH

ORMES LA

CHURCH LA

Manor Farm

Ratcliffe Culey

The Elms

RATCLIFFE HOUSE LA

Ratcliffe House

ATHERSTONE RD

Mythe Cottage

White Gate Farm

Witherley Fields Farm

Bingham's Cottage

River Anker

MYTHE LA

Hill Farm

ATTERTON RD

B4116

TWYCROSS RD

WELLSBOROUGH RD

B585

B585

RIVERSIDE CL

HIGHFIELD CL

BROOKSIDE CL

MEADOW CL

PO

CHURCH CROFT

171
147

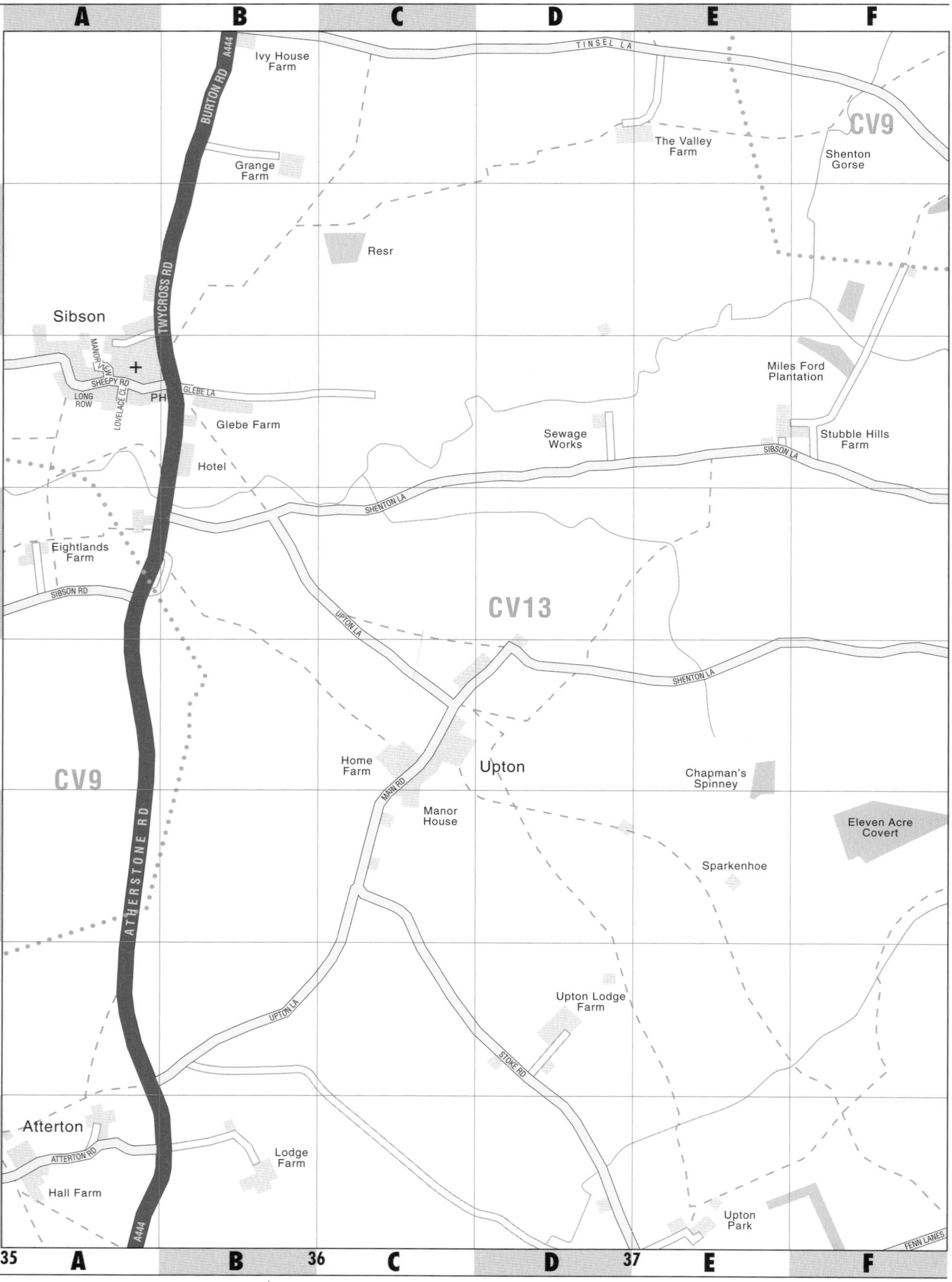

A B C D E F

8

7

01

6

5

00

4

3

99

2

1

98

BURTON RD A444

TWYCROSS RD

Ivy House Farm

Grange Farm

Resr

Sibson

MANOR WAY
SHEEPY RD
LONG ROW
LOVELACE CL
PH
GLEBE LA

Glebe Farm

Hotel

Eightlands Farm

SIBSON RD

ATHERSTONE RD

CV9

Atterton

ATTERTON RD

Hall Farm

Lodge Farm

A444

UPTON LA

UPTON LA

Home Farm

MAIN RD

Manor House

Upton

CV13

SHENTON LA

SHENTON LA

Sewage Works

TINSEL LA

The Valley Farm

CV9

Shenton Gorse

Miles Ford Plantation

SIBSON LA

Stubble Hills Farm

Chapman's Spinney

Sparkenhoe

Eleven Acre Covert

STOKE RD

Upton Lodge Farm

Upton Park

FENN LANES

35 A 36 B C 37 D E F

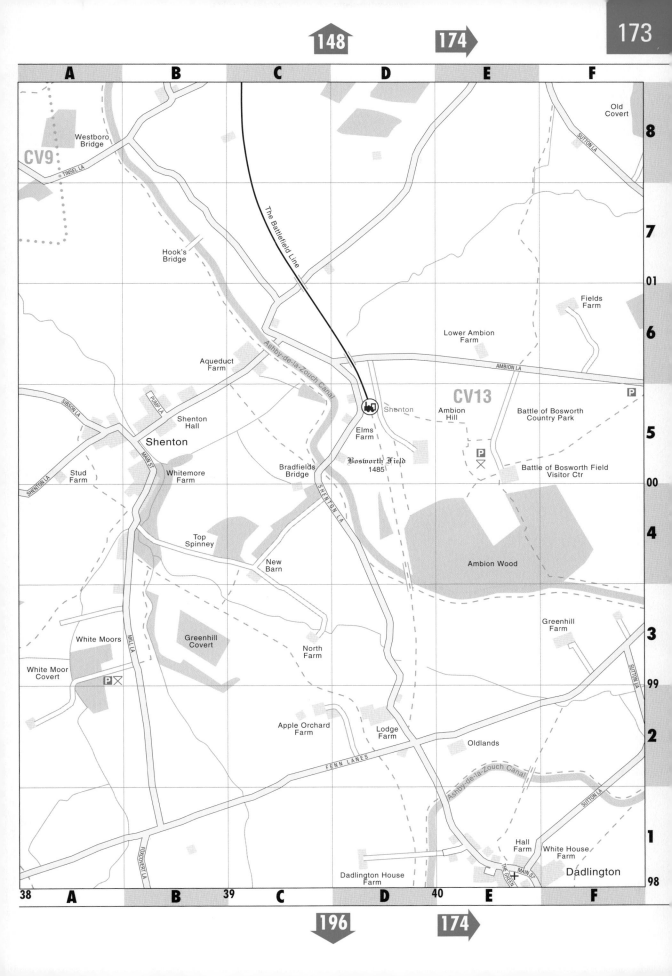

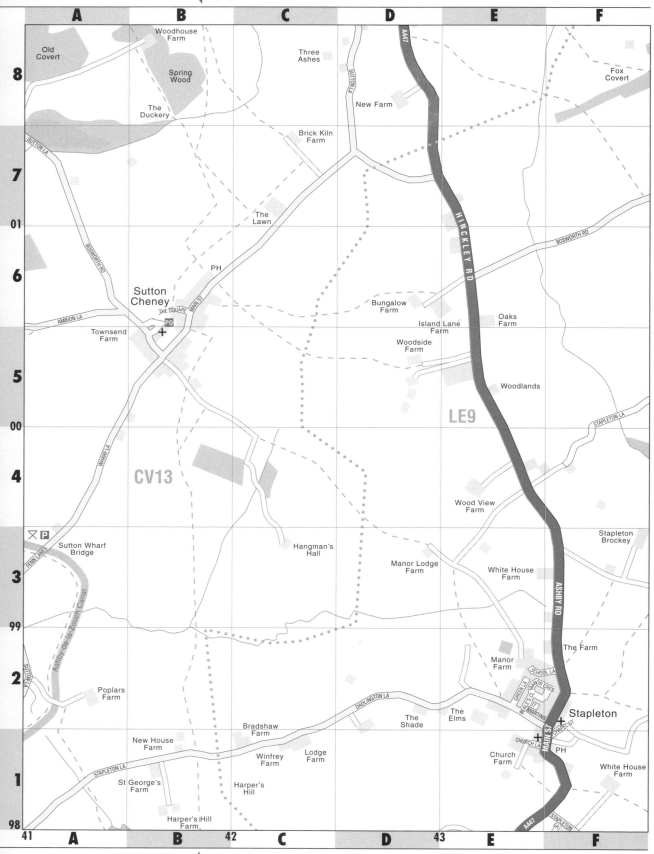

8

01

7

6

Sutton
Cheney

5

00

4

CV13

LE9

3

99

2

1

98

Old
Covert

Woodhouse
Farm

Spring
Wood

The
Duckery

Three
Ashes

New Farm

Brick Kiln
Farm

Fox
Covert

SUTTON LA

The Lawn

PH

BOSWORTH RD

SUTTON LA

AMBION LA

THE SQUARE

MAIN ST

PO

Townsend
Farm

Bungalow
Farm

Island Lane
Farm

Woodside
Farm

Oaks
Farm

HINCKLEY RD

Woodlands

BOSWORTH RD

A447

STAPLETON LA

WHARF LA

Wood View
Farm

Stapleton
Brockey

Sutton Wharf
Bridge

Hangman's
Hall

Manor Lodge
Farm

White House
Farm

ASHBY RD

The Farm

FENN LANES

Ashby-de-la-Zouch Canal

SUTTON LA

Poplars
Farm

Manor
Farm

SCHOOL LA

Stapleton

Bradshaw
Farm

The
Shade

The
Elms

GREEN LA

BEALES CL

MANOR CRES

MARTINS

MAIN ST

CHAPEL ST

New House
Farm

STAPLETON LA

Winfrey
Farm

Lodge
Farm

Church
Farm

CHURCH LA

PH

St George's
Farm

Harper's
Hill

DADLINGTON LA

White House
Farm

Harper's Hill
Farm

A447

STAPLETON LA

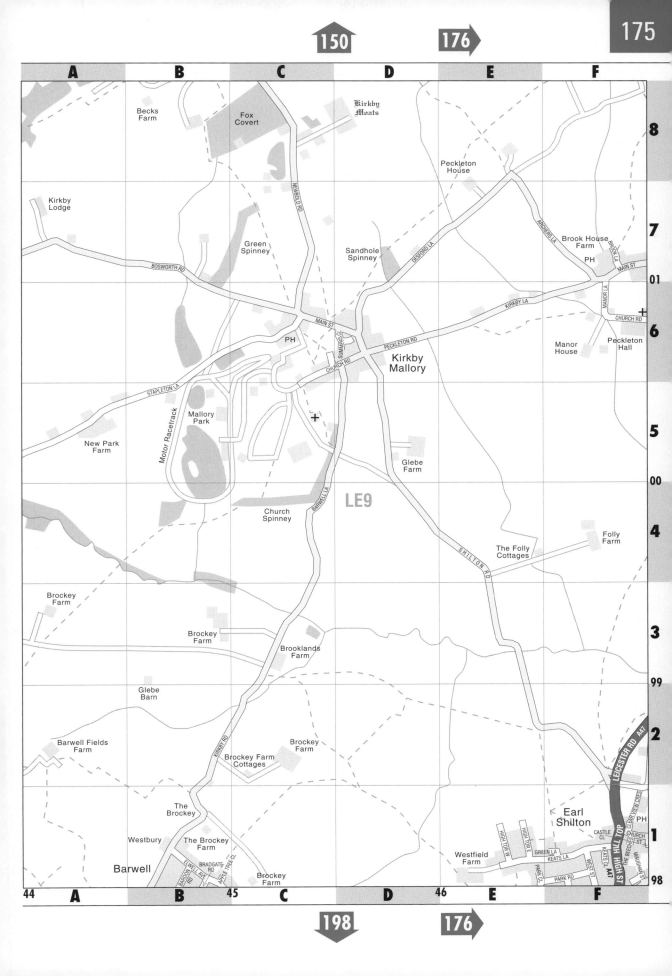

175
151

A B C D E F

8

Mount
Pleasant

Works

Oaklands

PECKLETON LA

Peckleton
Common

Dan's
Barn

Peckleton
Rise

A47

7

Elms Farm
House

HILL CL

DESFORD LA

PECKLETON COMM

Old
Brake

Shelbrooke
House

ELMS DR

MAIN ST

Works

Tooley Park
Farm

DAN'S LA

01

Peckleton

New
Haven

Stretchnook
Farm

CHURCH RD

6

Peckleton
Hall

Roundabout
Spinney

The
Lodge

HINCKLEY RD

LE9

5

Tooley
Spinneys

Knoll
Farm

Thurlaston
Fields

Tooley Park
Cottages

North
Lodge

00

Knoll
Spinney

DESFORD RD

Clump
Farm

4

Long
Spinneys

Bassett
Farm

Tooley
Farm

Bungalow
Farm

Hill
Farm

The Holt

3

The
Spinneys

MOAT CL

The Lodge
Farm

99

A47

LEICESTER RD

Bracknell
Farm

Riverside
Cottages

New
Spinney

2

EARL SHILTON RD

North
Park

Normanton
Thurville

Dairy
Farm

Normanton
House
Farm

Normanton

1

Earl
Shilton

Church
Farm

VERGES

CHURCH ST

KING RICHARDS HILL

THURLASTON LA

Oakfield

Marlpit
Farm

GEORGE
FOSTER
AVENUE

CHAPEL ST

ROMAN CL

MILL LA

THE POPLARS

BOSWORTH

SCH

LGN

KNIGHTS LINK

BROWN CL

WULF

ALMEY'S LN

EARL ST

98

Normanton
Park

47 A 48 B C 48 D 49 E F

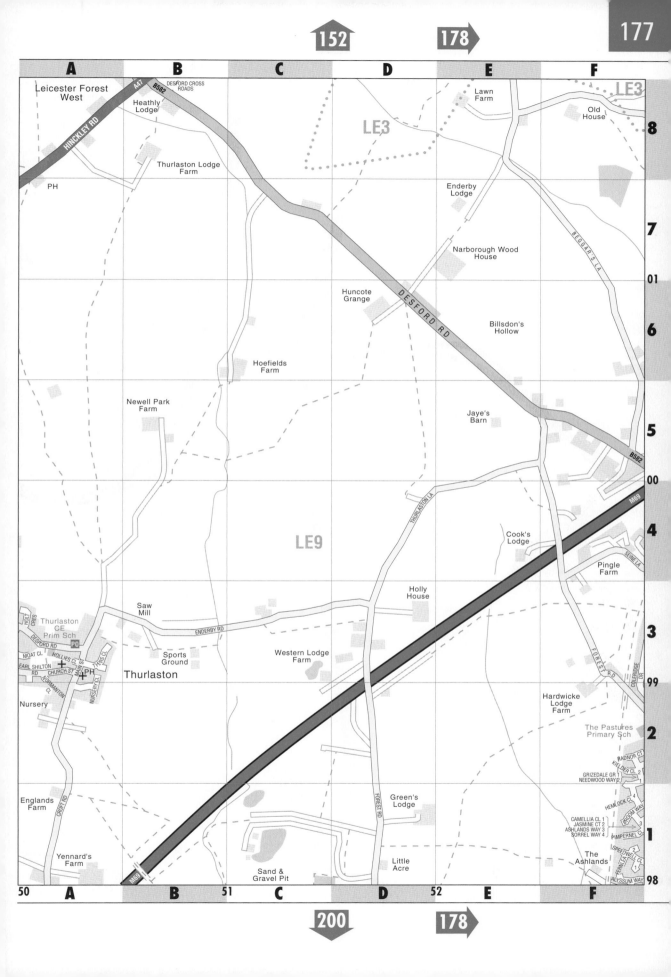

A   B   C   D   E   F

Leicester Forest West

HINCKLEY RD

A47

B582

DESFORD CROSS ROADS

Heathly Lodge

LE3

Lawn Farm

Old House

LE3

8

PH

Thurlaston Lodge Farm

Enderby Lodge

BEGGAR'S LA

7

01

Narborough Wood House

Huncote Grange

DESFORD RD

Billsdon's Hollow

6

Hoefields Farm

Newell Park Farm

Jaye's Barn

5

B582

00

THURLASTON LA

M69

Cook's Lodge

4

Pingle Farm

SEINE LA

LE9

Holly House

Saw Mill

HOLT CRES

Thurlaston CE Prim Sch

PO

DESFORD RD

ENDERBY RD

Sports Ground

Western Lodge Farm

FOREST RD

COLERIDGE DR

Hardwicke Lodge Farm

3

MOAT CL

HOLLIES CL

TYERS CL

FIRS CL

EARL SHILTON RD

CHURCH ST

PH

Thurlaston

99

LOFTMANTON CL

MAIN ST

NURSERY CL

The Pastures Primary Sch

2

Nursery

RADNOR CT

KIELDER CL

GRIZEDALE GR 1

NEEDWOOD WAY 2

HEMLOCK CL

BROOM WAY

Englands Farm

CROFT RD

Green's Lodge

FOREST RD

CAMELLIA CL 1

JASMINE CT 2

ASHLANDS WAY 3

SORREL WAY 4

PIMPERNEL CL

SPEEDWELL CL

1

Yennard's Farm

M69

Sand & Gravel Pit

Little Acre

The Ashlands

PERNEL LA

ALYSSUM WAY

98

50   A   B   51   C   D   52   E   F

177 153

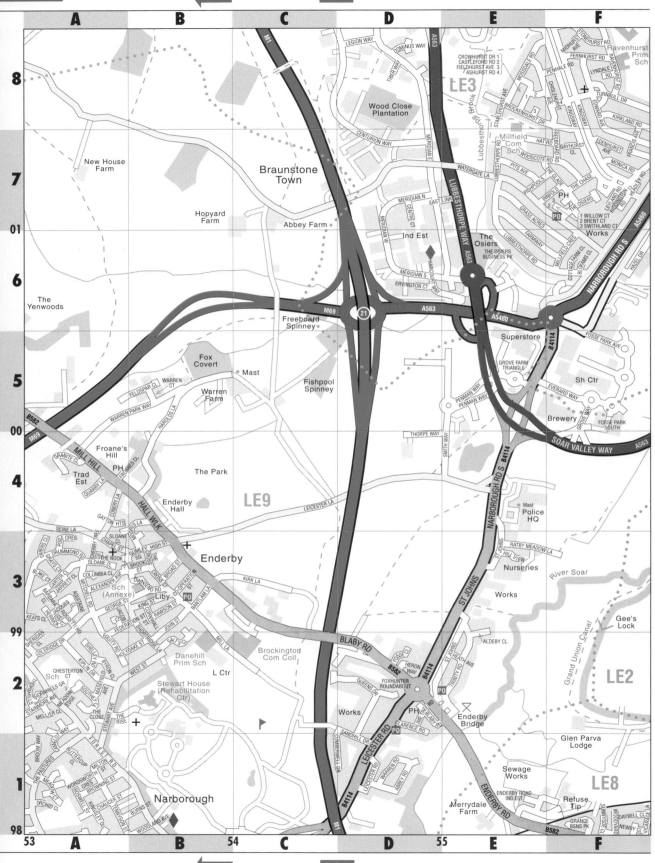

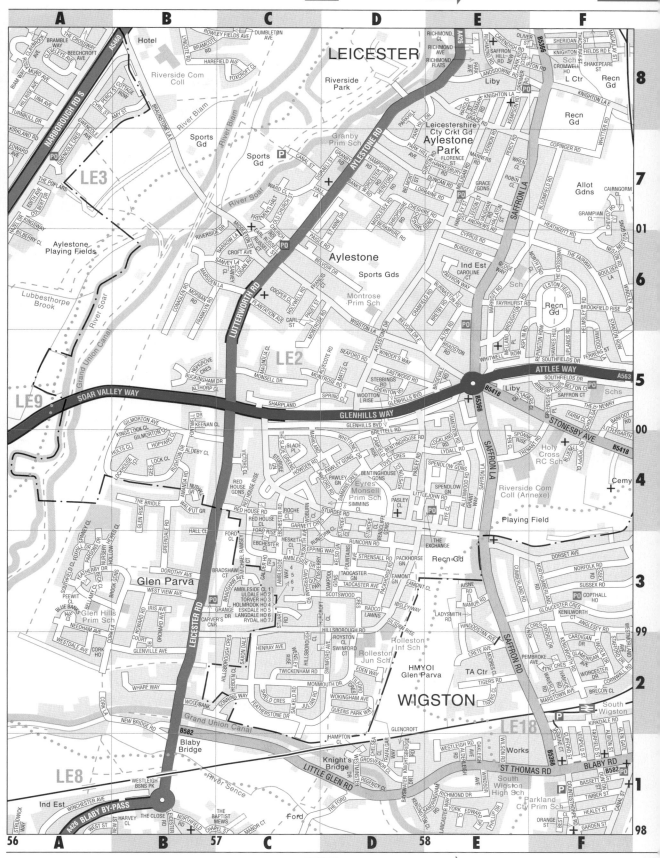

179
155

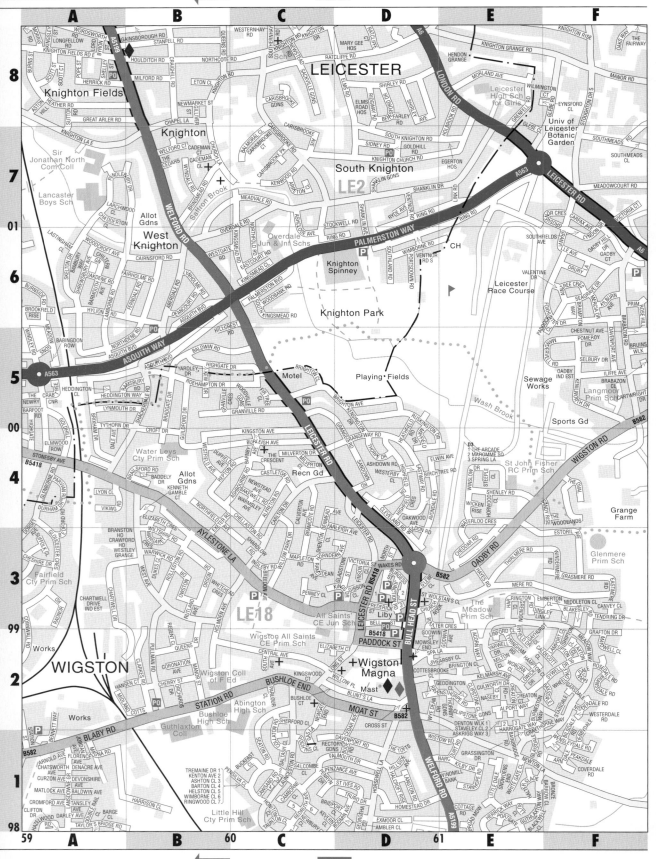

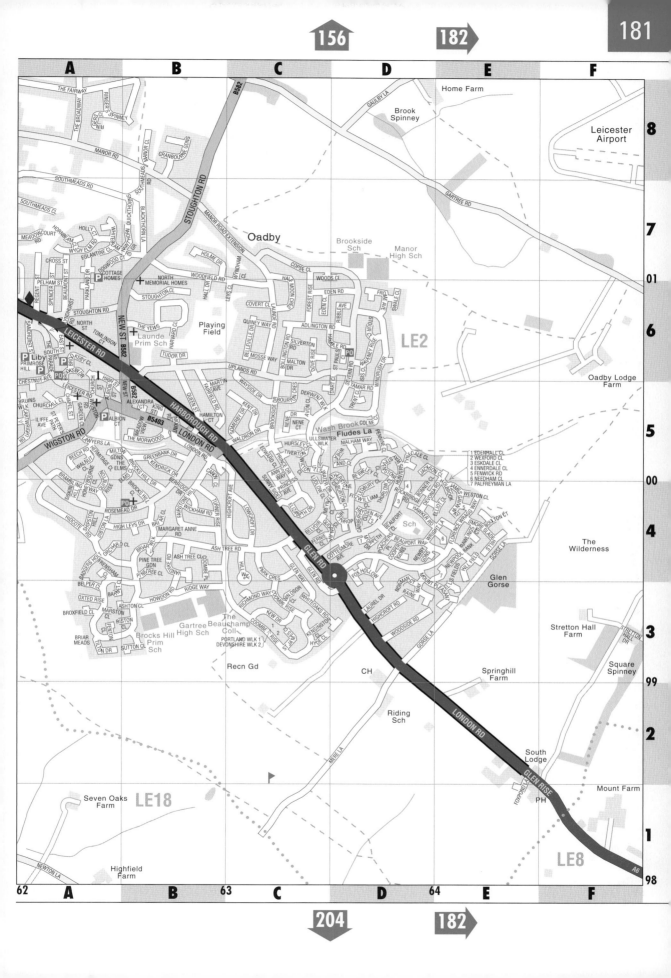

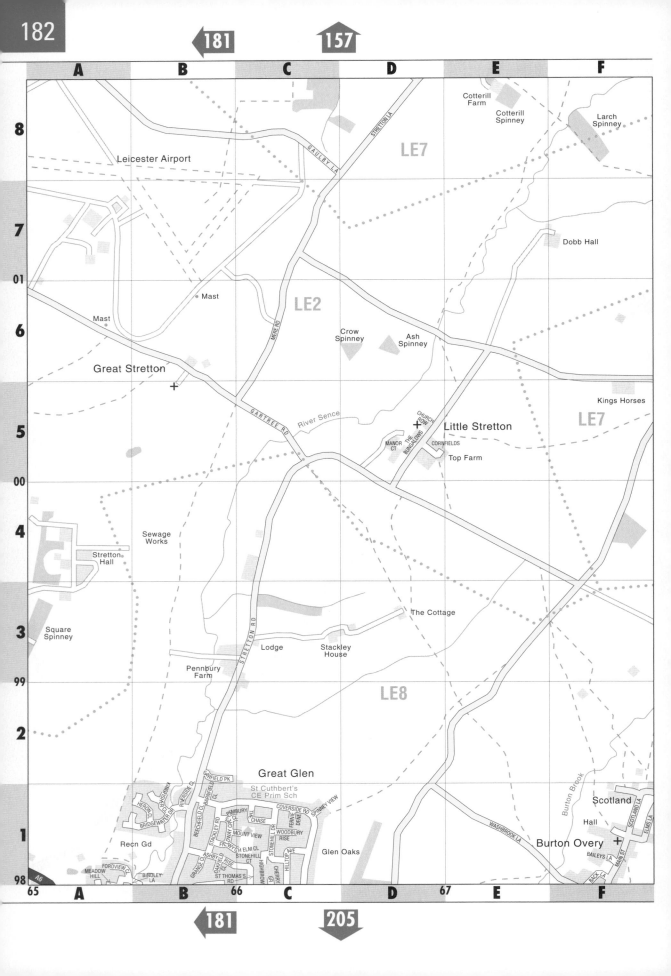

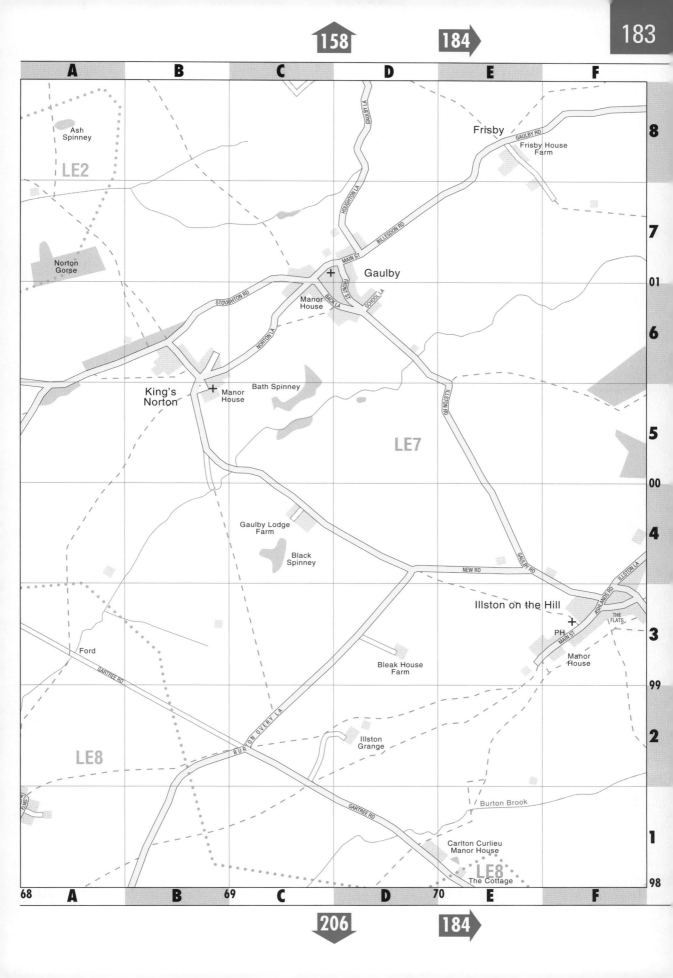

A B C D E F

8

GAULBY RD

ROLLESTON RD

B6047

Rolleston Lodge
Farm

Vale
Cottage

7

Hubbard's
Spinney

Frisby
Lodge
Farm

HARBOROUGH RD

Blenheim
Plantation

BUSHLEY RD

01

Frisby
Lodge

6

Cranhill
Farm

SKEFFINGTON RD

Rolleston

Ashlands

Long Plantation

Home Farm

Pop's Spinney

5

ILLSTON LA

Rolleston
Hall

Crow
Wood

LE7

New Inn
The
Lodge

Old Pond
Wood

00

The
Farm

4

Barn
Farm

Whinney Pit
Spinney

Barn Close
Spinney

MERE RD

Rolleston
Wood

Millfield
Clump

3

NOSELEY RD

CROSS ROADS

ILLSTON RD

THE AVENUE

Top
Lodge

Lodge
Gates

99

ILLSTON CROSS
ROADS

ILLSTON LA

Southfield
Spinney

Home
Plantation

Noseley

2

NEW INN LA

THREE GATES RD

BACK DR

Noseley
Hall

Burton Brook

Foxhole
Spinney

Turner's Barn
Farm

Three
Gates

Coney Hill
Plantation

Round
Spinney

1

KIRWORTH RD

Long
Acre

MELTON RD

Old Park

New Park

Thistley
Cottages

B6047

Cottons Field
Farm

Shangton
Holt

Noseley
Wood

98

71 A **72** B C **73** D E F

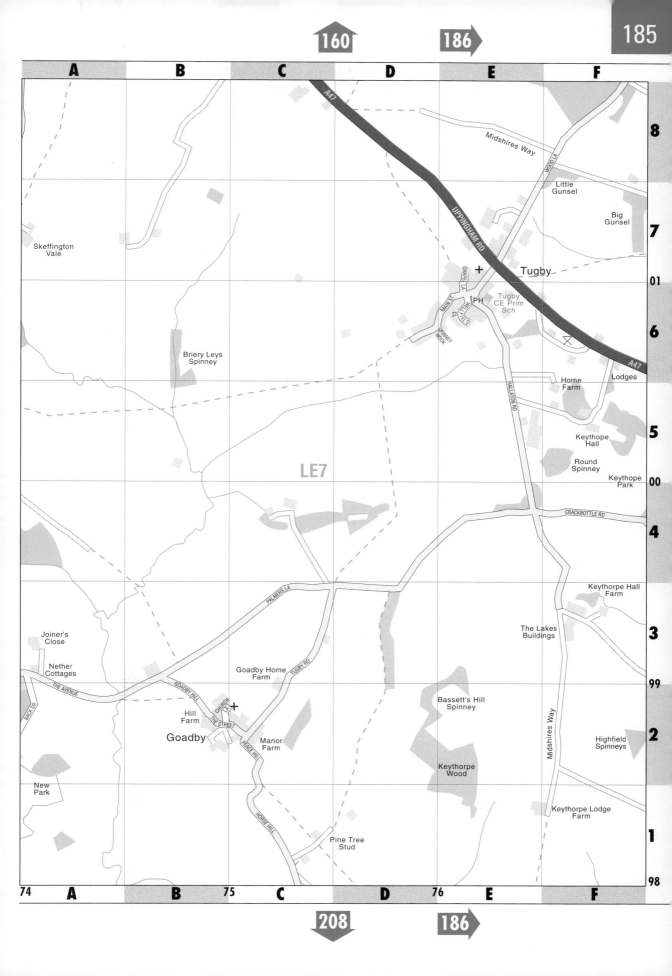

A B C D E F

8

7

01

6

5

00

4

99

3

2

1

98

A47

Midshires Way

WOOD LA

Little
Gunsel

Big
Gunsel

Skeffington
Vale

UPPINGHAM RD

CHAPEL LA

Tugby

PH

Tugby
CE Prim
Sch

MAIN ST

WELL FIELD CL

SPINNEY NOOK

Briery Leys
Spinney

Home
Farm

Lodges

HALLATON RD

Keythope
Hall

Round
Spinney

Keythope
Park

LE7

CRACKBOTTLE RD

Keythorpe Hall
Farm

PALMERS LA

The Lakes
Buildings

Joiner's
Close

Nether
Cottages

TUGBY RD

Goadby Home
Farm

Bassett's Hill
Spinney

Midshires Way

Highfield
Spinneys

THE AVENUE

BACK DR

GOADBY HILL

CHURCH LA

Hill
Farm

THE STREET

Goadby

Manor
Farm

Keythorpe
Wood

PEACE HILL

New
Park

Keythorpe Lodge
Farm

HORSE HILL

Pine Tree
Stud

74 75 76

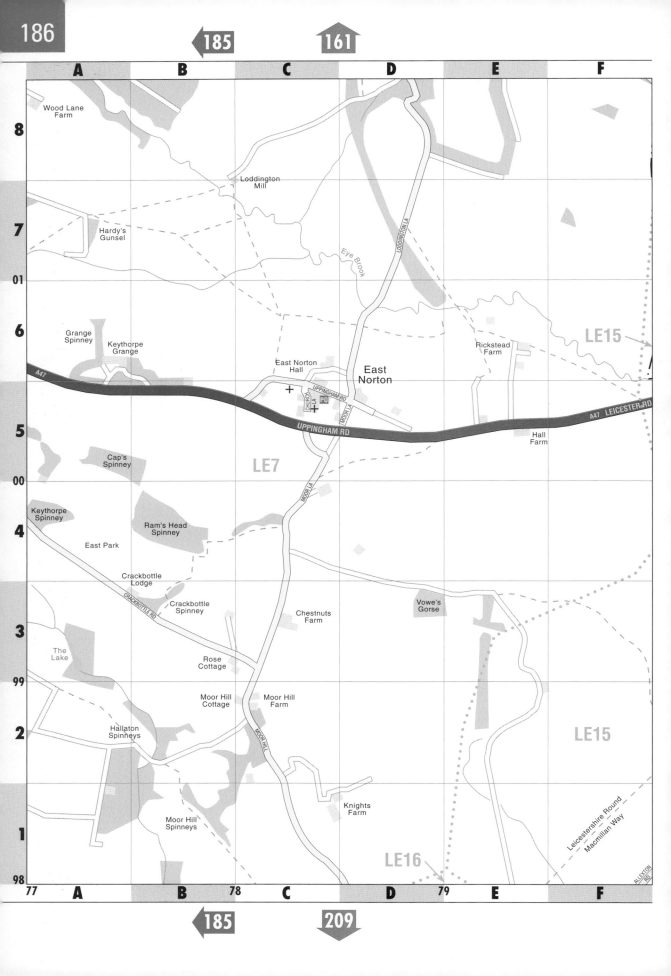

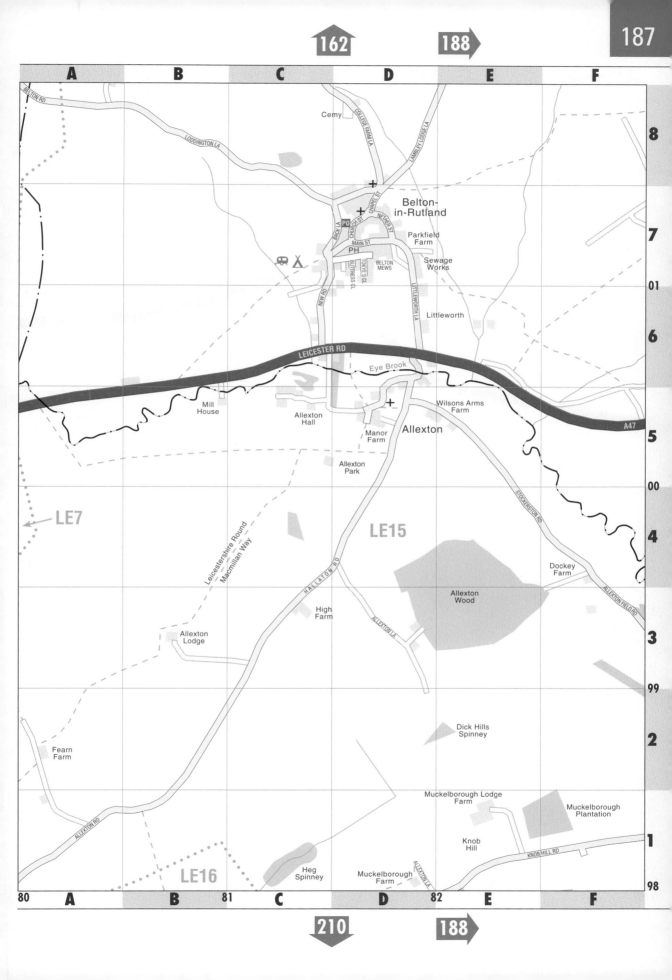

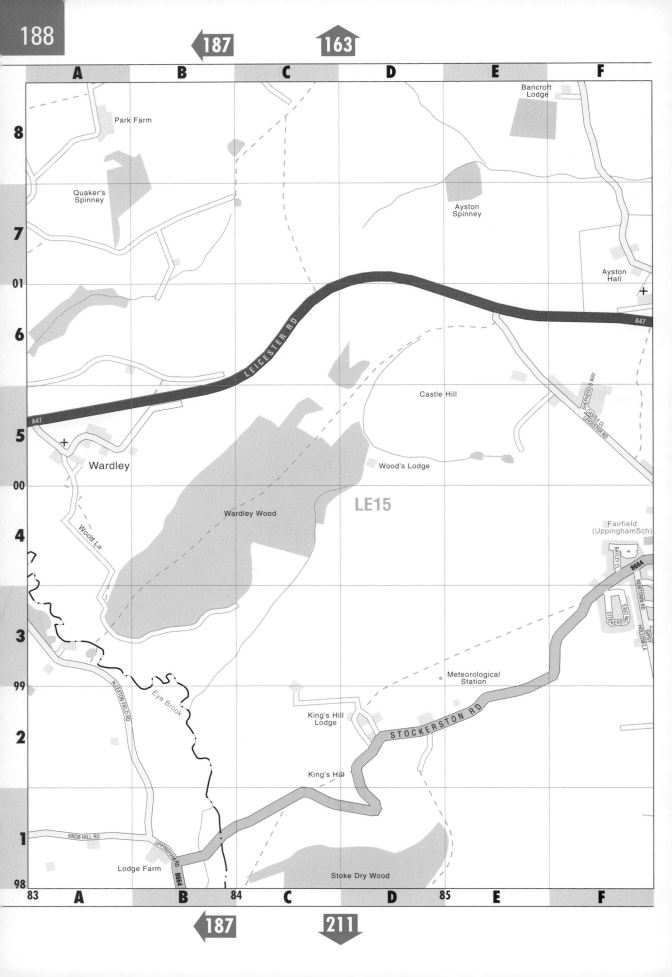

187
163

A B C D E F

8

Park Farm

Quaker's
Spinney

Bancroft
Lodge

Ayston
Spinney

7

01

Ayston
Hall

A47

6

LEICESTER RD

SHEPHERD'S WAY

CASTLE CL
LEICESTER RD

A47

Castle Hill

5

+
Wardley

Wood's Lodge

00

Wood La

Wardley Wood

LE15

Fairfield
(UppinghamSch)

BAXLEY CL

NEWTOWN RD

B664

STOCKERST

STOCKERST

GIPSY

HOLLOW LA

4

3

ALEXTON FIELD RD

Eye Brook

Meteorological
Station

99

King's Hill
Lodge

STOCKERSTON RD

2

King's Hill

1

KNOB HILL RD

UPPINGHAM RD

B664

Lodge Farm

Stoke Dry Wood

98

83 A B 84 C D 85 E F

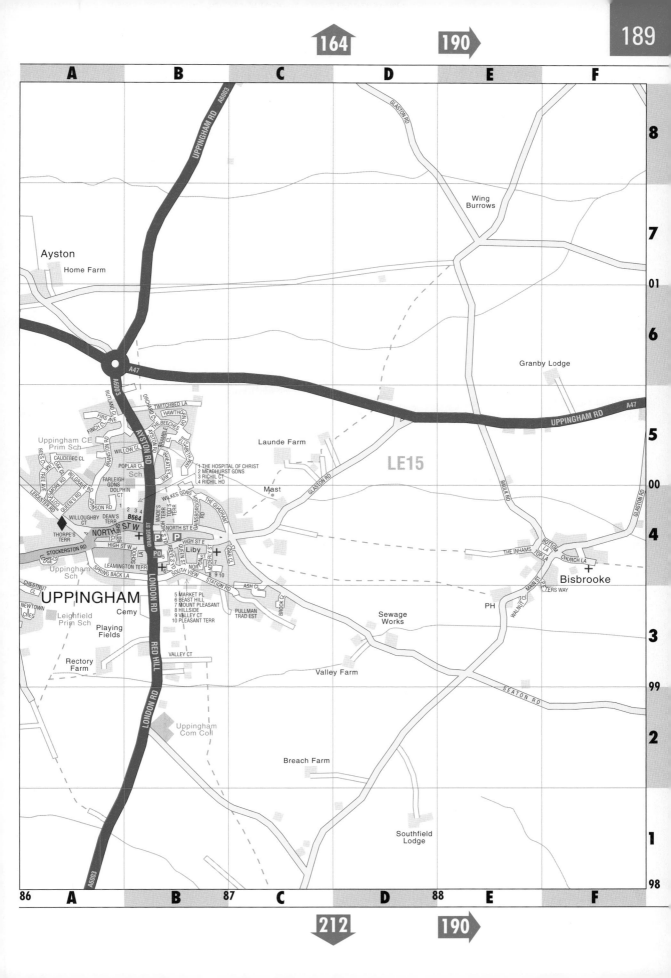

A   B   C   D   E   F

GLASTON RD

UPPINGHAM RD

A6003

8

Wing
Burrows

7

Ayston

Home Farm

01

6

A47

Granby Lodge

A47
UPPINGHAM RD

RUTLAND CL
ORCHARD CL
TWITCHBED LA
HAWTHO
THE BEECHES
FIRS AVE
FINCH CL
BRANSTON RD
WILLOW CL
AYSTON RD
ELIZABETH AV
WHEATLEY

Uppingham CE
Prim Sch
CAUDEBEC CL
BELGRAVE RD
POPLAR CL
Sch

5

Launde Farm

LE15

GLASTON RD

BAULK RD

00

REES CL
WHIT OAK CL
TREE AVE
QUEEN'S RD
FARLEIGH
GDNS
DOLPHIN
CT
WILKES GDNS
THE QUADRANT
1 2 3 4
DEAN'S
TERR
WADE'S
TERR
BAMBROUGH
GAINSBOROUGH
HOPE'S CL
1 THE HOSPITAL OF CHRIST
2 MEADHURST GDNS
3 RICHIL CT
4 RICHIL HO
Mast

GLASTON RD

LEICESTER RD
SON RD
WILLOUGHBY
CT
B664
THORPE'S
TERR
NORTH ST W
HIGH ST E
NORTH ST E
HIGH ST E
REEVE'S
NORTH ST E

Bisbrooke
BOTTOM
LA
TOP LA
CHURCH LA
THE INHAMS

4

STOCKERSTON RD
HIGH ST W
SPRING BACK LA
LEAMINGTON TERR
LONDON RD
ORANGE ST
PO
Liby
QUEEN'S ST
SOUTH VIEW
STATION RD
NOR
ADER'S
5
9 10
P
P

Uppingham
Sch

PH
WALNUT CL
MAIN ST
ERS WAY

CHESTNUT
CL
NEWTOWN
CRES
Leighfield
Prim Sch

UPPINGHAM

Cemy

Playing
Fields

5 MARKET PL
6 BEAST HILL
7 MOUNT PLEASANT
8 HILLSIDE
9 VALLEY CT
10 PLEASANT TERR

ASH CL
BROOK CL
PULLMAN
TRAD EST

Sewage
Works

99

3

Rectory
Farm

RED HILL

VALLEY CT

Valley Farm

SEATON RD

99

2

LONDON RD

Uppingham
Com Coll

Breach Farm

1

Southfield
Lodge

98

86   A   B   87   C   D   88   E   F

A6003

A B C D E F

8

7

01

6

Bisbrooke
Hall

Glaston

WING RD

GLASTON RD

CHURCH LA

MANOR LA
SPRING LA
GLASTON PK

Motel

PH

A47 UPPINGHAM RD MAIN RD

GLASTON RD

ORCHARD
CL
Lonsdale
Farm

MORCOTT RD

Glaston Lodge

GLASTON RD

A47

5

Wellesley
Spinney

SEATON RD

00

LE15

4

3

99

2

SEATON RD

WING RD

B672

Seaton

DRURYS LA
THOMPSONS LA
PH

MAIN ST
BAINES LA

1

Seaton
Grange

GRANGE LA

MOYES LA

CHURCH LA

NN17

B672

98

89 A B 90 C D 91 E F

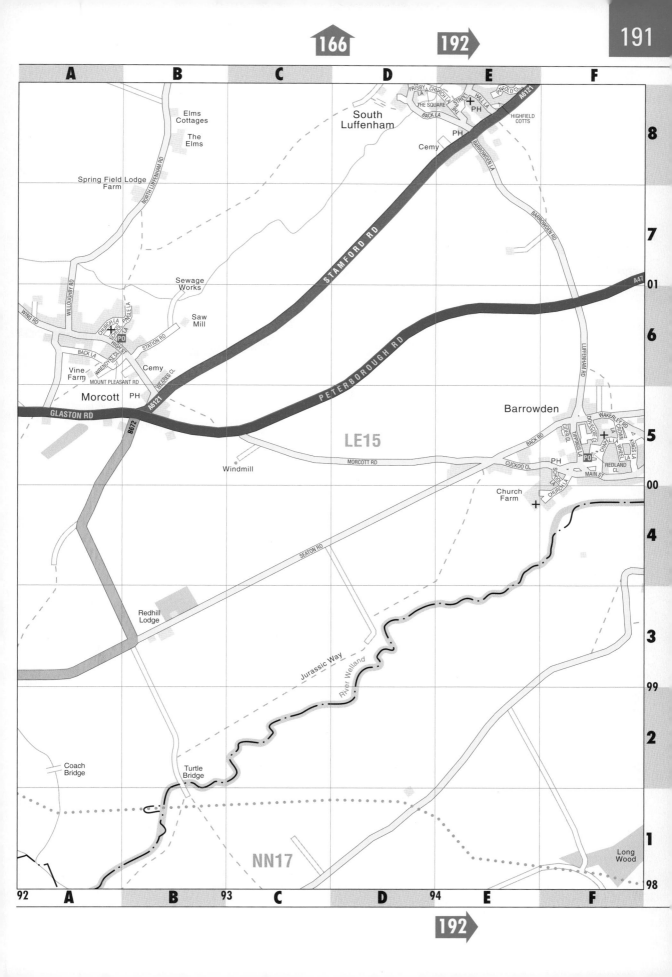

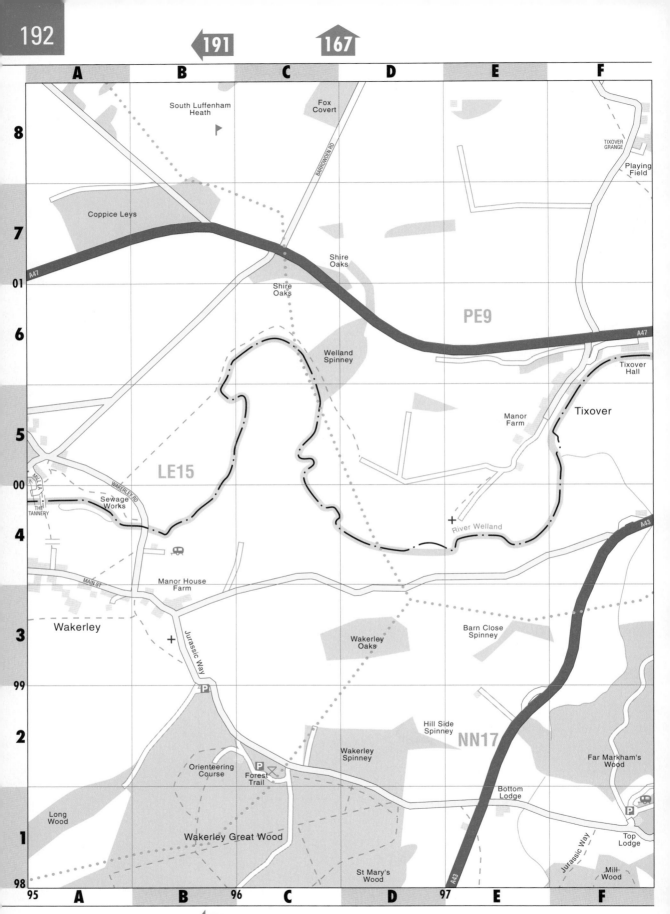

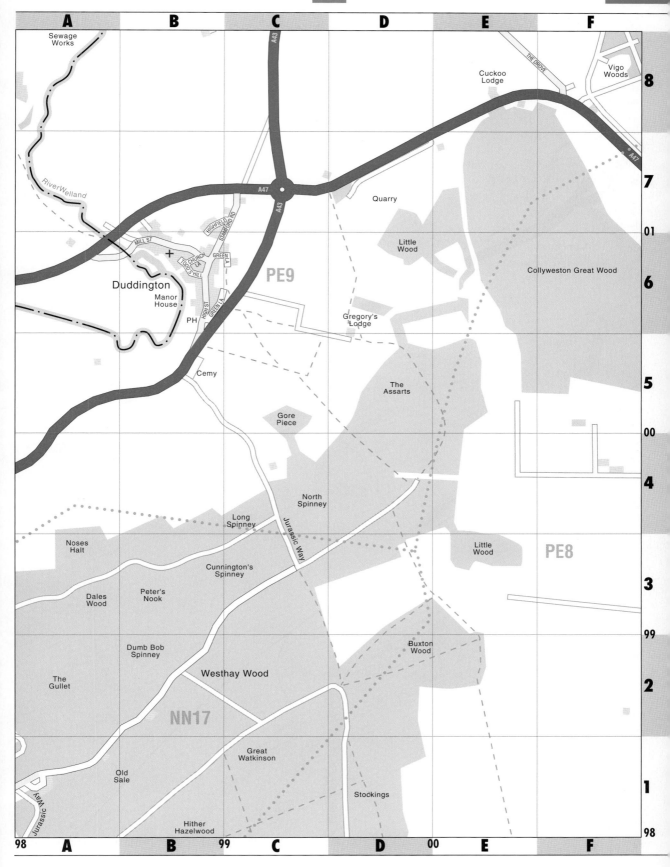

A **B** **C** **D** **E** **F**

Sewage
Works

River Welland

A43

A47

A47

A47

THE DROVE

Cuckoo
Lodge

Vigo
Woods

8

Quarry

01

Little
Wood

Collyweston Great Wood

7

MILL ST

HIGHFIELD

STAMFORD RD

GREEN LA

CHURCH
LA

TODS HILL

HIGH ST

GREEN LA

Duddington

Manor
House

PH

PE9

Gregory's
Lodge

6

Cemy

The
Assarts

5

Gore
Piece

00

North
Spinney

Little
Wood

PE8

4

Long
Spinney

Jurassic Way

Noses
Halt

Cunnington's
Spinney

Dales
Wood

Peter's
Nook

Little
Wood

3

99

Dumb Bob
Spinney

Buxton
Wood

The
Gullet

Westhay Wood

NN17

2

Great
Watkinson

Old
Sale

Stockings

1

Jurassic Way

Hither
Hazelwood

98

98 **A** 99 **B** **C** 00 **D** **E** **F**

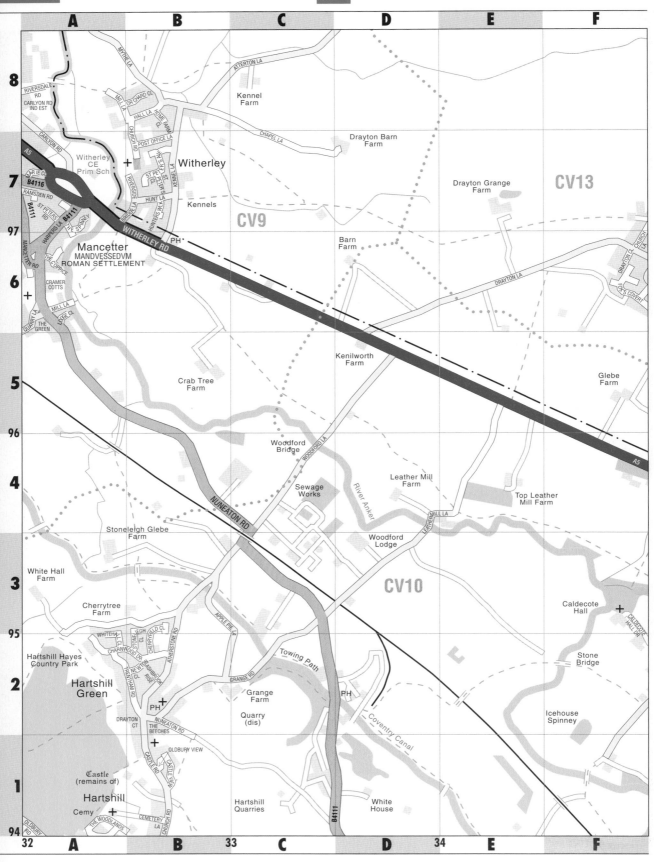

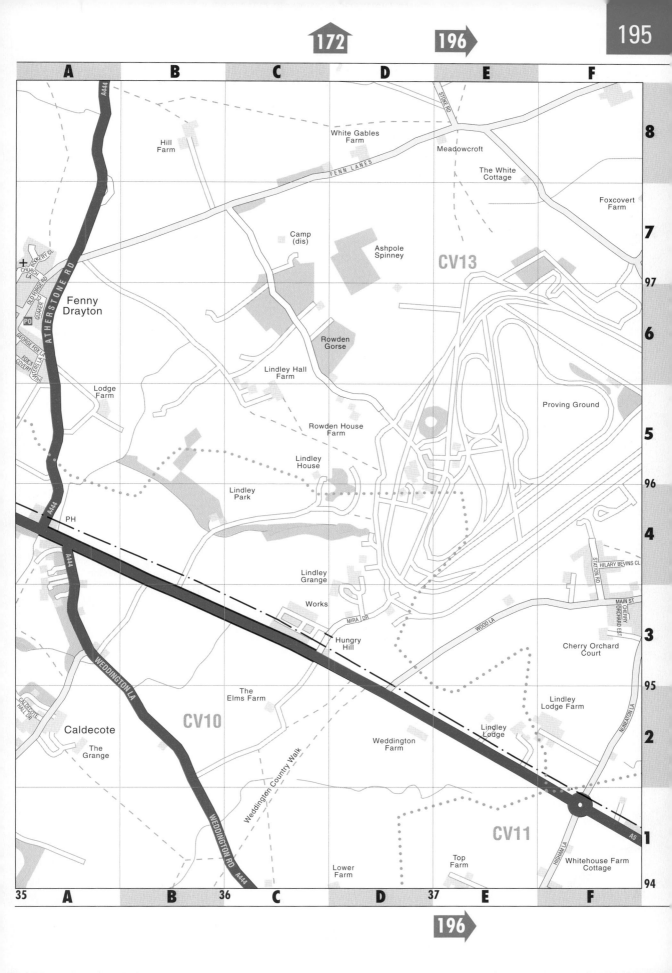

195
173

A **B** **C** **D** **E** **F**

8

FOXCOVERT LA

Grange Farm

Fox Covert Farm

7

Stoke Golding
Crown Hill

WILLOW PARK IND EST

Ivy House Farm

THE GREEN
STAPLETON LA
STOKE LA

St Martin's Convent

St Martin's High Sch

PH
HIGH ST
CHURCH ST
ROSEWAY
WHITEMOORS RD
SHELTON RD
WHITEMOORS CL

HINCKLEY RD

Brook Farm
STATION RD
CHURCH WLKS
ANDREW CL
IVY CL
TWEEDING

St Margaret's CE Prim Sch
ST MARGARET RD
SHERWOOD RD
GREENWOOD RD

97

THE STABLE YD
PO
MAIN ST
HALL DR
PINE CL
THORNFIELD AVE

Cemy

Stokefields Farm

STOKE RD

Brook House

6

Higham Fields

HIGHAM LA

BENNETT CL
ARNOLD RD
STONELEY RD
TITHE CL

Willow Farm

Brook Farm

CV13

Millfield Farm

Highfield Farm

LE10

5

Cuckoo's Nest Farm

Basin Bridge Farm

Compass Fields Farm

WYKIN LA

Oaklands

96

Basin Bridge

Higham Fields

4

STOKE LA

Vale Farm

ASHBY DE LA ZOUCH CANAL
BASIN BRIDGE LA

Wykin Fields

The Hollows

Wykin

Hall Farm

Higham on the Hill CE Prim Sch

Spring Hill Farm

WYKIN RD

3

PH
PO
MAIN ST

Higham on the Hill

Higham Hall

HINCKLEY LA

Wykin House Farm

Wykin Hall

NUNEATON LA

95

BARR LA

NORTHERN PERIMETER RD W

A47

2

Grange Farm

Higham Thorns

LE10

OUTLANDS DR

Harper's Hill

Higham Grange
H

1

A5
WATLING ST
A5
Hollow Farm
Change Brook

CV11

A47

MARYWELL CL
LEYSMILL CL
CROSSKIRK RD
LOSSIEMOUTH RD
FRESWICK CL
CHROMARTY DR
LAXFORD RD
KINROSS WAY

94

38 **A** **B** 39 **C** **D** 40 **E** **F**

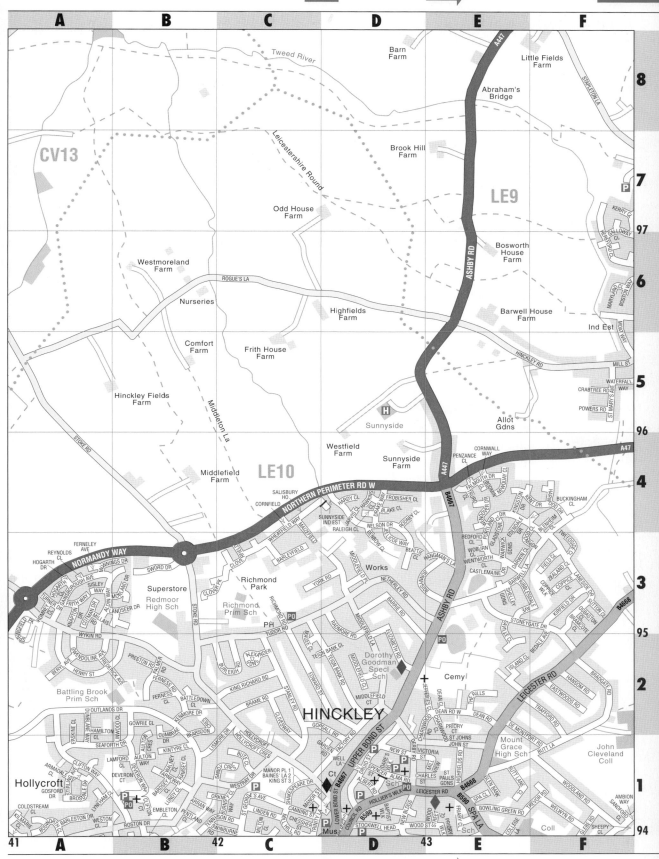

197 175

A B C D E F

8
Glebe Farm
William Bradford Com Coll
Allot Gdns
Recn Gd
PEAR TREE CL · YEW TREE CL
ELWELL AVE · FIRTREE CL
WILLOW TREE CL · CHERRY TREE DR
BARTOM RD · BEAGATE RD · PECKLETON LA
ASH LEFT RD
The Cloisters
HARRISON RD · WEST CL
WOOD ST · KING'S WLK · PROSPECT WAY · TOWER RD
HIGH ST · A47
Charnwood Rd
The Drive
Notley Ct
Heath La
Gartree Cres · Heath La S
THE HOLLOW
Carr's Dr
Alexander Ave
Vicarage La · Oxford St
Sch
Byron St
Masefield Rd
Sch
Mallory Rd
Melton St
Oaks Way
B5364
PO
Liby
Cotton Cl
Coniston Ct
Candle Ln
The Legrofts

7
Shrewsbury Cl · Worcester Cl · Cumberland Way
Ormond Cl
Kirby Rd
The Close
Frisby Rd · Oakensway
George Geary Cll
Hinckley Rd
Heathfield High Sch
Rossendale Rd
Laburnum Dr · Highfield St
Melton St · James St · Lucas Way
Townlands CE Prim Sch
Earl Shilton
Northleigh Way
Ullswater Cl
Cemy
Brockey Cl · Oxford St
Regent St · Hastings Dr
George Ward Ct · Kingsfield Rd
Wightman Rd
Heath Ct
Doctors Fields
Balmoral Rd · Edinburgh Rd
Highfield Ct
Stoneycroft Rd
Station Rd
The Grange
Meadow Court Rd
Equity Rd

97
Stapleton La
Twyford Ct
Arthur St · King St
Shilton Rd
Elmesthorpe Ave
Sandringham Rd · Corporation Rd
Cedar Rd
Oakdale Rd · Ash Rd · Lime Gr
Almond Way
Maple Way
Wileman's Cl
Breach La

6
Barwell Inf Sch
Penny La · Galloway Cl
Ayrshire Cl · Hereford Cl · Boston Way
Shoesmith Cl
Liby
PO
Willowdene Way
Queen St
Hawthorne Way
Dawson's La
Carrs Hill
B581
Elmesthorpe La
1 The Birches
2 The Barracks
3 Doctor Cookes Cl
Factory
Inglenook Farm
Church Farm Gram Sch
Birch Cl
B5364
Breach Lands
The Breach Farm
Breach Lands

5
Washington Rd · Charleston Cres · Moat Way
Goose La · Mill St
Wensleydale Rd · Wensleydale Ave
Ind Est
Sch
Adcote · Croft
Church La · Dovecote Way
The Common
Barwell
Leicester Rd
St Mary's
The Ivene Farm
The Crescent
Billington Rd W
LE9
Nurseries
Elmsthorpe Estate
Station Rd
Elmsthorpe
Leighton Cres · Lovelace Cres

96
Waterfall Way · Waters End
B4668
A47
Bridle Path Rd
Billington Rd E
The Roundhills 1
Wortley Cotts 2
B581

4
Hissar House Farm
Billington Rough
Leicester Rd

3
Brick Kiln Hill
Lynden Lea
B4668
CH
Bridge Farm
Burbage Common Rd

95
Burbage Common
Leicestershire Round
Sheepy Wood

2
Park House
LE10
Woodhouse Farm
John Cleveland Coll
Wood House Farm
P
M69

1
Elmsthorpe Plantation
Smith La
Hobbs Hayes
Freeholt Lodge
Freeholt Wood
M69

94
Ambion Way
Burbage Wood
Aston Firs

44 A 45 B C 45 D 46 E F

197 216

199
177

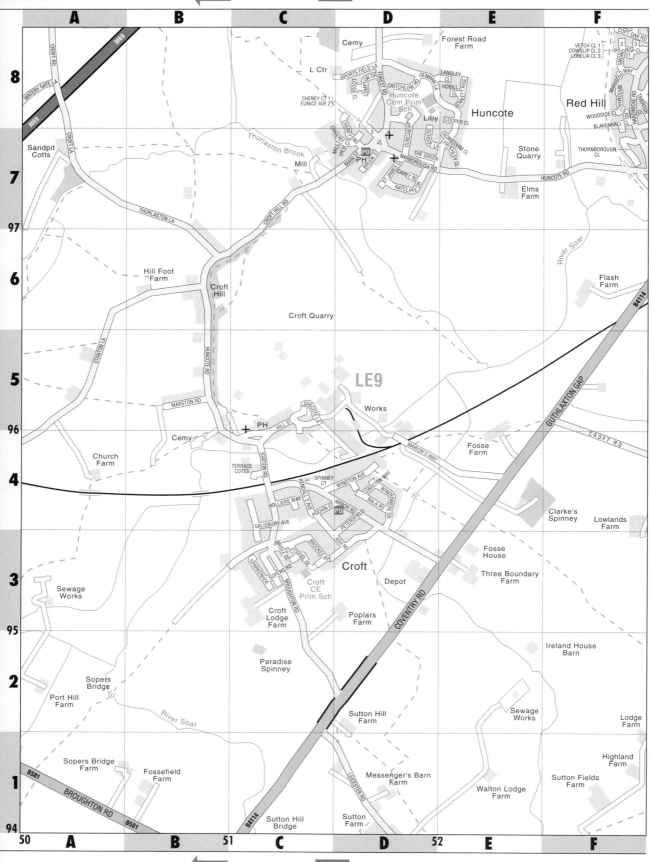

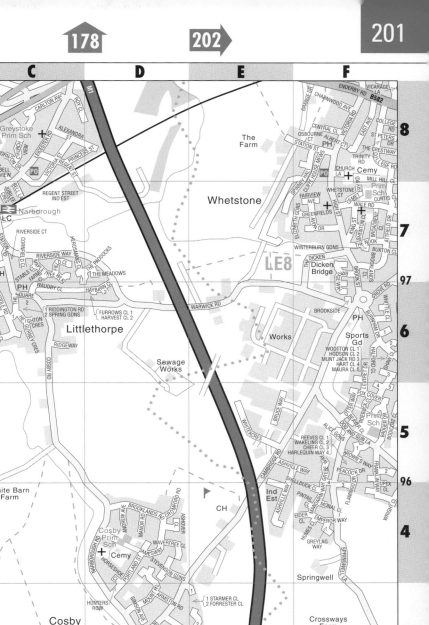
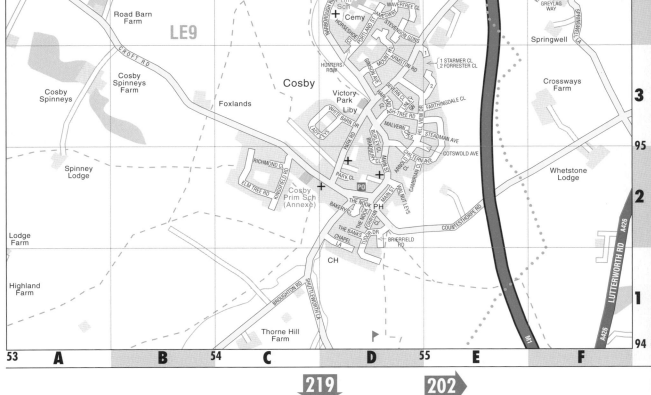

LE2

LE18

Blenheim CL

Grand Union Canal

River Sence

A B C D E F

8

THE CRESTWAY
ENDERBY RD
B582
Ind Est
RUMSEY DR

ENDERBY RD

COLLEGE RD
WINCHESTER AVE
CLARK CARDENS
THE AVENUE
JAMES ST
NEW ST
LIME GR
Liby
FORGE CNR

Hall Farm
Mill Lane Farm

CHURCH ST
WIGSTON RD
HOME CL

1 CROSSWAYS HO
2 JOHN'S CT
3 PARK HOUSE CT
4 CHURCH WLK

1 NORTHFIELD RD
2 THE GREEN
3 CHAPEL ST
4 MANOR CT

Cemy

Crow Mill Bridge

Railway St 1
Countesthorpe Rd 2

7

Blaby

MILL HILL CL

Stokes CE Prim Sch

HORTON CT
CHARLOTTE CT
AUBURN RD
AUBURN HO

DARLEY RD
THE ELMS
QUEENS RD
DOVEDALE AVE

THE FAIRWAY
GROVE RD

1 CURTIS CL
2 JOHNSON CL
3 HERBERT CL
4 EARLE SMITH CL
5 BUXTON CL

HAZLEMERE CL

THE CRESCENT
WESTERN DR
BEECH RD
WILLOW RD

FREER RD
LAUREL RD
WELFORD RD

Long Wlk

Highfields Farm

Blaby Mill

Blaby Hill

Port Hill

Rose Farm

97

HEYBROOK AVE
LUTTERWORTH RD
KESWICK RD
CRAMER CL
LATIMER RD
BROADWAY RD
PAWLEY CL

HIND CL

CHERRY RD
HAWTHORN DR
RIPON DR
LITCHFIELD DR
MAPLE AVE
WALNUT CL
SOUTHWAY
DORCHESTER CL
LEAMINGTON DR

CEDAR RD
WYKHAM CL

CHESTER RD
CHESTER CL
OAKFIELD CRES
SAVILLE RD
WYNTON CL
WAVERLEY RD
WELBECK CL

HOSPITAL LA

HOSPITAL LA

Lodge Farm

6

SANDHURST CL
CHARLTON CL
BURNHAM CL
KNIGHTS CL
NORFOLK CL

4 SIMPSON CL
2 KENNY CL

ROCKINGHAM CL
SALISBURY CL

WINCHESTER RD

CH

Keepers Farm

LE8

5

PARAMOUR CL
MAWBY CL
HOLDEN CL
CAVINAM CL
LAUNDE RD
HUBBARD CL
WYCHWOOD RD
COLES AVE
CHURCH ST
BIGGS CL

1 WARNER CL
2 HARRISON CL
3 KINDER CL
4 CHARLES WAY

Willow Farm

Scalborough CL

THE ROWANS

THE ELMS
LADBROKE GR

FOSTON LA

96

DOG and GUN LA
WRIGHT CL
IOT CL

PH

Glebe Farm

BORROWCUP CL
LEYSLAND AVE
OLD FIELD CL
SUNBURY RISE
BROADFIELD WAY
LIDLAM CL
Broomleys
THE WOODLANDS
WHEATLANDS DR

BLADEN CL 1
LEOPOLD CL 2

LINDEN FARM DR
FIR TREE AVE
PINEWOOD CL
WILLOW CL
THE CHESTNUTS
THE COPPICE
CHERRYTREE CL

JUDITH DR
HAZELBANK RD
REGENT RD
NEW ST

ARCHERY CL
BUCKINGHAM RD
SPINNEY AVE

4

Beeches Farm

Leysland High Sch

THE DALES
BENFARM CL
HALYWOOD DR
WESTFIELD AVE
THE DRIVE

GWENDOLINE DR
Springwell
Springwell
BARKLY DR
POPLAR AVE
ASPEN CL
THE PLANTATION
LATTRELL

Schs

STANYON CL
CENTRAL AVE
DALE ACRE
SHETLAND WAY
PACKMAN GN
RESPOOL CL
ROSEBANK RD

3

Stult Bridge

COUNTESTHORPE RD
Countesthorpe Com Col

THE LEYS
LINDEN AVE
AXE DRIVE

STONECROFT
COSBY RD

BEECHINGS CL
MAURICE CL
PENFOLD DR

The Vineries
STATION RD
Liby
PO

HALLCROFT GDNS
TOPHALL DR
HALLCROFT AVE
GILLAM BUTTS
WISTON CRES
BASSETT AVE

CHRISTOPHER CL

THE SQUARE
MAIN ST
CHURCH ST
VS BROOK ST
MULL WAY
ARRAN WAY
ORCHARD LA
STROMA WAY

SKYE WAY
BUTE CL
LEWIS CL
WAY
HEAT WAY
FAIRISLE WAY
ORKNEY WAY

LUTTERWORTH RD

COSBY RD

Hill Farm

HILL LA

Countesthorpe

2

A426

Archway Cottage

Whetstone Brook

SPRINGWELL LA

WILLOUGHBY RD

Glebe Farm

The Bungalow

BAMBURY LA

AUSTREY LA

FEATING RD

1

Whetstone Gorse

WHETSTONE GORSE LA

Lilac Cottage

Westdale Farm

94

56 A 57 B C 58 D E F

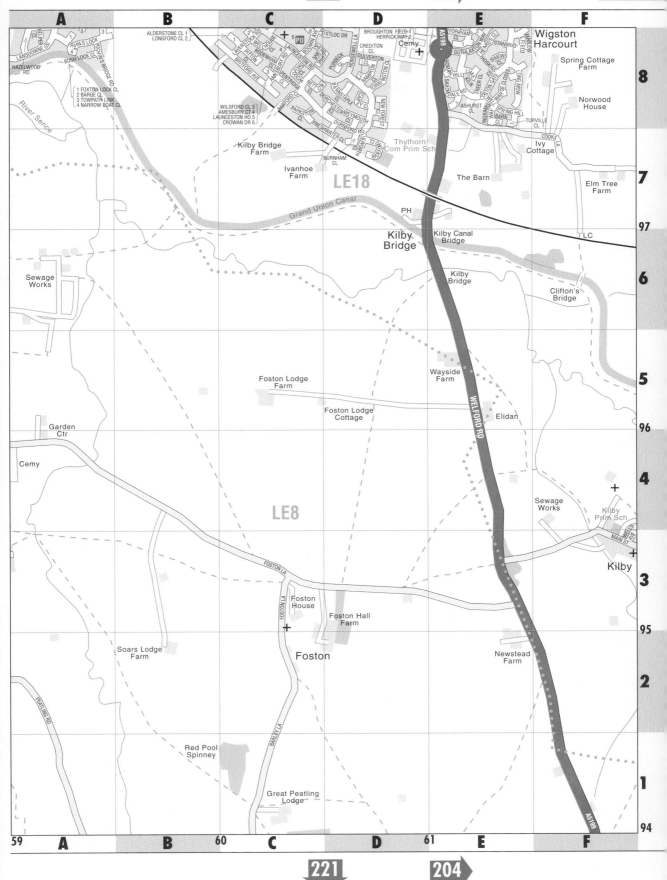

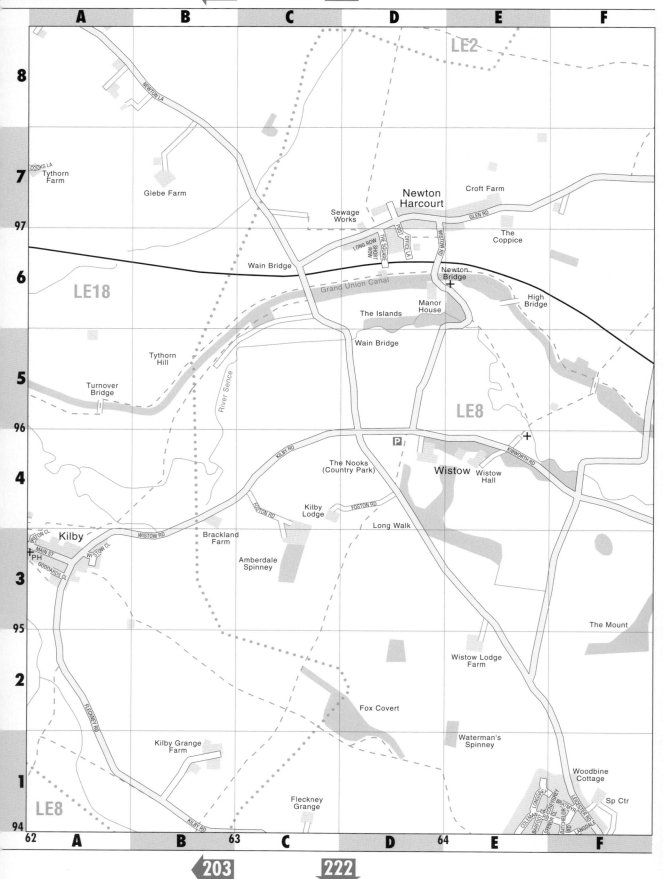

A B C D E F

8

7

COOKS LA
Tythorn
Farm

97

6

LE18

5

96

4

3

95

2

1

94

62 A B 63 C D 64 E F

Glebe Farm

Sewage
Works

NEWTON LA

Newton
Harcourt

Croft Farm

GLEN RD

The Coppice

LONG ROW
SHORT ROW
THE SQUARE
POST OFFICE LA
WISTOW RD

Wain Bridge

Grand Union Canal

Newton
Bridge

High
Bridge

The Islands

Manor
House

Wain Bridge

Tythorn
Hill

River Sence

LE8

Turnover
Bridge

KILBY RD

FOSTON RD

The Nooks
(Country Park)

P

KIBWORTH RD

Wistow

Wistow
Hall

Kilby
Lodge

FOSTON RD

Long Walk

Kilby

BRETON CL
MAIN ST
PH
GOODDARDS CL
WISTOW CL

WISTOW RD

Brackland
Farm

Amberdale
Spinney

FLECKNEY RD

The Mount

Wistow Lodge
Farm

Fox Covert

Waterman's
Spinney

Kilby Grange
Farm

Woodbine
Cottage

Fleckney
Grange

LE8

KILBY RD

LE2

Sp Ctr

COLEMAN
BARTON CL
STENDA CL
LONGDEN
CONERY
GREY
BRATTMYR
BATCHELOR
LEICESTER RD
LANGDALE

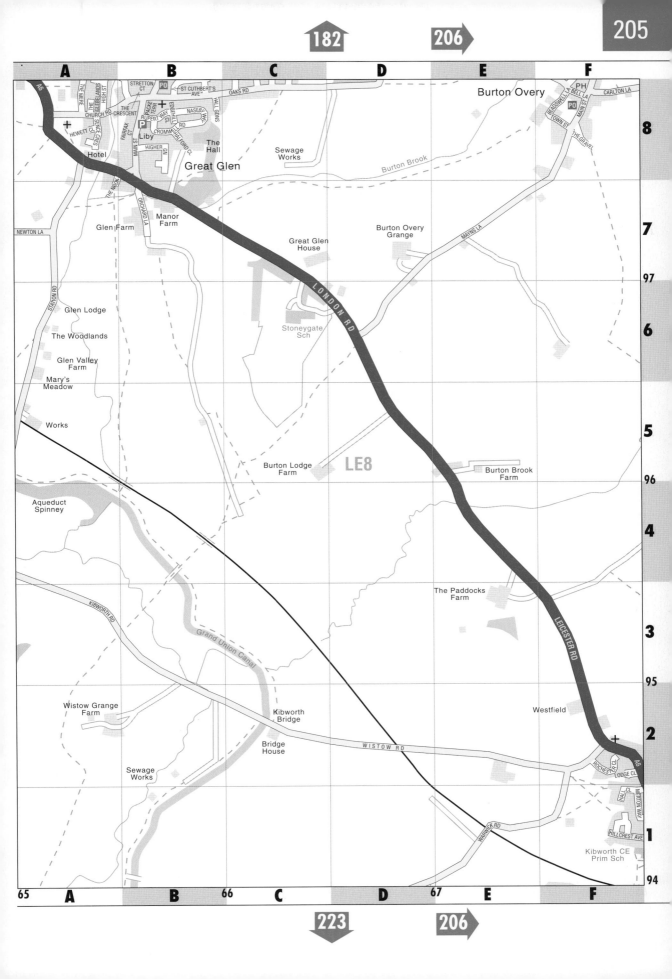

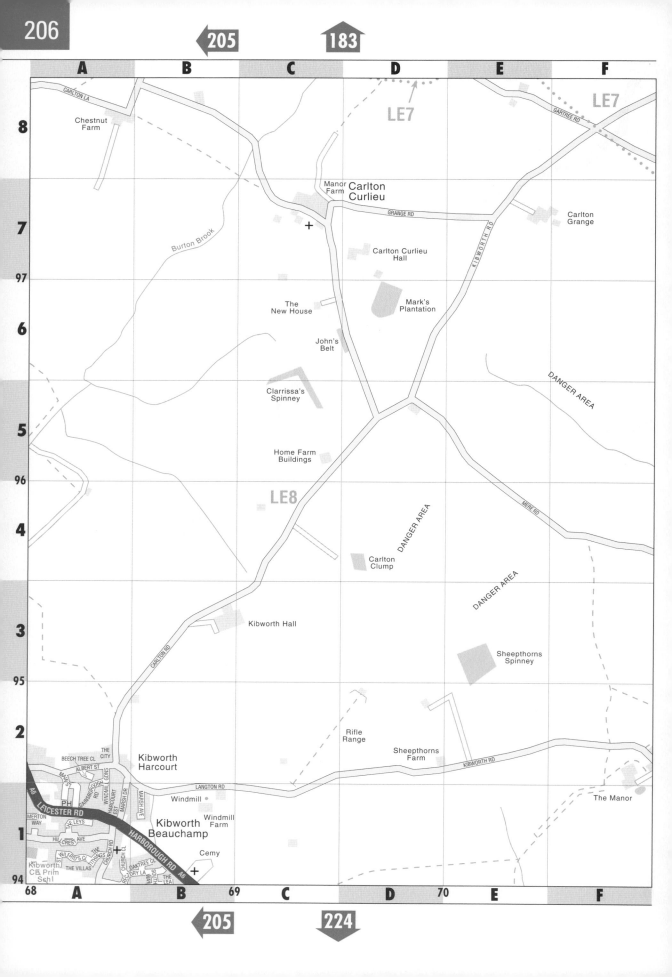

205
183

A B C D E F

8

CARLTON LA

Chestnut
Farm

LE7

7

Manor
Farm
Carlton
Curlieu

GRANGE RD

Carlton
Grange

Burton Brook

KIBWORTH RD

GARTREE RD

97

Carlton Curlieu
Hall

6

The
New House

Mark's
Plantation

John's
Belt

DANGER AREA

Clarrissa's
Spinney

5

Home Farm
Buildings

96

LE8

MERE RD

4

DANGER AREA

Carlton
Clump

DANGER AREA

3

Kibworth Hall

CARLTON RD

Sheepthorns
Spinney

95

2

Rifle
Range

Sheepthorns
Farm

KIBWORTH RD

Kibworth
Harcourt

BEECH TREE CL
THE
CITY
ALBERT ST

Windmill

The Manor

LEICESTER RD
A6

MERTON
WAY

THE LEYS

Kibworth
Beauchamp

Windmill
Farm

HARBOROUGH RD
A6

1

HILL CRES
WILFRID'S CL
THE
VILLAS

Cemy

94

Kibworth
CE Prim
Schl

LANGTON RD

68   A   B   69   C   D   70   E   F

205
224

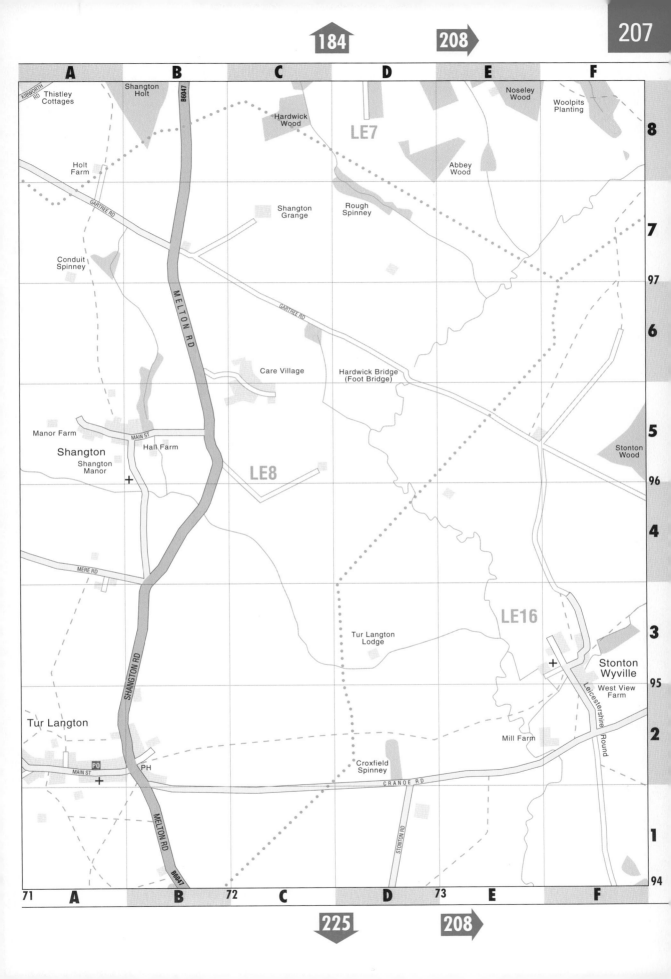

A B C D E F

8

LE7

Hallaton
Wood

7

97

Glooston
Lodge

6

Glooston
Wood

Stonton
Wood

5

Midshires Way

96

ANDREW'S LA MAIN ST

4

Glooston

BLUEBELL LA

Home
Farm

CRANOE RD

Leicestershire Round

CHURCH HILL RD

Church
Hill

LE16

3

HARBOROUGH RD

Crossburrow
Hill

Cranoe

SCHOOL LA

CHURCH HILL

95

BURROW HILL RD

PO

LANGTON RD

2

Sewage
Works

CRANOE RD

WELHAM LA

Leicestershire Round

1

94

74 A B 75 C D 76 E F

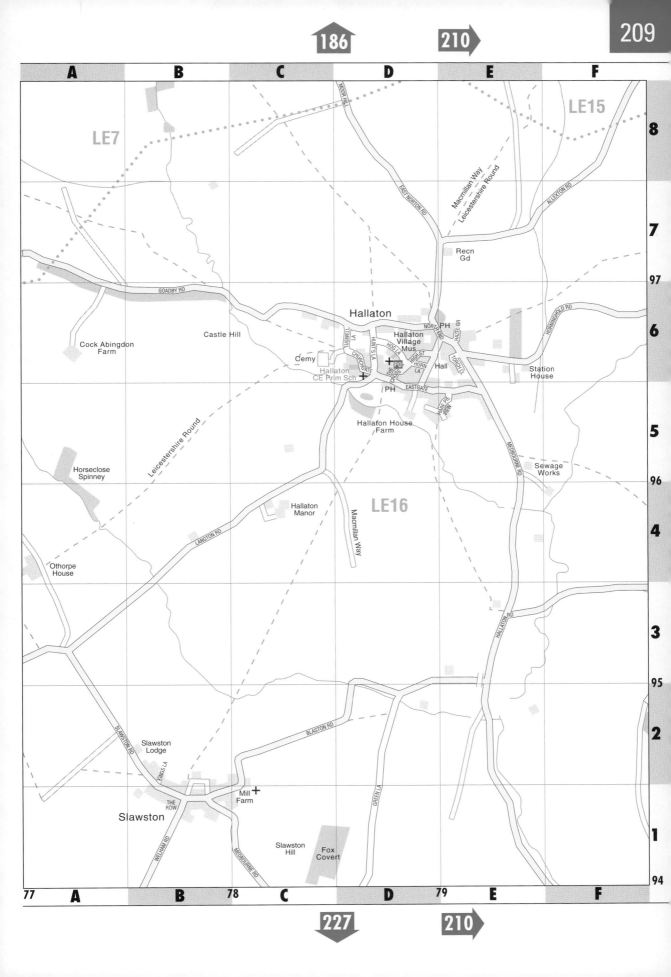

A   B   C   D   E   F

LE15

LE7

MOOR HILL

EAST NORTON RD

Macmillan Way
Leicestershire Round

ALLEXTON RD

8

Recn
Gd

7

97

GOADBY RD

Hallaton

HORNINGHOLD RD

6

Cock Abingdon
Farm

Castle Hill

TUGWELL LA

HUNT'S LA

HOG LA

Hallaton
Village
Mus

NORTH END

HIGH ST

HAZEL GR

Cemy

CHURCHGATE

THE CROSS

PO

HORN LA

Hall

TOUCH CL

Station
House

Hallaton
CE Prim Sch

PH

EASTGATE

Leicestershire Round

PH

MARE PIE VIEW

Hallaton House
Farm

5

96

Horseclose
Spinney

Sewage
Works

LE16

Hallaton
Manor

MELBOURNE RD

4

LANGSTON RD

Macmillan Way

Othorpe
House

HALLATON RD

3

95

2

SLAWSTON RD

Slawston
Lodge

BLASTON RD

Mill
Farm

KINGS LA

GREEN LA

THE ROW

Slawston

WELHAM RD

MELBOURNE RD

Slawston
Hill

Fox
Covert

1

94

77   A   B 78 C   D 79 E   F

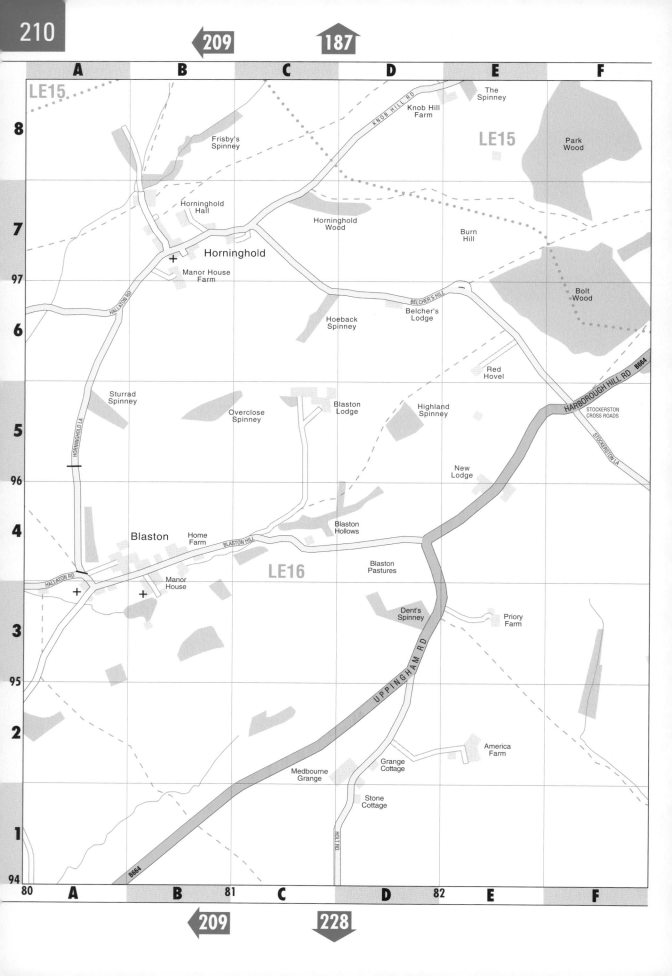

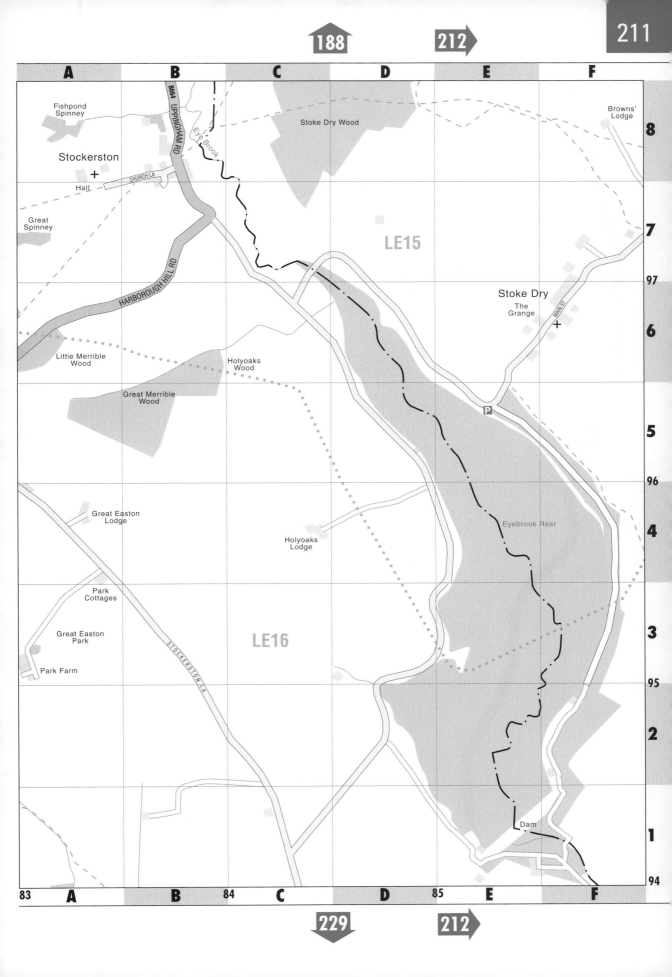

A **B** **C** **D** **E** **F**

Fishpond
Spinney

Browns'
Lodge

8

Stoke Dry Wood

B664 UPPINGHAM RD

Eye Brook

Stockerston

Hall

CHURCH LA

Great
Spinney

LE15

7

97

HARBOROUGH HILL RD

Stoke Dry

The
Grange

MAIN ST

6

Little Merrible
Wood

Holyoaks
Wood

Great Merrible
Wood

P

5

96

Great Easton
Lodge

Holyoaks
Lodge

Eyebrook Resr

4

Park
Cottages

3

95

STOCKERSTON LA

Great Easton
Park

LE16

Park Farm

2

Dam

1

94

83 **A** **B** 84 **C** **D** 85 **E** **F**

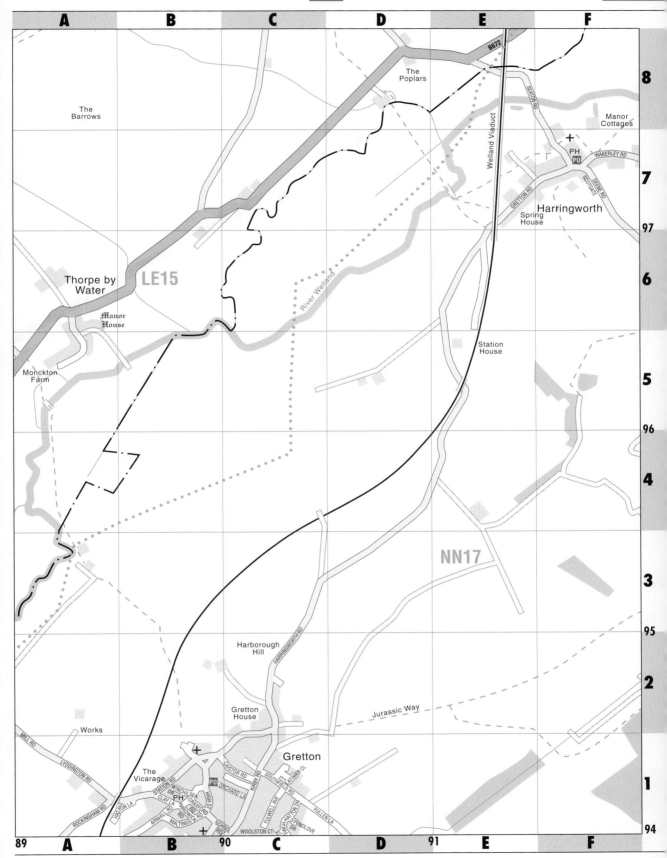

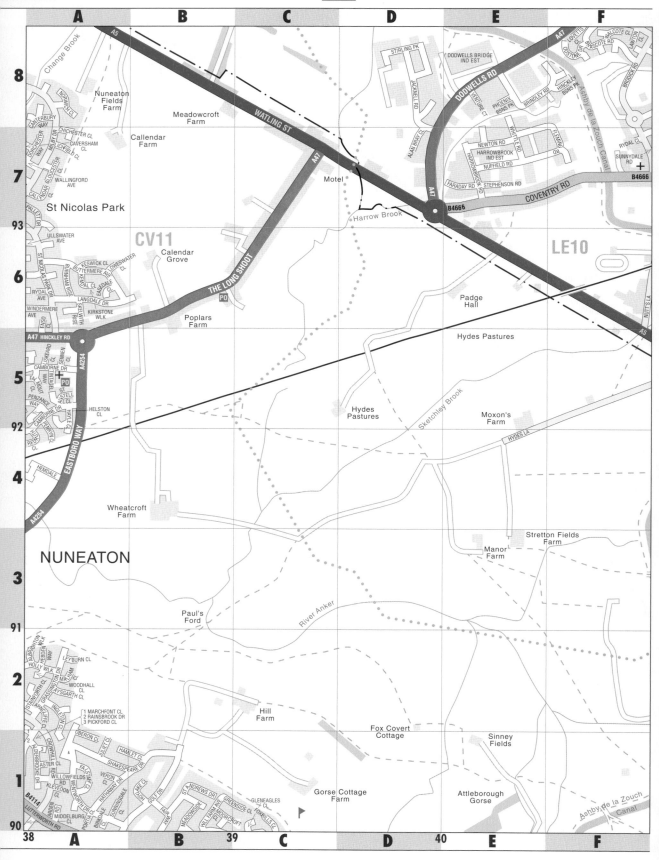

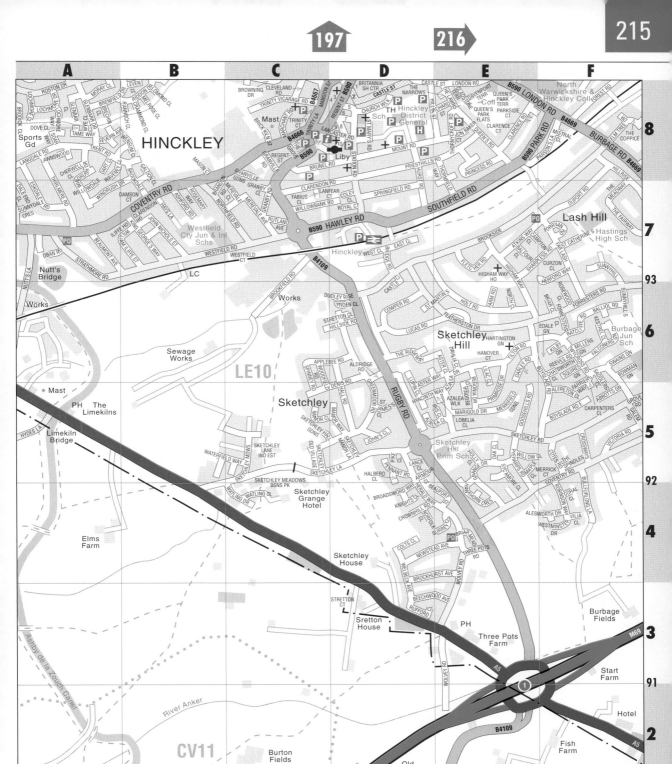

D8
1 HANSOM CT
2 THE BOROUGH
3 REGENT CT
4 BROCKLEYS YD
5 MARKET PL
6 EDWARDS CTR
7 THE HORSEFAIR
8 GEORGE ST
9 THE PARADE

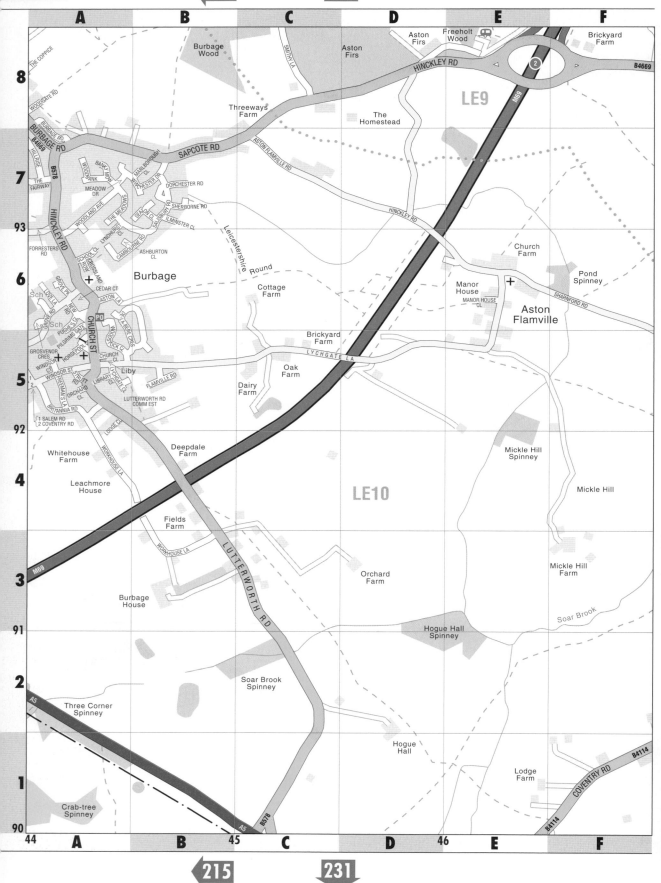

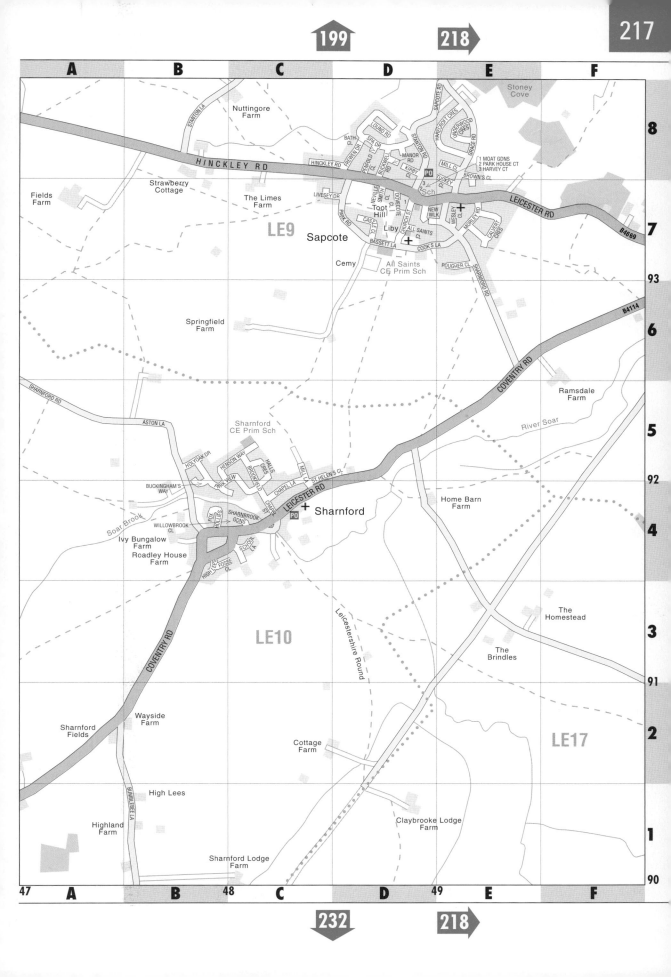

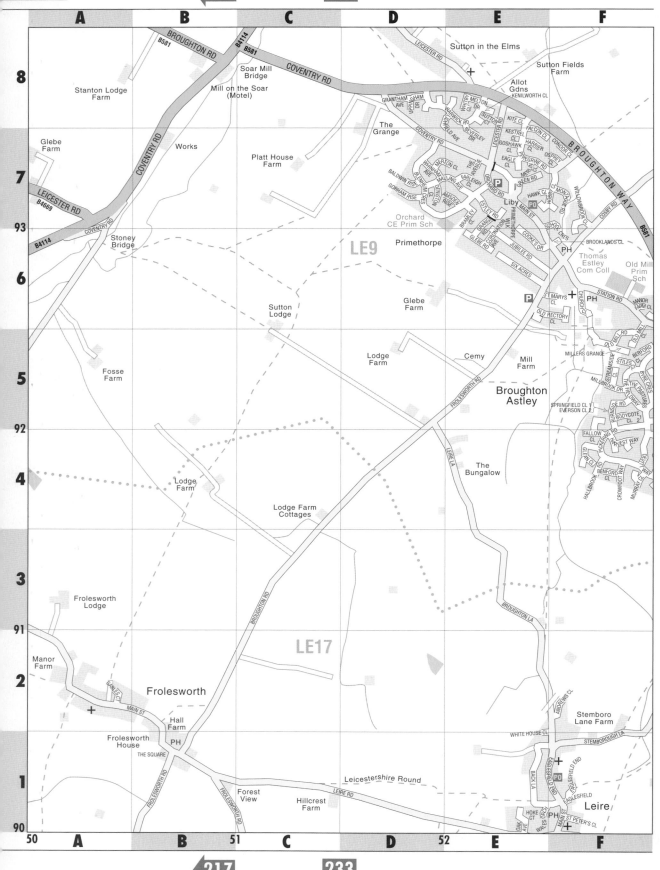

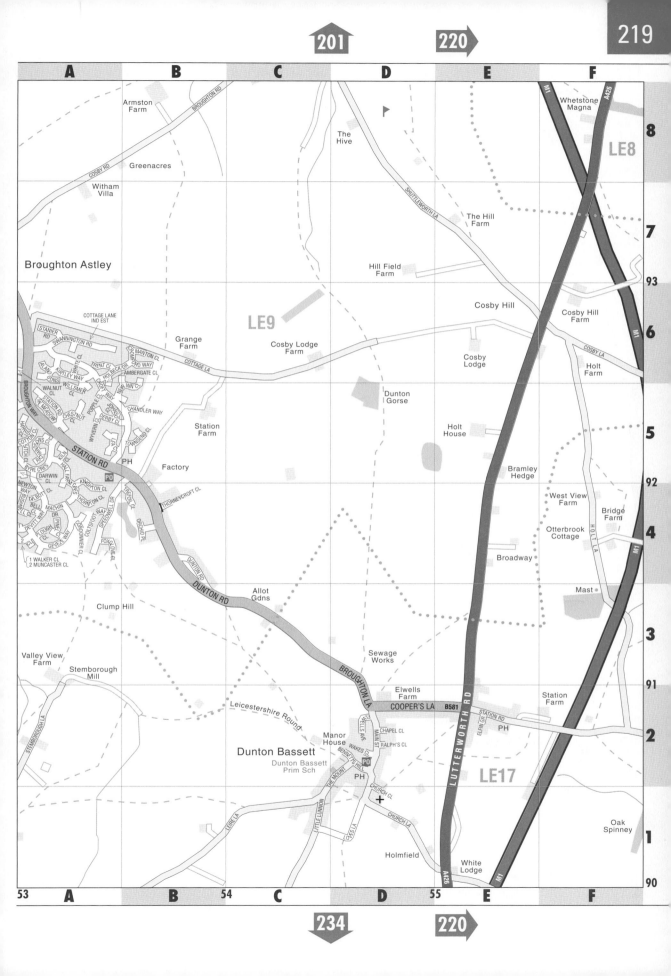

219
202

A **B** **C** **D** **E** **F**

Whetstone
Pastures

Westdale
Farm

8

Whetstone Gorse
East

Whetstone
Brook

BAMBURY LA

Whetstone Gorse
West

7

93

Reatling Lodge
Farm

LE9

6

Retreat
Farm

Willoughby
Waterleys

Leicestershire Round

Lodge
Farm

COSBY LA

YEW TREE CL

PH

MAIN ST

ORCHARD RD

Cemy

CHURCH FM LA

YEW TREE CL

5

Manor
Farm

LE8

92

Hill Farm

West End
Farm

Old Hall

WILLOUGHBY RD

4

Western
Farm

Leicestershire Round

Nicholls
Farm

The Coppice

GILMORTON LA

3

Lodge Farm

Willoughby Lodge
Farm

91

Gwens
Gorse

2

Ashby Magna

OLD FORGE RD

Stresa Glebe
Farm

PEVERIL RD

HALL LA

Manor
Farm

PH

GILMORTON RD

LE17

1

PEATLING RD

Broxtowe
Farm

90

The Retreat

Grange
Farm

Willow
Farm

Orchard
Cottage

56 **A** **B** **57** **C** **D** **58** **E** **F**

219
235

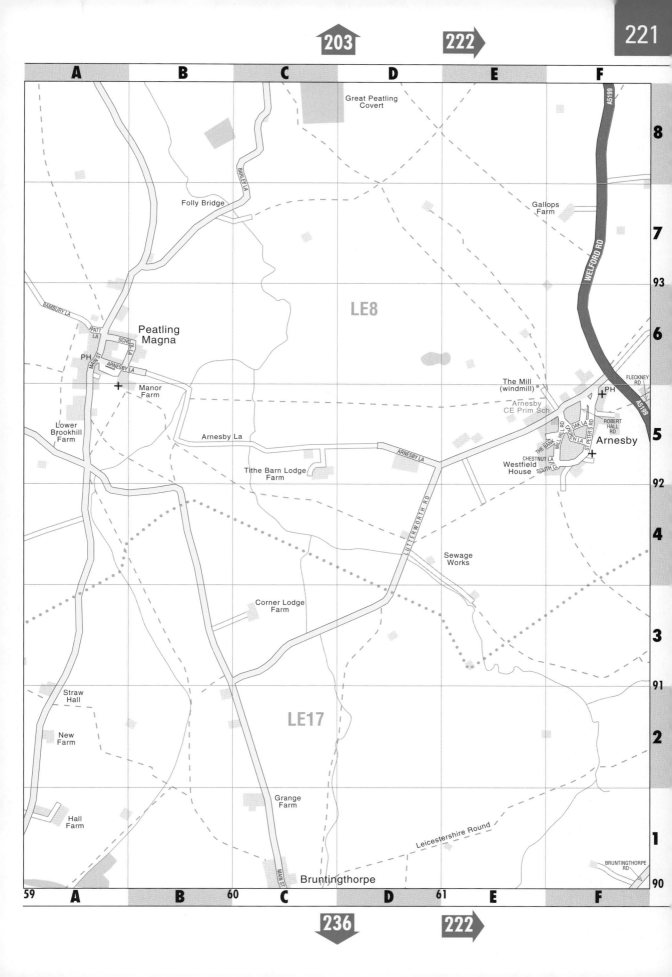

A B C D E F

Great Peatling Covert

Folly Bridge

BARLEY LA

LE8

Gallops Farm

WELFORD RD

A5199

BAMBURY LA

WATT LA

SCHOOL LA

Peatling Magna

PH

MAIN ST

ARNESBY LA

Manor Farm

Lower Brookhill Farm

Arnesby La

Tithe Barn Lodge Farm

ARNESBY LA

LUTTERWORTH RD

The Mill (windmill)

Arnesby CE Prim Sch

FLECKNEY RD

PH

A5199

THE BANK

MILL HILL RD

CHURCH LA

OAK LA

ST PETER'S RD

ROBERT HALL RD

Arnesby

Westfield House

CHESTNUT LA

SOUTH CL

Sewage Works

Corner Lodge Farm

Straw Hall

LE17

New Farm

Grange Farm

MAIN ST

Hall Farm

Leicestershire Round

BRUNTINGTHORPE RD

Bruntingthorpe

8 7 93 6 5 92 4 3 91 2 1 90

59 A B 60 C D 61 E F

A **B** **C** **D** **E** **F**

LE18

8

Arnesby Lodge
Farm

Arnesby Lodge
Cottages

The Meadows
Riding Ctr

KILBY RD

Lyndon Lodge
Farm

PENCLOSE RD
CROWN RD
STENOR CL
LANGDALE
KERTLEY
PARK ST
LEICESTER RD
Fleckney
CE Prim Sch
SHOULBARD
HIGHFIELD ST
BATCHELOR
PELLS
ALBERT ST

STORES LA
WOLSEY CT
FORGE
HIGH ST
Fleckney
PREST MDW
CHURCH LA
PO

Liby
MAIN ST
LAMPLIGHTERS
SCHOOL ST
BYRON

7

PH
EDWARD RD
RICHMOND RD
ORCHARD ST
GLADSTONE CL
VICTORIA ST
CROSSLEYS
SHORT
CL

The
Grange
ARNESBY RD
ELIZABETH CL
ELIZABETH RD
WESTERN AVE
WITHY
LODGE RD

93

LE8

6

Grange
Farm

Fleckney
Lodge

Petit-Tor

FLECKNEY RD

The White
House

Glebe
Farm

5

The Elms

Bloxham
Farm

92

Brant Hill
Farm

Rowley Fields
Farm

SHEARSBY RD

Breach
Farm

4

Leicestershire Round

Saddington Brook

3

New Inn
Farm

Saddington Lodge
Farm

SADDINGTON RD

CHURCH LA

WELFORD RD

WELFORD RD
THE BANK
BACK LA

91

THE SQUARE
MAIN ST
FENNY LA
PH

2

MILL LA
Shearsby

LE17

BRUNTINGTHORPE RD

John Ball Hill

1

Jane Ball
Covert

John Ball
Farm

John Ball
Covert

A5199

Bath Hotel
& Shearsby Spa

Peashill
Farm

90

62 **A** **B** **63** **C** **D** **64** **E** **F**

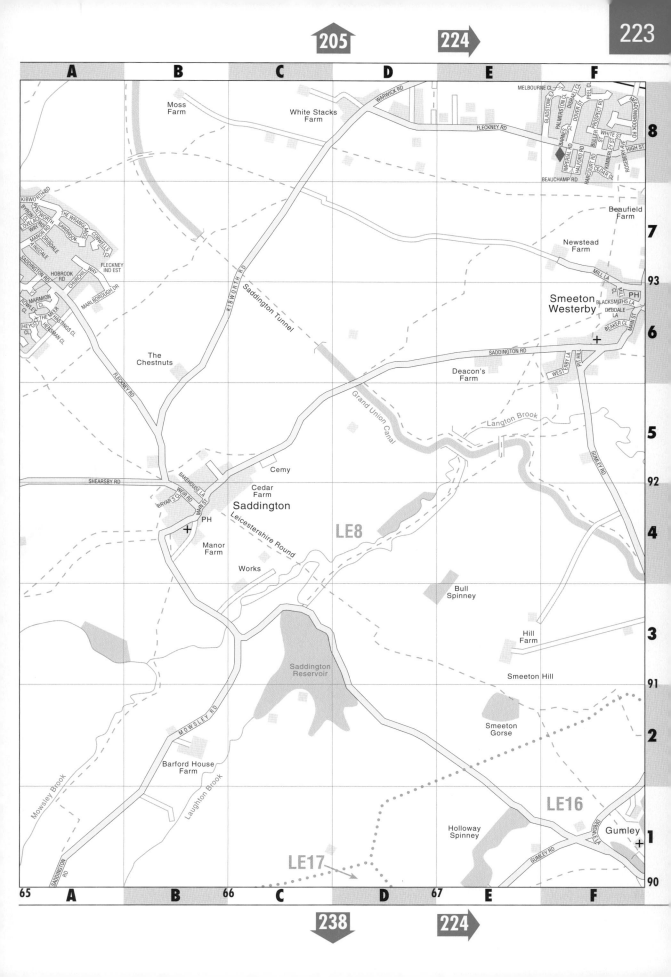

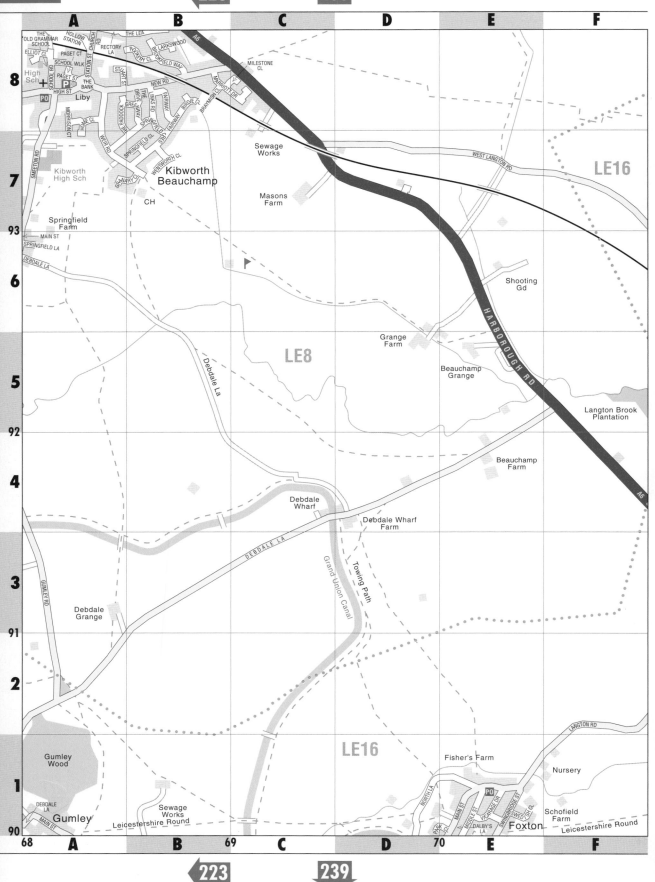

A B C D E F

8

7

93

6

5

92

4

3

91

2

1

90

68 A B 69 C D 70 E F

LE16

LE8

Kibworth Beauchamp

Kibworth High Sch

Springfield Farm

Masons Farm

Sewage Works

Shooting Gd

West Langton Rd

Grange Farm

Beauchamp Grange

Langton Brook Plantation

Debdale La

Beauchamp Farm

Debdale Wharf

Debdale Wharf Farm

HARBOROUGH RD

Debdale La

Grand Union Canal

Towing Path

Debdale Grange

Gumley Rd

LE16

Fisher's Farm

Nursery

Langton Rd

Schofield Farm

Foxton

North La

Main St

Middle St

Swingbridge St

Gumley Wood

Debdale La

Gumley

Main St

Sewage Works

Leicestershire Round

Leicestershire Round

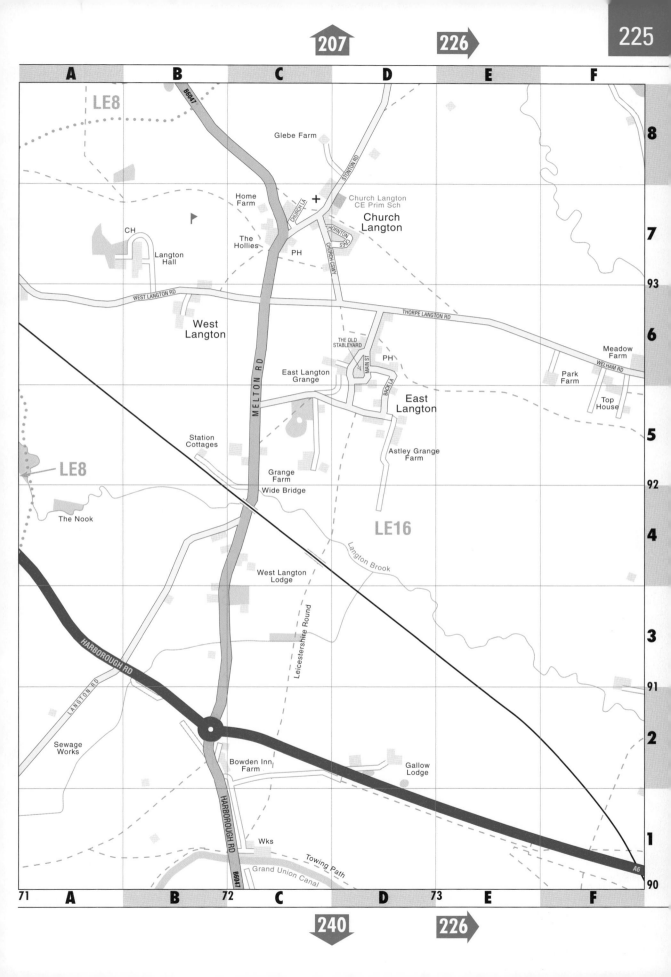

LE8

B6047

Glebe Farm

8

Home
Farm

CHURCH LA

STONTON RD

Church Langton
CE Prim Sch

Church
Langton

7

CH

The Hollies

PH

THORNTON CRES

CHURCH CSWY

Langton
Hall

93

WEST LANGTON RD

THORPE LANGTON RD

West
Langton

6

THE OLD
STABLEYARD

Meadow
Farm

WELHAM RD

East Langton
Grange

MAIN ST

PH

Park
Farm

MELTON RD

BACK LA

East
Langton

Top
House

5

Station
Cottages

Astley Grange
Farm

LE8

92

Grange
Farm

Wide Bridge

LE16

4

The Nook

Langton Brook

West Langton
Lodge

Leicestershire Round

3

HARBOROUGH RD

91

LANGTON RD

Sewage
Works

2

Bowden Inn
Farm

Gallow
Lodge

HARBOROUGH RD

B6047

Wks

1

Towing Path

A6

Grand Union Canal

90

225
208

A **B** **C** **D** **E** **F**

8

Langton Caudle

Welham Lodge

Brook House

WELHAM LA

7

Leicestershire Round

Fox Covert

93

SLAWSTON RD

6

Stone Cottage Farm

Home Farm

Manor Farm

FERNIE CHASE

PH

Sewage Works

Birch Tree Farm

THORPE LANGTON RD

Welham

PH

PRESTON RD

WELHAM RD

5

THE LIMES

GRANGE LA

Thorpe Langton

Grange Farm

BOWDEN LA

Manor Farm

WELHAM RD

92

LE16

4

BOWDEN RD

Midshires Way

BOWDEN LA

3

The Gate House

Barn Farm

91

2

Langton Brook

River Welland

LANGTON RD

WELHAM RD

1

90

A6

A6

74 **A** **B** **75** **C** **D** **76** **E** **F**

225
241

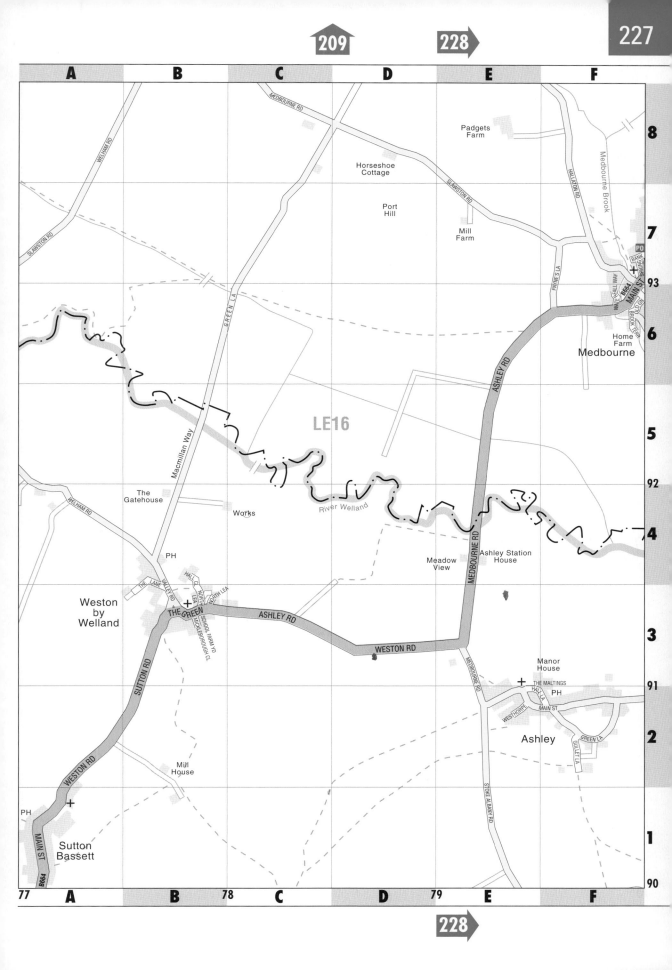

A B C D E F

MEDBOURNE RD

Padgets Farm

Horseshoe Cottage

Port Hill

SLAWSTON RD

Mill Farm

Medbourne Brook

HALLATON RD

PAINE'S LA

PO
BANK
SMITHS
WATER LA
B664
MAIN ST
BROOK TER

Home Farm

Medbourne

SLAWSTON RD

WELHAM RD

GREEN LA

Macmillan Way

LE16

The Gatehouse

Works

River Welland

ASHLEY RD

WELHAM RD

Meadow View

Ashley Station House

MEDBOURNE RD

PH

THE LANE

VALLEY RD

HALL CL

NORTH LEA

NORTH LEA

SCHOOL FARM YD

MICKLEBROUGH CL

Weston by Welland

THE GREEN

ASHLEY RD

WESTON RD

Manor House

THE MALTINGS

HALL LA

PH

WESTHORPE

MAIN ST

GREEN LA

GULLET LA

Ashley

SUTTON RD

Mill House

MEDBOURNE RD

STOKE ALBANY RD

WESTON RD

PH

MAIN ST

B664

Sutton Bassett

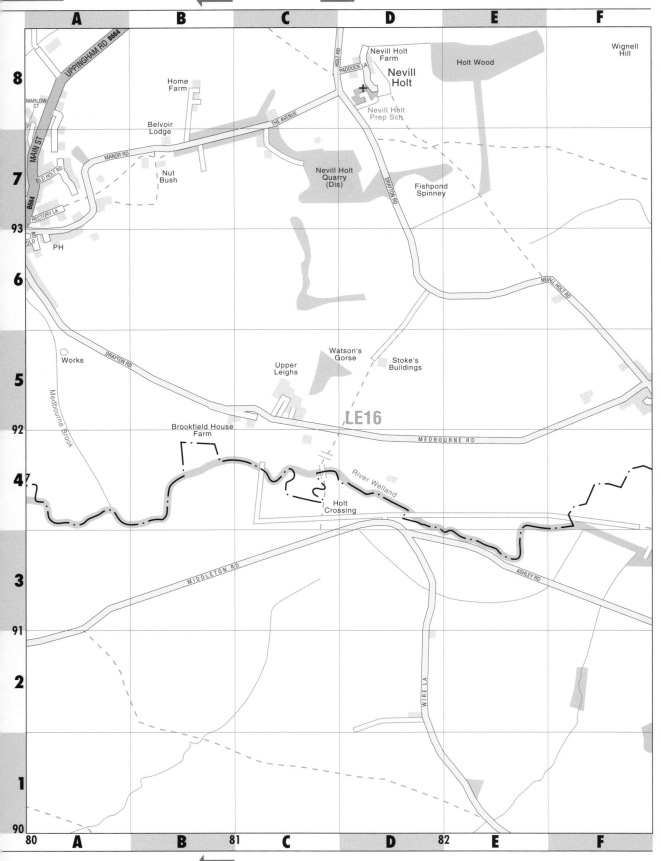

A   B   C   D   E   F

8

UPPINGHAM RD B664

Home
Farm

Nevill Holt
Farm

Nevill
Holt

Holt Wood

Wignell
Hill

MARLOW
CT

THE AVENUE

Nevill Holt
Prep Sch

MAIN ST

Belvoir
Lodge

MANOR RD

7

OLD HOLT RD

B664

Nut
Bush

HOLT RD

PADDOCK LA

Nevill Holt
Quarry
(Dis)

DRAYTON RD

Fishpond
Spinney

RECTORY LA

93

OLD GN

PH

6

Nevll Holt RD

Works

DRAYTON RD

Watson's
Gorse

Stoke's
Buildings

5

Upper
Leighs

Medbourne Brook

92

Brookfield House
Farm

LE16

MEDBOURNE RD

4

River Welland

Holt
Crossing

3

MIDDLETON RD

ASHLEY RD

91

2

WIRE LA

1

90

80   A   B   81   C   D   82   E   F

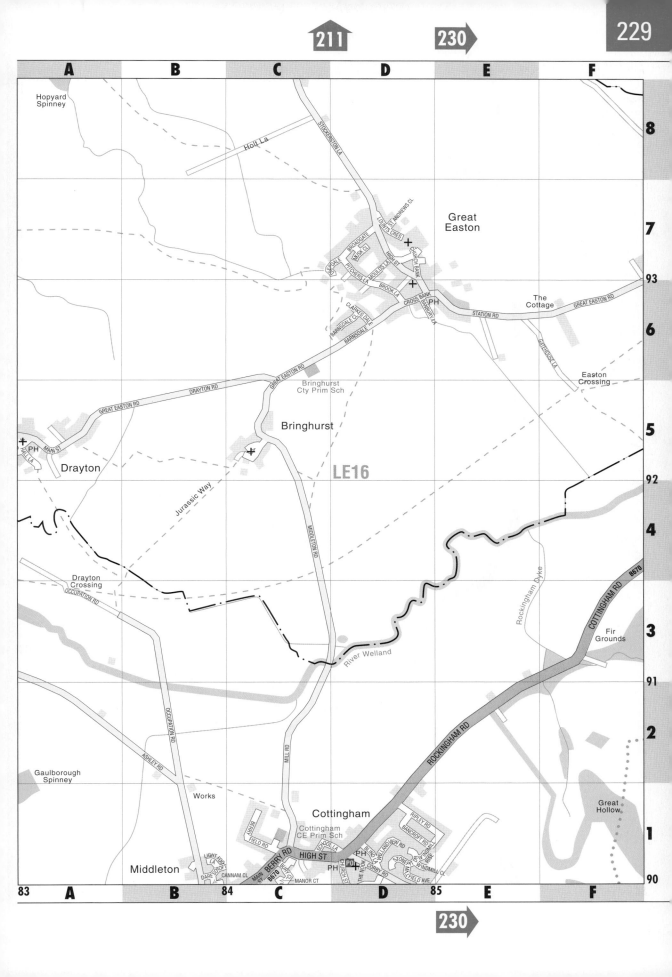

A **B** **C** **D** **E** **F**

Hopyard
Spinney

Holt La

Stockerston La

8

7

Great
Easton

St Andrews Cl

LOUNTS CRES

BROADGATE

CHURCH BANK

MASK CL

HIGH ST

PITCHERS LA

MOULDS LA

BROOK LA

93

Cross Bank

BARBURY LA

PH

Station Rd

The
Cottage

Great Easton Rd

6

CLARKES DALE

BARNSDALE CL

BARNSDALE

Great Easton Rd

Drayton Rd

Great Easton Rd

MAIN ST

HALL LA

PH

Drayton

Bringhurst
Cty Prim Sch

Bringhurst

Gatehouse La

Easton
Crossing

5

LE16

92

Jurassic Way

Middleton Rd

Rockingham Dyke

4

Drayton
Crossing

OCCUPATION RD

River Welland

Cottingham Rd

B670

Fir
Grounds

3

91

OCCUPATION RD

MILL RD

Rockingham Rd

ROCKINGHAM RD

2

ASHLEY RD

Gaulborough
Spinney

Works

Great
Hollow

1

BERRY FIELD RD

Cottingham
CE Prim Sch

Cottingham

RIPLEY RD

BANCROFT RD

WINDMILL CL

LIGHT FOOT LA

DARE... CROFT

CANNAM CL

MAIN ST

BERRY RD

B670

HIGH ST

PO

PH

PH

CHURCH ST

THE NOOK

WELLAND NEW RD

CORBY RD

STONEGATE

MILL FIELD AVE

Middleton

Manor Ct

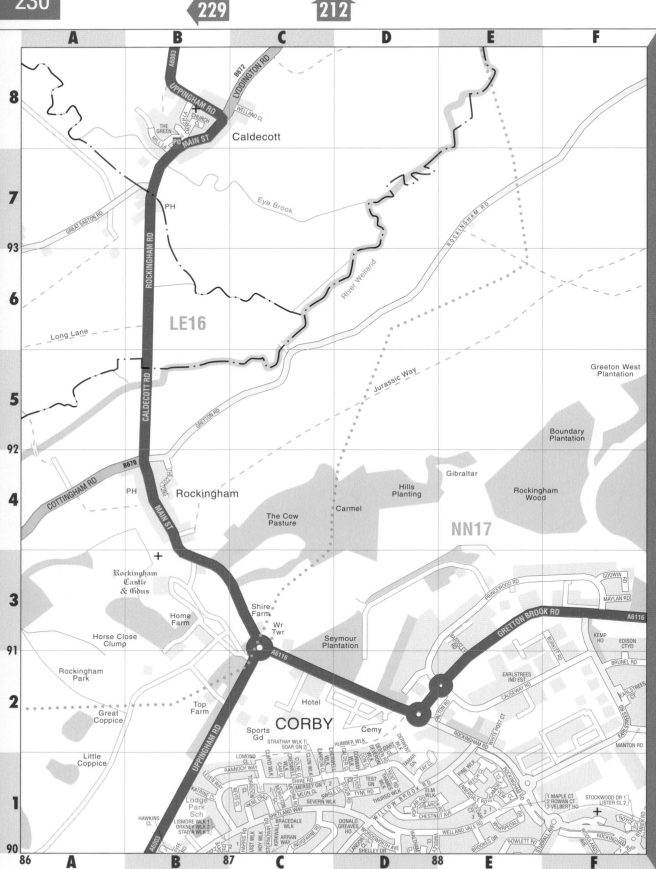

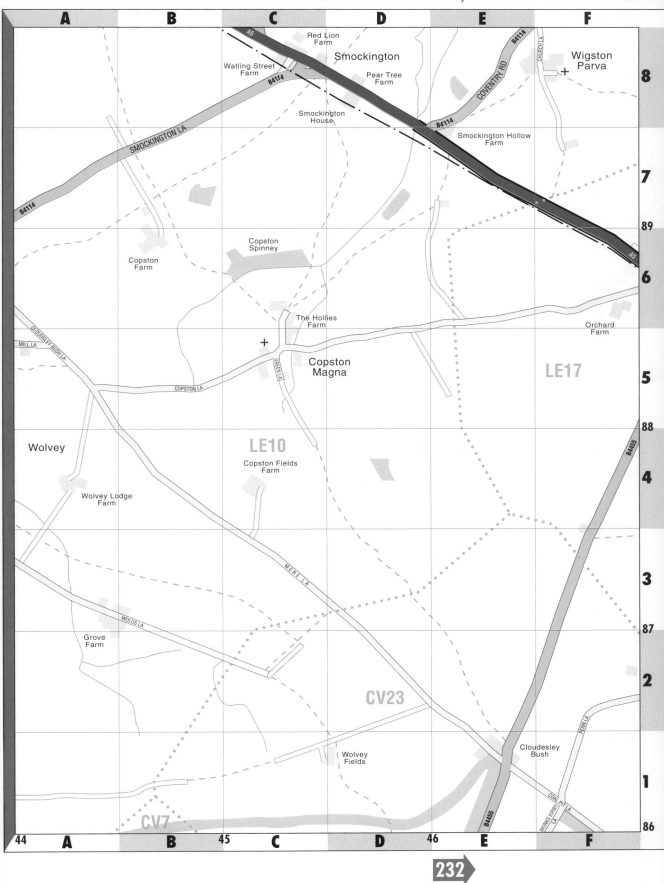

A B C D E F

8

7

89

6

5

88

4

3

87

2

1

86

Smockington

Red Lion Farm

Watling Street Farm

Pear Tree Farm

B4114

Smockington House

SMOCKINGTON LA

B4114

Copston Spinney

Copston Farm

CHURCH LA

COVENTRY RD

B4114

Wigston Parva

Smockington Hollow Farm

A5

LE17

Orchard Farm

The Hollies Farm

Copston Magna

CLOUDSLEY BUSH LA

MILL LA

COPSTON LA

GREEN LA

Wolvey

LE10

Copston Fields Farm

Wolvey Lodge Farm

MERE LA

WOLDS LA

Grove Farm

CV23

Wolvey Fields

Cloudesley Bush

PENN LA

B4455

B4455

COAL PIT LA

MONKS KIRBY LA

CV7

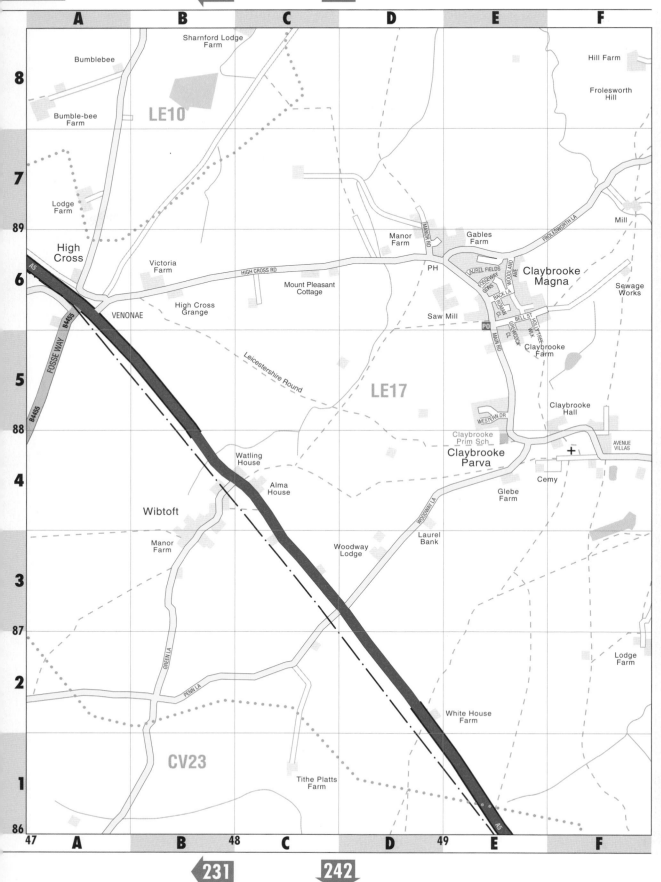

A B C D E F

8

Bumblebee

Sharnford Lodge
Farm

Hill Farm

Frolesworth
Hill

LE10

Bumble-bee
Farm

7

Lodge
Farm

89

Mill

High
Cross

Manor
Farm

MANOR RD

Gables
Farm

FROLESWORTH LA

Claybrooke
Magna

6

A5

Victoria
Farm

HIGH CROSS RD

PH

LAUREL FIELDS

FOSSEWAY GDNS

WOODLAND AVE

Mount Pleasant
Cottage

BACK LA

Sewage
Works

B4455

VENONAE

High Cross
Grange

Saw Mill

ROMAN CL

BELL ST

HOLLY TREE WLK

Claybrooke
Farm

PO

MAIN RD

GREENWOOD CL

FOSSE WAY

Leicestershire Round

LE17

Claybrooke
Hall

5

B4455

WESTERN DR

88

Claybrooke
Prim Sch

Claybrooke
Parva

AVENUE
VILLAS

Watling
House

Cemy

4

Alma
House

Glebe
Farm

Wibtoft

Laurel
Bank

WOODWAY LA

Manor
Farm

Woodway
Lodge

3

GREEN LA

87

Lodge
Farm

PENN LA

2

White House
Farm

1

CV23

Tithe Platts
Farm

86

47 A 48 B C 48 D 49 E A5 F

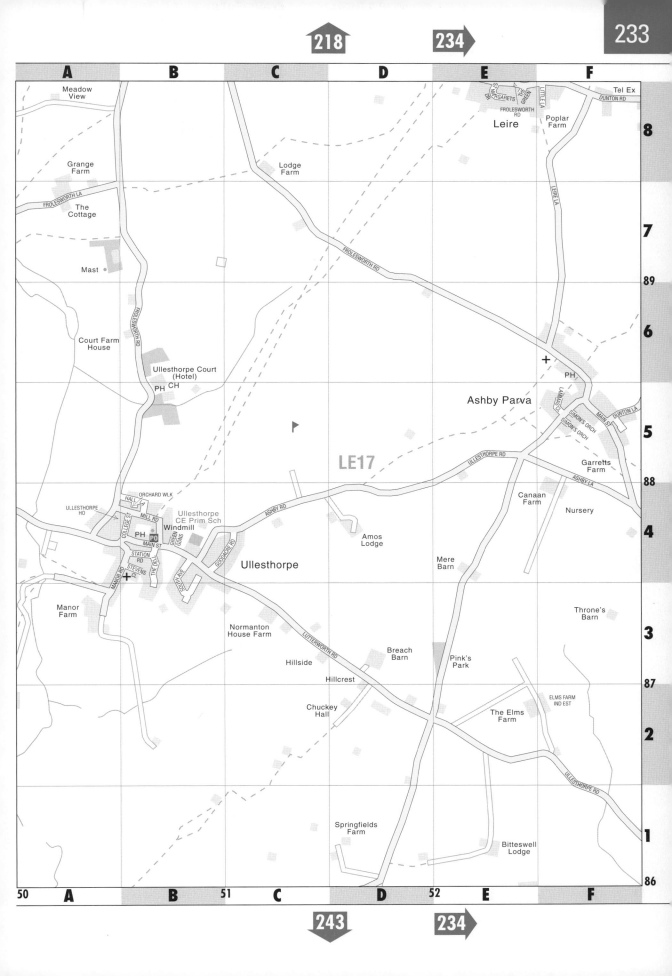

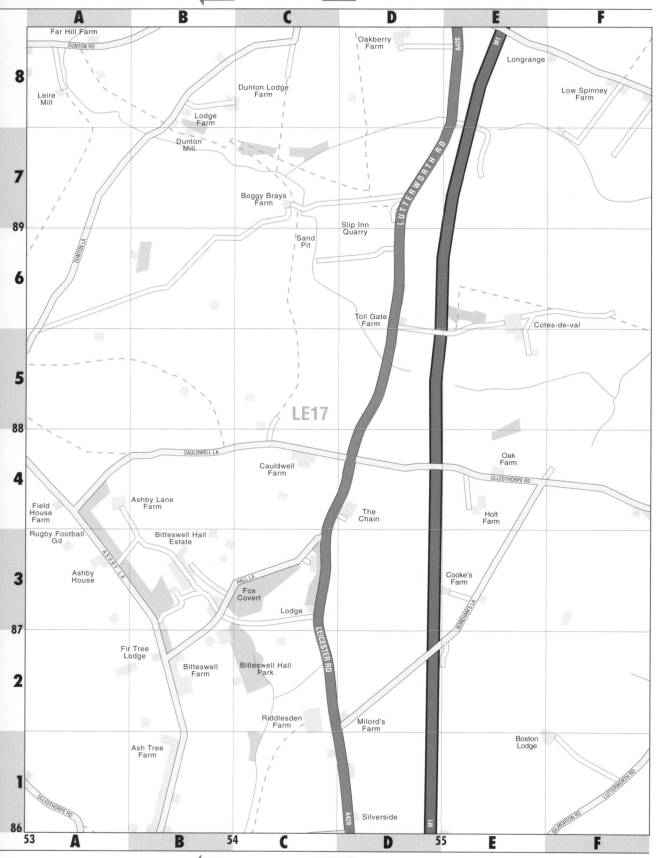

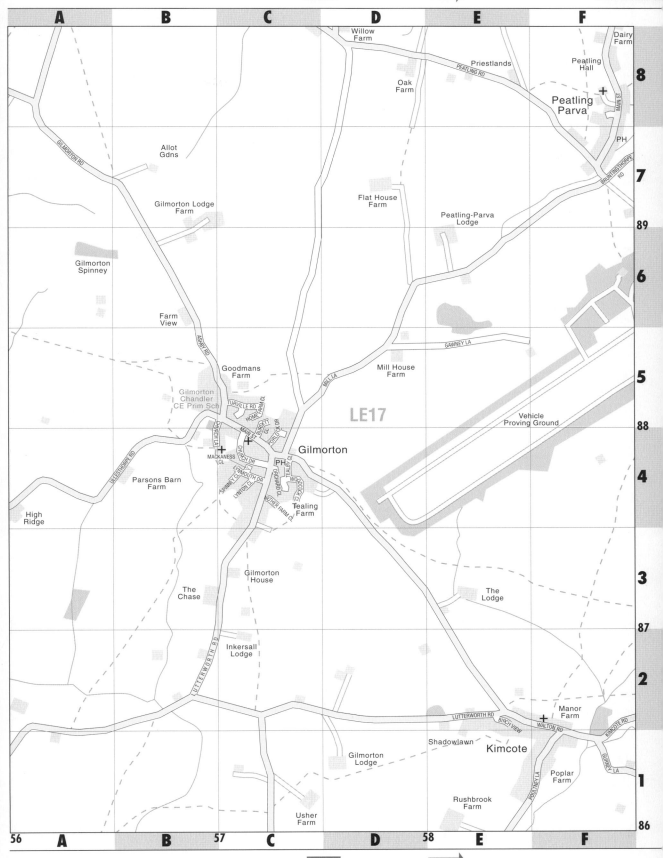

A   B   C   D   E   F

8

Dairy Farm

Willow Farm

Priestlands

PEATLING RD

Peatling Hall

Oak Farm

Peatling Parva

7

GILMORTON RD

Allot Gdns

Gilmorton Lodge Farm

Flat House Farm

Peatling-Parva Lodge

PH

BRUNTINSTHORPE RD

MAIN ST

89

6

Gilmorton Spinney

Farm View

GAWNEY LA

Vehicle Proving Ground

5

ASHBY RD

Goodmans Farm

MILL LA

Mill House Farm

Gilmorton Chandler CE Prim Sch

TURVILLE RD

HOME FARM CL

BIRCETT CL

POPLO CK RD

LE17

88

UCLESTHORPE RD

CHURCH LA

MAIN ST

CHURCH DR

MACKANESS CL

Gilmorton

PH

WOO CL

4

Parsons Barn Farm

SPINNEY CL

LYNMOUTH DR

LYNTON CL

ORCHARD CL

WOLSEY CL

NETHER FARM CL

Tealing Farm

High Ridge

3

The Chase

Gilmorton House

The Lodge

87

LUTTERWORTH RD

Inkersall Lodge

2

Manor Farm

LUTTERWORTH RD

BIRCH VIEW

WALTON RD

KIMCOTE RD

Shadowlawn

Kimcote

GURNEY LA

Gilmorton Lodge

POULTNEY LA

Poplar Farm

1

Rushbrook Farm

Usher Farm

86

56   A   B   57   C   D   58   E   F

235
221

	A	B	C	D	E	F

8

Manor Ho

MAIN ST

LITTLE END

CHURCH WLK

MORRIS CT

PH

Bruntingthorpe

BRUNTINGTHORPE RD

7

Peatling Lodge Farm

BRUNTINGTHORPE RD

BATH LA

Knaptoft House Farm

89

Cottage Farm

6

Vehicle Proving Ground

Ind Est

Holt Farm

Holt Farm Cottage

Upper Bruntingthorpe

CHURCHILL DR

PARTRIDGE CL

5

MERE RD

Lockwood Farm

88

LE17

4

Willowbrook Farm

Bridgemere Farm

MOWSLEY LA

Holly Tree Farm

Moores Farm

The Lilacs

3

PO

HIGH ST

PARK LA

MAIN LA

87

THE CROSS

Walton

CHAPEL LA

HALL LA

PO

OLD SCHOOL CL

2

The Bungalow

KIMCOTE RD

Hall

KILWORTH RD

Holt Farm

Grange Farm

BOSWORTH RD

Holton Farm

1

GURNEY LA

Model Farm

Camp Barn Farm

Breach Farm

Walton Holt

86

59	A		B	60	C		D	61	E		F

235
246

237 223

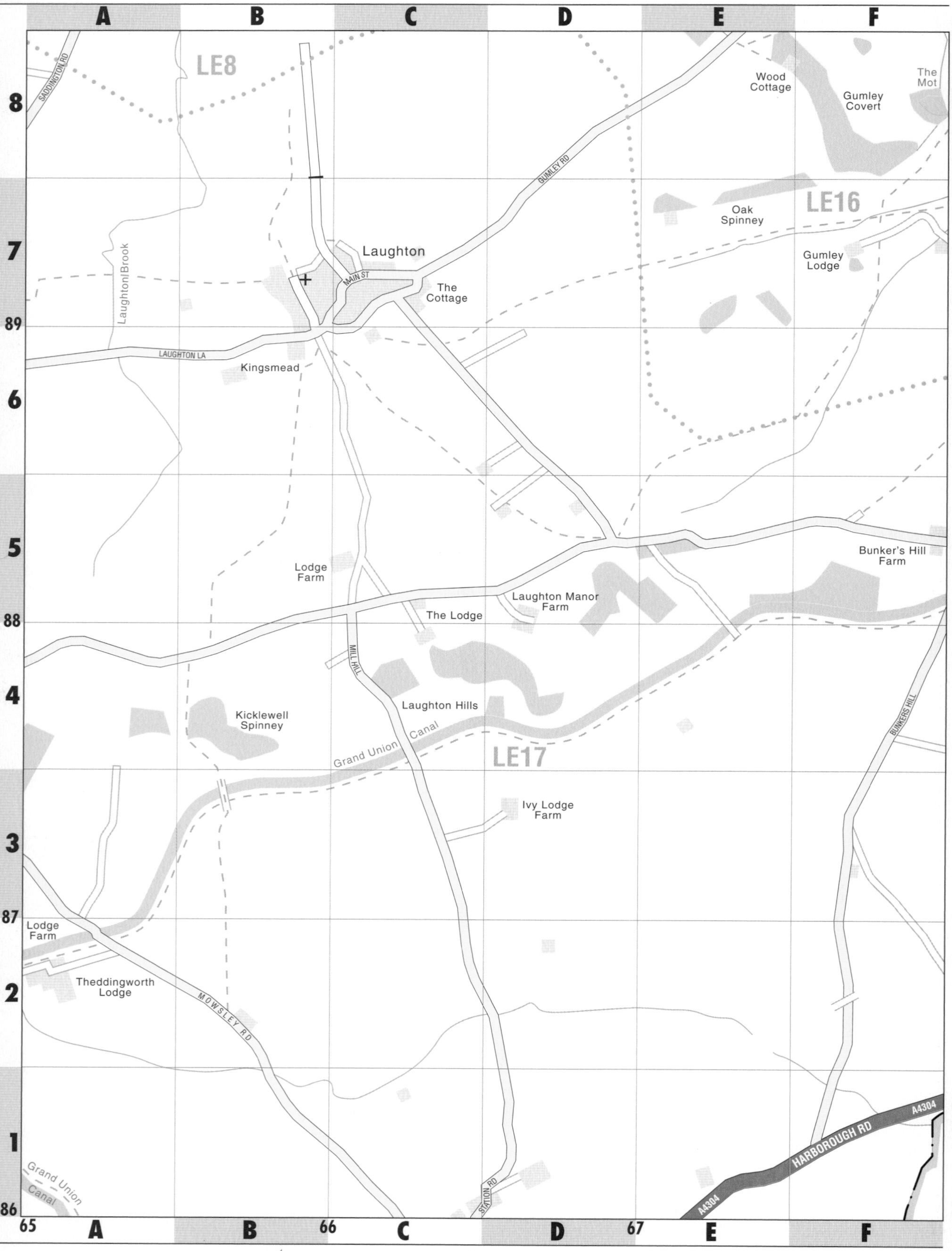

A B C D E F

8

7

89

6

5

88

4

3

87

2

1

86

LE8

Laughton

The Cottage

Wood Cottage

Gumley Covert

The Mot

Oak Spinney

LE16

Gumley Lodge

SADDINGTON RD

Laughton/Brook

MAIN ST

LAUGHTON LA

Kingsmead

Lodge Farm

The Lodge

Laughton Manor Farm

Bunker's Hill Farm

MILL HILL

Kicklewell Spinney

Laughton Hills

Grand Union Canal

LE17

Ivy Lodge Farm

BUNKERS HILL

Lodge Farm

Theddingworth Lodge

MOWSLEY RD

STATION RD

Grand Union Canal

HARBOROUGH RD

A4304

A4304

65 A B 66 C D 67 E F

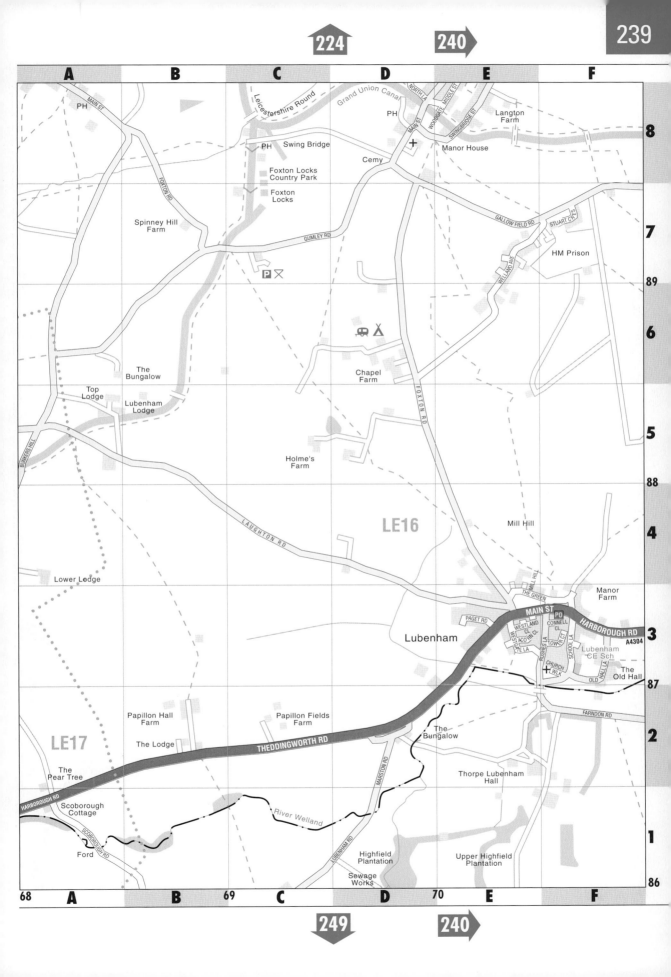

239
225

A B C D E F

8

Gallow Hill

Towing Path

Grand Union Canal

B6047

Gallow Field Rd

Depot

7

Airfield Farm

HARBOROUGH RD

LEICESTER LA

89

White Lodge

THE MEWS GREAT BOWDEN HALL

6

Kosi Korna

Hillcrest Farm

MAIN ST

Top Yard Farm

LE16

KIGSTON WAY

BAS'S CL

SMYTH

WATERFIELD PL

1 WORCESTER DR
2 MARLBOROUGH WAY

Market Harborough Ridgeway Prim Sch

St Luke's

H

TYMECROSSE GDNS

ALVINGTON WAY

BURNMILL RD

SCOTT CL

POCHIN DR

CHILTERN

OVERFIELD AVE

THE RIDGEWAY

LINCOLN CT

5

LEICESTER RD

The Robert Smyth Sch

RIDGEWAY W

BLENHEIM WAY

SHERRARD RD

RUSSETT

WARWICK

NINNELEY

DOUGLAS CL

JUBILEE GDNS

ARDENWAY

VICTORIA AVE

EDWARD RD

88

THE DOCKHOUSE 1
THE WAREHOUSE 2
THE BOATHOUSE 3
WINDSOR CT 4
POPLARS CT 5

HILLCREST AVE

1 2 3

BIRTLEY COPPICE

DR

PARK MEWS

PARK HO

HOLLY CL

THE OVAL

HAMMOND WAY

CRESCENT CL

BIRCH TREE GDNS

PERKINS CL

THE HEADLANDS

4

SOUTHLEIGH GR

FAIRWAY

SUNNYDOWN

THE

FARTHER WLK

B6047

MEADOW ST

MEADOW

ORCHARD ST

SAXON CL

THE BROADWAY

CONWAY RD

BROADWAY TERR

HILLSIDE DR

EDINBURGH RD

Sch

SHROPSHIRE

LOGAN CRES

NORTHLEIGH GR

LOGAN CT

HORSEFAIR CL

Market Harborough CE Prim Sch

PADDOCK CT

BOWDEN LA

P

Ct

KING'S HEAD PL

CHURCH ST

Mus

1 DODDRIDGE RD
2 KING'S CT
3 ASHFIELD RD

ALBERT RD

ALBANY RD

PO

FERNIE RD

CLARENCE RD

MACDONALD CL

DINGLEY TERR

3

A427 HARBOROUGH RD

FIELDHEAD CL

KNOLL ST

HIGHCROSS ST

SPINNEY CL

BRAMSWOOD CL

BROOKFIELD RD

WESTFIELD

MORLEY ST

AUSTINS ST

STEVENS ST

CHARLES ST

ROWLEY CREWS

SPENCER ST

GARDNER ST

CLARKE'S

HIGHFIELD ST

HARCOURT

EAST ST

NELSON ST

GIFFARD CT

HEARTH ST

A4304

ABBEY ST

GOWARD ST

SCHOOL LA

TALBOT ST

THE SQUARE

NORTHBANK

Lib

P

P

A4304

ST MARY'S RD

KETTERING RD

ST MARY'S PL

A508

A4304

2

THE PASTURES

FIELDHEAD CL

LUBENHAM HILL

PH

THE FIRS

RHODES CL

NURSERY END

ELM DR

WILLOW CRES

FARNDALE VIEW

River Welland

MARKET HARBOROUGH

Welland Park

Market Harborough District

ANGEL ST 4
ANGEL CT 5
ST MARTINS YD 6
MILLER'S YD 7
CHURCH SQ 8
FACTORY LA 9
ADAM AND EVE ST 10

Welland Park Com Coll

COVENTRY RD

YEOMANRY

NORTHBANK

H

WALCOT RD

NORTHAMPTON RD

WELLAND PARK RD

WELLAND PARK RD

Superstore

SPRINGFIELD ST

NITHSDALE CRES

BRITANNIA WLK

ST NICHOLAS WAY

P

AURIGA ST

OAKLANDS PK

Little Bowden Cty Prim Sch

P

FARNDON CT

PEAR TREE GDNS

SHOW

STAMFORD CL 1
WELLAND CT 2

WITHSDALE AVE

NURSERY RD

NASSBY RD

NEWCOMBE ST

PATRICK ST

GLADSTONE ST

P

1 2

STUART RD

PRIDE PL

IRETON RD

DE LISLE

FARNDON RD

ASTLEY CL

BURFORD CL

WESTERN GRAVE

GRANVILLE ST

BATH ST

CAXTON ST

CLIPSTON ST

SOVEREIGN RD

SCOTLAND END

NORTHAMPTON RD

ROCKHILL DR

1

GRACELANDS

Farndon Fields Farm

FLEETWOOD CL

MONTROSE GDNS

ESSEX GDNS

GRENVILLE GDNS

HUNTINGDON GDNS

RAINSBOROUGH GDNS

FLEETWOOD GDNS

BALFOUR GDNS

WARD WAY

LANGDALE WLK

LENTHALL RD

ROWAN AVE

ROCHESTER GDNS

RUPERT RD

SUTTON CT

Courtyard Workshops

GREEN LA

LATHKILL ST

CROSBY RD

Allot Gdns

MAURICE RD 1
HARRISON CL 2

WATSON AVE

BUTLER GDNS

STRATTON CL

RAINSBOROUGH GDNS

CROMWELL CRES

BISHOP

SELBY

2

Wks

Cemy

A508

86

71 A B 72 C D 73 E F

239
250

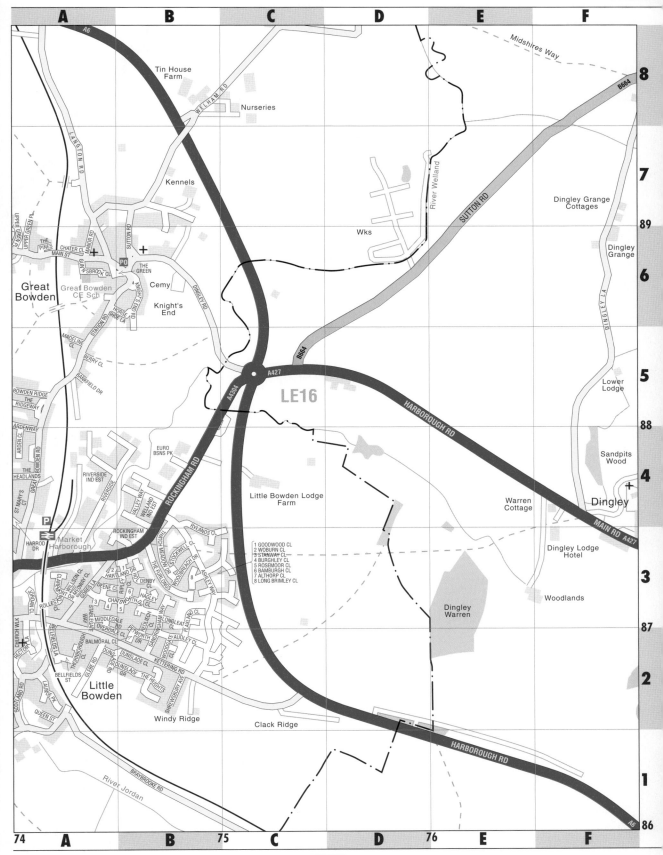

A · B · C · D · E · F

8

7

89

6

5

88

4

3

87

2

1

86

Midshires Way

B664

Tin House Farm

Nurseries

Kennels

River Welland

SUTTON RD

Dingley Grange Cottages

Dingley Grange

DINGLEY LA

WELHAM RD

LANGTON RD

UPPER GREEN PL

THE PINES

CHATER CL

MANOR RD

Great Bowden

Great Bowden CE Sch

GAINSBROOK CL

MAIN ST

SUTTON RD

PO

THE GREEN

Cemy

Knight's End

KNIGHT'S END RD

HORSE SHOE LA

STATION RD

DINGLEY RD

Wks

Lower Lodge

LE16

A427

A4304

HARBOROUGH RD

Sandpits Wood

Dingley

Warren Cottage

MAIN RD A427

B664

BOWDEN RIDGE

THE RIDGEWAY

ARDENWAY

ARDEN CL

THE HEADLANDS

ST MARY'S CT

GREAT BOWDEN RD

MADELINE CL

BERRY CL

BANKFIELD DR

EURO BSNS PK

RIVERSIDE IND EST

RIVERSIDE

VALLEY WAY

WELLAND IND EST

ROCKINGHAM RD

Little Bowden Lodge Farm

Dingley Lodge Hotel

Woodlands

Dingley Warren

P

HARROD DR

Market Harborough

ROCKINGHAM IND EST

RYLANDS CL

FITCH MEADOW WAY

STOCKWELL CL

WOODBREACH DR

ASHLEY WAY

1 GOODWOOD CL
2 WOBURN CL
3 STANWAY CL
4 BURGHLEY CL
5 ROSEMOOR CL
6 BAMBURGH CL
7 ALTHORP CL
8 LONG BRIMLEY CL

CHURCH WLK

RECTOR

SCOTLAND RD

LAUGHS PK

QUEEN ST

LONDON RD

ROLLESTON

CLARMONT DR

WILSON CL

MEDWAY DR

GORSE LA

DEENE CL

RIPLEY CL

HARTLAND DR

HAGLEY CL

DENBY CL

SMITH CL

CHAPMAN CL

STRELLEY WAY

MIDDLEDALE RD

OVERDALE CL

REDLEIGH CL

SANDRINGHAM WAY

LONGLEAT CL

RAYLAND CL

AUDLEY CL

THORNBOROUGH

BALMORAL CL

DUNC

GLEBE RD

DUNSLADE CL

DUNSLADE GR

THE HEIGHTS

KETTERING RD

PT WORTH

WOODGATE CL

BELLFIELDS ST

BELLFIELDS LA

Little Bowden

Windy Ridge

Clack Ridge

SHREWSBURY AVE

BRAYBROOKE RD

River Jordan

River Jordan

HARBOROUGH RD

A6

74 · A · B · 75 · C · D · 76 · E · F

251

232

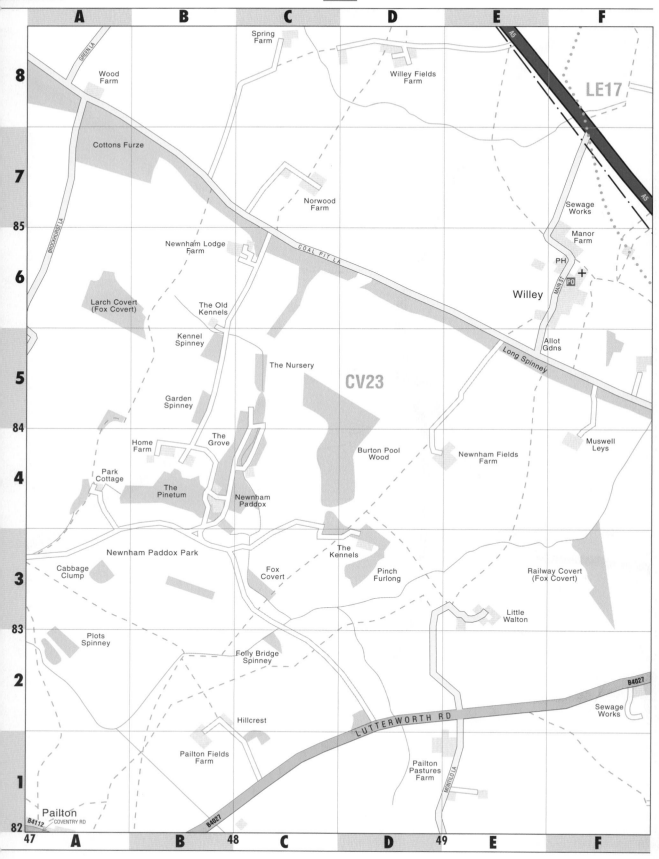

LE17

A5

Spring Farm

Wood Farm

Willey Fields Farm

Cottons Furze

GREEN LA

BROCKHURST LA

Sewage Works

Norwood Farm

Newnham Lodge Farm

COAL PIT LA

Manor Farm

PH

PO

Willey

Larch Covert (Fox Covert)

The Old Kennels

Kennel Spinney

Allot Gdns

Long Spinney

MAIN ST

The Nursery

CV23

Garden Spinney

Home Farm

The Grove

Park Cottage

The Pinetum

Newnham Paddox

Burton Pool Wood

Newnham Fields Farm

Muswell Leys

Newnham Paddox Park

The Kennels

Cabbage Clump

Fox Covert

Pinch Furlong

Railway Covert (Fox Covert)

Little Walton

Plots Spinney

Folly Bridge Spinney

B4027

Sewage Works

Hillcrest

LUTTERWORTH RD

Pailton Fields Farm

Pailton Pastures Farm

MONTILO LA

Pailton

COVENTRY RD

B4112

B4027

8 85 7 6 5 84 4 3 83 2 1 82

47 A B 48 C D 49 E F

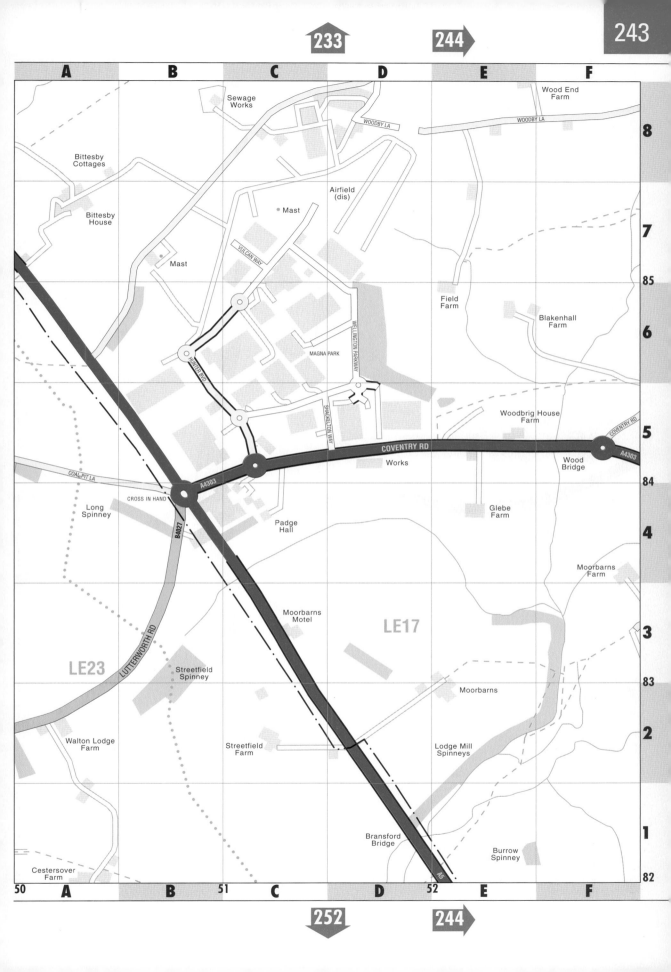

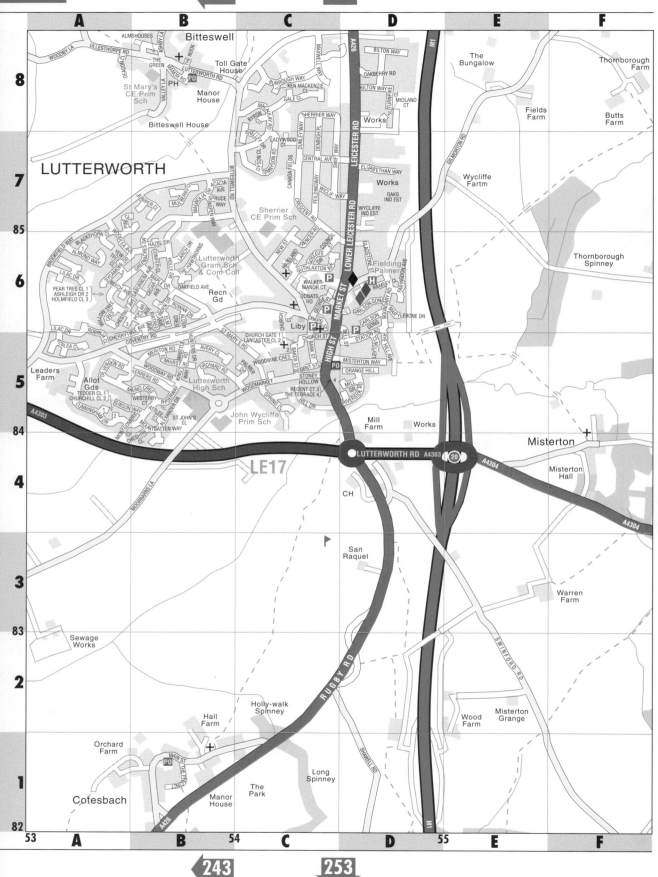

A B C D E F

8
7
85
6
5
84
4
3
83
2
1
82

POULTNEY LA

Sewage Works

Highfields Farm

Sharrag Grounds

Cold Farm

Hayworthe Lodge

Winton Farm

Great Poultney Farm

Middle Poultney Farm

Oback Farm

Tower Farm

Lea Barn Farm

River Swift

Hill Farm

Rye Close Spinney

Winterfield Spinney

Glenfield Farm

Wakeley Farm

Middle Farm

Woodside Farm

LE17

LUTTERWORTH RD

A4304

Walcote Fields

CHAPEL LA

BROOK ST

CROMWELL LA

FRANK ST

PH

Walcote

THE NOOK

West View Farm

SOUTH KILWORTH RD

Lodge Farm

WALCOTE RD

The Grange

Highfields Farm

Hillcrest

Hill Top Farm

Orchard Farm

SWINFORD RD

London Lodge

Botney Lodge

Misterton Gorse

Poplar's Farm

Thornhill Stud

Melbourne Lodge

56 57 58

245
236

A B C D E F

8

Camp Barn

Windmill Farm

Walton Lodge

Tabbermear's Farm

Hill Top Farm

Walton Holt

7

Hill Top Lodge

KILWORTH RD

85

6

Snowdon Lodge

North Kilworth Sticks

Poultney Grange

The Grange

5

Kilworth Sticks Farm

Greenacre Cottage

84

LE17

The Belt

A4304

LUTTERWORTH RD

PINCET LA

B5414

WESTERN COTTS

B5414

The White Lion (PH)

A4304

STATION RD

4

Buckwell Lodge

Ainsloe Spinney

PO

THE HAWTHORNE

KING THE

RD

THE ELMS

CROFT RD

THE GREEN

HIGH ST

CRANMER LA

Caldicote Spinney

North Kilworth House

Playing Field

BACK ST

CHURCH ST

GRE LA

North Kilworth

3

St Andrew's CE Prim Sch

DAG LA

Nether Hall

83

South Kilworth Lodge

Church Spinney

SOUTH KILWORTH RD

2

Roseneath

The Elms

WALCOTE RD

CH

Nurseries

Tollgate Farm

1

Malt Shovel

NORTH RD

LEYS PSS

THE BELT

North Kilworth Mill Farm

South Kilworth CE Prim Sch

82

59 A B 60 C D 61 E F

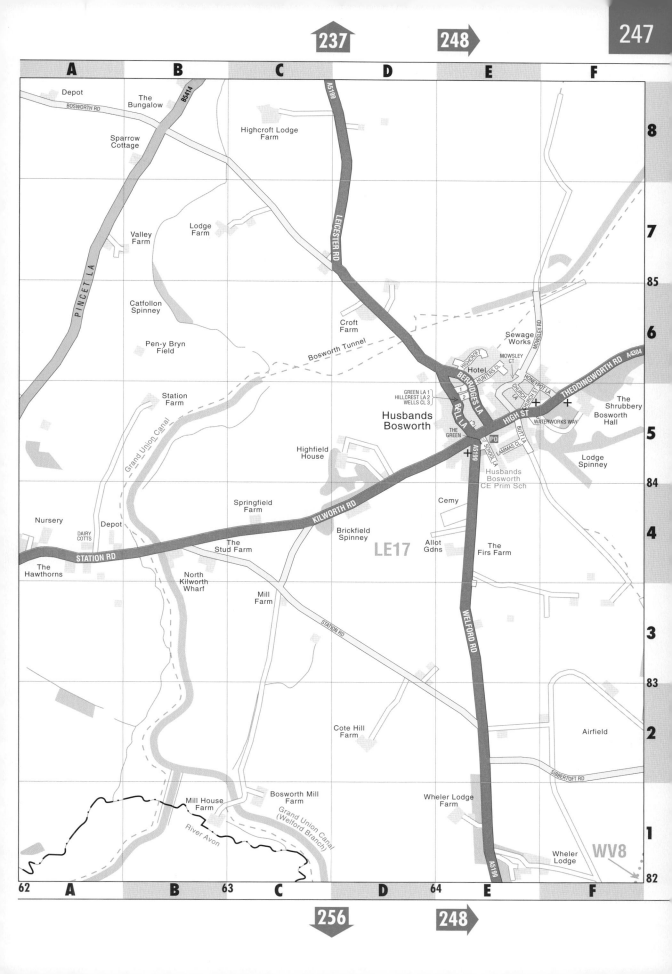

247
238

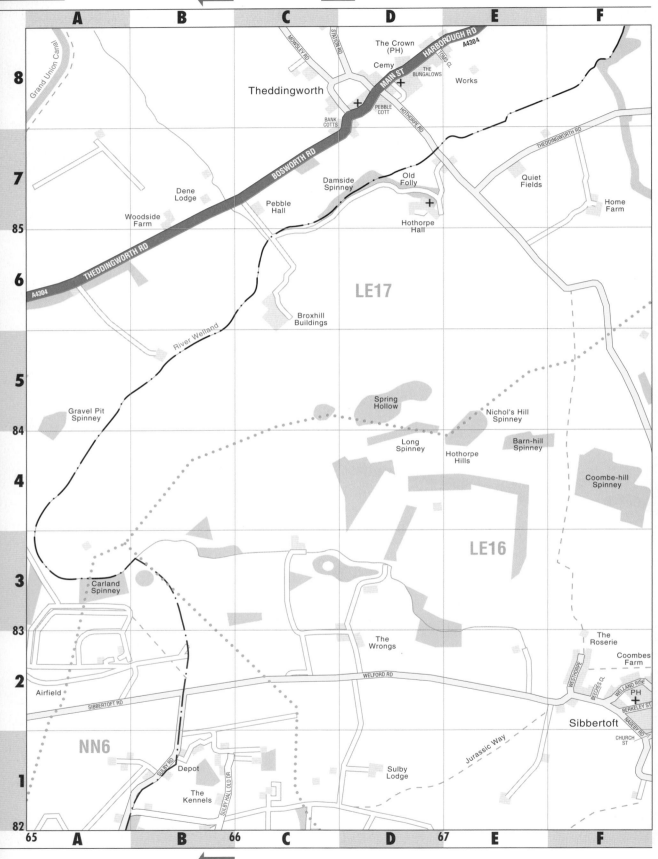

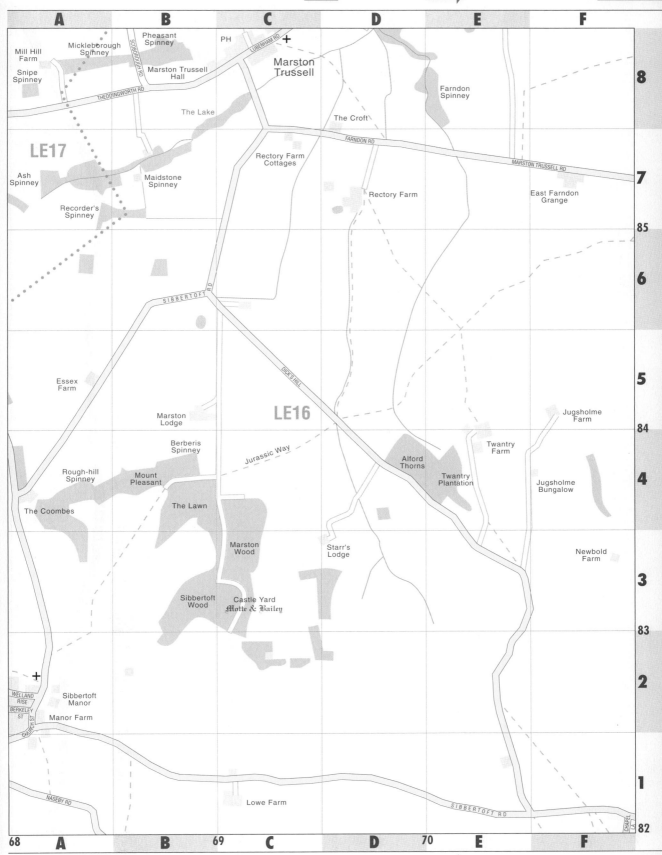

8

Mill Hill Farm

Mickleborough Spinney

Pheasant Spinney

PH

Marston Trussell

Snipe Spinney

SCOBOROUGH RD

LUBENHAM RD

Marston Trussell Hall

Farndon Spinney

THEDDINGWORTH RD

The Lake

The Croft

LE17

FARNDON RD

MARSTON TRUSSELL RD

7

Ash Spinney

Maidstone Spinney

Rectory Farm Cottages

East Farndon Grange

Recorder's Spinney

Rectory Farm

85

6

SIBBERTOFT RD

5

Essex Farm

DICK'S HILL

LE16

Jugsholme Farm

Marston Lodge

84

Berberis Spinney

Jurassic Way

Twantry Farm

4

Rough-hill Spinney

Mount Pleasant

Alford Thorns

Twantry Plantation

Jugsholme Bungalow

The Coombes

The Lawn

Newbold Farm

Marston Wood

Starr's Lodge

3

Sibbertoft Wood

Castle Yard
Motte & Bailey

83

2

WELLAND RISE

Sibbertoft Manor

BERKELEY ST

CHURCH ST

Manor Farm

1

NASEBY RD

Lowe Farm

SIBBERTOFT RD

CHAPEL LA

82

249
240

A　B　C　D　E　F

8

LIBENHAM RD
THE LELAND
COUNCIL HSES
HARBOROUGH RD
MAIN ST
BACK LA

WATSON AVE
HARRISON CL
MAURICE RD
BARNARD GDNS
GERRARD GDNS
RAINSBOROUGH GDNS
FARNDON FIELDS
LINDSEY GDNS
HOPTON CL
RITCHIE PK
ARGYLE PK
JACKSON CL
BISHOP CL
SELBY CL
DALLISON CL
VAUGHAN CL

L Ctr

Brierley Farm

Market Harborough Farndon Fields Prim Sch

NORTHAMPTON RD A508

Oxendon Lodge Farm

Oxendon Lodge Cottages

New House Farm

7

MARSTON TRUSSELL RD

JUSTIN PARK

CH

The Dales

East Farndon Hall

East Farndon

85

6

+

Farn Wood

OXENDON RD

Jurassic Way

Allot Gdns

CLIPSTON RD

HARBOROUGH RD

+

Waterloo House

5

The Lodge

Little Oxendon

FARNDON RD

LE16

84

4

The Spinney

3

MEWS COTTS

Oxendon Hall

PH

West End

MAIN ST

BRAYBROOKE RD

Oxendon House

Great Oxendon

Macmillan Way

Brampton Valley Way

83

HARBOROUGH RD

CLIPSTON RD

2

Sewage Works

Station Cottage

OXENDON RD

1

Clipston

OXENDON RD

SIBBERTOFT RD

A508

82

71　A　B　72　C　D　73　E　F

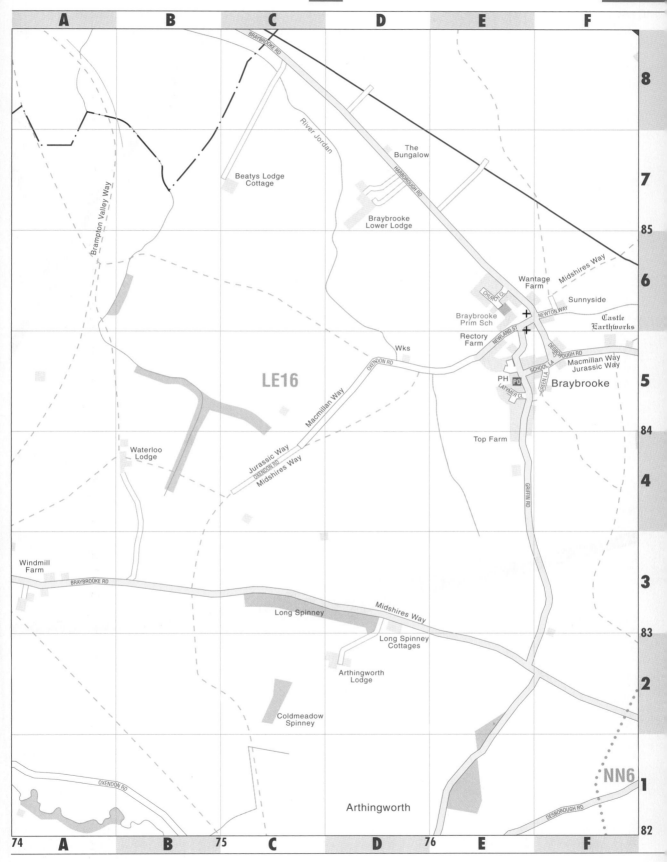

A B C D E F

8

7

85

6

85

Braybrooke Road

River Jordan

Brampton Valley Way

The Bungalow

HARBOROUGH RD

Beatys Lodge Cottage

Braybrooke Lower Lodge

Wantage Farm

Midshires Way

CHURCH CL

Sunnyside

Braybrooke Prim Sch

NEWTON WAY

Castle Earthworks

LE16

Wks

OXENDON RD

Rectory Farm

NEWLAND ST

DESBOROUGH RD

Macmillan Way

Macmillan Way Jurassic Way

PH

PO

SCHOOL LA

Braybrooke

5

LATYMER CL

GREEN LA

84

Waterloo Lodge

Jurassic Way

OXENDON RD

Midshires Way

Top Farm

GRIFFIN RD

4

Windmill Farm

BRAYBROOKE RD

3

Long Spinney

Midshires Way

83

Long Spinney Cottages

Arthingworth Lodge

2

Coldmeadow Spinney

NN6

1

OXENDON RD

Arthingworth

DESBOROUGH RD

82

74 A B 75 C D 76 E F

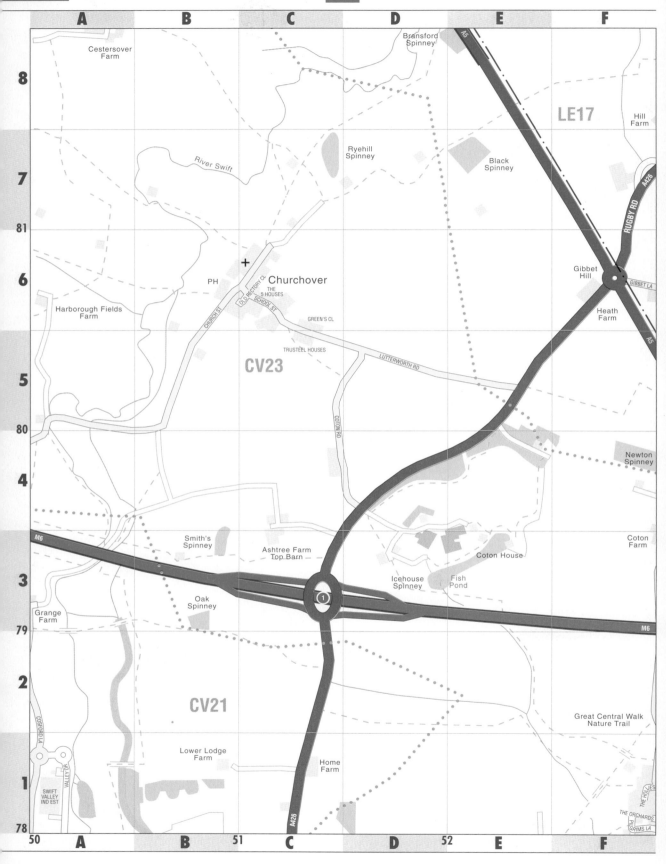

Cestersover
Farm

River Swift

Bransford
Spinney

LE17

Hill
Farm

Ryehill
Spinney

Black
Spinney

A5

A426

RUGBY RD

+

PH

Churchover
THE
5 HOUSES

OLD RECTORY CL

SCHOOL ST

Gibbet
Hill

GIBBET LA

Harborough Fields
Farm

CHURCH ST

GREEN'S CL

Heath
Farm

CV23

TRUSTEEL HOUSES

LUTTERWORTH RD

A5

COTON RD

Newton
Spinney

Smith's
Spinney

Ashtree Farm
Top Barn

M6

Coton House

Coton
Farm

Oak
Spinney

Icehouse
Spinney

Fish
Pond

1

M6

Grange
Farm

CV21

Great Central Walk
Nature Trail

COSFORD LA

VALLEY DR

Lower Lodge
Farm

Home
Farm

Swift
Valley
Ind Est

A426

THE HOLIES

THE ORCHARDS

GIBMS LA

A B C D E F

8

7

81

6

5

80

4

79

3

2

1

78

A426

RUGBY RD

Town End Farm

Lodge Plantations

Home Farm

SHAWELL RD

Spinney Farm

Shawell Wood

SWINFORD RD

West Cottages

Cotesbach Fields Farm

Hill Farm

South Lodge

Shawell Lodge Farm

M1

GIBBET LA

Holme Close Farm

Barn Farm

LUTTERWORTH RD

Middle Farm

LE17

Works

Shawell

PH

SWINFORD RD

PO

Hill Top Farm

MAIN ST

Shawell Manor

Mast

CHURCH LA

BULLACES LA

Hall Farm

CATTHORPE RD

SHAWELL RD

Grange Farm

Tomley Hall Farm

M1

Works

NEWTON LA

A14

M6

CV23

Works

Old Barn Farm

X P

THE LEYES

Works

Catthorpe

WATLING CRES

Newton

Manor Farm

Catthorpe Manor

PH
MAIN ST
LITTLE LONDON LA

1 NEWTON RD
2 THE PADDOCK

A5

PH

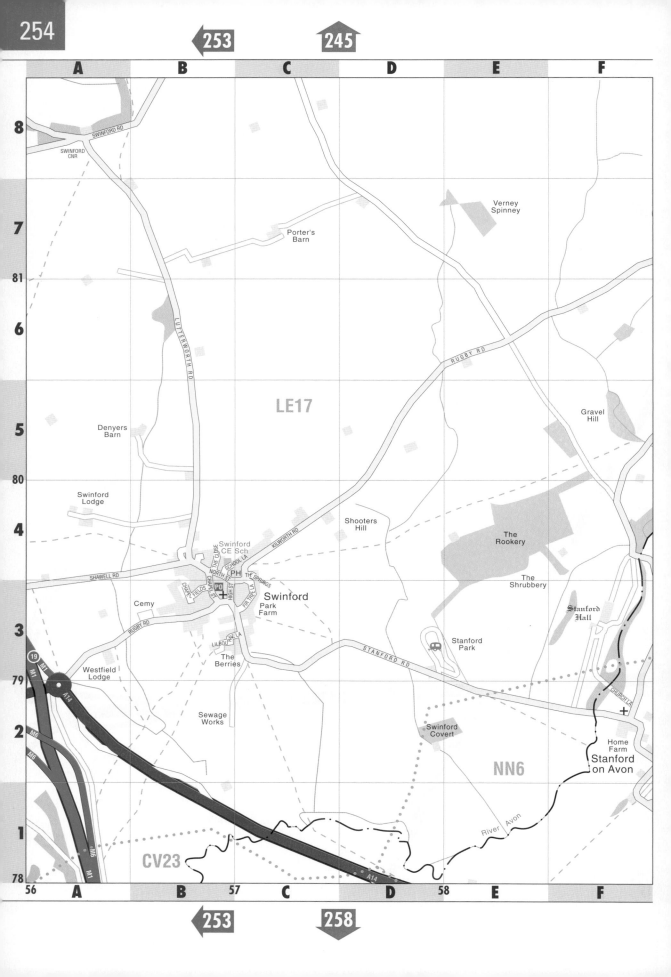

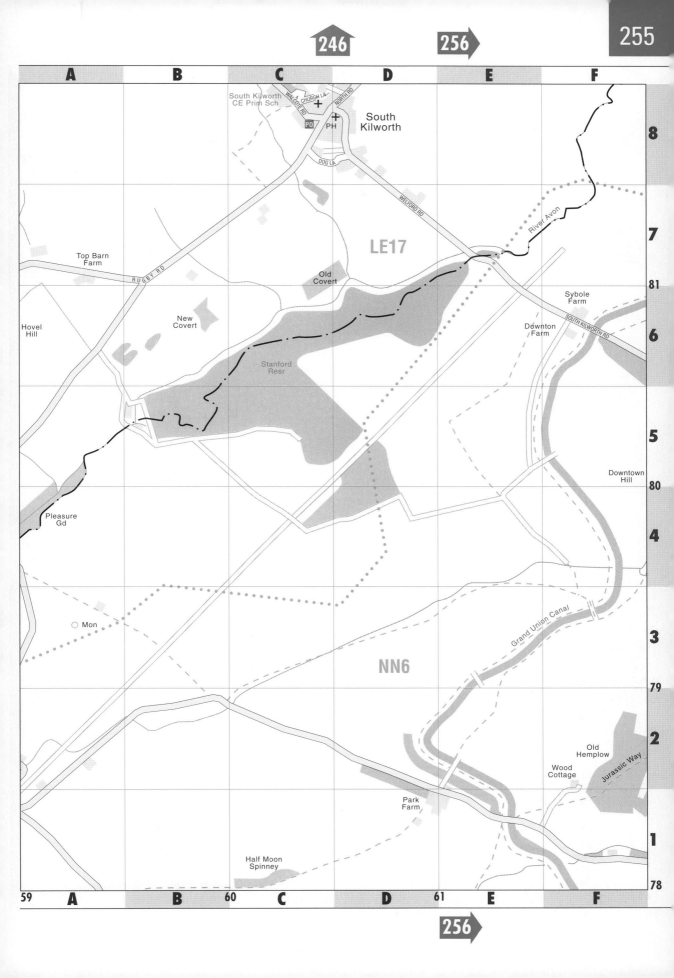

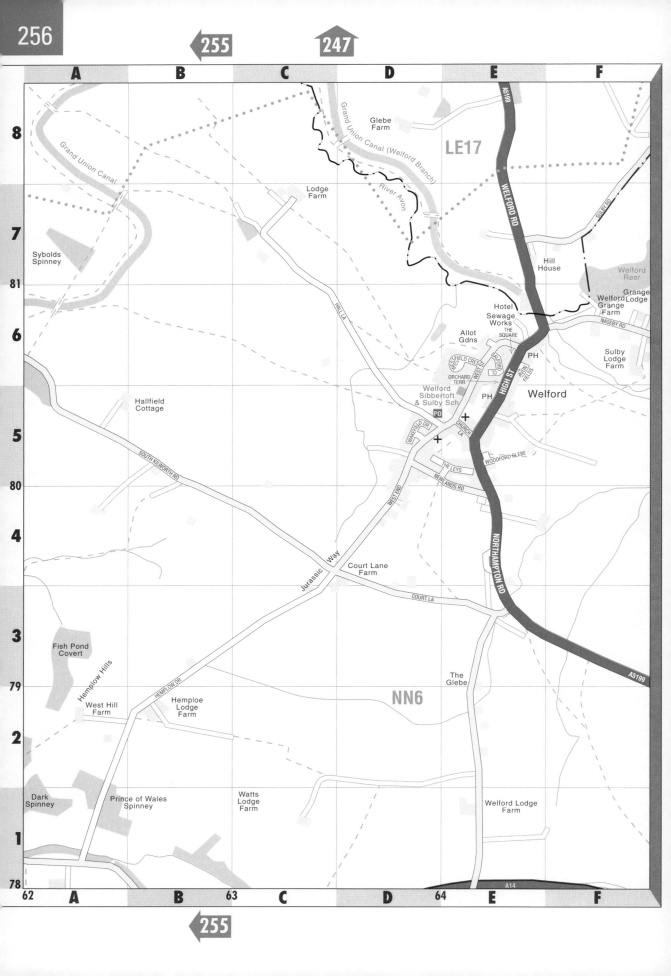

A B C D E F

8

Grand Union Canal

Grand Union Canal (Welford Branch)

Glebe Farm

LE17

River Avon

7

Sybolds Spinney

Lodge Farm

A5199

WELFORD RD

SULBY RD

Hill House

Welford Resr

81

Grange Lodge

Welford Grange Farm

6

HALL LA

Hotel
Sewage Works

THE SQUARE

NASEBY RD

Sulby Lodge Farm

Allot Gdns

WEST FIELD CRES

SALFORD RD

ORCHARD TERR

WEST ST

HIGH ST

AVON FIELDS

PH

Welford

Hallfield Cottage

Welford Sibbertoft & Sulby Sch

PO

PH

Welford

5

SOUTH KILWORTH RD

WAKEFIELD DR

CHURCH LA

WOODFORD GLEBE

80

WEST END

THE LEYS

NEWLANDS RD

NORTHAMPTON RD

4

Jurassic Way

Court Lane Farm

COURT LA

3

Fish Pond Covert

Hemplow Hills

The Glebe

A5199

79

HEMPLOW DR

West Hill Farm

Hemploe Lodge Farm

NN6

2

Dark Spinney

Prince of Wales Spinney

Watts Lodge Farm

Welford Lodge Farm

1

78

A14

62 A B 63 C D 64 E A14 F

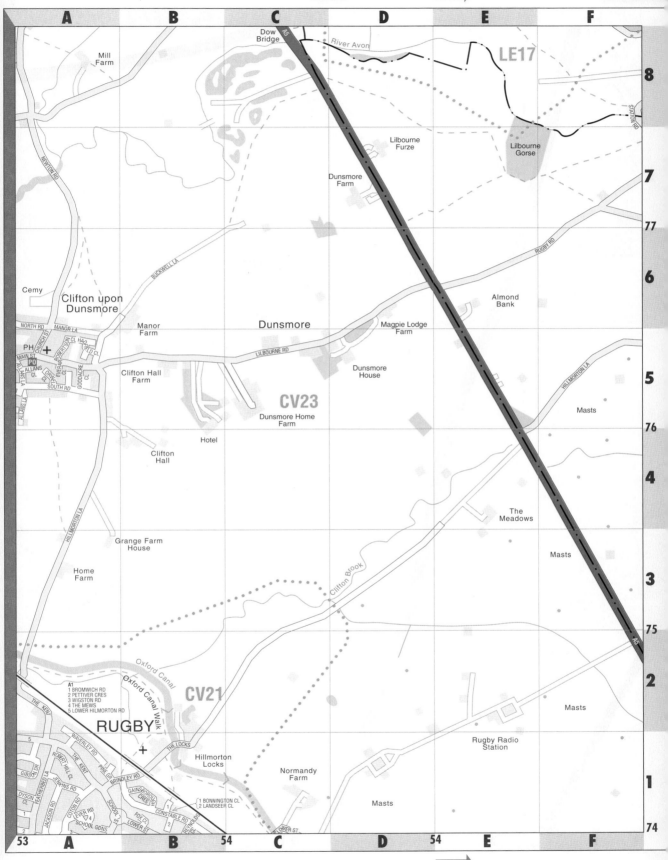

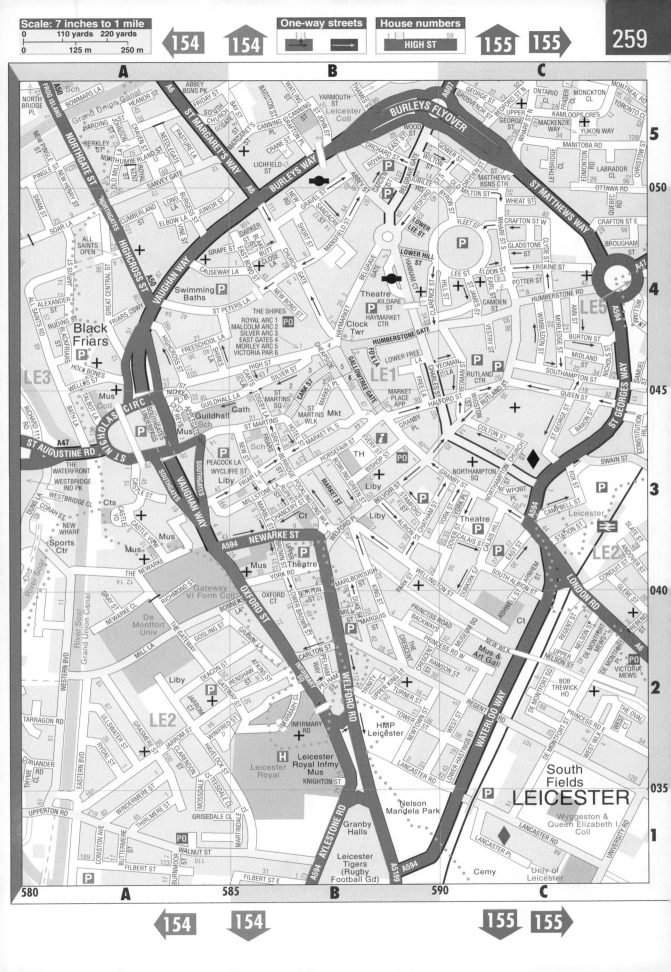

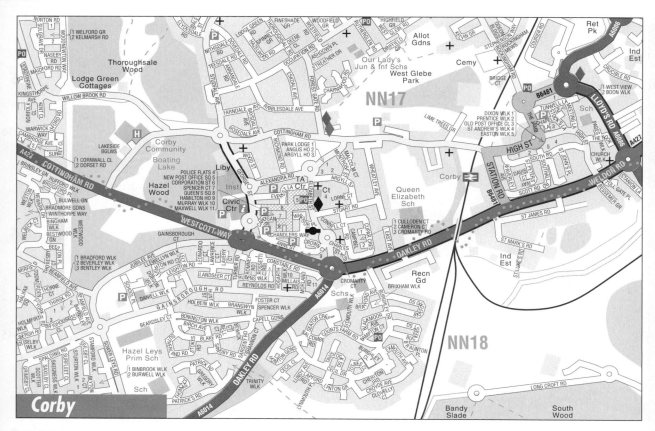

Corby

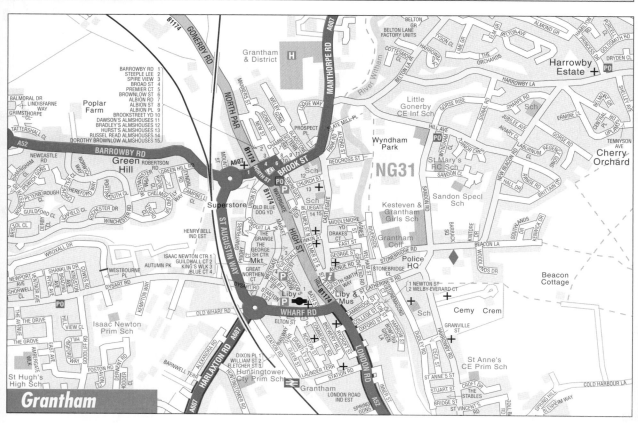

Grantham

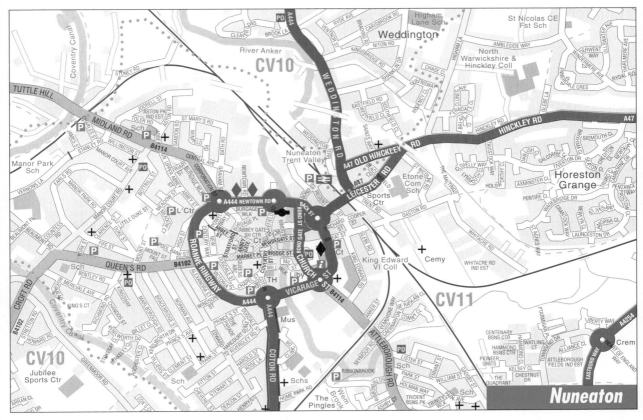

Nuneaton

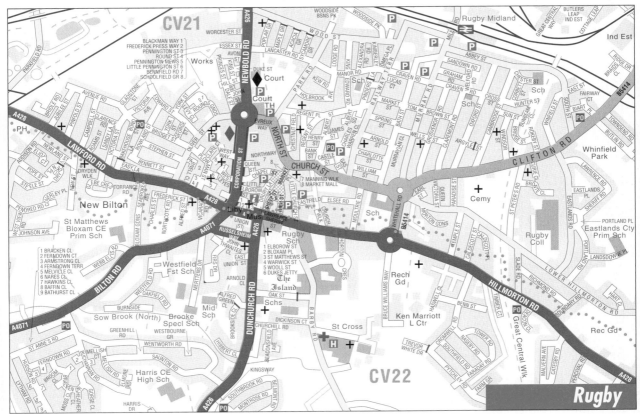

Rugby

Index

Street names are listed alphabetically and show the locality, the Postcode District, the page number and a reference to the square in which the name falls on the map page

Conifer Cl **4** Leicester LE2...............**155** C4

Full street name
This may have been abbreviated on the map

Location number
If present, this indicates the street's position on a congested area of the map instead of the name

Town, village or locality in which the street falls.

Postcode District
for the street name

Page number of the map on which the street name appears

Grid square in which the centre of the street falls

Schools, hospitals, sports centres, railway stations, shopping centres, industrial estates, public amenities, and other places of interest are also listed. These are highlighted in magenta

Abbreviations used in the index

App **Approach**	Cl **Close**	Espl **Esplanade**	N **North**	S **South**
Arc **Arcade**	Comm **Common**	Est **Estate**	Orch **Orchard**	Sq **Square**
Ave **Avenue**	Cnr **Corner**	Gdns **Gardens**	Par **Parade**	Strs **Stairs**
Bvd **Boulevard**	Cotts **Cottages**	Gn **Green**	Pk **Park**	Stps **Steps**
Bldgs **Buildings**	Ct **Court**	Gr **Grove**	Pas **Passage**	St **Street, Saint**
Bsns Pk **Business Park**	Ctyd **Courtyard**	Hts **Heights**	Pl **Place**	Terr **Terrace**
Bsns Ctr **Business Centre**	Cres **Crescent**	Ind Est **Industrial**	Prec **Precinct**	Trad **Trading Est**
Bglws **Bungalows**	Dr **Drive**	**Estate**	Prom **Promenade**	Wlk **Walk**
Cswy **Causeway**	Dro **Drove**	Intc **Interchange**	Ret Pk **Retail Park**	W **West**
Ctr **Centre**	E **East**	Junc **Junction**	Rd **Road**	Yd **Yard**
Cir **Circus**	Emb **Embankment**	La **Lane**	Rdbt **Roundabout**	

Town and village index

Ab Kettleby 37 D2	Clipsham 89 E5	Harston 15 C4	North End 76 D3	Stapleton 174 F2
Acresford 92 B7	Clipston 250 A1	Hartshill 194 A1	North Kilworth 246 F3	Stathern 13 A3
Albert Village 44 C1	Coalville 96 D7	Hartshill Green 194 A2	North Luffenham 166 D4	Staunton in the Vale 1 B4
Allexton 187 D5	Cold Overton 109 C1	Hartshorne 45 A6	North Witham 65 B8	Stockerston 211 A8
Allington 4 E5	Coleorton 70 E8	Hathern 30 B1	Norton-Juxta-Twycross . . . 120 B3	Stoke Dry 211 E6
Annwell Place 45 E1	Collyweston 168 D2	Heather 95 C2	Noseley 184 F2	Stoke Golding 196 C7
Anstey 127 C7	Colston Bassett 11 A6	Hemington 17 D5	Nuneaton 214 A3	Stonesby 40 E6
Appleby Magna 119 E8	Congerstone 147 D7	Hickling 19 C7	Oakham 137 E7	Stoney Stanton 199 D3
Arnesby 221 F5	Copt Oak 98 C6	Higham on the Hill 196 B3	Oaks in Charnwood 73 A6	Stonton Wyville 207 F3
Arthingworth 221 D1	Corby 230 C2	Hinckley 197 D2	Oakthorpe 93 B7	Stretton 88 F4
Asfordby 57 F3	Cosby 201 C3	Hoby 79 D7	Odstone 122 D4	Stretton en le Field 92 C4
Asfordby Hill 58 D3	Cossington 102 D8	Holwell 37 B4	Old Dalby 35 F4	Sutton Bassett 227 A1
Asfordby Valley 58 B3	Coston 41 D1	Horninghold 210 B7	Orston 2 A6	Sutton Bonington 30 B8
Ashby Folville 105 F5	Cotes 52 F6	Hose 20 F8	Orton-on-the-Hill 145 D4	Sutton Cheney 174 B6
Ashby Magna 220 B2	Cotesbach 244 A1	Hoton 32 C1	Osbaston 149 D5	Swadlincote 44 D4
Ashby Parva 233 E5	Cottesmore 112 D8	Houghton on the Hill 157 E3	Osgathorpe 48 D4	Swannington 71 A5
Ashby-De-La-Zouch 69 D6	Cottingham 229 D1	Huncote 200 E8	Overseal 67 A3	Swepstone 94 D2
Ashley 227 E2	Countesthorpe 202 D3	Hungarton 132 B3	Owston 135 B4	Swinford 254 C3
Ashwell 111 B8	Cranoe 208 D3	Husbands Bosworth 247 D5	Oakham 137 E7	Swithland 100 D7
Aston Flamville 216 E6	Croft 200 D3	Ibstock 95 F2	Packington 69 C2	Syston 103 D3
Aston-on-Trent 16 B7	Cropston 100 F3	Ilston on the Hill 183 E3	Pailton 242 A1	Theddingworth 248 C8
Atherstone 170 E2	Croxton Kerrial 24 B7	Kegworth 18 D3	Peatling Magna 221 B6	Thistleton 87 F8
Atterton 172 A1	Dadlington 173 F1	Ketton 167 F6	Peatling Parva 235 F8	Thornton 124 E4
Austrey 119 B2	Denton 15 F5	Keyham 131 D1	Peckleton 176 A2	Thorpe Arnold 60 A5
Bagworth 124 B5	Desford 151 C3	Kibworth Beauchamp 206 B1	Peggs Green 71 A8	Thorpe Langton 226 A5
Bardon 97 C6	Dingley 241 F4	Kilby 204 A3	Pickwell 108 C3	Thorpe Satchville 106 F4
Barkby 130 C8	Diseworth 28 C5	Kimcote 235 E1	Pickworth 115 C8	Thringstone 71 D8
Barkestone-le-Vale 6 C2	Donisthorpe 67 D1	Kirby Bellars 81 B8	Pinwall 170 D4	Thrussington 78 F4
Barlestone 149 E8	Draycott 9 B6	Kirby Fields 152 B4	Plungar 12 F8	Thurcaston 101 C2
Barleythorpe 137 D8	Drayton 229 A5	Kirby Muxloe 152 E5	Potters Marston 199 F5	Thurlaston 177 B3
Barnstone 5 A3	Duddington 193 B6	Kirkby Mallory 175 D6	Preston 164 C2	Thurmaston 129 E7
Barrow-upon-Soar 76 D3	Dunton Bassett 219 C2	Knipton 14 F3	Quenniborough 103 F3	Thurnby 156 F5
Barsby 105 E3	Earl Shilton 198 F7	Knossington 136 B6	Quorn 76 B6	Tilton on the Hill 160 B8
Barton in the Beans 122 D1	East Farndon 250 B7	Langar 11 D8	Ragdale 56 C4	Tinwell 142 E1
Barwell 198 B5	East Goscote 103 E8	Langham 110 D2	Ratby 152 B8	Tugby 185 E7
Beeby 131 C5	East Langton 225 D5	Laughton 238 C7	Ratcliffe Culey 171 B3	Tur Langton 207 A2
Belmesthorpe 117 B1	East Leake 31 D5	Leesthorpe 108 D7	Ratcliffe on Soar 18 F6	Twycross 146 D7
Belton 49 A6	East Norton 186 D6	Leicester 154 F6	Ratcliffe on the Wreake . . . 78 C2	Twyford 106 E1
Belton-in-Rutland 187 D7	Easthorpe 3 B1	Leicester Forest East 152 D2	Ravenstone 95 E3	Uffington 144 F4
Belvoir 14 E8	Easton on the Hill 169 A4	Leire 218 F1	Rearsby 79 A1	Ullesthorpe 233 C4
Bescaby 23 E1	Eastwell 22 B6	Libourne 258 A6	Redmile 6 F3	Upper Broughton 19 B1
Billesdon 159 C2	Eaton 22 E6	Lidlington 163 D2	Rempstone 32 D6	Upper Bruntingthorpe . . . 236 D5
Bilstone 147 C7	Edith Weston 166 C1	Little Bowden 241 A2	Ridlington 163 D2	Uppingham 189 A3
Birstall 129 A7	Edmondthorpe 86 A8	Little Casterton 143 C8	Rockingham 230 B4	Upton 172 A4
Bisbrooke 189 F4	Egleton 138 C4	Little Dalby 83 A1	Rolleston 184 B6	Wakerley 192 A3
Bitteswell 244 B8	Ellistown 96 D3	Little Stretton 182 E5	Rotherby 79 F6	Walcote 245 C4
Blaby 202 B8	Elmesthorpe 198 F5	Littlethorpe 201 C6	Rothley 101 F6	Waltham on the Wolds . . . 40 B3
Blackfordby 45 C1	Empingham 141 A5	Lobthorpe 66 A6	Rugby 257 A2	Walton 236 B3
Blaston 210 B4	Enderby 178 B3	Lockington 17 F4	Ryhall 116 F1	Walton on the Wolds 54 B4
Boothorpe 68 F8	Essendine 117 A6	Loddington 161 E1	Saddington 223 C4	Wanlip 102 C2
Botcheston 151 C6	Exton 113 B3	Long Bennington 1 F6	Saltby 24 E1	Warton 145 A4
Bottesford 3 C3	Eye Kettleby 81 F6	Long Clawson 20 D3	Sapcote 217 C2	Welford 256 E5
Boundary 45 D2	Fenny Drayton 195 A6	Long Eaton 10 C8	Saxby 61 E4	Welham 226 E5
Branston 23 C7	Fleckney 222 E8	Long Whatton 29 B3	Saxelbye 57 E7	Wellsborough 147 C1
Braunston-in-Rutland 137 B2	Foston 203 C2	Loughborough 52 D1	Scalford 38 E5	West Langton 225 B6
Braunstone 153 F1	Foxton 224 E1	Lubenham 239 D3	Scraptoft 156 F8	Weston by Welland 227 A3
Braybrooke 251 F5	Freeby 61 B5	Lutterworth 244 A7	Seagrave 77 F8	Whetstone 201 E7
Breaston 9 F7	Frisby on the Wreake 80 C8	Lyddington 212 C7	Seaton 190 C1	Whissendine 84 E1
Breedon on the Hill 26 E3	Frolesworth 218 B2	Lyndon 165 D5	Sedgebrook 8 E8	Whittington 170 B3
Brentingby 60 D2	Gaddesby 105 B7	Manton 164 E6	Sewstern 63 F8	Whitwell 140 B6
Bringhurst 229 C5	Garthorpe 62 B6	Market Bosworth 148 B3	Shackerstone 121 E2	Whitwick 71 F5
Broughton Astley 218 E5	Gaulby 183 D7	Market Harborough 240 C2	Shangton 207 A5	Wibtoft 232 B4
Bruntingthorpe 236 C8	Gilmorton 235 C4	Market Overton 86 F6	Shardlow 9 B1	Wigston 180 A2
Buckminster 42 D2	Glaston 190 B6	Markfield 98 D1	Sharnford 217 D4	Wigston Parva 231 F8
Burbage 216 B6	Glen Parva 179 B3	Marston Trussell 249 C8	Shawell 253 D5	Willesley 68 E2
Burley 111 F4	Glenfield 153 C8	Measham 93 B5	Shearsby 222 A2	Willey 242 F6
Burrough on the Hill 107 D2	Glooston 208 B4	Medbourne 227 F6	Sheepy Magna 171 A7	Willoughby Waterleys 220 D6
Burton Lazars 83 A6	Goadby 185 D2	Melbourne 26 C8	Shellbrook 68 C6	Willoughby-on-the-Wolds . 34 C8
Burton Overy 182 F1	Goadby Marwood 22 C1	Melton Mowbray 59 F4	Shenton 173 B5	Wilson 26 F6
Bushby 157 B5	Granby 5 C5	Middleton 229 B1	Shepshed 50 A4	Wing 165 A2
Cadeby 149 D1	Great Bowden 241 A6	Moira 67 D3	Shortheath 67 D3	Wistow 204 E4
Caldecote 195 A2	Great Casterton 142 D3	Morcott 191 A5	Sibbertoft 248 F2	Witherley 194 B7
Caldecott 230 C8	Great Dalby 82 B2	Mountsorrel 76 D1	Sibson 172 A7	Wolvey 231 A4
Calke 46 B8	Great Easton 229 E7	Mowsley 237 F6	Sileby 77 E4	Woodhouse 75 C3
Carlby 117 C8	Great Glen 205 B8	Muston 7 F8	Skeffington 160 A4	Woodhouse Eaves 75 A1
Carlton 148 D2	Great Oxendon 250 E3	Nailstone 123 B3	Skillington 43 A8	Woodthorpe 75 E3
Carlton Curlieu 206 D7	Great Stretton 182 A6	Nanpantan 74 B7	Slawston 209 B1	Woodville 44 E3
Castle Bytham 90 B8	Greetham 88 A1	Narborough 178 B1	Smeeton Westerby 223 F6	Woolsthorp by Colsterworth 43 F6
Castle Donington 17 C3	Gretton 213 C1	Nether Broughton 36 C3	Smisby 45 F3	Woolsthorpe By Belvoir 8 B1
Castle Gresley 44 B1	Griffydam 48 B2	Netherseal 91 F7	Snarestone 120 F7	Worthington 47 F5
Chilcote 91 F3	Grimston 57 B8	Newbold 47 E3	Somerby 108 B1	Wothorpe 169 D8
Church Langton 225 D7	Groby 126 D3	Newbold Verdon 150 A5	South Croxton 105 C1	Wycomb 39 A6
Churchover 252 C6	Gumley 224 A1	Newton 253 A1	South Kilworth 255 D8	Wykin 196 F4
Claybrooke Magna 232 E6	Gunby 64 E8	Newton Burgoland 121 E7	South Luffenham 191 D8	Wymeswold 33 C4
Claybrooke Parva 232 E4	Hallaton 209 D9	Newton Harcourt 204 D7	South Witham 65 C4	Wymondham 62 D1
Clifton Campville 91 A2	Halstead 160 C8	Newton Regis 118 D3	Sproxton 41 D1	Wysall 33 D8
Clifton upon Dunsmore . . . 257 A6	Hamilton 130 C3	Newtown Linford 126 D6	Stamby 45 F3	Wyville 25 E7
	Harby 12 B3	No Mans Heath 118 F6	Stamford 143 F1	Zouch 30 B3
	Harringworth 213 F7	Normanton le Heath 94 E6	Stanford on Soar 31 C1	
		Normanton on Soar 30 D3	Stanton under Bardon . . . 97 E2	

1

1st Drift PE9 . . . . **169** D8

2

2nd Drift PE9 . . . . **169** D8

5

5 Houses The CV23 . . . . . . **252** C6

A

Ab Kettleby Com Prim Sch
LE14 . . . .**37** C3
Abberton Way LE11 . . . .**51** A2
Abbey Bsns Pk LE1 . . . . . .**259** A5
Abbey Court Rd LE4 . . . .**128** F3
Abbey Ct LE4 . . . .**128** F2
Abbey Dr
Ashby-De-La-Z LE65 . . . . .**68** F6
Leicester LE4 . . . .**128** F3
Abbey Gate LE4 . . . .**154** E7
Abbey La Leicester LE4 . .**128** F2
Sedgebrook NG32 . . . .**8** F8
Abbey Lodge Cl DE11 . . . .**44** A7
Abbey Mdws LE4 . . . .**128** F1
Abbey Park Rd LE4 . . . . . .**154** F8
Abbey Park St LE4 . . . . . .**155** A8
Abbey Prim Com Sch
LE4 . . . .**129** A1
Abbey Pumping Sta
(Mus) **128** F2
Abbey Rd
Coalville LE67, LE12 . . . . . .**72** E4
Narborough LE9 . . . .**178** D1
Abbey Rise LE4 . . . .**128** F3
Abbey St Leicester LE1 . .**259** B5
Market Harborough LE16 . .**240** F3
Abbeymead Rd LE4 . . . . . .**128** F3
Abbot's Rd N LE5 . . . .**156** B8
Abbots Cl LE5 . . . .**156** B8
Abbots Ct LE5 . . . .**156** C8
Abbots Rd S LE5 . . . .**156** C8
Abbotsford Rd
Ashby-De-La-Z LE65 . . . . . .**69** C5
Leicester LE5 . . . .**155** F7
Abbott St NG10 . . . .**10** D6
Abbott's Cl PE9 . . . .**143** F2
Abbott's Oak Dr LE67 . . . .**72** C1
Abbotts Cl
Swadlincote DE11 . . . .**44** A6
Syston LE7 . . . .**102** F3
Abbotts Gn LE10 . . . .**215** F5
Abbotts Rd DE11 . . . .**44** A6
Abeles Way CV9 . . . .**170** C2
Aber Rd LE2 . . . .**180** B6
Aberdale Rd LE2 . . . .**180** B6
Aberdeen Cl PE9 . . . .**142** F4
Abingdon Rd
Leicester LE2 . . . .**155** B4
Melton Mowbray LE13 . . . . .**59** A5
Abington High Sch LE18 .**180** C2
Abney Cres DE12 . . . .**93** C4
Abney Dr DE12 . . . .**93** C4
Abney St LE5 . . . .**155** C4
Abney Wlk DE12 . . . .**93** C4
Acacia Ave Birstall LE4 . .**129** B8
Lutterworth LE17 . . . .**244** B7
Swadlincote DE11 . . . .**44** B7
Acacia Cl LE3 . . . .**152** F2
Acacia Dr DE73 . . . .**26** A8
Acan Way LE9 . . . .**201** A7
Acer Cl Leicester LE4 . . . .**128** C4
Loughborough LE11 . . . .**75** A4
Narborough LE9 . . . .**201** A7
Achurch Cl LE9 . . . .**199** D3
Acorn Cl LE16 . . . .**239** E3
Acorn St LE4 . . . .**129** B2
Acorn Way LE18 . . . .**180** E2
Acre La DE72 . . . .**16** D7
Acres Rd LE3 . . . .**153** A3
Acres Rise LE13 . . . .**59** E4
Acresford Rd
Acresford DE12 . . . .**92** A6
Donisthorpe DE12 . . . .**92** D7
Overseal DE12 . . . .**67** B2
Acton Ave NG10 . . . .**10** E6
Acton Cl NG10 . . . .**10** E6
Acton Gr NG10 . . . .**10** E6
Acton Rd NG10 . . . .**10** E6
Acton Road Ind Est NG10 .**10** E6
Acton St NG10 . . . .**10** E6
Adam & Eve St LE16 . . . .**240** E3
Adamswood Cl LE16 . . . .**240** C3
Adcock Cl LE13 . . . .**59** F5
Adcock's Yd DE12 . . . .**93** C5
Adcote Cl LE9 . . . .**198** A6
Adderley Rd LE2 . . . .**155** B1
Adderly St LE15 . . . .**189** B4
Adelaide Cl LE4 . . . .**128** C2
Adelaide St PE9 . . . .**143** E3
Adkins Ct LE12 . . . .**76** C8
Adlington Rd LE2 . . . .**181** C6
Adrian Dr LE9 . . . .**198** A7
Afton Cl LE11 . . . .**51** B3
Agar Nook Ct LE67 . . . . . .**72** D1
Agar Nook La LE67 . . . . . .**72** D1
Agar St LE4 . . . .**129** B2
Aikman Ave LE3 . . . .**154** B7
Aikman Cl LE3 . . . .**154** A7

Aingarth LE11 . . . .**52** C3
Ainsdale LE8 . . . .**223** A7
Ainsdale Rd LE3 . . . .**154** B5
Ainsworth Ct LE3 . . . . . .**154** A5
Ainsworth Dr LE12 . . . . . .**77** E4
Aintree Cl LE5 . . . .**156** D4
Aintree Cres LE2 . . . .**180** F6
Airedale Cl NG10 . . . .**10** A6
Airedale Rd PE9 . . . .**143** C5
Aisne Rd LE18 . . . .**179** B3
Alan Bray Cl LE10 . . . . . .**214** D7
Alan Cl LE4 . . . .**129** B4
Alan Moss Rd LE11 . . . . . .**51** F5
Aland Gdns LE9 . . . .**219** A6
Alans Way LE4 . . . .**150** B4
Albany Rd LE16 . . . .**240** F4
Albany St LE11 . . . .**51** E5
Albany The LE2 . . . .**155** C3
Albert Ave LE12 . . . .**77** D4
Whetstone LE8 . . . .**201** F8
Albert Ct Leicester LE2 . .**155** D2
Albert Hall LE67 . . . .**72** D1
Albert Pl LE11 . . . .**52** B3
Albert Prom LE11 . . . .**52** C3
Albert Rd Breaston DE72 . . .**9** B7
Coalville LE67 . . . .**71** E1
Hinckley LE10 . . . .**197** D1
Leicester LE2 . . . .**155** C2
Long Eaton NG10 . . . .**10** D8
Market Harborough LE16 . .**240** F3
Stamford PE9 . . . .**143** E3
Swadlincote DE11 . . . .**44** A2
Albert St Bottesford NG13 . . .**3** A3
Fleckney LE8 . . . .**222** F8
Heather LE67 . . . .**95** F3
Kibworth Beauchamp LE8 . .**206** A2
Loughborough LE11 . . . .**52** B3
Melton Mowbray LE13 . . . . .**59** D1
Syston LE7 . . . .**103** B3
Albert Village Prim Sch
DE11 . . . .**44** C1
Alberta St LE5 . . . .**155** B6
Albion Cl DE12 . . . .**68** A4
Albion Ct LE2 . . . .**181** A5
Albion Par LE7 . . . .**103** B3
Albion Rd Long Eaton NG10 .**10** F8
Sileby LE12 . . . .**77** C2
Albion St Anstey LE7 . . . .**127** E6
Leicester LE1 . . . .**259** B3
Leicester, Oadby LE2 . . . . .**181** A5
Syston LE7 . . . .**103** B3
Wigston LE18 . . . .**179** F1
Woodville DE11 . . . .**44** F2
Albrighton Wlk CV11 . . . .**214** A1
Alcester Dr LE5 . . . .**156** D4
Aldeby Cl Leicester LE2 . .**179** B4
Narborough LE9 . . . .**178** E2
Alder Cl LE3 . . . .**152** F2
Alder Cres LE17 . . . .**244** B6
Alder Ct LE9 . . . .**170** D1
Alderbrooke Dr CV11 . . . .**214** A1
Alderleigh Rd LE2 . . . . . .**179** E1
Alderman Newton's Sch
LE3 . . . .**153** F7
Alderman Richard Hallam
Prim Sch LE4 . . . .**128** C1
Alderstone Cl LE18 . . . . .**203** C8
Alderton Cl LE4 . . . .**129** C5
Aldgate Ave LE5 . . . .**156** B3
Aldin Way LE10 . . . .**197** D4
Aldridge Rd LE10 . . . .**215** D6
Alesworth Dr LE10 . . . . . .**215** F4
Alexander Ave
Earl Shilton LE9 . . . .**199** A8
Enderby LE9 . . . .**178** A3
Alexander Cres LE15 . . . .**137** E6
Alexander Dr LE17 . . . . . .**244** B5
Alexander Gdns LE10 . . . .**197** C2
Alexander St LE3 . . . .**259** A4
Alexandra Ct LE2 . . . .**181** B5
Alexandra Rd
Leicester LE2 . . . .**155** D1
Long Eaton NG10 . . . .**10** D8
Overseal DE12 . . . .**67** B4
Stamford PE9 . . . .**143** D4
Swadlincote DE11 . . . .**44** B3
Alexandra St
Narborough LE9 . . . .**201** C8
Thurmaston LE4 . . . .**129** E8
Alexandra St LE11 . . . .**52** B5
Alfreton Cl LE10 . . . .**215** C6
Alfreton Rd LE18 . . . .**180** C4
Algernon Rd LE13 . . . .**59** D3
Alice Gdns LE8 . . . .**201** F5
All Saint's Mews PE9 .**143** D3
All Saint's CE Jun Sch
LE18 . . . .**180** D3
All Saints CE Prim Sch
Coalville LE67 . . . .**71** B2
Sapcote LE9 . . . .**217** D7
All Saints CE Prim Sch
(Annexe) **217** D7
All Saints Cl Asfordby LE14 .**57** C2
Sapcote LE9 . . . .**217** D7
All Saints Open LE1 . . . . .**259** A4
All Saints' Pl PE9 . . . . . .**143** D3
All Saints Rd
Leicester LE3 . . . .**259** A4
Thurcaston LE7 . . . .**101** B2
All Saints' St PE9 . . . . . .**143** D3
Allandale Rd LE2 . . . .**155** E1
Allans Cl CV23 . . . .**257** A5
Allans La CV23 . . . .**257** A5
Allen Ave LE12 . . . .**75** F7
Allenwood Rd LE2 . . . . . .**179** E4
Allerton Dr LE3 . . . .**128** A1
Allexton Field Rd LE15 . .**188** A2

Allexton Gdns LE3 . . . . . .**153** D6
Allexton La Allexton LE15 .**187** D3
Stockerston LE15 . . . .**187** D1
Allexton Rd LE15 . . . .**209** F7
Alliance Rd LE3 . . . .**153** C7
Allington Dr LE4 . . . .**129** B8
Allington Rd NG32 . . . .**4** F5
Allington St LE4 . . . .**155** B8
Allington with Sedgebrook
CE Prim Sch NG32 . . . . . .**4** F5
Allinson Cl LE5 . . . .**156** A6
Allison Ave DE11 . . . .**44** B3
Allotment La CV13 . . . . . .**121** E2
Alloway Cl LE4 . . . .**129** D4
Allsopp's La LE11 . . . .**52** D5
Alma St Leicester LE3 . . .**154** C7
Melbourne DE73 . . . .**26** A7
Almey's La LE9 . . . .**176** A1
Almond Cl
Countesthorpe LE8 . . . . . .**202** E4
Loughborough LE11 . . . .**75** A6
Almond Gr DE11 . . . .**44** A5
Almond Rd LE2 . . . .**154** F3
Almond Way
Bagworth LE67 . . . .**124** A6
Earl Shilton LE9 . . . .**198** E6
Lutterworth LE17 . . . .**244** A6
Almshouses LE17 . . . . . .**244** B8
Along The Bottom LE17 .**246** F4
Alpine Cl LE15 . . . .**137** E6
Alport Way LE18 . . . .**180** E2
Alsthorpe Rd LE15 . . . . . .**138** B7
Alston Dr LE11 . . . .**51** D6
Altar Stones La LE67 . . . . .**98** C2
Althorp Cl Leicester LE2 . .**179** B5
Market Harborough LE16 . .**241** B3
Althorpe Dr LE11 . . . .**51** C4
Alton Hill LE67 . . . .**70** B3
Alton Rd LE2 . . . .**179** E6
Alton Way LE65 . . . .**69** C5
Alvaston Rd Leicester LE3 .**154** B1
Melton Mowbray LE13 . . . . .**59** A5
Alvecote Rd LE2 . . . .**179** D5
Alvington Way LE16 . . . . .**240** D5
Alwyne Cl LE15 . . . .**138** A6
Alyssum Way LE9 . . . .**177** F1
Amadis Rd LE4 . . . .**128** A4
Amanda Rd LE2 . . . .**179** B4
Ambassador Rd DE74 . . . . .**28** B7
Amber Gate Cl LE4 . . . . . .**219** A6
Ambergate Dr LE4 . . . . . .**128** F8
Amberley Cl LE4 . . . .**129** E6
Amberwood DE11 . . . .**44** A5
Ambion La CV13 . . . .**173** E6
Ambion Rise CV13 . . . . . .**148** D2
Ambion Way LE10 . . . . . .**197** F1
Ambler Cl LE18 . . . .**180** D1
Ambleside LE9 . . . .**198** C7
Ambleside Cl
Leicester LE2 . . . .**179** C3
Loughborough LE11 . . . .**74** C8
Ambleside Dr LE2 . . . . . .**179** C3
Ambleside Way LE2 . . . . .**179** C3
Ambrose Cl LE3 . . . .**154** B6
Amersham Rd LE4 . . . . . .**128** D1
Amesbury Ct LE18 . . . . . .**203** C8
Amesbury Rd LE18 . . . . . .**203** C8
Amhurst Cl LE3 . . . .**127** F1
Amis Cl LE11 . . . .**51** C5
Amos Rd LE3 . . . .**153** D6
Amsden Rise LE9 . . . .**218** E7
Amy St LE3 . . . .**179** B8
Amyson Rd LE5 . . . .**156** C6
Ancaster Rd PE9 . . . .**143** C5
Ancaster Way LE15 . . . . .**166** C3
Anchor Cl LE12 . . . .**51** A8
Anchor La Hathern LE12 . . .**51** A8
Peggs Green LE67 . . . .**71** B8
Anchor St LE4 . . . .**128** F2
Andover St LE2 . . . .**259** C4
Andrew Ave LE9 . . . .**201** D4
Andrew Cl CV13 . . . .**196** D7
Andrew Ct LE2 . . . .**155** B4
Andrew Macdonald Cl
LE16 . . . .**240** F3
Andrew Rd Anstey LE7 . . .**127** E7
Stamford PE9 . . . .**143** D4
Andrew's La LE16 . . . . . .**208** B4
Andrewes Cl LE3 . . . .**154** D5
Andrewes St LE3 . . . .**154** D5
Andrewes Wlk LE3 . . . . .**154** D5
Andrews Cl LE17 . . . .**218** F2
Aneford Rd LE4 . . . .**129** E1
Anemone Cl LE13 . . . .**82** A8
Angel Ct LE16 . . . .**240** E3
Angel St LE16 . . . .**240** E3
Angela Dr LE5 . . . .**156** B4
Angle La LE15 . . . .**166** D1
Anglesey Rd LE18 . . . . . .**179** F3
Angus Cl Leicester LE7 . . .**156** F6
Stamford PE9 . . . .**142** F4
Angus Dr LE11 . . . .**51** E4
Angus Rd LE9 . . . .**198** A6
Ankle Hill LE13 . . . .**59** C1
Ann St LE1 . . . .**259** C4
Ann's Way LE2 . . . .**181** C5
Anne Rd PE9 . . . .**143** C4
Annies Wharf LE11 . . . . . .**52** B5
Annwell La LE65 . . . .**45** E2
Anson Rd Diseworth DE74 . .**28** B8
Shepshed LE12 . . . .**50** A2
Anstee Rd NG10 . . . .**10** C5
Anstey La Groby LE6 . . . .**127** B3
Groby LE6 . . . .**127** B3
Leicester LE4 . . . .**127** F4
Leicester LE4 . . . .**128** B2

Anstey La *continued*
Thurcaston LE7 . . . .**101** B1
Anthony Cl LE7 . . . .**102** E2
Anthony Dr LE7 . . . .**156** F5
Anthony Rd LE4 . . . .**128** D1
Anthony St LE7 . . . .**101** F6
Antill Cl LE14 . . . .**57** F3
Apiary Gate DE74 . . . .**17** B3
Apollo Cl LE2 . . . .**155** B5
Apollo Ct LE2 . . . .**155** B5
Apple Pie La CV10 . . . . . .**194** B3
Apple Tree Cl LE9 . . . . . .**175** B1
Applebee Rd LE10 . . . . . .**215** D6
Appleby Cl LE3 . . . .**153** C6
Appleby Hill CV9 . . . .**119** B3
Appleby Rd
Snarestone DE12 . . . .**120** D7
Thurmaston LE4 . . . .**130** A7
Applegate LE1 . . . .**259** A3
Appleton Ave LE4 . . . . . .**128** D4
Appleton Dr LE12 . . . .**33** B3
Approach The LE5 . . . . . .**155** F4
Aqueduct Rd LE67 . . . . . .**70** E8
Aquitaine Cl LE9 . . . .**178** A3
Arbor Rd LE9 . . . .**200** D4
Arbour Rd LE4 . . . .**129** B2
Arbury Dale LE12 . . . .**50** C2
Arcade The LE18 . . . . .**180** D3
Archdale St LE7 . . . .**102** F3
Archdeacon La LE1 . . . . .**154** F7
Archer Cl Leicester LE4 . .**129** E4
Loughborough LE11 . . . .**51** B6
Archers' Gn LE7 . . . .**103** D7
Archers La LE9 . . . .**175** F7
Archery Cl LE8 . . . .**202** F4
Archway Rd LE5 . . . .**130** E1
Ardath Rd LE4 . . . .**129** C1
Arden Ave LE3 . . . .**153** F1
Arden Cl LE16 . . . .**241** A4
Arden Dr LE13 . . . .**59** A4
Arden Rd CV11 . . . .**214** A1
Ardenway LE16 . . . .**240** F5
Ardern Terr LE3 . . . .**154** B2
Argosy Rd DE74 . . . .**28** E8
Argyle Pk LE16 . . . .**250** E8
Argyle St LE67 . . . .**95** F2
Argyll Way PE9 . . . .**143** B3
Armadale Cl LE10 . . . . . .**197** A1
Armadale Dr LE5 . . . .**156** D8
Armadale Gn LE5 . . . .**156** C8
Armett's La LE14 . . . .**48** E4
Armitage Cl LE11 . . . .**52** A4
Armley Gr PE9 . . . .**143** F5
Armour Cl LE5 . . . .**215** D5
Armson Ave LE9 . . . .**152** E5
Armston Rd Cosby LE9 . . .**201** D3
Quorn LE12 . . . .**76** A5
Arncliffe Cl CV11 . . . .**214** A2
Arncliffe Rd LE5 . . . .**156** C8
Arndale LE18 . . . .**180** F1
Arnesby CE Prim Sch
LE8 . . . .**221** F5
Arnesby Cres LE2 . . . . . .**179** F5
Arnesby La Arnesby LE8 . .**221** D5
Peatling Magna LE8 . . . . . .**221** A6
Arnesby Rd LE8 . . . .**222** E6
Arnhem St LE1 . . . .**259** C3
Arnhill Rd NN17 . . . .**213** B1
Arnold Ave
Long Eaton NG10 . . . .**10** A4
Wigston LE18 . . . .**180** A1
Arnold Cl LE9 . . . .**201** D2
Arnold Cres NG10 . . . .**10** A4
Arnold Rd CV13 . . . .**196** D6
Arnold Smith Ho LE12 . . . .**50** B4
Arnold St LE1 . . . .**155** B7
Arnold's Cres LE9 . . . . . .**150** B3
Arnside Cl DE11 . . . .**44** C1
Arran Rd Leicester LE4 . . .**129** D4
Stamford PE9 . . . .**142** F4
Arran Way Corby NN17 . . .**230** C1
Countesthorpe LE8 . . . . . .**202** F3
Hinckley LE10 . . . .**197** B1
Arreton Cl LE2 . . . .**180** C7
Arthur St Barwell LE9 . . . .**198** B3
Loughborough LE11 . . . .**52** A3
Arum Way LE3 . . . .**153** D6
Arundel Cl LE12 . . . .**101** C8
Arundel Gr LE12 . . . .**50** A2
Arundel St LE3 . . . .**154** D5
Ascot Rd LE4 . . . .**129** B2
Ascott Dr DE11 . . . .**44** A7
Asfare Bsns Pk LE10 . . . .**215** E1
Asfordby Captains Close
Prim Sch LE14 . . . .**57** E3
Asfordby Hill Prim Sch
LE14 . . . .**58** D3
Asfordby Pl LE14 . . . .**57** F2
Asfordby Rd Hoby LE14 . . . .**79** F8
Melton Mowbray LE13, LE14 .**58** E3
Asfordby St LE5 . . . .**155** D6
Ash Cl Aston-on-T DE72 . . .**16** B7
Barrow-u-S LE12 . . . .**53** D1
Ratby LE6 . . . .**126** B1
Uppingham LE15 . . . .**189** C3
Ash Croft CV9 . . . .**171** B7
Ash Ct LE6 . . . .**126** C2
Ash Dale LE67 . . . .**71** D7
Ash Dr Measham DE12 . . . .**93** C6
Syston LE7 . . . .**103** B2
Ash Field Sch LE5 . . . . . .**155** F6
Ash Gr Blaby LE8 . . . .**202** B8
Bottesford NG13 . . . .**2** F3
Hathern LE12 . . . .**30** A2
Long Eaton NG10 . . . .**10** C6
Melton Mowbray LE13 . . . . .**59** B5
Mountsorrel LE12 . . . .**76** E1
Ash La B79 . . . .**118** F6

Ash Pl PE9 . . . .**142** F4
Ash Rd Croft LE9 . . . .**200** D3
Earl Shilton LE9 . . . .**198** D7
Ash St LE5 . . . .**155** C7
Ash Tree Cl LE2 . . . .**181** B4
Ash Tree Rd Coalville LE67 .**96** B7
Leicester LE2 . . . .**181** C4
Ash Way LE14 . . . .**80** D8
Ash Wlk LE12 . . . .**31** D8
Ash-Tree Rd LE9 . . . .**201** D3
Asha Margh LE4 . . . .**129** A2
Ashbourne Ct NG10 . . . . . .**10** B4
Ashbourne Dr DE11 . . . . . .**44** A1
Ashbourne Rd LE18 . . . . .**180** C4
Ashbourne St LE5 . . . . . .**155** C5
Ashbrook Rise CV10 . . . . .**194** B2
Ashburton Cl LE10 . . . . . .**216** A6
Ashburton Rd LE67 . . . . . .**96** C6
Ashby Cres LE11 . . . .**51** D3
Ashby & District Hospl
LE65 . . . .**69** C6
Ashby Hilltop Prim Sch
LE65 . . . .**68** F6
Ashby La Bitteswell LE17 .**234** A3
Blackfordby DE11 . . . .**68** C8
Swepstone LE67 . . . .**94** D3
Ashby Mus LE65 . . . .**69** B6
Ashby Rd
Ashby-De-La-Z LE65, LE67 . .**70** B7
Barwell LE9 . . . .**197** E6
Breedon on t H DE73 . . . . . .**26** E2
Coalville LE67 . . . .**70** E3
Coleorton LE67 . . . .**70** D6
Diseworth DE74 . . . .**28** C7
Donisthorpe DE12 . . . .**68** A1
Gaddesby LE7 . . . .**105** D5
Gilmorton LE17 . . . .**235** B5
Hinckley LE10 . . . .**197** E3
Ibstock LE67 . . . .**95** E2
Kegworth DE74 . . . .**18** A2
Kegworth DE74 . . . .**18** B2
Loughborough LE11 . . . .**51** F4
Markfield LE67 . . . .**98** D2
Measham DE12 . . . .**93** E7
Melbourne DE73 . . . .**26** A6
Moira DE12 . . . .**68** B5
Newbold LE67 . . . .**47** D2
Normanton Le H LE67 . . . . .**94** F7
Osgathorpe LE67 . . . .**48** D4
Packington LE65 . . . .**69** C2
Ravenstone LE67 . . . .**95** E8
Shepshed LE12 . . . .**49** D7
Snarestone DE12 . . . .**120** E4
Stapleton LE9 . . . .**174** F3
Thringstone LE67 . . . .**48** D1
Twyford LE14 . . . .**106** C2
Ullesthorpe LE17 . . . .**233** C4
Woodville DE11 . . . .**45** C2
Ashby Rd E
Shepshed LE11, LE12 . . . . . .**50** D1
Swadlincote DE15 . . . .**44** A8
Ashby Rd W LE12 . . . .**49** E1
Ashby Rise LE8 . . . .**182** B1
Ashby Road Central LE12 .**50** D1
Ashby Sq LE11 . . . .**52** A4
Ashby-de-la-Zouch
Castle LE65 . . . .**69** C6
Ashby-de-la-Zouch CE
Prim Sch LE65 . . . .**69** B6
Ashby-de-la-Zouch
Gram Sch LE65 . . . .**69** C6
Ashclose Ave LE2 . . . . . .**180** C6
Ashdale LE67 . . . .**95** E1
Ashdown Ave LE3 . . . . . .**154** B6
Ashdown Cl LE11 . . . .**51** C5
Ashdown Rd LE18 . . . . . .**180** D4
Ashfield LE15 . . . .**138** A8
Ashfield Dr Anstey LE7 . . .**127** C6
Moira LE67 . . . .**68** B6
Ashfield Rd Leicester LE2 .**155** D3
Market Harborough LE16 . .**240** F4
Thurmaston LE4 . . . .**129** F8
Ashford Cl LE2 . . . .**179** C3
Ashford Ct LE2 . . . .**155** A1
Ashford Dr Hinckley LE10 .**215** B7
Leicester LE2 . . . .**155** A1
Whitwick LE67 . . . .**71** D5
Ashington Cl LE3 . . . .**154** B8
Ashland Dr LE67 . . . .**71** C2
Ashlands Rd LE7 . . . .**183** F3
Ashlands Way LE9 . . . . . .**177** F1
Ashleigh Ct LE3 . . . .**154** C3
Ashleigh Dr
Loughborough LE11 . . . .**51** E2
Lutterworth LE17 . . . .**244** A6
Ashleigh Gdns
Barwell LE9 . . . .**198** C8
Leicester LE3 . . . .**154** C3
Ashleigh Rd Glenfield LE3 .**153** C8
Leicester LE3 . . . .**154** C3
Ashley Cl DE12 . . . .**67** B3
Ashley Rd Medbourne LE16 .**227** E6
Middleton LE16 . . . .**229** B2
Weston by W LE16 . . . . . .**227** C3
Ashley Way LE16 . . . .**241** B3
Ashlyns Rise LE3 . . . .**153** E5
Ashmead Cres LE4 . . . . . .**102** C3
Ashmount Sch LE11 . . . . . .**52** A1
Ashover Cl LE9 . . . .**201** D4
Ashover Rd LE5 . . . .**155** D4
Ashthorpe Rd LE3 . . . . . .**154** B4
Ashton Cl Leicester LE2 . .**181** B3
Melton Mowbray LE13 . . . . .**59** C1
Wigston LE18 . . . .**180** C1
Ashtree Gdns PE9 . . . . . .**168** D2
Ashtree Rd LE5 . . . .**130** C2

Ashurst Cl LE18 . . . . .203 E8
Ashurst Rd LE3 . . . . .178 F8
Ashview Cl NG10 . . . . .10 A8
Ashville Way LE8 . . . . . . .201 E4
Ashwell Rd
  Cottesmore LE15 . . . . . .112 B7
  Langham LE15 . . . . .110 D5
  Oakham LE15 . . . . .138 A8
  Whissendine LE15 . . . . . .110 B8
Ashwell St LE1 . . . . .259 C2
Askrigg Way LE18 . . . . . . .180 E2
Aspen Ave LE11 . . . . .75 A7
Aspen Cl
  Measham DE12 . . . . .93 C6
  Ravenstone LE67 . . . . . . .70 F2
Aspen Dr LE8 . . . . .202 E4
Aspen Way LE17 . . . . .244 B7
Aspens Hollow LE67 . . . . . .71 D7
Asplin Rd LE2 . . . . .179 E5
Asquith Bvd LE2 . . . . .180 B5
Asquith Way LE2 . . . . .180 B5
Assheton La CV9 . . . . .146 D7
Assured Dr LE4 . . . . .129 D7
Aster Cl Hinckley LE10 . . . .215 E6
  Nuneaton CV11 . . . . .214 A1
Aster Way LE10 . . . . .215 D6
Astill Dr LE4 . . . . .128 F5
Astill Lodge Rd LE4 . . . . . .128 A6
Astley Cl Leicester LE3 . . . .154 B3
  Market Harborough LE16 . .240 D1
Astley Rd LE3 . . . . .198 F8
Astley Way LE65 . . . . .69 C7
Aston Dr DE11 . . . . .44 A7
Aston Flamville Rd LE10 . . .216 C7
Aston Hall Dr DE72 . . . . . . .16 A4
Aston Hill LE2 . . . . .180 A8
Aston La Aston-on-T DE72 . . .16 B8
  Burbage LE10 . . . . .216 A6
  Sharnford LE10 . . . . .217 B5
Aston on Trent Prim Sch
  DE72 . . . . .16 A8
Atherstone Cl LE2 . . . . . . .181 D4
Atherstone Rd
  Appleby Magna DE12 . . . .119 E5
  Fenny Drayton CV10, CV13 .195 A6
  Hartshill Green CV10 . . . . .194 B2
  Loughborough LE11 . . . . . .75 A4
  Measham DE12 . . . . .93 C3
  Pinwall CV9 . . . . .170 D4
  Ratcliffe Culey CV9 . . . . . .171 A3
  Sibson CV9, CV13 . . . . . . .172 A3
Atkins St LE2 . . . . .259 B2
Atkins Way LE10 . . . . .215 E7
Atkinson Rd LE65 . . . . .68 F7
Atkinson St LE5 . . . . .155 D6
Atlas Cl LE2 . . . . .155 B5
Atlas Ct LE67 . . . . .71 D2
Atlas Rd LE67 . . . . .71 D2
Attenborough Cl LE3 . . . . .153 C1
Atterton La CV9 . . . . .194 C8
Atterton Rd CV13 . . . . .171 E1
Attewell Cl DE72 . . . . .9 B7
Attfield Dr LE2 . . . . .201 F7
Attingham Cl LE4 . . . . .129 D1
Attlee Cl LE17 . . . . .244 B5
Attlee Way LE2 . . . . .179 E5
Auburn Ho Blaby LE8 . . . . .202 A8
  Leicester LE3 . . . . .154 A7
Auburn Rd LE8 . . . . .202 B8
Auden Cl LE4 . . . . .128 B2
Audens Way DE11 . . . . .44 C6
Audit Hall Rd LE15 . . . . . . .140 F5
Audley Cl LE16 . . . . .241 B2
Audley End LE3 . . . . .154 B1
Augusta Cl LE3 . . . . .153 C6
Augustus Cl LE7 . . . . .102 E2
Aulton Cres LE10 . . . . .197 B1
Aulton Way LE10 . . . . .197 B1
Aumberry Gap LE11 . . . . . . .52 B4
Auriga St LE16 . . . . .240 F2
Austen Ave NG10 . . . . .10 C5
Auster Ind Est LE4 . . . . . . .129 F6
Austhorp Gr LE15 . . . . .112 B7
Austin Friar's La **3** PE9 . . .143 D2
Austin Rise LE5 . . . . .156 D8
Austin St PE9 . . . . .143 D2
Austins Cl LE16 . . . . .240 D3
Austrey CE Prim Sch
  CV9 . . . . .119 B2
Austrey La
  Countesthorpe LE8 . . . . . .202 F3
  Newton Regis B79 . . . . . . .118 E3
  No Mans Heath B79 . . . . . .119 A5
  Orton-on-t-H CV9 . . . . . . .145 C6
Austrey Rd DE12 . . . . .119 D5
Austwick Cl LE4 . . . . .128 C3
Avebury Ave LE4 . . . . .128 C1
Aveland Rd PE9 . . . . .167 F5
Avenue Cl LE7 . . . . .103 E5
Avenue Gdns LE2 . . . . .155 C1
Avenue Jun & Inf Schs
  LE2 . . . . .155 B1
Avenue N LE19 . . . . .199 A8
Avenue Rd
  Ashby-De-La-Z LE65 . . . . . .69 A5
  Coalville LE67 . . . . .96 D8
  Leicester LE1 . . . . .155 C1
  Queniborough LE7 . . . . . .103 E5
  Sileby LE12 . . . . .77 D3
Avenue Road Extension
  LE2 . . . . .155 B1
Avenue S LE19 . . . . .199 A8
Avenue The Blaby LE8 . . . . .202 A8
  Broughton Astley LE9 . . . .218 E7
  Carlby PE9 . . . . .117 C8

Avenue The continued
  Glenfield LE3 . . . . .127 B1
  Leicester LE2 . . . . .155 C2
  Medbourne LE16 . . . . . . .228 C8
  Noseley LE7 . . . . .184 F3
Averham Cl DE11 . . . . .44 A3
Averil Rd LE5 . . . . .156 B7
Avery Cl LE17 . . . . .244 B5
Avery Dr Markfield LE67 . . . .98 D1
  Syston LE7 . . . . .103 B5
Avery Hill LE3 . . . . .153 D4
Avoca Cl LE5 . . . . .156 B6
Avon Cl Leicester LE2 . . . . .181 C5
  Oakham LE15 . . . . .137 F5
  Swadlincote DE11 . . . . . . .44 B6
Avon Dr LE8 . . . . .201 F7
Avon Fields NN6 . . . . .256 E6
Avon Rd Barrow-u-S LE12 . . .76 D6
  Leicester LE3 . . . . .153 E2
  Melton Mowbray LE13 . . . . .59 B1
Avon St LE2 . . . . .155 B4
Avon Vale Rd LE11 . . . . . . .52 C1
Avondale Rd NG10 . . . . .10 A6
Avondale Rd
  Barlestone CV13 . . . . . . .149 D8
  Wigston LE18 . . . . .180 D4
Avonside Dr LE5 . . . . .155 F5
Axbridge Cl LE4 . . . . .128 D1
Axiom Ct PE9 . . . . .143 F2
Ayces Cotts LE13 . . . . .59 A3
Aylestone Dr LE2 . . . . . . .179 D5
Aylestone La LE18 . . . . . . .180 B3
Aylestone Rd LE2 . . . . . . .179 D7
Aylestone Wlk LE2 . . . . . .154 F3
Aylmer Rd LE3 . . . . .153 F4
Ayr Cl PE9 . . . . .143 F4
Ayrshire Cl CV11 . . . . .214 A1
Aysgarth Cl CV11 . . . . .214 A1
Aysgarth Rd LE4 . . . . .128 C3
Ayston Rd
  Leicester LE3 . . . . .154 A1
  Uppingham LE15 . . . . . . .189 B5
Azalea Cl Hinckley LE10 . . . .215 E5
  Lutterworth LE17 . . . . . . .244 A5
Azalea Dr LE10 . . . . .215 E6
Azalea Wlk LE10 . . . . .215 E5

B

Babelake St LE65 . . . . .94 B8
Babingdon Row LE2 . . . . . .180 A5
Babingley Dr LE4 . . . . .128 D2
Babington Com Tech Coll
  LE4 . . . . .128 B3
Babington Rd
  Barrow-u-S LE12 . . . . .76 B8
  Rothley LE7 . . . . .101 E6
Back Dr LE7 . . . . .185 A2
Back La Allington NG32 . . . . .4 F5
  Belton-in-R LE15 . . . . . . .187 D7
  Burton Overy LE8 . . . . . . .182 F1
  Castle Donington DE74 . . . .17 A7
  Claybrooke Magna LE17 . . .232 E6
  Collyweston PE8 . . . . .168 D2
  Cossington LE7 . . . . .102 D7
  Cotes LE12 . . . . .52 F6
  East Farndon LE16 . . . . . .250 B7
  East Langton LE16 . . . . . .225 D6
  Gaulby LE7 . . . . .183 C6
  Harston NG32 . . . . .15 B4
  Leire LE17 . . . . .218 E1
  Long Clawson LE14 . . . . . . .20 C3
  Market Bosworth CV13 . . . .148 E3
  Morcott LE15 . . . . .191 A6
  Shearsby LE17 . . . . .222 A2
  Sileby LE12 . . . . .77 C3
  Skillington NG33 . . . . .43 B8
  South Luffenham LE15 . . . .191 D8
  Stamford PE9 . . . . .143 E3
  Stonesby LE14 . . . . .40 E6
  Thrussington LE7 . . . . .78 F4
  Willoughby-on-t-W LE12 . . . .34 D7
Back Rd Barrowden LE15 . . .191 E5
  Tilton on t H LE7 . . . . . . .160 A4
Back St Buckminster NG33 . . .42 D2
  North Kilworth LE17 . . . . .246 F3
  Saltby LE14 . . . . .24 E1
Baddely Dr LE18 . . . . .180 B4
Baden Rd LE5 . . . . .155 E3
Badger Cl LE9 . . . . .201 A7
Badger Ct LE11 . . . . .74 D8
Badger Dr LE8 . . . . .201 F5
Badgerbrook Prim Sch
  LE8 . . . . .201 F5
Badgers Bank LE9 . . . . . . .101 E7
Badgers Cl Leicester LE4 . . .128 B3
  Manton LE15 . . . . .164 D5
Badgers Holt LE2 . . . . .181 A4
Badgers Wlk LE12 . . . . .75 C5
Badmington Rd LE4 . . . . . .129 D5
Badminton Rd
  Leicester LE4 . . . . .129 D5
  Syston LE7 . . . . .103 B5
Baggrave End LE7 . . . . . . .105 D3
Baggrave Rd LE7 . . . . .132 B4
Bagrave St LE5 . . . . .155 D6
Bagley Cl LE11 . . . . .51 C6
Bagworth La LE67 . . . . . . .124 D5
Bagworth Rd
  Barlestone CV13 . . . . . . .123 E2
  Nailstone CV13 . . . . .123 C3
  Newbold Verdon LE9 . . . . .150 B7
Bailey Ave DE12 . . . . .67 A3
Bailey Cl LE11 . . . . .74 D8
Baileys La LE8 . . . . .182 F1
Bain Cl PE9 . . . . .143 E5

Bainbridge Rd
  Leicester LE3 . . . . .154 B1
  Loughborough LE11 . . . . . .52 C1
  Wigston LE18 . . . . .180 E1
Baines Ct LE15 . . . . .138 A6
Baines La LE3 . . . . .153 B3
Baines' La LE10 . . . . .197 B1
Baines La LE15 . . . . .190 C1
Bakehouse La LE8 . . . . . . .223 B4
Baker Ave LE65 . . . . .68 F5
Baker St Coalville LE67 . . . . .71 C2
  Lutterworth LE17 . . . . . . .244 C5
  Swadlincote DE11 . . . . . . .44 C3
Baker's La NG13 . . . . .6 F4
Bakery Cl LE9 . . . . .201 D2
Bakery Ct **7** LE65 . . . . . . .69 B6
Bakewell Ct LE7 . . . . .71 C1
Bakewell Dr DE74 . . . . .17 A2
Bakewell Rd
  Long Eaton NG10 . . . . .10 E5
  Loughborough LE11 . . . . . .51 F7
  Wigston LE18 . . . . .180 C4
Bakewell St Coalville LE67 . . .71 E1
  Leicester LE2 . . . . .155 C6
Bakewells La LE67 . . . . .70 F8
Bala Rd LE9 . . . . .200 D4
Balcombe Ave LE3 . . . . . . .154 B6
Balderstone Cl LE5 . . . . . . .156 A6
Baldock's La LE13 . . . . .59 C3
Baldwin Ave LE18 . . . . . . .180 A1
Baldwin Rd LE2 . . . . .180 B5
Baldwin Rise LE9 . . . . .218 D7
Bale Rd LE4 . . . . .129 C1
Balfour Cl LE10 . . . . .215 E7
Balfour Gdns LE16 . . . . . . .240 D1
Balfour St LE3 . . . . .154 D7
Balisfire Gr LE3 . . . . .128 B3
Balk Rd PE9 . . . . .116 C2
Balk The LE3 . . . . .127 B1
Balladine Rd LE7 . . . . .127 E7
Ballards Cl LE4 . . . . .128 B3
Ballater Cl LE5 . . . . .156 B4
Balliol Ave LE7 . . . . .103 C2
Balliol Rd LE10 . . . . .215 F6
Balmoral Ave LE12 . . . . . . .50 A2
Balmoral Cl Leicester LE2 . . .180 C7
  Market Harborough LE16 . .241 B3
Balmoral Dr LE2 . . . . .153 E2
Balmoral Rd Coalville LE67 . . .96 F5
  Earl Shilton LE9 . . . . .198 D7
  Melton Mowbray LE13 . . . . .59 C5
  Mountsorrel LE12 . . . . . . .101 D8
  Oakham LE15 . . . . .137 E5
Baltimore Cl DE11 . . . . .44 A7
Bambrook Cl LE9 . . . . .151 D1
Bamburgh Cl
  Ashby-De-La-Z LE65 . . . . . .69 B5
  Market Harborough LE16 . .241 B3
Bambury La
  Countesthorpe LE8 . . . . . .202 D1
  Peatling Magna LE8 . . . . . .221 A6
Bambury Way LE2 . . . . . . .180 A6
Bampton Cl LE18 . . . . .203 D8
Bampton St LE11 . . . . .52 B3
Banbury Dr
  Melton Mowbray LE13 . . . . .82 D8
  Shepshed LE12 . . . . .49 F3
Banbury La LE16 . . . . .229 D6
Bancroft Rd LE16 . . . . .229 D1
Bandalls La LE12 . . . . .53 B5
Banff Cl LE15 . . . . .138 B6
Bank St Castle Gresley DE11 .67 A8
  Long Eaton NG10 . . . . .10 E7
  Lutterworth LE17 . . . . . . .244 C5
Bank Terr LE9 . . . . .198 A6
Bank The Arnesby LE8 . . . . .221 F5
  Kibworth Beauchamp LE8 . .224 A8
  Shearsby LE17 . . . . .222 A2
Bankart Ave LE2 . . . . .155 E1
Bankfield Dr LE16 . . . . .241 A5
Banks Cl The LE12 . . . . .77 C3
Banks Rd LE2 . . . . .179 D7
Banks The Barrow-u-S LE12 . .76 E8
  Cosby LE9 . . . . .201 D2
  Queniborough LE7 . . . . . .103 F5
  Sileby LE12 . . . . .77 C3
Bankside LE5 . . . . .156 E8
Banky Mdw LE16 . . . . .216 A7
Bannerman Rd LE5 . . . . . . .155 E3
Bantlam La LE9 . . . . .178 B3
Baptist Mews The LE8 . . . . .179 C1
Baptist Wlk LE10 . . . . .197 D1
Barbara Ave Leicester LE5 . . .156 B7
  Leicester Forest East LE3 . .152 E3
  Newbold Verdon LE9 . . . . .150 B3
Barbara Cl LE9 . . . . .178 A3
Barbara Rd LE3 . . . . .154 B1
Barclay St LE3 . . . . .154 C4
Barden Cl LE11 . . . . .51 B3
Bardolph St LE4 . . . . .155 B8
Bardolph St E LE4 . . . . . . .155 C8
Bardon 22 Ind Pk LE67 . . . . .97 B4
Bardon Cl LE67 . . . . .97 A7
Bardon Rd Barwell LE9 . . . .198 B8
  Coalville LE67 . . . . .97 A7
Bardsey Cl LE10 . . . . .197 B1
Bardsley Rd NN17 . . . . .230 E3
Barfoot Cl LE18 . . . . .204 E1
Barfoot Rd LE2 . . . . .179 F5
Barford Cl LE18 . . . . .203 C8
Barge Cl LE18 . . . . .180 A1
Barkby Holt La LE7 . . . . . . .130 F8
Barkby La LE7 . . . . .103 A1
Barkby Pochin Sch LE7 . .130 D8
Barkby Rd Beeby LE7 . . . . . .131 B5
  Leicester LE4 . . . . .129 E3
  Queniborough LE7 . . . . . .103 E4

Barkby Rd continued
  Syston LE7 . . . . .103 C3
Barkby Thorpe La
  Thurmaston LE4 . . . . .130 F1
  Barkby Thorpe LE4 . . . . . .130 B8
Barkbythorpe Rd
  LE4, LE7 . . . . .130 B5
Barker Cres LE13 . . . . .82 C8
Barker St LE5 . . . . .155 D7
Barkers Field LE14 . . . . .20 C3
Barkestone La NG13 . . . . . . .6 E6
Barkford Cl LE7 . . . . .130 E1
Barklam Cl LE12 . . . . .67 E1
Barleston Dr LE10 . . . . . . .197 A1
Barlestone CE Prim Sch
  CV13 . . . . .149 C8
Barlestone Rd
  Bagworth LE67, CV13 . . . .124 A4
  Newbold Verdon LE9 . . . . .150 A6
Barley Cl LE3 . . . . .153 C7
Barley La LE8 . . . . .221 C8
Barley Leas LE7 . . . . .132 B2
Barley Way LE7 . . . . .101 C2
Barleycroft Cty Prim Sch
  LE4 . . . . .128 C3
Barleyfield LE10 . . . . .197 C3
Barleythorpe Rd LE15 . . . . .137 F7
Barling Rd LE5 . . . . .155 F8
Barlow Rd LE5 . . . . .137 F6
Barmouth Ave LE2 . . . . . . .180 A6
Barn Cl
  Castle Donington DE74 . . . .17 B3
  Wigston LE18 . . . . .203 E8
Barn Hill PE9 . . . . .143 D3
Barn Way LE67 . . . . .125 E8
Barnack Rd PE9 . . . . .143 F2
Barnard Cl
  Burton Lazars LE14 . . . . . .83 A7
  Leicester LE2 . . . . .155 B5
Barnard Gdns LE16 . . . . . .250 D8
Barnard Way LE12 . . . . .76 D1
Barnards Dr LE2 . . . . .77 E4
Barnby Ave LE18 . . . . .180 C4
Barnes Cl
  Kibworth Beauchamp LE8 . .223 F8
  Leicester LE4 . . . . .129 E5
Barnes Heath Rd LE5 . . . . .156 A5
Barnet Cl LE2 . . . . .181 A3
Barnfield Cl
  Great Glen LE8 . . . . .182 B1
  Long Whatton LE12 . . . . . .29 A4
Barngate Cl Birstall LE4 . . . .128 F8
  Melton Mowbray LE13 . . . . .59 D5
Barnley Cl LE8 . . . . .202 E4
Barns Cl LE3 . . . . .152 C5
Barns Way LE9 . . . . .151 C4
Barnsdale LE16 . . . . .229 D6
Barnsdale Ave LE15 . . . . . .112 E1
Barnsdale Cl LE16 . . . . . . .229 D6
Barnsdale Gdns LE15 . . . . .112 E2
Barnsdale Rd LE4 . . . . .127 F6
Barnstaple Cl LE18 . . . . . . .203 D8
Barnstaple Rd LE5 . . . . . . .156 D3
Barnstone La NG13 . . . . .5 A5
Barnwell Ave LE4 . . . . .128 F4
Barnwell Rd PE9 . . . . .143 A4
Baron St LE1 . . . . .259 C5
Baronet Way LE5 . . . . .130 E1
Barons Cl LE7 . . . . .152 C5
Barons Way LE12 . . . . .76 E3
Barr Cres LE67 . . . . .71 F4
Barr La CV13 . . . . .196 B3
Barrack Row LE11 . . . . .52 B5
Barracks The LE9 . . . . .198 A6
Barradale Ave LE12 . . . . . . .77 C4
Barratt Dr LE11 . . . . .51 D6
Barrett Dr LE11 . . . . .51 D6
Barrie Rd LE10 . . . . .197 D3
Barrington Park Ind Est
  LE4 . . . . .128 B5
Barrington Rd LE2 . . . . . . .155 E1
Barroon The DE74 . . . . .17 C4
Barrow Cres LE7 . . . . .105 B7
Barrow Rd
  Burton-on-t-W LE12 . . . . . .53 F6
  Cotes LE12 . . . . .52 F6
  Quorn LE12 . . . . .76 A7
  Sileby LE12 . . . . .77 B4
Barrow St LE11 . . . . .52 B3
Barrow-Upon-Soar Sta
  LE12 . . . . .76 D7
Barrowcliffe Cl LE12 . . . . . . .76 C8
Barrowden La LE15 . . . . . . .191 E8
Barrowden Rd
  Ketton PE9 . . . . .167 C2
  South Luffenham LE15 . . . .191 F7
Barry Cl LE3 . . . . .152 E3
Barry Dr
  Leicester Forest East LE3 . .152 E3
  Syston LE7 . . . . .103 C4
Barry Rd LE5 . . . . .130 D1
Barsby Dr LE11 . . . . .51 D6
Barsby Wlk LE4 . . . . .128 D4
Barshaw Pk LE4 . . . . .128 C5
Barston St LE1 . . . . .259 B5
Bartholomew St LE2 . . . . . .155 C4
Bartles Hollow PE9 . . . . . . .167 F5
Barton Cl Ratby LE6 . . . . . .152 D7
  Wigston LE18 . . . . .180 C1
Barton La
  Congerstone CV13 . . . . . .121 F1
  Nailstone CV13 . . . . .122 F2
Barton Rd Carlton CV13 . . . .148 E6
  Congerstone CV13 . . . . . .147 D8
  Leicester LE3 . . . . .154 C8
  Odstone CV13 . . . . .122 D4
  Osbaston CV13 . . . . .149 C8
Barwell CE Jun Sch LE9 . .198 A6

Barwell Inf Sch LE9 . . . . . .198 A7
Barwell La Hinckley LE10 . . .197 E3
  Kirkby Mallory LE9 . . . . . .175 C4
Barwell Newlands Com
  Prim Sch 198 C8
Barwell Rd LE9 . . . . .152 D5
Basin Bridge La CV13 . . . . .196 C4
Baslow Cl NG10 . . . . .10 A5
Baslow Rd LE5 . . . . .155 D4
Bassett Ave LE8 . . . . .202 E3
Bassett La LE3 . . . . .217 D7
Bassett St Leicester LE3 . . . .154 D7
  Wigston LE18 . . . . .179 F1
Batchelor Rd LE8 . . . . .222 F8
Bateman Rd LE3 . . . . .154 B7
Bates Cl LE16 . . . . .240 F5
Bath Cl LE9 . . . . .217 D8
Bath La
  Bruntingthorpe LE17 . . . . .236 D7
  Leicester LE3 . . . . .259 A3
  Moira DE12 . . . . .67 C4
Bath Row PE9 . . . . .143 D2
Bath St Ashby-De-La-Z LE65 . .69 B6
  Leicester LE4 . . . . .129 B4
  Market Harborough LE16 . .240 F1
  Syston LE7 . . . . .103 A4
Bath Street Cnr **9** LE65 . . . .69 B6
Bathurst Rd LE5 . . . . .156 D4
Batten St LE2 . . . . .154 E1
Battenberg Rd LE3 . . . . . . .154 D6
Battersbee Rd LE3 . . . . . . .153 E8
Battersbee Way LE3 . . . . . .153 E8
Battle of Bosworth Field
  Visitor Ctr CV13 . . . . . . .173 E5
Battledown Cl LE10 . . . . . . .197 B2
Battledown Line CV13 . . . . .121 C1
Battlefield Line The
  CV13 . . . . .148 C5
Battling Brook
  Cty Prim Sch LE10 . . . . . .197 B2
Battram Rd LE67 . . . . .123 D8
Baulk Rd LE15 . . . . .189 E4
Baxter Gate LE11 . . . . .52 B4
Baxters Cl LE4 . . . . .128 B3
Bay St LE1 . . . . .259 B5
Baycliff Cl LE3 . . . . .154 B8
Bayham Cl LE5 . . . . .156 B5
Bayley Cl LE15 . . . . .188 F4
Bayleys Cl LE15 . . . . .141 A6
Bayliss Cl LE12 . . . . .75 F7
Baysdale LE18 . . . . .180 F2
Bayswater Dr LE2 . . . . .179 D1
Bayswater Rd LE13 . . . . . . .59 D4
Beacon Ave
  Loughborough LE11 . . . . . .51 F1
  Quorn LE12 . . . . .75 E5
  Thurmaston LE4 . . . . .129 F7
Beacon Cl Groby LE6 . . . . . .126 F2
  Leicester LE3 . . . . .128 A6
  Markfield LE67 . . . . .98 E1
Beacon Cres LE67 . . . . .97 B8
Beacon Ct LE3 . . . . .127 D1
Beacon Dr LE11 . . . . .52 A1
Beacon Hill Ctry Pk The
  LE12 . . . . .74 D2
Beacon Rd
  Loughborough LE11 . . . . . .52 A1
  Woodhouse Eaves LE12 . . . .74 D1
Beacon View NG13 . . . . .3 B3
Beaconsfield Rd
  Leicester LE3 . . . . .154 C4
  Melton Mowbray LE13 . . . . .59 A5
Beaconsfield St NG10 . . . . . .10 E7
Beadmans Cnr LE67 . . . . . . .70 F1
Beadswell La LE8 . . . . .205 F8
Beaker Cl LE8 . . . . .223 F6
Beal St LE2 . . . . .155 B6
Beale's Cl LE9 . . . . .174 E2
Beards Rd DE11 . . . . .44 A6
Beardsley Rd LE12 . . . . .75 F6
Bearsdon Cres LE10 . . . . . .197 B2
Beast Hill LE15 . . . . .189 B4
Beatrice Rd LE3 . . . . .154 C7
Beattie Cl LE10 . . . . .197 D3
Beatty Ave LE5 . . . . .155 E7
Beatty Rd Leicester LE5 . . . .155 E7
  Syston LE7 . . . . .103 B5
Beauchamp Coll The
  LE2 . . . . .181 B3
Beauchamp Rd LE8 . . . . . . .223 F8
Beaufort Ave LE11 . . . . .75 A8
Beaufort Cl Desford LE9 . . . .151 B2
  Hinckley LE10 . . . . .215 E4
  Leicester LE2 . . . . .181 D4
Beaufort Rd
  Cottesmore LE15 . . . . .87 D2
  Leicester LE3 . . . . .154 A1
Beaufort Way LE2 . . . . .181 D4
Beaumanor Ct LE4 . . . . . . .128 F3
Beaumanor Dr LE12 . . . . . . .75 C4
Beaumanor Gdns LE12 . . . . .75 C4
Beaumanor Rd LE4 . . . . . . .128 F3
Beaumaris Cres LE12 . . . . . .50 A2
Beaumaris Rd LE12 . . . . . .101 C8
Beaumont Ave
  Ashby-De-La-Z LE65 . . . . . .68 C5
  Hinckley LE10 . . . . .215 A7
Beaumont Ct LE11 . . . . .52 A6
Beaumont Gdns LE13 . . . . . .59 D5
Beaumont Gn
  Coleorton LE67 . . . . .70 E8
  Groby LE6 . . . . .126 F2
Beaumont Leys Cl LE4 . . . . .128 C4
Beaumont Leys La LE4 . . . . .128 C4
Beaumont Leys Sec Sch
  LE4 . . . . .128 B2
Beaumont Leys Terr
  LE4 . . . . .128 A3

Beaumont Lodge Prim Sch
LE4 . . . .**128** B6
Beaumont Lodge Rd LE4 **128** B6
Beaumont Rd
Barrow-u-S LE12 . . . .**76** C8
Leicester LE5 . . . .**155** C6
Loughborough LE11 . . . . . .**75** B8
Whitwick LE67 . . . .**72** A4
Beaumont St LE4 . . . . . .**181** A6
Beaumont Way LE4 . . . .**128** B4
Beaumont Wlk LE4 . . . . .**128** A3
Beauville Dr LE4 . . . .**128** A3
Beaver Cl LE4 . . . .**201** F5
Beaver Ctr The LE2 . . . .**154** F2
Beazer Ct LE11 . . . .**51** F6
Beck Cl LE2 . . . .**179** A3
Beckett Ave CV13 . . . . . .**148** E2
Beckett Rd LE5 . . . .**155** E8
Beckingham Rd LE2 . . . .**155** C3
Beckingthorpe Dr NG13 . . .**3** C3
Beckmill Ct LE13 . . . .**59** C3
Beckworth Ct LE15 . . . . .**141** A6
Beckworth Gr LE15 . . . . .**141** A6
Bedale Ave LE10 . . . . . .**197** F2
Bedale Cl LE67 . . . .**96** C8
Bedale Dr LE4 . . . .**128** C5
Bedale St LE15 . . . .**87** C2
Bede Ho LE15 . . . .**212** D7
Bede St LE3 . . . .**154** D5
Bedford Cl
Desford LE9 . . . .**151** B3
Hinckley LE10 . . . .**197** F3
Kegworth DE74 . . . .**18** D1
Bedford Dr LE6 . . . .**126** F2
Bedford Rd LE18 . . . . . .**180** A3
Bedford St LE11 . . . .**52** B3
Bedford St N LE1 . . . . . .**259** C5
Bedford St S LE1 . . . . . .**259** B4
Bee Hives The DE11 . . . . .**44** A7
Beeby Cl LE7 . . . .**103** C3
Beeby Rd Barkby LE7 . . . .**130** F7
Leicester LE5 . . . .**155** D6
Scraptoft LE7 . . . .**131** A1
Beech Ave Breaston DE72 . .**9** F8
East Leake LE12 . . . .**31** D8
Groby LE6 . . . .**126** E1
Lutterworth LE17 . . . .**244** A6
Melbourne DE73 . . . .**26** B8
Ravenstone LE67 . . . .**95** E8
Beech Cl Corby NN17 . . . .**230** E1
Markfield LE67 . . . .**125** E8
Shepshed LE12 . . . .**50** C4
Beech Dr Bottesford NG13 . . .**3** C2
Braunstone LE3 . . . .**153** D3
Ryhall PE9 . . . .**116** E1
Syston LE7 . . . .**103** B2
Thornton LE67 . . . .**124** E4
Woodville DE11 . . . .**45** B2
Beech Gr PE9 . . . .**142** F4
Beech Rd Blaby LE8 . . . .**202** B7
Leicester LE5 . . . .**181** A5
Oakham LE15 . . . .**138** B7
Beech St LE5 . . . .**155** C6
Beech Tree Cl LE8 . . . . .**206** A2
Beech Tree Rd LE67 . . . . .**97** A8
Beech Way
Ashby-De-La-Z LE65 . . . . . .**69** D6
Desford LE9 . . . .**151** A3
Ibstock LE67 . . . .**95** E2
Beechcroft Ave LE3 . . . .**179** A8
Beechcroft Rd LE2 . . . . .**155** C1
Beeches Ave LE12 . . . . . .**76** C3
Beeches Cl LE16 . . . . . .**248** F2
Beeches Rd LE11 . . . .**52** C3
Beeches The
Earl Shilton LE9 . . . .**175** F1
Hartshill Green CV10 . . . .**194** B2
Leicester LE5 . . . .**130** A1
Uppingham LE15 . . . .**189** B5
Beechfield Ave LE4 . . . . .**129** A7
Beechfield Cl LE8 . . . . . .**182** B1
Beechings Cl LE8 . . . . . .**202** D3
Beechwood Ave
Hinckley LE10 . . . .**215** D3
Leicester Forest East LE3 . .**153** A4
Melton Mowbray LE13 . . . . .**59** E5
Queniborough LE7 . . . . . .**103** D5
Thurmaston LE4 . . . .**129** E6
Beechwood Cl LE5 . . . . .**156** C5
Beechwood Com Inf Sch
LE8 . . . .**202** E4
Beechwood Rd LE9 . . . . .**201** B6
Beehive Ave DE12 . . . . . .**68** A4
Beehive La LE11 . . . .**52** B3
Beggar's La Enderby LE9 . .**177** F7
Leicester Forest East LE3 . .**152** E1
Begonia Cl Hinckley LE10 .**215** E5
Leicester Forest East LE3 . .**152** F2
Begonia Dr LE10 . . . . . .**215** E5
Belcher Cl LE67 . . . .**95** B2
Belcher's Hill LE16 . . . . .**210** D6
Beler Way LE13 . . . .**81** F8
Belfield Rd DE11 . . . .**44** B5
Belfry Dr LE3 . . . .**153** D5
Belgrave Ave LE4 . . . . . .**129** A3
Belgrave & Birstall Sta
LE4 . . . .**128** F5
Belgrave Bvd
Leicester LE4 . . . .**128** D5
Leicester LE4 . . . .**128** E4
Belgrave CE Prim Sch
LE4 . . . .**128** F3
Belgrave Circ LE1 . . . . . .**155** A8
Belgrave Ct LE67 . . . .**72** D1
Belgrave Flyover
LE1, LE4 . . . .**155** A8
Belgrave Gate
Leicester LE1 . . . .**155** A7

Belgrave Gate continued
Leicester LE1 . . . .**259** B5
Belgrave Hall (Mus) LE4 .**129** A3
Belgrave Ind Ctr LE4 . . .**129** A1
Belgrave Rd
Leicester LE4 . . . .**155** A8
Uppingham LE15 . . . .**189** A5
Bell Ave
Broughton Astley LE9 . . . .**219** A4
Ratby LE6 . . . .**152** D8
Stanton u B LE67 . . . .**97** F2
Bell Cotts PE9 . . . .**143** E3
Bell Ctr The LE13 . . . . . .**59** C3
Bell La Burton Overy LE8 . .**205** F8
Husbands Bosworth LE17 . .**247** E5
Leicester LE5 . . . .**155** B6
Narborough LE9 . . . .**201** C7
Bell St
Claybrooke Magna LE17 . . .**232** E6
Lutterworth LE17 . . . .**244** D5
Wigston LE18 . . . .**180** D3
Bell View LE9 . . . .**201** C8
Bellamy St LE2 . . . .**179** A3
Belle Vue Ave LE4 . . . . .**128** E2
Belle Vue Rd LE9 . . . . . .**198** C7
Belleville Dr LE4 . . . . . .**181** C6
Bellfields La LE16 . . . . . .**241** A2
Bellfields St LE16 . . . . . .**241** A2
Bellflower Rd LE5 . . . . . .**130** B3
Bellholme Cl LE4 . . . . . .**129** B3
Bells La LE9 . . . .**150** A4
Belmesthorpe La PE9 . . .**117** A2
Belmont Ave DE72 . . . .**9** E8
Belmont Dr LE67 . . . .**71** A2
Belmont Prim Sch DE11 . . .**44** C4
Belmont St Leicester LE2 .**179** D7
Swadlincote DE11 . . . .**44** C4
Belmont Way LE11 . . . . . .**51** A2
Belper Cl Leicester LE2 . .**181** A3
Wigston LE18 . . . .**203** A8
Belper St LE4 . . . .**129** B1
Belton CE Prim Sch LE12 .**49** B6
Belton Cl Coalville LE67 . . .**72** C1
Leicester LE5 . . . .**179** F5
Belton Gdns 14 PE9 . . . .**143** E3
Belton Mews LE15 . . . . .**187** D7
Belton Rd Leicester LE3 . .**154** A1
Loddington LE7 . . . .**161** F1
Loughborough LE11 . . . . . .**52** A5
Belton Rd W LE11 . . . . . .**51** F6
Belton Rd W Extension
LE11 . . . .**52** A6
Belton St Shepshed LE12 . .**50** B4
Stamford PE9 . . . .**143** E3
Belvedere Rd DE11 . . . . . .**44** F3
Belvoir Ave
Ab Kettleby LE14 . . . .**37** C2
Bottesford NG13 . . . .**3** A1
Belvoir Castle (restored)
NG32 . . . .**14** E8
Belvoir Cl Desford LE9 . . .**151** B3
Draycott DE72 . . . .**9** D7
Long Eaton NG10 . . . .**10** E5
Mountsorrel LE12 . . . .**101** D8
Stamford PE9 . . . .**143** A4
Belvoir Cres DE11 . . . . . .**44** A6
Belvoir Dr
Ashby-De-La-Z LE65 . . . . . .**69** B5
Leicester LE2 . . . .**179** D6
Loughborough LE11 . . . . . .**74** F7
Syston LE7 . . . .**103** C4
Belvoir Dr E LE2 . . . . . .**179** D6
Belvoir High Sch NG13 . . . .**3** A1
Belvoir La NG32 . . . .**8** B1
Belvoir Rd Bottesford NG13 . .**7** B7
Coalville LE67 . . . .**96** C8
Eaton NG32 . . . .**13** E2
Redmile NG13 . . . .**7** A3
Woolsthorpe by B NG32 . . . .**15** C7
Belvoir Sh Ctr The LE67 . .**71** C1
Belvoir Sq LE5 . . . .**87** F3
Belvoir St Leicester LE1 . .**259** B3
Melton Mowbray LE13 . . . . .**59** E4
Belvoir Way LE12 . . . . . .**50** A2
Belvoirdale Cty Prim Sch
LE67 . . . .**96** D8
Beman Cl LE4 . . . .**129** E5
Bembridge Cl LE3 . . . . . .**154** D8
Bembridge Rd LE3 . . . . .**154** D8
Benbow Ave DE73 . . . . . .**26** A8
Benbow Cl LE10 . . . .**197** D4
Benbow Rise Prim Sch
LE3 . . . .**153** D3
Bencroft Cl LE67 . . . . . .**127** D6
Bendbow Rise LE3 . . . . .**153** E3
Benenden Way LE65 . . . . .**69** A7
Benford Cl LE3 . . . .**218** F4
Bennet Cl CV13 . . . .**196** D7
Bennett Rise LE9 . . . . . .**200** E8
Bennett St NG10 . . . .**10** D8
Bennett Way LE18 . . . . .**180** A1
Bennett's La LE7 . . . . . .**102** D8
Bennetts Hill LE17 . . . . .**219** D2
Bennion Rd Bushby LE7 . .**157** A4
Leicester LE4 . . . .**128** A5
Benscliffe Dr LE11 . . . . . .**51** C2
Benscliffe Gdns LE2 . . . .**179** D3
Benscliffe Rd LE6 . . . .**99** D5
Benskin Wlk LE4 . . . . . .**128** B2
Benskins Oval LE4 . . . . .**128** C7
Benskyn Cl LE8 . . . .**202** D4
Benson St LE5 . . . .**155** E5
Bentburn Ho LE3 . . . . . .**154** A7
Bentinghouse Gdns LE2 .**179** D4
Bentinghouse Rd LE2 . . .**179** D4
Bentley Dale DE11 . . . . . .**45** A3

Bentley Rd Birstall LE4 . .**129** A8
Castle Donington DE74 . . . .**16** F4
Bentley St
Melton Mowbray LE13 . . . . .**59** C3
Stamford PE9 . . . .**143** E4
Beresford Ct Heather LE67 .**95** C2
Shepshed LE12 . . . .**50** C4
Beresford Dr LE2 . . . . . .**180** D8
Beresford Ho NG10 . . . . . .**10** A5
Beresford Rd NG10 . . . . . .**10** A5
Berkeley Ave NG10 . . . . . .**10** C6
Berkeley Cl LE2 . . . .**181** D5
Berkeley Ct PE9 . . . .**143** F4
Berkeley Rd LE11 . . . .**74** C8
Berkeley St LE16 . . . . . .**248** F2
Berkley St LE1 . . . .**259** A5
Berkshire Rd LE2 . . . . . .**179** D7
Bernard Cl LE67 . . . .**95** F1
Bernard St DE11 . . . .**44** D3
Berners St LE2 . . . .**155** C5
Berridge Dr LE2 . . . .**181** B4
Berridge La LE4 . . . .**129** B3
Berridge St LE1 . . . .**259** B3
Berridges La LE17 . . . . . .**247** E5
Berrington Cl
Botcheston LE9 . . . .**151** C6
Leicester LE5 . . . .**155** E8
Berrisford St LE67 . . . . . .**96** D8
Berry Ave DE73 . . . .**27** A3
Berry Cl
Great Bowden LE16 . . . . . .**241** A5
Ravenstone LE67 . . . .**71** A2
Berry Field Rd LE16 . . . .**229** C5
Berry La Cossington LE7 . . .**77** F1
Ibstock LE67 . . . .**96** A4
Berry's La LE6 . . . .**152** C8
Berrybushes LE15 . . . . . .**86** F5
Berrybut Way PE9 . . . . . .**143** F5
Berrycott La LE7, LE12 . . .**55** B3
Berryhill La LE67 . . . .**96** B6
Bertie La PE9 . . . .**144** E4
Berwick Rd LE65 . . . .**69** D5
Bescaby La LE14 . . . .**40** B7
Best Cl LE18 . . . .**179** F1
Bevan Rd Leicester LE4 . . .**128** C7
Leicester LE4 . . . .**128** D8
Beveridge La Bardon LE67 . .**97** C4
Ellistown LE67 . . . .**96** E3
Beveridge St LE12 . . . . . .**76** D7
Beverley Ave LE4 . . . . . .**129** B1
Beverley Cl LE4 . . . .**129** E7
Beverley Dr LE9 . . . .**218** E2
Beverley Gdns PE9 . . . . .**143** C4
Beverley Rd DE74 . . . .**28** D8
Bevington Cl LE6 . . . . . .**126** B1
Bewcastle Gr LE4 . . . . . .**128** D5
Bewicke Rd LE3 . . . .**154** B3
Bexhill Rise LE5 . . . .**156** E7
Biam Way LE3 . . . .**179** A8
Bickley Ave LE13 . . . .**59** D4
Biddle Rd LE9 . . . .**201** C6
Biddulph Ave LE2 . . . . . .**155** C5
Biddulph St LE2 . . . .**155** C4
Bideford Cl LE18 . . . . . .**203** D7
Bideford Rd LE5 . . . .**156** D3
Bidford Cl LE3 . . . .**153** E2
Bidford Ct LE3 . . . .**153** E2
Bidford Rd LE3 . . . .**153** E2
Bidwell La LE15 . . . .**89** D4
Big La Barrow-u-S LE12 . . .**54** D2
Seagrave LE12 . . . .**77** E8
Bigg's Cl LE8 . . . .**202** A5
Biggin Hill Rd LE5 . . . . .**156** B3
Biggin St LE11 . . . .**52** B4
Biggin The DE74 . . . .**17** B3
Bignal Dr LE3 . . . .**153** B4
Bilberry Cl LE17 . . . .**219** A6
Billa Barra La LE67 . . . . . .**97** E3
Billesdon Parochial
Prim Sch LE7 . . . .**159** B1
Billesdon Rd LE7 . . . . . .**183** D7
Billington Cl LE4 . . . . . .**128** E3
Billington Rd E LE9 . . . . .**198** E4
Billington Rd W LE9 . . . .**198** D5
Bilsdale Rd LE18 . . . . . .**180** F1
Bilstone Rd
Congerstone CV13 . . . .**147** D7
Twycross CV9 . . . .**146** E7
Bilton Way LE17 . . . .**244** D8
Bindley La LE9 . . . .**182** B1
Bingley Rd LE9 . . . .**201** C6
Birch Ave Barrow-u-S LE12 .**53** D1
Swadlincote DE11 . . . .**44** A7
Whitwick LE67 . . . .**72** A4
Birch Cl Earl Shilton LE9 . .**198** D6
Leicester LE4 . . . .**129** D1
Loughborough LE11 . . . . . .**75** A6
Markfield LE67 . . . .**125** E6
Melton Mowbray LE13 . . . . .**59** F5
Birch Rd PE9 . . . .**142** F5
Birch Tree Ave LE4 . . . . .**102** A1
Birch Tree Gdns LE16 . . .**240** F4
Birch View LE17 . . . .**235** E2
Birches The LE9 . . . .**198** A6
Birchfield Ave LE67 . . . . .**125** D8
Birchtree Rd LE18 . . . . .**180** D4
Birchwood Ave
Breaston DE72 . . . .**9** F7
Long Eaton NG10 . . . .**10** C5
Birchwood Cl
Leicester Forest East LE3 . .**152** F2
Syston LE7 . . . .**103** C3
Bird Hill Rd LE12 . . . .**74** F1
Bird Watching Ctr LE15 . .**138** D3
Birdie Cl LE8 . . . .**224** B8
Birds La LE14 . . . .**13** A1
Birds Nest Ave LE3 . . . . .**154** A8

Birkdale Ave LE2 . . . . . .**155** D1
Birkdale Cl CV11 . . . . . .**214** A1
Birkdale Rd LE7 . . . .**127** D6
Birkenshaw Rd LE3 . . . . .**128** A1
Birsmore Ave LE4 . . . . . .**129** D4
Birstall Highcliffe
Cty Prim Sch LE4 . . . . . .**128** F7
Birstall Rd LE4 . . . .**129** B5
Birstall St LE1 . . . .**155** B7
Birstow Cres LE4 . . . . . .**128** D5
Birtley Coppice LE16 . . . .**240** D4
Bishop Cl LE16 . . . .**250** E8
Bishop Dale LE67 . . . .**71** D7
Bishop Ellis RC Prim Sch
LE4 . . . .**129** F6
Bishop Meadow Rd LE11 . .**51** E7
Bishop St Leicester LE1 . .**259** B3
Loughborough LE11 . . . . . .**52** C5
Melton Mowbray LE13 . . . . .**59** D3
Bishopdale Cl NG10 . . . . . .**10** A6
Bishopdale Rd LE4 . . . . .**128** C3
Bishops Cleeve CV9 . . . . .**119** A1
Bishops Ct DE73 . . . .**26** B7
Bishopston Wlk LE4 . . . .**128** F4
Bisley St LE3 . . . .**154** D3
Bitteswell Rd LE17 . . . . .**244** B7
Blaby By-Pass LE8 . . . . .**202** A7
Blaby Rd Narborough LE9 .**178** D2
Wigston LE18 . . . .**180** C4
Black Horse Hill DE12 . . .**119** F8
Black La LE12 . . . .**54** B4
Blackberry La
Cossington LE7 . . . .**77** F1
Ibstock LE67 . . . .**96** A4
Blackbird Ave LE4 . . . . .**154** E8
Blackbird Rd LE4 . . . . . .**154** D8
Blackbrook Cl LE12 . . . . .**50** A3
Blackbrook Ct
Coalville LE67 . . . .**97** B8
Loughborough LE11 . . . . . .**51** E6
Blackbrook Dr LE67 . . . . .**97** B8
Blackbrook Rd LE11 . . . . .**51** E6
Blackburn Rd LE9 . . . . . .**198** A6
Blackett Ave LE3 . . . . . .**154** A8
Blackett Dr LE67 . . . .**95** B2
Blackfordby CE Prim Sch
DE11 . . . .**45** B1
Blackfordby La DE12 . . . . .**68** B6
Blackfriars St
Leicester LE3 . . . .**259** A4
10 Stamford PE9 . . . . . .**143** E3
Blackham Rd LE11 . . . . . .**52** A1
Blackmore Dr LE3 . . . . . .**154** A5
Blacksmith End LE14 . . . .**13** A3
Blacksmith's La
Exton LE15 . . . .**113** B3
Woodville DE11 . . . .**44** F3
Blacksmiths Ave LE12 . . . .**50** C5
Blacksmiths Cl LE14 . . . . .**36** D8
Blacksmiths La LE8 . . . . .**223** F6
Blackspinney La LE7 . . . .**134** B4
Blackthorn PE9 . . . .**142** E5
Blackthorn Cl
Lutterworth LE17 . . . .**244** A6
Melbourne DE73 . . . .**26** A8
Blackthorn Dr
Leicester LE4 . . . .**128** A6
Syston LE7 . . . .**102** F3
Blackthorn La LE2 . . . . .**181** B7
Blackthorn Rd LE3 . . . . .**153** B7
Blackthorn Way DE12 . . . . .**93** C6
Blackwell Cl LE18 . . . . . .**180** E1
Blackwell La DE73 . . . . . .**26** B7
Bladen Cl LE8 . . . .**202** D4
Blair Cl LE12 . . . .**101** C8
Blairmore Rd LE3 . . . . . .**153** C6
Blaise Gr LE4 . . . .**129** D1
Blake Cl LE10 . . . .**197** D4
Blake Ct Long Eaton NG10 . .**10** B5
Narborough LE9 . . . .**178** A3
Blake Dr LE11 . . . .**51** E5
Blake St LE1 . . . .**259** B4
Blakemore Ave DE73 . . . . .**26** B8
Blakeney Cres LE13 . . . . .**82** C8
Blakenhall Cl LE9 . . . . . .**200** F8
Blakenhall Rd LE5 . . . . . .**156** A5
Blakesley Rd LE18 . . . . .**180** F3
Blakesley Wlk LE4 . . . . .**128** B2
Blanch Croft DE73 . . . . . .**26** B7
Bland Rd LE3 . . . .**127** F1
Blandford Ave NG10 . . . . .**10** B6
Blankley Dr LE2 . . . .**155** D1
Blanklyn Ave LE5 . . . . . .**155** D5
Blankney Rd LE15 . . . .**87** E2
Blashfield Cl PE9 . . . . . .**143** C4
Blaston Hill LE16 . . . . . .**210** C4
Blaston Rd LE16 . . . .**209** C2
Blaydon Cl LE3 . . . .**154** B8
Bleach Mill DE12 . . . .**93** C3
Bleakmoor Cl LE7 . . . .**79** A3
Bleasby Cl LE4 . . . .**130** A4
Blenheim Cl
Hinckley LE10 . . . .**197** F4
Loughborough LE11 . . . . . .**51** D1
Swadlincote DE11 . . . .**44** A7
Wigston LE18 . . . .**202** F8
Blenheim Cres LE16 . . . .**218** D2
Blenheim Rd LE4 . . . . . .**129** B8
Blenheim Way
Leicester LE4 . . . .**128** E4
Market Harborough LE16 . .**240** E5
Blenheim Wlk LE13 . . . . .**59** B5
Bley Ave LE12 . . . .**31** D8
Blickling Wlk LE5 . . . . . .**155** E8
Blind La Breaston DE72 . . . .**9** D8
Cottingham LE16 . . . .**229** D1
Blissett Rd LE3 . . . .**154** B7
Blithfield Ave LE11 . . . . . .**51** C3

Bloom Cl LE67 . . . .**71** A7
Bloomfield Rd LE2 . . . . .**179** F1
Blossoms The LE67 . . . . .**125** E6
Blount Rd LE4 . . . .**129** F6
Bloxams Cl LE3 . . . .**178** F6
Bloxham Rd LE3 . . . .**154** B7
Blue Banks Ave LE2 . . . .**179** A3
Blue Gates Rd LE4 . . . . .**128** A5
Blue Pots Cl LE3 . . . . . .**152** F2
Blue Town NG33 . . . .**43** B8
Bluebell Cl
Kirby Muxloe LE9 . . . .**152** E6
Queniborough LE7 . . . . . .**103** E5
Bluebell Dr Leicester LE2 .**179** F4
Loughborough LE11 . . . . . .**51** F1
Bluebell La LE16 . . . . . .**208** B4
Bluebell Rd PE9 . . . .**142** F5
Bluebell Row LE13 . . . . . .**82** A8
Bluecoat Cty Prim Sch
PE9 . . . .**143** D4
Bluecoat La LE15 . . . . . .**212** D7
Blundell Rd LE5 . . . .**156** A3
Blunt's La LE18 . . . .**180** D2
Blyth Ave LE13 . . . .**59** B2
Boathouse The LE16 . . . .**240** D4
Bob Trewick Ho LE1 . . . .**259** C2
Bodenham Cl LE18 . . . . .**203** C8
Bodicoat Cl LE8 . . . .**201** F5
Bodkin Wlk LE4 . . . .**128** B3
Bodmin Ave LE18 . . . . . .**180** D1
Bodmin Cl LE10 . . . .**197** E4
Bodnant Ave LE5 . . . . . .**155** E3
Bodycote Cl LE9 . . . .**218** F5
Bollards La LE12 . . . .**30** A7
Bollington Rd LE2 . . . . . .**181** C6
Bolsover St LE5 . . . .**155** E6
Bolton La LE14 . . . .**20** F7
Bolton Rd LE3 . . . .**154** C5
Bonchurch Cl LE67 . . . . . .**71** F5
Bonchurch Rd LE67 . . . . .**71** F5
Bonchurch St LE3 . . . . . .**154** D7
Bond Cl LE11 . . . .**52** C1
Bond La LE12 . . . .**76** C2
Bondgate DE74 . . . .**17** B3
Bondman Cl LE4 . . . .**128** E5
Boneham's La LE17 . . . . .**234** E3
Bonner Cl LE2 . . . .**181** D4
Bonners La LE2 . . . .**259** B2
Bonney Rd LE3 . . . .**154** A8
Bonnington Cl CV21 . . . .**257** B1
Bonnington Rd LE2 . . . . .**155** B1
Bonsall St Leicester LE2 . .**155** B5
Long Eaton NG10 . . . .**10** E8
Bonville Pl LE3 . . . .**154** B1
Booth Cl LE5 . . . .**156** B5
Booth Rd LE67 . . . .**71** D8
Boothorpe La LE65 . . . . . .**68** A8
Boothwood Cty Prim Sch
LE11 . . . .**51** C3
Border Dr LE4 . . . .**128** E5
Borlace St LE3 . . . .**154** D6
Borough St
Castle Donington DE74 . . . .**17** B3
Kegworth DE74 . . . .**18** D2
Borough The 2 LE10 . . . .**215** D8
Borrowcup Cl LE8 . . . . . .**202** C4
Borrowdale Cl LE9 . . . . .**198** F7
Borrowdale Dr NG10 . . . . .**10** A6
Borrowdale Way
Leicester LE5 . . . .**156** D3
Loughborough LE11 . . . . . .**51** D1
Borrowell DE74 . . . .**18** D3
Bosnall Ct NG10 . . . .**10** F8
Bostock Cl LE9 . . . .**199** A4
Boston Rd LE4 . . . .**128** A4
Boston Way LE9 . . . .**198** A6
Boswell St LE19 . . . .**178** A1
Bosworth Cl LE10 . . . . . .**197** A1
Bosworth Com Coll The
LE9 . . . .**151** C3
Bosworth Field CV13 . . . .**173** D5
Bosworth Gn LE9 . . . . . .**176** B1
Bosworth La CV13 . . . . . .**149** E4
Bosworth Rd
Barlestone CV13 . . . .**149** C7
Castle Donington DE74 . . . .**16** F3
Congerstone CV13 . . . .**147** D6
Kirkby Mallory LE9 . . . . . .**175** B7
Measham DE12 . . . .**93** F3
Sutton Cheney CV13 . . . . .**174** A6
Theddingworth LE17 . . . . .**248** C7
Walton LE17 . . . .**236** D1
Bosworth St LE3 . . . .**154** D6
Bosworth Water Trust
CV13 . . . .**148** A2
Bosworth Way NG10 . . . . .**10** E5
Botcheston Rd LE9 . . . . .**151** D6
Bothe Cl NG10 . . . .**10** C6
Botley Wlk LE5 . . . .**156** A6
Bott's La DE12 . . . .**119** C7
Bottesford CE Prim Sch
NG13 . . . .**3** A2
Bottesford La NG13 . . . . . .**2** C5
Bottesford Rd NG32 . . . . . .**4** D4
Bottesford Sta NG13 . . . . . .**3** C3
Bottleacre La LE11 . . . . . .**52** B6
Bottom Gn LE14 . . . .**19** A1
Bottom La LE15 . . . .**189** F4
Bottom Rd LE67 . . . .**48** A1
Bottom St Allington NG32 . . .**4** F5
Wing LE15 . . . .**165** A3
Botts Way LE67 . . . .**97** A8
Boulder La LE2 . . . .**179** F6
Boulter Cres LE18 . . . . . .**180** D3
Boulton Ct LE2 . . . .**181** E4

Boundary Rd
Leicester LE2 . . . . .154 E1
Lutterworth LE17 . . . . .244 D6
Mountsorrel LE12 . . . . .76 E1
Boundary Way LE12 . . . . . . .50 C5
Bourne Cl CV9 . . . . .170 E2
Bourne Mall LE4 . . . . .128 A4
Bourne Rd PE9 . . . . .117 B6
Bourne Sq DE72 . . . . .9 E7
Bourton Cres LE2 . . . . .181 C5
Bouverie Ct LE15 . . . . .84 F1
Bowbridge Gdns NG13 . . . . . . .3 A3
Bowbridge La NG13 . . . . .2 F3
Bowden La
Market Harborough LE16 . . .240 E4
Welham LE16 . . . . .226 D5
Bowden Rd LE16 . . . . .226 A4
Bowden Ridge LE16 . . . . . . .241 A5
Bowhill Gr LE5 . . . . .156 E7
Bowhill Way LE5 . . . . .156 E7
Bowker Cres LE65 . . . . .68 F5
Bowler Ct LE11 . . . . .52 C4
Bowley Ave LE13 . . . . .59 E5
Bowley Ct LE13 . . . . .59 C3
Bowley The DE74 . . . . .28 B5
Bowleys La DE12 . . . . .119 E8
Bowling Green Cl LE15 . . . . .138 A5
Bowling Green La LE5 . . . . . .86 F5
Bowling Green Rd LE10 . . . .197 E1
Bowling Green St LE1 . . . . . .259 B3
Bowman Gn LE10 . . . . .215 F6
Bowmans Way LE3 . . . . .153 B8
Bowmars La LE3 . . . . .259 A5
Boyer St LE11 . . . . .52 C4
Boyer's Orch LE12 . . . . .12 B3
Boyers Wlk LE3 . . . . .152 F3
Boynton Rd LE3 . . . . .154 A4
Boyslade Rd LE10 . . . . .215 F6
Boyslade Rd E LE10 . . . . . . .215 F5
Brabazon Cl LE2 . . . . .180 F1
Brabazon Rd LE2 . . . . .180 F1
Bracedale Wlk NN17 . . . . . . .230 C1
Bracken Cl Coalville LE67 . . .96 C6
Leicester LE5 . . . . .156 B4
Leicester Forest East LE3 . . .152 F2
Bracken Dale LE7 . . . . .103 E8
Bracken Hill LE6 . . . . .126 E8
Bracken Way LE67 . . . . .98 E1
Bracken Wlk LE67 . . . . .125 E8
Brackenfield Way LE4 . . . . .130 A8
Brackenthwaite LE4 . . . . . . .129 D3
Brackley Ct LE4 . . . . .129 E1
Bradbourne Rd LE5 . . . . .155 D5
Bradbury Cl LE9 . . . . .201 D2
Braddon Rd LE11 . . . . .51 C6
Bradfield Cl LE5 . . . . .155 E5
Bradford's La LE67 . . . . .70 E7
Bradgate Ave LE4 . . . . .129 F7
Bradgate Cl Leicester LE7 .156 E5
North End LE12 . . . . .76 D4
Bradgate Dr Coalville LE67 .97 C8
Ratby LE6 . . . . .126 C1
Wigston LE18 . . . . .180 B5
Bradgate Flats LE14 . . . . . . .57 F3
Bradgate Hill LE6 . . . . .126 B6
Bradgate La LE14 . . . . .57 F3
Bradgate Rd Barwell LE9 .198 B8
Cropston LE7 . . . . .100 E4
Hinckley LE10 . . . . .197 E2
Loughborough LE11 . . . . .74 E8
Markfield LE67 . . . . .98 E1
Newtown Linford LE6 . . . . . . .127 B7
Bradgate St LE4 . . . . .154 D8
Brading Rd LE3 . . . . .154 C8
Bradley La LE15 . . . . .89 D5
Bradshaw Ave LE2 . . . . .179 C3
Bradshaw Ct LE2 . . . . .179 C3
Bradshaw St NG10 . . . . .10 B6
Bradston Rd LE2 . . . . .179 E5
Braemar Cl Leicester LE4 .129 C4
Mountsorrel LE12 . . . . .101 D8
Stamford PE9 . . . . .143 A4
Braemar Dr LE4 . . . . .129 D4
Braeside LE15 . . . . .111 B8
Brailsford Rd LE4 . . . . .180 B4
Braithewaite Cl PE9 . . . . . . .167 F5
Bramall Ct LE5 . . . . .155 E8
Bramall Rd LE5 . . . . .155 E7
Bramber Cl LE4 . . . . .129 E5
Bramble Cl Glenfield LE3 . .153 D7
Hamilton LE5 . . . . .130 D2
Uppingham LE15 . . . . .189 B5
Bramble Dr LE9 . . . . .150 B4
Bramble Gr PE9 . . . . .142 F4
Bramble Way LE3 . . . . .179 A8
Bramble Wlk DE12 . . . . .67 A3
Brambles Rd LE4 . . . . .96 C6
Brambling Rd LE5 . . . . .155 D7
Brambling Way LE2 . . . . . . .181 A4
Bramcote Cl LE10 . . . . .197 F3
Bramcote Rd
Leicester LE3 . . . . .179 B8
Loughborough LE11 . . . . .74 F7
Wigston LE18 . . . . .180 C4
Brame Rd LE10 . . . . .197 C2
Bramham Dr LE3 . . . . .128 B1
Bramley Cl LE9 . . . . .218 E2
Bramley Ct LE3 . . . . .153 B8
Bramley Orch LE7 . . . . .157 A5
Bramley Rd Birstall LE4 . . .129 B7
Leicester LE3 . . . . .154 C8
Brampton Ave LE3 . . . . .154 B6
Brampton Rd LE13 . . . . .59 A6
Brampton Way LE2 . . . . .180 C6
Brancaster Cl LE4 . . . . .128 D2

Brand Hill LE12 . . . . .100 A8
Brand La LE12 . . . . .75 B1
Brandon Rd LE10 . . . . .215 B7
Brandon St LE4 . . . . .155 B8
Bransdale Cl NG10 . . . . .10 B6
Bransdale Rd LE18 . . . . .180 F2
Branston Ave LE12 . . . . .76 D3
Branston Cres LE13 . . . . .59 E2
Branston Ho LE18 . . . . .180 B3
Branston Rd LE15 . . . . .189 A5
Branting Hill LE6 . . . . .127 B3
Branting Hill Ave LE6 . . . . .127 B3
Branting Hill Gr LE6 . . . . . .127 B3
Brascote La Cadeby CV13 . .149 E2
Newbold Verdon LE9 . . . . . . .150 A2
Brascote Rd LE10 . . . . .214 F8
Bratmyr LE8 . . . . .204 F1
Braunston Rd
Knossington LE15 . . . . .136 B5
Oakham LE15 . . . . .137 D5
Braunstone Ave LE3 . . . . . . .154 B3
Braunstone Cl LE3 . . . . .154 A1
Braunstone Frith Ind Est
LE3 .153 B5
Braunstone Frith Inf Sch
LE3 .153 D6
Braunstone Frith Jun Sch
LE3 .153 D6
Braunstone Gate LE3 . . . . . .154 D5
Braunstone La
Leicester LE3 . . . . .153 D3
Leicester LE3 . . . . .154 A1
Braunstone La E LE3 . . . . . .179 B8
Braunstone Way LE3 . . . . . .153 C5
Braybrooke Prim Sch
LE16 . . . . .251 B5
Braybrooke Rd
Great Oxendon LE16 . . . . . . .251 A3
Leicester LE4 . . . . .129 E1
Market Harborough LE16 . . .241 B1
Braymish Cl LE8 . . . . .224 B8
Brazenose La PE9 . . . . .143 E3
Brazil St LE2 . . . . .154 E3
Breach La LE9 . . . . .198 F6
Breach Rd LE67 . . . . .96 C6
Breachfield Rd LE12 . . . . .76 E7
Breadcroft La LE12 . . . . .76 D8
Breadsall Cl DE11 . . . . .44 A7
Breakback Rd LE12 . . . . .74 E3
Breaston Ind Est DE72 . . . . . . .9 C7
Brechin Cl LE10 . . . . .215 A8
Brecon Cl Long Eaton NG10 .10 A8
Wigston LE18 . . . . .179 F2
Bredon Cl NG10 . . . . .10 A8
Bredon St LE2 . . . . .155 C5
Brendon Cl LE12 . . . . .50 C1
Brendon Way LE65 . . . . .69 B5
Brenfield Dr LE10 . . . . .215 B8
Brent Ct LE3 . . . . .178 F7
Brent Knowle Gdns LE5 . . .156 D5
Brentingby Cl LE13 . . . . .59 E1
Brentwood Rd LE2 . . . . .155 A1
Bretby Bsns Pk DE15 . . . . . . .44 A8
Bretby Rd LE2 . . . . .179 E6
Breton Cl LE18 . . . . .204 A3
Brettell Rd LE2 . . . . .179 D4
Bretton Cl LE4 . . . . .128 C3
Bretton Wlk LE4 . . . . .128 C3
Breward Way LE13 . . . . .59 D6
Brewer Ct LE4 . . . . .129 E5
Brex Rise LE3 . . . . .153 D6
Brian Rd LE4 . . . . .128 D1
Brianway The LE5 . . . . .155 F7
Briar Cl Blackfordby DE11 . .68 B8
Hinckley LE10 . . . . .215 F6
Leicester LE2 . . . . .181 B4
Briar Meads LE2 . . . . .181 B3
Briar Rd LE5 . . . . .156 D7
Briar Wlk LE2 . . . . .181 B3
Briarfield Dr LE5 . . . . .130 E1
Briargate Dr LE4 . . . . .128 E8
Briarmead LE10 . . . . .215 E4
Brick Kiln La LE12 . . . . .50 A1
Brick Kiln St LE10 . . . . .215 C8
Brickman Cl LE4 . . . . .153 F2
Brickwood Pl LE12 . . . . .53 F7
Brickyard Cotts DE12 . . . . . . .93 D5
Brickyard La LE12 . . . . .31 A8
Bridegate La LE14 . . . . .19 B6
Bridevale Rd LE2 . . . . .179 E5
Bridge Bsns Pk LE4 . . . . . . .129 D7
Bridge Cl Swadlincote DE11 .44 C2
Thurmaston LE4 . . . . .129 F8
Bridge Field DE72 . . . . .9 C7
Bridge Fields DE74 . . . . .18 E3
Bridge Ho LE11 . . . . .52 B4
Bridge Jun Sch LE5 . . . . . . .155 C7
Bridge La Greetham LE15 . .88 B1
Witherley CV9 . . . . .194 B7
Bridge Park Rd LE4 . . . . . . .129 D7
Bridge Rd Coalville LE67 . . .96 D8
Hinckley LE10 . . . . .215 D7
Leicester LE5 . . . . .155 D7
Bridge St Barrow-u-S LE12 . .76 C7
Langham LE15 . . . . .110 C3
Long Eaton NG10 . . . . .10 E8
Loughborough LE11 . . . . .52 A4
Packington LE65 . . . . .69 C1
Ryhall PE9 . . . . .116 F2
Shepshed LE12 . . . . .50 B4
Swadlincote DE11 . . . . .44 C2
Bridge Way LE8 . . . . .201 F7

Bridgewater Dr LE8 . . . . . . .182 B1
Bridle Cl LE9 . . . . .200 C3
Bridle Path Rd LE9 . . . . .198 D5
Bridle Rd LE67 . . . . .71 D3
Bridle The LE2 . . . . .179 B4
Bridlespur Way LE4 . . . . . . .128 E5
Bridport Cl LE18 . . . . .180 D1
Brierfield Rd LE9 . . . . .201 D2
Briers Cl LE9 . . . . .201 B7
Briers Way LE67 . . . . .71 E5
Briggins Wlk LE15 . . . . .110 C3
Brightman Ho DE11 . . . . .44 B5
Brighton Ave Syston LE7 . . .103 C4
Wigston LE18 . . . . .180 C5
Brighton Cl LE18 . . . . .180 C5
Brighton Rd LE5 . . . . .155 C8
Brightside Ave LE13 . . . . .59 A4
Brightside Rd LE5 . . . . .155 C4
Brightwell Dr LE3 . . . . .153 B4
Brindley Cl CV9 . . . . .170 C1
Brindley Rd Hinckley LE10 .214 E8
Rugby CV21 . . . . .257 B1
Brindley Rise LE5 . . . . .130 E1
Bringhurst Cty Prim Sch
LE16 . . . . .229 C6
Bringhurst Gn LE3 . . . . .153 E7
Bringhurst Rd LE3 . . . . .153 E7
Brington Cl LE18 . . . . .180 E2
Brinks The LE2 . . . . .76 B5
Brinsmead Rd LE2 . . . . .180 B7
Brisco Ave LE11 . . . . .51 F6
Briscoe La LE12 . . . . .75 B4
Bristol Ave
Ashby-De-La-Z LE65 . . . . .69 A4
Leicester LE4 . . . . .128 C1
Britannia Rd LE10 . . . . .216 A5
Britannia Sh Ctr LE10 . . . . .215 D8
Britannia St Leicester LE1 .155 A7
Shepshed LE12 . . . . .50 B4
Britannia Way LE4 . . . . .102 C1
Britannia Wlk LE16 . . . . .240 F2
Britford Ave LE18 . . . . .203 C8
British Pony Ctr LE7 . . . . . . .160 C5
British School Gdns LE13 . .59 C3
Briton Lodge Cl DE12 . . . . . . .67 F4
Briton St LE3 . . . . .154 D4
Brittany Ave LE65 . . . . .69 A4
Brixham Dr LE18 . . . . .180 A5
Brixworth Rise LE5 . . . . .156 E6
Broad Ave LE5 . . . . .155 F5
Broad La LE67 . . . . .125 A4
Broad Mdw LE18 . . . . .180 E1
Broad St Coalville LE67 . . . . .96 D8
Enderby LE9 . . . . .178 B3
Long Eaton NG10 . . . . .10 D7
Loughborough LE11 . . . . .52 A4
Stamford PE9 . . . . .143 A3
Syston LE7 . . . . .103 A3
Broadbent Cl LE8 . . . . .201 F7
Broadfield Way LE8 . . . . . . .202 D4
Bradford Cl LE4 . . . . .129 D4
Broadgate LE16 . . . . .229 D7
Broadgate Cl LE4 . . . . .129 A8
Broadhill Rd DE74 . . . . .18 C2
Broadhurst St LE4 . . . . .129 B2
Broadmead Rd LE8 . . . . .202 A4
Broadsword Way LE10 . . . . .215 D4
Broadway
Loughborough LE11 . . . . .75 B8
Syston LE7 . . . . .103 A3
Broadway Furlong LE7 . . . . .127 E7
Broadway Rd LE5 . . . . .155 D2
Broadway Terr LE16 . . . . . . .240 F4
Broadway The
Leicester LE5 . . . . .156 A1
Market Harborough LE16 . . .240 F4
Brockenhurst Dr LE3 . . . . . .178 E8
Brockey Cl LE9 . . . . .198 B7
Brockhurst Ave LE10 . . . . . .215 D4
Brockhurst La CV23 . . . . . . .242 A6
Brockington Coll LE9 . . . . . .178 C2
Brocklehurst Rd LE13 . . . . . .59 E5
Brocklesby Way LE5 . . . . . . .156 B8
Brockleys Yd LE10 . . . . .215 D8
Brocks Hill Cl LE2 . . . . .181 B4
Brocks Hill Dr LE2 . . . . .181 B5
Brocks Hill Prim Sch
LE2 .181 B4
Brodick Cl LE10 . . . . .215 A8
Brodick Rd LE10 . . . . .214 F8
Bromhead St LE11 . . . . .52 C5
Bromley La LE12 . . . . .49 B7
Bromwich Rd CV21 . . . . .257 A1
Bronte Cl Leicester LE3 . . . .154 A4
Long Eaton NG10 . . . . .10 A7
Bronze Barrow Cl LE18 . . . .180 F1
Brook Bank LE5 . . . . .155 F7
Brook Cl Long Eaton NG10 . .10 B8
Packington LE65 . . . . .69 B1
Uppingham LE15 . . . . .189 C3
Brook Cres LE14 . . . . .58 B3
Brook Ct LE8 . . . . .202 F4
Brook Dene LE15 . . . . .111 B8
Brook Farm Ct LE12 . . . . . . .34 C7
Brook Gdns LE2 . . . . .179 B3
Brook House Cl
Rearsby LE7 . . . . .78 F2
Rearsby LE7 . . . . .79 A1
Brook House Mews DE11 . .44 A7
Brook La Asfordby LE14 . . . .57 F2
Barrow-u-S LE12 . . . . .76 E8
Billesdon LE7 . . . . .159 C2
Great Easton LE16 . . . . .229 D6
Loughborough LE11 . . . . .74 D8
Melton Mowbray LE13 . . . . . . .59 D2
Peckleton LE9 . . . . .175 F7
Thringstone LE67 . . . . .71 D7

Brook Rd Leicester LE5 . . . .156 D7
Woodhouse Eaves LE12 . . . . . .74 E4
Brook Side LE11 . . . . .52 A4
Brook St
Ashby-De-La-Z LE65 . . . . .69 B6
Burton-on-t-W LE12 . . . . .53 F7
Enderby LE9 . . . . .178 B3
Hartshorne DE11 . . . . .45 A7
Huncote LE9 . . . . .200 D7
Melton Mowbray LE13 . . . . . . .59 D3
Rearsby LE7 . . . . .79 A1
Shepshed LE12 . . . . .50 C5
Sileby LE12 . . . . .77 C3
Swadlincote DE11 . . . . .44 A3
Syston LE7 . . . . .103 A4
Thurmaston LE4 . . . . .129 D7
Walcote LE17 . . . . .245 B4
Whetstone LE8 . . . . .201 F7
Wymeswold LE12 . . . . .33 D3
Brook Terr LE16 . . . . .227 F6
Brookdale LE10 . . . . .215 B7
Brookdale Rd
Hartshorne DE11 . . . . .44 F4
Leicester LE5 . . . . .153 D5
Brooke Ave PE9 . . . . .143 A2
Brooke Hill Prim Sch
LE15 . . . . .137 D5
Brooke House Sch LE16 . . .240 E4
Brooke Priory Sch LE15 . . .137 F7
Brooke Rd
Braunston-in-R LE15 . . . . . . .137 B2
Oakham LE15 . . . . .137 C6
Ridlington LE15 . . . . .163 D4
Brookes Ave LE9 . . . . .200 C3
Brookes Gr NN17 . . . . .230 E1
Brookfield LE17 . . . . .217 C5
Brookfield Ave
Loughborough LE11 . . . . .51 E1
Syston LE7 . . . . .103 B3
Brookfield Cotts DE12 . . . . . .92 C7
Brookfield Rd
Hinckley LE10 . . . . .215 C6
Market Harborough LE16 . . .240 C3
Brookfield Rise LE2 . . . . . . .179 F6
Brookfield St
Melton Mowbray LE13 . . . . . . .59 B5
Syston LE7 . . . . .103 B3
Brookfield Way
Kibworth Beauchamp LE8 . . .224 B8
Lutterworth LE17 . . . . .244 A6
Brookhouse Ave LE2 . . . . . .155 B4
Brookhouse St LE2 . . . . . . .155 B4
Brookland Rd LE2 . . . . .155 A1
Brooklands LE15 . . . . .164 C1
Brooklands Rd
Broughton Astley LE9 . . . . . .218 F6
Whetstone LE8 . . . . .201 F7
Brooklands Gdns LE16 . . . .240 E2
Brooklands Inf Sch NG10 . .10 D6
Brooklands Jun Sch
NG10 .10 D7
Brooklands Rd LE9 . . . . .201 D4
Brooks La LE67 . . . . .71 D5
Brooks The LE15 . . . . .113 B2
Brooksby Cl LE2 . . . . .181 A6
Brooksby Dr LE2 . . . . .181 A6
Brooksby Rd LE14 . . . . .79 D6
Brooksby St LE2 . . . . .154 E1
Brookside Barkby LE7 . . . . .130 E8
Barlestone CV13 . . . . .149 D7
Diseworth DE74 . . . . .28 C5
East Leake LE12 . . . . .31 E8
Hinckley LE10 . . . . .215 E4
Rearsby LE7 . . . . .79 A2
Syston LE7 . . . . .103 B4
Whetstone LE8 . . . . .201 F6
Brookside Cl
Barrow-u-S LE12 . . . . .53 D1
Long Eaton NG10 . . . . .10 B8
Shepshed LE12 . . . . .50 C2
Brookside Cres LE67 . . . . . . .95 F1
Brookside Dr LE2 . . . . .181 C5
Brookside Pl CV9 . . . . .171 B8
Brookside Rd LE11 . . . . .74 D8
Brookside Sch LE2 . . . . .181 D7
Brookvale High Sch LE6 .126 D2
Broom Ave LE11 . . . . .75 A7
Broom Leys Ave LE67 . . . . . .96 F8
Broom Leys Cty Prim Sch
LE67 .72 A1
Broom Leys Rd LE67 . . . . . . .72 A1
Broom Way LE9 . . . . .177 D2
Broombriggs Farm Ctry Pk
LE12 .74 E1
Broombriggs Farm
Nature Trail LE12 . . . . .74 F1
Broome Ave LE7 . . . . .103 E8
Broome La LE7 . . . . .78 C1
Broomfield LE7 . . . . .103 E7
Broomfield Com Prim Sch
LE7 .103 E7
Broomhills Rd LE8 . . . . .200 F8
Broomhills The DE12 . . . . . . .91 F7
Broomleys LE8 . . . . .202 D4
Brosdale Dr LE10 . . . . .197 A1
Brougham St LE1 . . . . .259 C4
Broughton Cl Anstey LE7 . .127 C7
Loughborough LE11 . . . . .51 C4
Broughton Field LE18 . . . . . .203 E8
Broughton La
Dunton Bassett LE17 . . . . . . .219 D2
Leire LE17 . . . . .218 E3
Long Clawson LE14 . . . . .20 A2
Broughton Rd Cosby LE9 . . .200 C1
Croft LE9 . . . . .200 C3
Frolesworth LE17 . . . . .218 C3

Broughton Rd continued
Leicester LE2 . . . . .179 E6
Stoney Stanton LE9 . . . . .199 F2
Broughton St LE2 . . . . .96 D8
Broughton Way LE9 . . . . . . .218 F6
Brown Ave LE12 . . . . .76 A6
Brown Cl LE65 . . . . .68 F7
Brown's Cl LE9 . . . . .217 E8
Brown's Way LE2 . . . . .254 F6
Browne's Hospl PE9 . . . . . . .143 D3
Brownhill Cres LE7 . . . . .101 C5
Browning Cl LE13 . . . . .59 C6
Browning Dr
Hinckley LE10 . . . . .215 C8
Measham DE12 . . . . .93 C3
Browning Rd
Loughborough LE11 . . . . .51 D4
Oakham LE15 . . . . .137 E6
Swadlincote DE11 . . . . .44 C5
Browning St
Leicester LE3 . . . . .154 C4
Narborough LE19 . . . . .178 A3
Brownlow Cres LE13 . . . . . . .82 C8
Brownlow Cty Prim Sch
LE13 .59 D4
Brownlow Quay PE9 . . . . . . .143 E3
Brownlow St PE9 . . . . .143 E3
Browns La LE11 . . . . .52 A3
Browns Rd NG10 . . . . .10 E8
Broxburn Cl LE4 . . . . .129 D4
Broxfield Cl LE2 . . . . .181 A3
Bruce St LE3 . . . . .154 D3
Bruce Way LE8 . . . . .201 E5
Bruces La LE14, LE15 . . . . .135 E6
Bruin St LE4 . . . . .129 A1
Bruins Wlk LE2 . . . . .180 F5
Brunel Ave LE3 . . . . .154 A8
Brunel Rd LE10 . . . . .215 C8
Brunswick St LE1 . . . . .155 B6
Bruntingthorpe Rd
Peatling Parva LE17 . . . . . . .236 B8
Shearsby LE17 . . . . .222 A1
Brushfield Ave LE12 . . . . .77 A8
Bruxby St LE7 . . . . .102 F3
Bryan Cl LE3 . . . . .76 D8
Bryan's Cl LE3 . . . . .71 F6
Bryan's Cl LE8 . . . . .223 B4
Bryngarth Cres LE5 . . . . . . .156 B7
Bryony Rd LE5 . . . . .130 D2
Buchan Wlk LE3 . . . . .154 A5
Buck's La LE12 . . . . .30 A7
Buckfast Cl Leicester LE5 . .155 F3
Wigston LE18 . . . . .180 C1
Buckhaven Cl LE4 . . . . .129 D4
Buckingham Cl
Groby LE6 . . . . .126 E2
Hinckley LE10 . . . . .197 F4
Buckingham Dr
Leicester LE2 . . . . .179 B5
Loughborough LE11 . . . . .51 C5
Buckingham Rd
Coalville LE67 . . . . .96 F8
Countesthorpe LE8 . . . . .202 F4
Oakham LE15 . . . . .137 F5
Buckingham's Way LE9 . . . .217 E8
Buckland Rd LE5 . . . . .155 D8
Buckley Cl Measham DE12 .93 C4
Woodville DE11 . . . . .45 A2
Buckminster Cl LE13 . . . . . . .59 E2
Buckminster La NG33 . . . . . .43 A6
Buckminster Prim Sch
NG33 .42 E1
Buckminster Rd
Leicester LE3 . . . . .154 D8
Sproxton LE14 . . . . .41 F5
Stainby NG33 . . . . .43 C2
Bucksburn Wlk LE4 . . . . . . .129 D4
Buckwell La CV23 . . . . .257 B6
Buckwell Rd LE9 . . . . .217 D8
Buddon La LE12 . . . . .75 C5
Bude Dr LE3 . . . . .127 C1
Bude Rd LE18 . . . . .180 D1
Bufton La CV13 . . . . .148 E8
Bull Brig La LE15 . . . . .140 A5
Bull Head St LE18 . . . . .180 D3
Bull Hill LE12, LE65 . . . . .48 A5
Bull La Ketton PE9 . . . . .168 A2
North Witham NG33 . . . . .65 C7
Oakham LE15 . . . . .137 E7
Bull's Head Row DE73 . . . . . .26 E6
Bullaces La LE17 . . . . .253 C4
Buller Rd LE4 . . . . .129 A1
Buller St LE8 . . . . .223 F8
Bullfield Cl LE15 . . . . .88 B2
Bullfinch Cl LE15 . . . . .138 A8
Bullfurlong La LE10 . . . . . . .215 F4
Bulrush Cl LE12 . . . . .76 F1
Bulstode Pl DE74 . . . . .18 C2
Bulwer Rd LE2 . . . . .155 B1
Bumblebee La LE17 . . . . . . .217 B1
Bungalows The
Langham LE15 . . . . .110 C3
Little Stretton LE2 . . . . .182 D5
Newbold Verdon LE9 . . . . . . .150 B4
Ryhall PE9 . . . . .117 A5
Theddingworth LE17 . . . . . . .248 D8
Bunkers Hill LE17 . . . . .238 F4
Burbage CE Inf Sch
LE10 . . . . .216 A5
Burbage Cl LE11 . . . . .51 E6
Burbage Common Rd
LE9 .198 D3
Burbage Cty Jun Sch
LE10 . . . . .215 F6
Burbage Jnr Sch LE10 . . . . .216 A6
Burbage Rd LE10 . . . . .215 F8
Burchnall Rd LE3 . . . . .153 D1
Burden La LE14 . . . . .12 B3

Burder St LE11 . . . . .52 C5
Burdet Cl LE3 . . . . .153 E1
Burdett Cl LE17 . . . . . . .235 C4
Burdett Way LE4 . . . . . . .128 D4
Burdetts Cl LE14 . . . . .82 A1
Burfield Ave LE11 . . . . .52 A3
Burfield St LE4 . . . . .155 B8
Burford Cl LE10 . . . . .240 D1
Burgess Rd Coalville LE67 . .96 C8
Leicester LE2 . . . . .179 E6
Burgess St Leicester LE1 . .259 A4
Wigston LE18 . . . . .180 D3
Burghley Circ LE15 . . . . . .87 E2
Burghley Cl LE16 . . . . . . .241 E3
Burghley Ct 1 LE9 . . . . . .143 E3
Burghley Ho PE9 . . . . . . .144 B1
Burghley La PE9 . . . . . . .143 E2
Burghley Rd PE9 . . . . . . .143 C5
Burgin Rd LE7 . . . . .127 C5
Burgins La LE14 . . . . .40 A7
Burkitt Rd NN17 . . . . . . .230 F3
Burleigh Ave LE4 . . . . . . .180 C4
Burleigh Com Coll LE11 . .51 C3
Burleigh Rd
Hinckley LE10 . . . . .197 C2
Loughborough LE11 . . . . . .52 A4
Burley Cl Cosby LE9 . . . . .201 D3
Desford LE9 . . . . .151 B3
Burley Cres LE15 . . . . . . .111 B3
Burley Homes LE4 . . . . . .128 F5
Burley Park Way LE15 . . .138 B7
Burley Rd
Cottesmore LE15 . . . . . . .112 B7
Langham LE15 . . . . .110 C3
Oakham LE15 . . . . .138 B7
Ryhall PE9 . . . . .116 E1
Burley Rise DE74 . . . . .18 D1
Burleys Flyover LE1 . . . . .259 B5
Burleys Way LE1 . . . . . . .259 B5
Burlington Cl DE72 . . . . . . .9 D8
Burlington Rd LE2 . . . . . .155 C1
Burnaby Ave LE5 . . . . . . .155 D6
Burnaby Pl LE14 . . . . .57 F3
Burnaston Rd LE2 . . . . . . .179 E6
Burnel Rd LE3 . . . . .154 D3
Burneston Way LE18 . . . .180 C2
Burnet Cl LE5 . . . . .130 C2
Burney La DE73 . . . . .26 C2
Burnham Cl LE18 . . . . . . .203 D7
Burnham Dr
Leicester LE8 . . . . .128 D2
Whetstone LE8 . . . . .201 F6
Burnham Rise CV11 . . . . .214 A6
Burnhams Rd PE9 . . . . . . .167 F5
Burnmill Rd LE16 . . . . . . .240 E5
Burnmoor St LE2 . . . . . . .154 E3
Burns Cl Measham DE12 . . .93 B3
Melton Mowbray LE13 . . . .59 B6
Burns Rd
Loughborough LE11 . . . . . .51 D4
Stamford PE9 . . . . .143 B4
Burns St Leicester LE2 . . .180 A8
Narborough LE9 . . . . .178 B1
Burnside Rd
Broughton Astley LE9 . . . .218 F5
Leicester LE4 . . . . .180 A6
Burnsway LE10 . . . . .197 C1
Burrough End LE14 . . . . . . .82 A1
Burrough Hill Ctry Pk
LE14 . . . . .107 E5
Burrough Rd
Somerby LE14 . . . . .108 A2
Twyford LE14 . . . . .133 E8
Burrough Way LE17 . . . . .244 C8
Burroughs Rd LE6 . . . . . .126 A1
Burrow Hill Rd LE16 . . . . .208 B3
Burrows Cl LE9 . . . . .201 B7
Burrows The LE9 . . . . . . .201 A8
Bursdon Cl LE3 . . . . .153 D6
Bursdon Ct LE3 . . . . .153 D6
Bursnells La LE14 . . . . . . .62 D2
Bursom Rd LE4 . . . . .128 B6
Burton Cl Harby LE14 . . . .12 A3
Leicester LE2 . . . . .181 D4
Burton La LE67 . . . . .71 A5
Burton Overy La LE7, LE8 183 C2
Burton Rd
Ashby-De-La-Z DE12 . . . . .69 A4
Boundary LE65 . . . . .45 C1
Measham DE12 . . . . .93 B5
Melton Mowbray LE13 . . . .59 D1
Overseal DE12 . . . . .67 A4
Twycross CV9 . . . . .146 C8
Wellsborough CV13 . . . . .147 A2
Woodville DE11 . . . . .44 D6
Burton St Leicester LE1 . .259 C4
Loughborough LE11 . . . . . .52 B2
Melton Mowbray LE13 . . . .59 C2
Burton Wlk LE12 . . . . .31 E8
Burton Wlks LE11 . . . . . . .52 B2
Burton's La NG32 . . . . .4 F5
Bury Cl LE5 . . . . .229 C1
Buscot Cl LE4 . . . . .155 C8
Bush Lock Cl LE18 . . . . . .203 A8
Bushby Rd LE5 . . . . .155 D7
Bushey Cl LE9 . . . . .201 B8
Bushloe Ct LE18 . . . . . . .180 C2
Bushloe End LE18 . . . . . .180 C2
Bushnell Cl LE9 . . . . .219 A4
Bushy Cl NG10 . . . . .10 B6
Bushy Rd LE7 . . . . .184 D7
Buswells Lodge Prim Sch
LE4 . . . . .128 A3
Butchers La LE12 . . . . . . .78 A7
Butcombe Rd LE4 . . . . . .128 D1
Bute Cl LE10 . . . . .197 C1
Bute Way LE8 . . . . .202 F3

Butler Cl LE4 . . . . .129 E4
Butler Ct LE11 . . . . .51 F3
Butler Gdns LE16 . . . . . . .240 C1
Butler St LE4 . . . . .129 E4
Wigston LE18 . . . . .180 E1
Butt Cl Barlestone CV13 . .149 D8
Wigston LE18 . . . . .180 E1
Butt Close La LE1 . . . . . .259 B4
Butt La Blackfordby DE11 . . .45 A1
Hinckley LE10 . . . . .197 F1
Husbands Bosworth LE17 . .247 E5
Normanton on S LE12 . . . . .30 F4
North Luffenham LE15 . . . .166 D3
Wymondham LE14 . . . . . . .62 E3
Butt Lane Cl LE10 . . . . . .197 E1
Buttercup Cl
Mountsorrel LE12 . . . . .76 F2
Narborough LE9 . . . . .178 A1
Stamford PE9 . . . . .142 F5
Butterley Dr LE11 . . . . . . .51 B2
Buttermere Ave LE11 . . . .51 A4
Buttermere St LE2 . . . . . .259 A1
Buttermere Way LE12 . . . .53 C1
Butthole La LE12 . . . . .50 D5
Buttress Cl LE15 . . . . . . .187 D7
Butts Cl CV9 . . . . .119 A2
Butts The LE14 . . . . .24 E1
Buxton Cl Swadlincote DE11 44 A7
Whetstone LE8 . . . . .201 F7
Buxton St LE2 . . . . .155 C6
Buzzard Cl DE12 . . . . .93 B4
Byfield Dr LE18 . . . . .180 E2
Byford Rd LE4 . . . . .128 E2
Byland Way LE11 . . . . . . .51 B5
Byre Cres LE9 . . . . .218 F5
Byron Cl Fleckney LE8 . . .223 A7
Lutterworth LE17 . . . . . . .244 C8
Narborough LE9 . . . . .178 A2
Byron Cres DE12 . . . . .93 C3
Byron Ct LE8 . . . . .222 F7
Byron Rd DE11 . . . . .44 C6
Byron St Barwell LE9 . . . .198 B8
Earl Shilton LE9 . . . . .198 E7
Leicester LE1 . . . . .259 C4
Loughborough LE11 . . . . . .51 E5
Byron St Extension LE11 . .51 F5
Byron Way
Melton Mowbray LE13 . . . .59 B5
Stamford PE9 . . . . .143 A3
Byrton Dr LE67 . . . . .96 C4
Bytham Hts NG33 . . . . . . .90 C8
Byway Rd LE5 . . . . .155 E2

C

Cabin Leas LE11 . . . . .52 B5
Cadeby La CV13 . . . . .149 A2
Cademan Cl LE2 . . . . .180 B7
Cademan Ct LE2 . . . . .180 B7
Cademan St LE67 . . . . . . .71 F5
Cadle St LE9 . . . . .150 B5
Cadles Cl LE9 . . . . .199 D3
Caernarvon Cl
Mountsorrel LE12 . . . . . . .101 D8
Shepshed LE12 . . . . .50 A2
Cairngorm Cl LE2 . . . . . .179 F7
Cairnsford Rd LE2 . . . . . .180 B6
Caistor Rd NN17 . . . . . . .213 C1
Caithness Rd PE9 . . . . . .143 A4
Calais Hill LE1 . . . . .259 C3
Calais St LE1 . . . . .259 C3
Caldecote Hall Dr LE9 . . .194 F3
Caldecote Inf Sch LE3 . . .154 A1
Caldecote Jun Sch LE3 . .154 A1
Caldecote Rd LE3 . . . . . .154 A1
Caldecott Cl LE18 . . . . . .180 F2
Caldecott Rd LE16 . . . . . .230 B5
Calder Cl Corby NN17 . . .230 D1
Oakham LE15 . . . . .137 C5
Calder Ho LE2 . . . . .179 C3
Calder Rd LE4 . . . . .128 C3
Calderdale Dr NG10 . . . . . .10 A6
Caldon Cl LE10 . . . . .215 B8
Caldwell St LE11 . . . . .52 A4
Caledine Rd LE3 . . . . . . .154 A8
Caledonian Rd PE9 . . . . .143 B4
Calgary Cres LE15 . . . . . .138 B6
Calgary Rd LE1 . . . . .155 A7
Callan Cl LE9 . . . . .201 A8
Callan's La LE65 . . . . .46 C7
Callendar Cl CV11 . . . . . .214 A7
Callis The LE65 . . . . .69 B7
Caloe Cl LE12 . . . . .77 E3
Calver Hey Rd LE4 . . . . . .128 B3
Calvert Cres LE9 . . . . . . .217 E2
Calverton Ave LE18 . . . . .180 C4
Calverton Cl LE6 . . . . . . .152 C8
Cam Cl NN17 . . . . .230 C1
Camborne Cl LE18 . . . . . .180 C1
Camborne Dr CV11 . . . . .214 A5
Cambourne Rd LE16 . . . .216 A6
Cambrian Cl LE9 . . . . . . .201 D2
Cambrian Way
Ashby-De-La-Z LE65 . . . . . .69 B4
Swadlincote DE11 . . . . . . .44 A3
Cambridge Ave LE13 . . . . .82 D8
Cambridge Cl LE7 . . . . . .103 C3
Cambridge Dr LE12 . . . . .151 A2
Cambridge Rd
Cosby LE8, LE9 . . . . .201 E5
Stamford PE9 . . . . .143 C5
Cambridge St
Coalville LE67 . . . . .71 E1
Leicester LE3 . . . . .154 C4
Loughborough LE11 . . . . . .52 B5
Shepshed LE12 . . . . .50 B3
Camden Rd LE3 . . . . .154 A1
Camden St LE1 . . . . .259 C4

Camelford Rd LE67 . . . . . .96 C7
Camellia Cl LE9 . . . . .177 F1
Camelot Way LE9 . . . . . . .178 A1
Cameron Ave LE4 . . . . . .129 B3
Camfield Rise LE2 . . . . . .179 D4
Camomile Rd LE13 . . . . . .82 B8
Camp Hill Ct PE9 . . . . . . .143 B8
Campbell Ave LE4 . . . . . .129 E5
Campbell St LE1 . . . . . . .259 C3
Campden Cl LE15 . . . . . . .113 B2
Campion Cl LE9 . . . . .201 A8
Campion Gr PE9 . . . . . . .142 F5
Campion Hill DE74 . . . . . .17 A4
Campion Pl LE13 . . . . .82 A8
Campion Rd DE11 . . . . . . .44 E4
Campion Wlk LE4 . . . . . . .128 B3
Campton Cl LE10 . . . . . . .215 E7
Camrose Cl LE15 . . . . . . .138 B6
Camville Rd LE3 . . . . .153 F4
Canada Fields LE17 . . . . .244 C7
Canal Bank
Loughborough LE11 . . . . . .52 A5
Shardlow DE72 . . . . .9 A1
Canal La Harby LE14 . . . . .12 D5
Hose LE14 . . . . .20 E8
Long Clawson LE14 . . . . . .20 C6
Canal St Leicester LE2 . . .179 C7
Oakthorpe DE12 . . . . .93 A7
Thurmaston LE4 . . . . .129 E8
Wigston LE18 . . . . .179 F1
Candle La LE9 . . . . .198 F8
Cank St LE1 . . . . .259 B4
Cannam Cl Middleton LE16 229 B1
Whetstone LE8 . . . . .202 A5
Canner Cl DE11 . . . . .45 A2
Canning Pl LE1 . . . . .259 B6
Canning Sq Hinckley LE10 .197 C1
Leicester LE1 . . . . .259 B6
Canning Way LE11 . . . . . .51 C6
Cannock Cl LE67 . . . . .96 C4
Cannock St LE4 . . . . .130 A4
Cannock Way NG10 . . . . . .10 F7
Canon Cl LE2 . . . . .181 B5
Canon St LE4 . . . . .129 C1
Canons Cl LE9 . . . . .201 B8
Canonsleigh Rd LE4 . . . .128 E3
Canonsleigh Wlk 6 LE4 .128 E3
Canterbury Dr
Ashby-De-La-Z LE65 . . . . . .69 A7
Melton Mowbray LE13 . . . .59 A6
Canterbury Terr LE3 . . . . .154 B3
Canterbury Way CV11 . . . .214 A8
Cantrell Rd LE3 . . . . .153 D3
Canvey Cl LE18 . . . . .180 F3
Capendale Cl PE9 . . . . . .167 F5
Capers Cl LE9 . . . . .178 A3
Capesthorne Cl LE5 . . . . .155 D8
Car Hill Rd LE67 . . . . .71 E7
Carberry Cl LE2 . . . . .181 D2
Cardigan Dr LE18 . . . . . . .179 F2
Cardinal Cl LE6 . . . . .152 D8
Cardinals Wlk LE5 . . . . . .156 C8
Carey Cl LE18 . . . . .203 D8
Carey Hill Rd LE9 . . . . . . .199 D2
Carey Rd LE9 . . . . .200 D7
Careys Cl LE1 . . . . .259 A3
Carfax Ave LE2 . . . . .180 F7
Carillon Ct LE11 . . . . .52 B4
Carillon Tower
& War Meml LE11 . . . . . .52 A3
Carington St LE11 . . . . . . .51 F5
Carisbrooke Ave LE2 . . . .180 C7
Carisbrooke Ct LE2 . . . . .180 C7
Carisbrooke Gdns LE2 . . .180 C8
Carisbrooke Pk LE2 . . . . .180 C7
Carisbrooke Rd
Leicester LE2 . . . . .180 C7
Mountsorrel LE12 . . . . . . .101 D8
Carl Moult Ho DE11 . . . . .44 A2
Carl St LE2 . . . . .179 C6
Carlin Cl DE72 . . . . .9 E8
Carlisle St LE3 . . . . .154 C5
Carlson Gdns LE17 . . . . . .244 D6
Carlton Ave LE9 . . . . .201 C8
Carlton Cl LE2 . . . . .155 C1
Carlton Dr LE18 . . . . .180 C4
Carlton La LE8 . . . . .205 F8
Carlton Rd
Barton in t B CV13 . . . . . .122 D1
Kibworth Beauchamp LE8 .206 B3
Long Eaton NG10 . . . . .10 B5
Carlton St LE1 . . . . .259 B2
Carlyon Rd
Atherstone CV9 . . . . .170 F1
Atherstone CV9 . . . . .194 A7
Carlyon Rd Ind Est CV9 . .194 A8
Carlyon Road Ind Est
CV9 . . . . .170 F1
Carmen Gr LE6 . . . . .126 E3
Carnation Cl LE3 . . . . . . .152 F2
Carnation St LE4 . . . . . . .128 F2
Carnegie Cres LE18 . . . . . .59 E6
Carnegie Mus LE13 . . . . . .59 D3
Carnoustie Rd LE3 . . . . . .153 D6
Caroline Ct LE2 . . . . .179 E6
Carpe Rd LE4 . . . . .129 D1
Carpenter's Cl LE3 . . . . . .153 B7
Carpenters Cl LE10 . . . . .215 F5
Carr's Dr LE9 . . . . .198 F8
Carr's Rd LE9 . . . . .198 F8
Carrfield Ave 5 NG10 . . . .10 F8
Carrfields La LE14 . . . . . . .80 D8
Carriageway The LE15 . . .136 A6
Carron Cl NN17 . . . . .230 C1
Carrow Rd LE3 . . . . .153 B5
Carrs Cl DE74 . . . . .17 A3
Carrs Hill LE9 . . . . .198 C6
Carter Cl Enderby LE9 . . .178 A3

Carter Cl continued
Long Eaton NG10 . . . . . . .10 B6
Carter Dale LE67 . . . . .71 D7
Carter St LE4 . . . . .155 C8
Cartland Dr LE11 . . . . .51 C6
Carts La LE1 . . . . .259 B4
Cartwright Dr LE8 . . . . . .181 A5
Cartwright St LE11 . . . . . .52 C5
Carver's Cnr LE2 . . . . . . .179 B3
Carver's Path LE7 . . . . . .103 E7
Casewick La PE9 . . . . . . .144 F4
Cashmore View LE4 . . . . .128 D4
Castell Dr LE6 . . . . .127 A3
Casterton Com Coll PE9 .142 E7
Casterton Rd PE9 . . . . . . .142 E7
Casterton Rd PE9 . . . . . . .143 A4
Casthorpe Rd NG32 . . . . . .8 F3
Castle Donington
Com Coll DE74 . . . . .17 B3
Castle Dyke PE9 . . . . .143 D3
Castle Fields LE4 . . . . . . .128 A5
Castle Hill
Castle Donington DE74 . . .17 B4
East Leake LE12 . . . . .31 F8
Mountsorrel LE12 . . . . .76 E2
Castle Hill Cty Pk LE67 . .127 F6
Castle La Melbourne DE73 . .26 C7
5 Stamford PE9 . . . . .143 D2
Castle Mews DE73 . . . . . . .26 B7
Castle Mews The DE11 . . .44 A7
Castle Mills DE73 . . . . . . .26 B7
Castle Rd
Castle Gresley DE11 . . . . . .44 A1
Hartshill CV10 . . . . .194 B1
Kirby Muxloe LE9 . . . . . . .152 D5
Mountsorrel LE12 . . . . . . .101 D8
Castle Rise
Belmesthorpe PE9 . . . . . .117 A1
Groby LE6 . . . . .126 F2
Castle Rock Dr LE67 . . . . .72 C2
Castle Rock High Sch
LE67 . . . . .72 C2
Castle St Hinckley LE10 . .215 D8
Leicester LE1 . . . . .259 A3
Melbourne DE73 . . . . .26 B7
16 Stamford PE9 . . . . . . .143 D3
Castle View
Hartshill CV10 . . . . .194 B1
Leicester LE1 . . . . .259 A3
Castle View Rd NG13 . . . . .7 C8
Castle Way LE65 . . . . .69 A4
Castle Yd LE1 . . . . .259 A3
Castledine Ave LE12 . . . . .76 A6
Castledine St
Loughborough LE11 . . . . . .52 B2
Quorn LE12 . . . . .75 F6
Castledine St Extension
LE11 . . . . .52 B2
Castleford Rd LE3 . . . . . .178 E8
Castlegate Ave LE4 . . . . .128 E8
Castlemaine Dr LE10 . . . .197 E3
Castleton Rd LE18 . . . . . .180 C4
Caswell Cl LE4 . . . . .128 D4
Caters Cl LE7 . . . . .127 D6
Catesby St LE3 . . . . .154 D5
Catherine Inf Sch LE4 . . .155 B8
Catherine Jun Sch LE4 . . .155 B8
Catherine St LE4 . . . . . . .129 C1
Catherine Street Ind Est
LE4 . . . . .129 D2
Catherines Cl LE12 . . . . . .76 B6
Cathkin Cl LE3 . . . . .153 D5
Catmos St LE15 . . . . .138 A6
Catmose Park Rd LE15 . .138 B5
Catthorpe Rd LE17 . . . . . .253 D5
Cattle Mkt LE11 . . . . .52 B3
Cauby Cl LE12 . . . . .77 E3
Caudebec Cl LE15 . . . . . .189 A5
Caudle Cl LE7 . . . . .100 F3
Cauldwell La LE17 . . . . . .234 B4
Causeway La
Cropston LE7 . . . . .100 E2
Leicester LE1 . . . . .259 A4
Causeway Rd NN17 . . . . .230 F2
Cave Ct LE2 . . . . .76 E8
Cavendish Cl
Castle Donington DE74 . . .17 A2
Shardlow DE72 . . . . .9 B2
Swadlincote DE11 . . . . . . .44 A7
Cavendish Cres CV9 . . . . .96 C7
Cavendish Ct DE72 . . . . . . .9 A1
Cavendish Rd LE2 . . . . . .179 E8
Caversham Cl CV11 . . . . .214 C3
Caversham Rd LE2 . . . . . .179 C3
Cawsand Rd LE18 . . . . . .180 C1
Caxton St LE4 . . . . .240 F1
Cecil Ct 11 PE9 . . . . .143 E3
Cecil Rd LE2 . . . . .155 B6
Cecilia Rd LE2 . . . . .155 B2
Cedar Ave
Ashby-De-La-Z LE65 . . . . . .69 C6
Glenfield LE3 . . . . .127 E1
Kibworth Beauchamp LE8 .223 F8
Uppingham LE15 . . . . . . .189 C4
Cedar Cres LE9 . . . . .201 B7
Cedar Ct Burbage LE10 . .216 A6
Corby NN17 . . . . .230 E1

Cedar Ct continued
Groby LE6 . . . . .126 F2
Leicester LE5 . . . . .156 A8
Cedar Dr Ibstock LE67 . . . .95 E2
Market Bosworth CV13 . . .148 F2
Melton Mowbray LE13 . . . .59 B5
Syston LE7 . . . . .103 B2
Cedar Gr Moira DE12 . . . . .68 B6
Mountsorrel LE12 . . . . .76 E1
Swadlincote DE11 . . . . . . .44 A7
Cedar Rd Blaby LE8 . . . . .202 B6
Castle Donington DE74 . . .17 B2
Earl Shilton LE9 . . . . .198 D7
Leicester LE2 . . . . .155 C4
Loughborough LE11 . . . . . .52 C1
Stamford PE9 . . . . .142 F4
Cedar St LE15 . . . . .137 A2
Cedars Ct LE2 . . . . .155 C3
Cedars The LE2 . . . . .180 B7
Cedarwood Cl LE4 . . . . . .129 D1
Celandine Cl LE4 . . . . .76 F2
Celandine Dr LE13 . . . . . . .82 B8
Celandine Pl DE11 . . . . . . .44 E4
Celandine Rd LE5 . . . . . . .130 C2
Celt St LE3 . . . . .154 D4
Cemetery La
Hartshill CV10 . . . . .194 B1
Manton LE15 . . . . .164 D6
Cemetery Rd Sileby LE12 .77 D3
Whetstone LE8 . . . . .201 F7
Central Ave Ibstock LE67 . .95 F1
Leicester LE2 . . . . .155 C4
Lutterworth LE17 . . . . . . .244 C7
Shepshed LE12 . . . . .50 B3
Syston LE7 . . . . .103 C4
Wigston LE18 . . . . .180 C2
Central Cl LE8 . . . . .201 F8
Central Rd Coalville LE67 . .96 D7
Leicester LE3 . . . . .154 D7
Central St LE3 . . . . .202 F4
Centre Ct LE3 . . . . .178 D7
Centurion Ct LE6 . . . . . . .152 D8
Centurion Way
Braunstone LE3 . . . . .153 C1
Braunstone LE3 . . . . .178 D7
Chadderton Cl LE2 . . . . . .180 A7
Chadwell Cl Asfordby LE7 .57 E2
Melton Mowbray LE13 . . . .59 E2
Chadwell Rd LE3 . . . . . . .153 E7
Chadwick Cl LE9 . . . . . . .150 B4
Chadwick Wlk LE4 . . . . . .128 D3
Chaffinch Cl Leicester LE4 128 B6
Oakham LE15 . . . . .138 B8
Chainama Cl LE3 . . . . . . .153 C6
Chainbridge Cl LE11 . . . . .52 A5
Chale Rd LE4 . . . . .128 F2
Chalfont Cl LE13 . . . . .82 D7
Chalfont Dr LE12 . . . . .77 C1
Chalgrove Wlk LE5 . . . . . .156 A6
Chalmondley Dr LE3 . . . . .59 D6
Chalvington Cl LE5 . . . . . .156 C3
Chambers Cl LE67 . . . . . .125 F8
Champion Cl LE5 . . . . . . .156 B5
Chancel Rd LE4 . . . . .128 D8
Chancery St LE1 . . . . .259 B3
Chandler Way LE9 . . . . . .219 B5
Chandos St LE2 . . . . .155 C4
Channing Way LE67 . . . . . .96 C4
Chantrell Rd LE67 . . . . . .124 B5
Chantry Cl Huncote LE9 . .200 D7
Long Eaton NG10 . . . . .10 A4
Melbourne DE73 . . . . .26 B7
Chapel Cl Ab Kettleby LE14 37 C2
Albert Village DE11 . . . . . .44 C1
Dunton Bassett LE17 . . . .219 D2
Houghton on t H LE7 . . . . .157 F4
Ravenstone LE67 . . . . .70 F1
Syston LE7 . . . . .103 A4
Thurcaston LE7 . . . . .101 B3
Chapel Fields LE17 . . . . . .254 B3
Chapel Flats LE9 . . . . . . .198 B6
Chapel Gn LE3 . . . . .153 B2
Chapel Hill Groby LE6 . . . .126 E3
Woolsthorpe By NG32 . . . .15 B8
Chapel La Ab Kettleby LE14 37 C2
Barrowden LE15 . . . . .191 F5
Coleorton LE67 . . . . .70 E8
Congerstone CV13 . . . . . .147 D8
Cosby LE9 . . . . .201 D2
Croxton Kerrial NG32 . . . . .24 A7
Desford LE9 . . . . .151 B4
Gaddesby LE7 . . . . .105 B7
Granby NG13 . . . . .5 B5
Hoby LE14 . . . . .79 D8
Hose LE14 . . . . .20 F8
Ketton PE9 . . . . .168 A5
Leicester LE2 . . . . .180 B8
Lilbourne CV23 . . . . .258 A6
Marston Trussell LE16 . . . .249 F1
Mowsley LE17 . . . . .237 F7
Nether Broughton LE14 . . .36 C8
North Luffenham LE15 . . . .166 D3
Norton-J-T CV9 . . . . .120 A3
Old Dalby LE14 . . . . .35 E4
Osgathorpe LE12 . . . . .48 E3
Ratby LE6 . . . . .152 C8
Sharnford LE10 . . . . .217 C4
Somerby LE14 . . . . .108 B2
Tugby LE7 . . . . .185 E6
Upper Broughton LE14 . . . .19 A1
Walcote LE17 . . . . .245 B4
Walton LE17 . . . . .236 B2
Willoughby-on-t-W LE12 . . .34 D7
Witherley CV9 . . . . .194 C7
Wymondham LE14 . . . . . . .62 E2

Chapel Rise LE65 . . . . **.47** F5
Chapel Row NG33 . . . . . . **.43** B8
Chapel St
Barkestone-le-V NG13 . . . . **.6** B2
Barlestone CV13 . . . . **.149** D8
Barwell LE9 . . . . **.198** B6
Belton-in-R LE15 . . . . **.187** D7
Blaby LE8 . . . . **.179** C1
Bottesford NG13 . . . . **.3** B3
Donisthorpe DE12 . . . . **.67** E1
Earl Shilton LE9 . . . . **.176** A1
Eaton NG32 . . . . **.22** F6
Enderby LE9 . . . . **.178** A3
Ibstock LE67 . . . . **.95** F1
Leicester LE2 . . . . **.181** A5
Long Eaton NG10 . . . . **.10** E2
Lutterworth LE17 . . . . **.244** C6
Measham DE12 . . . . **.93** C5
Melbourne DE73 . . . . **.26** B7
Melton Mowbray LE13 . . . . . . **.59** C3
Oakthorpe DE12 . . . . **.93** A6
Sharnford LE10 . . . . **.217** C4
Shepshed LE12 . . . . **.50** B5
Smisby LE65 . . . . **.45** F3
Stapleton LE9 . . . . **.174** F1
Swadlincote DE11 . . . . **.44** A1
Swinford LE17 . . . . **.254** A8
Syston LE7 . . . . **.103** B4
Woodville DE11 . . . . **.44** E2
Chapel Yd PE9 . . . . **.143** E3
Chapman St LE11 . . . . . . **.52** C4
Chapmans Mdws LE65 . . . . **.69** C4
Chappell Cl LE4 . . . . **.129** E2
Charlecote Ave LE3 . . . . . **.153** F1
Charles Dr LE7 . . . . **.127** E7
Charles Rd PE9 . . . . **.143** C5
Charles St Hinckley LE10 . . **.197** E1
Leicester LE1 . . . . **.259** B4
Long Eaton NG10 . . . . **.10** D6
Loughborough LE11 . . . . **.52** B5
Market Harborough LE16 . . . **.240** F3
Ravenstone LE67 . . . . **.71** A2
Sileby LE12 . . . . **.77** C2
Swadlincote DE11 . . . . **.44** B2
Charles Way LE8 . . . . . . **.202** A5
Charleston Cl DE11 . . . . . . **.44** A7
Charleston Cres LE9 . . . . **.198** A6
Charley Dr LE11 . . . . **.51** E2
Charley Rd Nanpantan LE12 **.73** F2
Shepshed LE12 . . . . **.72** F7
Charlock Dr PE9 . . . . **.142** F4
Charlock Rd LE5 . . . . **.130** D2
Charlotte Ct LE8 . . . . **.202** A8
Charlotte St LE13 . . . . **.59** C3
Charlottes Wlk LE7 . . . . . **.157** F3
Charlton Ave 6 NG10 . . . . **.10** E8
Charlton Cl LE8 . . . . **.202** A6
Charnborough Ct LE67 . . . . **.97** B8
Charnborough Rd LE67 . . . **.97** B8
Charnor Rd LE3 . . . . **.153** E8
Charnwood LE6 . . . . **.126** B1
Charnwood Ave
Asfordby LE14 . . . . **.57** F3
Castle Donington DE74 . . . . . **.17** C3
Long Eaton NG10 . . . . **.10** B4
Sutton Bonington LE12 . . . . **.30** C5
Thurmaston LE4 . . . . **.129** F8
Whetstone LE8 . . . . **.201** F8
Charnwood Cl
Hinckley LE10 . . . . **.197** E2
Leicester Forest East LE3 . . **.153** A4
Thurmaston LE4 . . . . **.129** E8
Charnwood Ct LE67 . . . . . **.96** E8
Charnwood Dr
Hartshill Green CV10 . . . . . **.194** B2
Leicester Forest East LE3 . . **.153** A3
Markfield LE67 . . . . **.125** F8
Melton Mowbray LE13 . . . . . **.59** A4
Thurnby LE7 . . . . **.156** F5
Charnwood Fields LE12 . . . **.30** C5
Charnwood Mus LE11 . . . . **.52** A4
Charnwood Prim Sch
LE2 . . . . **.155** B6
Charnwood Rd
Anstey LE7 . . . . **.127** D7
Barwell LE9 . . . . **.198** B8
Hinckley LE10 . . . . **.197** D2
Loughborough LE11 . . . . **.52** B2
Shepshed LE12 . . . . **.50** B2
Charnwood Rise LE12 . . . . **.99** F8
Charnwood St
Coalville LE67 . . . . **.71** E1
Leicester LE5 . . . . **.155** C6
Charter St LE1 . . . . **.154** F7
Charteris Cl LE11 . . . . **.51** D6
Charters The PE9 . . . . . . **.144** E4
Chartley Rd LE3 . . . . **.154** C3
Chartwell Dr LE18 . . . . . . **.180** A3
Chartwell Drive Ind Est
LE18 . . . . **.180** A3
Chase The
Braunstone LE3 . . . . **.178** F7
East Goscote LE7 . . . . **.103** D8
Great Glen LE8 . . . . **.182** C1
Markfield LE67 . . . . **.125** E6
Chater Cl
Great Bowden LE16 . . . . . . **.241** A6
Leicester LE5 . . . . **.156** D7
Manton LE15 . . . . **.164** A6
Chater Rd LE15 . . . . **.137** F5
Chatham St LE1 . . . . **.259** B4
Chatsworth Ave LE18 . . . . **.180** A1
Chatsworth Cl
Hinckley LE10 . . . . **.215** F6
Shepshed LE12 . . . . **.50** A3

Chatsworth Dr
Market Harborough LE16 . . . **.241** B3
Syston LE7 . . . . **.102** F3
Chatsworth Rd
Loughborough LE11 . . . . **.51** D5
Stamford PE9 . . . . **.143** B4
Swadlincote DE11 . . . . **.44** A6
Chatsworth St LE2 . . . . . **.155** C6
Chatteris Ave LE5 . . . . . . **.156** D3
Chaucer St Leicester LE2 . . **.155** C3
Narborough LE9 . . . . **.178** A1
Chaveney Ct LE12 . . . . . . **.75** E5
Chaveney Rd LE12 . . . . . . **.75** E5
Chaveney Wlk LE12 . . . . . **.75** E5
Cheapside Leicester LE1 . . **.259** B4
Melton Mowbray LE13 . . . . . **.59** C4
Shepshed LE12 . . . . **.50** C4
Checketts Cl LE4 . . . . . . **.129** B2
Checketts Rd LE4 . . . . . . **.129** B2
Checkland Rd LE4 . . . . . . **.129** E8
Cheddar Rd LE18 . . . . . . **.180** C3
Cheer Cl LE8 . . . . **.201** F4
Chelker Way LE11 . . . . . . **.51** C3
Chellaston La DE72 . . . . . **.16** A8
Chellaston Rd LE18 . . . . . **.180** C4
Chelsea Cl LE2 . . . . **.179** D1
Cheltenham Dr LE65 . . . . . **.69** A7
Cheltenham Rd LE4 . . . . . **.128** D2
Cheney Cl LE9 . . . . **.200** D8
Cheney End LE9 . . . . **.200** D8
Cheney Rd LE4 . . . . **.130** A4
Chepstow Rd LE2 . . . . . . **.155** C3
Cheribough Rd DE74 . . . . . **.17** A3
Cheriton Rd LE2 . . . . **.179** D5
Cherry Cl Breaston DE72 . . . **.9** E8
Loughborough LE11 . . . . **.75** A7
Cherry Dr LE7 . . . . **.103** B2
Cherry Gr LE8 . . . . **.182** C1
Cherry Hills Rd LE3 . . . . . **.153** C6
Cherry Orchard Est CV13 . **.195** F3
Cherry Rd LE18 . . . . **.202** B7
Cherry St LE18 . . . . **.180** B2
Cherry Tree Ave LE3 . . . . **.152** E3
Cherry Tree Ct
Leicester Forest East LE3 . . **.152** E3
Moira DE12 . . . . **.68** B6
Cherry Tree Dr LE9 . . . . . **.198** B8
Cherry Tree Gr LE9 . . . . . **.178** A3
Cherrybrook Cl LE4 . . . . . **.128** B7
Cherryfield Cl CV10 . . . . . **.194** B2
Cherryholt La PE9 . . . . . . **.143** F3
Cherryholt Rd PE9 . . . . . **.143** F3
Cherryleas Dr LE3 . . . . . . **.154** C4
Cherrytree Ave LE17 . . . . **.244** C5
Cherrytree Cl Anstey LE7 . . **.127** D5
Countesthorpe LE8 . . . . . . **.202** E4
Cherwell Cl LE10 . . . . . . **.215** A8
Cherwell Rd LE9 . . . . **.76** D7
Cherwell Wlk NN17 . . . . . **.230** C1
Cheshire Cl LE17 . . . . . . **.244** B4
Cheshire Dr LE18 . . . . . . **.180** A3
Cheshire Gdns LE2 . . . . . **.179** D7
Cheshire Rd LE2 . . . . . . **.179** D7
Chessher St LE10 . . . . . . **.197** C1
Chester Cl Blaby LE8 . . . . **.202** C7
Leicester LE1 . . . . **.155** B7
Loughborough LE11 . . . . **.51** F3
Chester Gdns DE11 . . . . . **.44** B2
Chester Rd LE18 . . . . . . **.202** C7
Chesterfield Ave NG10 . . . **.10** F7
Chesterfield Rd LE5 . . . . **.155** D4
Chesterfield Way LE9 . . . **.198** C7
Chesterton Ct LE9 . . . . . **.178** A2
Chesterton Wlk LE3 . . . . **.154** A5
Chestnut Ave Corby NN17 . **.230** D1
Leicester LE5 . . . . **.130** C1
Leicester, Oadby LE2 . . . . . **.181** A5
Lutterworth LE17 . . . . **.244** A6
Swadlincote DE11 . . . . **.44** B7
Chestnut Cl Bottesford NG13 . **.3** C3
Broughton Astley LE9 . . . . . **.219** A5
Ibstock LE67 . . . . **.95** E1
Littlethorpe LE9 . . . . **.201** B6
Market Bosworth CV13 . . . . **.148** F2
Moira DE12 . . . . **.68** B5
Queniborough LE7 . . . . . . **.103** D5
Quorn LE12 . . . . **.75** E4
Shepshed LE12 . . . . **.50** C3
Syston LE7 . . . . **.103** B2
Uppingham LE15 . . . . **.189** A3
Chestnut Ct LE12 . . . . **.76** E2
Chestnut Dr LE7 . . . . **.157** A4
Chestnut Gdns PE9 . . . . . **.142** F3
Chestnut Gn LE67 . . . . . . **.97** B8
Chestnut La LE8 . . . . **.221** D4
Chestnut Rd Glenfield LE3 . **.153** C8
Oakham LE15 . . . . **.138** A7
Chestnut St LE11 . . . . **.52** A4
Chestnut Way
East Goscote LE7 . . . . . . **.103** E7
Melton Mowbray LE13 . . . . . **.59** C1
Chestnut Wlk Groby LE6 . . **.126** F2
Markfield LE67 . . . . **.125** E6
Chestnuts The
Countesthorpe LE8 . . . . . . **.202** E4
Long Eaton NG10 . . . . **.10** A8
Chettle Rd LE3 . . . . **.154** A7
Chetwynd Dr LE13 . . . . . . **.58** F3
Chevin Ave LE3 . . . . **.153** D5
Cheviot Cl Oakham LE15 . . **.137** A4
Swadlincote DE11 . . . . **.44** A3
Cheviot Dr LE12 . . . . **.76** D8
Cheviot Rd Leicester LE2 . . **.179** F7
Long Eaton NG10 . . . . **.10** A8
Cheyne La 8 PE9 . . . . . . **.143** E3
Chichester Cl
Ellistown LE67 . . . . **.96** C4

Chichester Cl continued
Loughborough LE11 . . . . **.74** C8
Nuneaton CV11 . . . . **.214** A7
Chilcombe Cl LE4 . . . . . . **.128** E3
Chilcombe Wlk 4 LE4 . . . **.128** E3
Chiltern Ave Cosby LE9 . . **.201** D2
Shepshed LE12 . . . . **.50** D3
Chiltern Cl
Market Harborough LE16 . . . **.240** F5
Oakham LE15 . . . . **.137** D6
Chiltern Dr LE15 . . . . **.166** C7
Chiltern Gn LE2 . . . . **.180** A6
Chiltern Rise LE65 . . . . . . **.69** C5
Chislehurst Ave LE3 . . . . **.178** F8
Chiswick Dr LE11 . . . . **.51** C4
Chiswick Rd LE2 . . . . . . **.154** F1
Chitterman Way LE67 . . . **.125** E8
Chorley Wood Rd LE5 . . . **.156** D4
Choyce Cl CV9 . . . . **.170** D2
Chrisett Cl LE5 . . . . **.156** E3
Christ Church & St Peter's
CE Prim Sch
LE12 . . . . **.76** E2
Christ the King
RC Prim Sch LE3 . . . . . **.154** B6
Christie Dr LE11 . . . . **.51** D6
Christopher Cl
Countesthorpe LE8 . . . . . . **.202** E3
Heather LE67 . . . . **.95** F3
Christopher Dr LE4 . . . . . **.129** F4
Christow St LE1 . . . . **.259** C5
Chrysanthemum Ct DE11 . **.44** A5
Church Ave Leicester LE3 . **.154** C5
Swadlincote DE11 . . . . **.44** B3
Church Bank LE16 . . . . . . **.229** D7
Church Cl Ashwell LE15 . . **.111** B8
Barwell LE9 . . . . **.198** A6
Blackfordby DE11 . . . . **.45** B1
Braybrooke LE16 . . . . **.251** E6
Broughton Astley LE9 . . . . **.218** F6
Burbage LE10 . . . . **.216** A5
Caldecott LE16 . . . . **.230** B8
Dunton Bassett LE17 . . . . . **.219** D1
Hose LE14 . . . . **.20** E7
Kibworth Beauchamp LE8 . . **.206** A1
Lutterworth LE17 . . . . **.244** C6
Stoke Golding CV13 . . . . . **.196** D7
Syston LE7 . . . . **.103** B4
Church Cnr NG13 . . . . **.6** F4
Church Croft
Shackerstone CV13 . . . . . **.121** F1
Sheepy Magna CV9 . . . . . **.171** B7
Church Cswy LE16 . . . . . **.225** C7
Church Ct PE9 . . . . **.143** E2
Church Dr Gilmorton LE17 **.235** C4
Markfield LE67 . . . . **.125** D8
Church End LE14 . . . . **.19** D1
Church Farm Gram Sch
LE9 . . . . **.198** D6
Church Farm La LE8 . . . . **.220** D5
Church Field CV13 . . . . . **.147** D8
Church Gate
Kegworth DE74 . . . . **.18** D2
Leicester LE1 . . . . **.259** B4
Loughborough LE11 . . . . **.52** B4
Lutterworth LE17 . . . . **.244** C5
Shepshed LE12 . . . . **.50** C4
Church Gresley Inf Sch
DE11 . . . . **.44** B2
Church Hill
Bagworth LE67 . . . . **.124** B4
Birstall LE4 . . . . **.129** B6
Cranoe LE16 . . . . **.208** E3
Knipton NG32 . . . . **.14** E3
Scraptoft LE7 . . . . **.156** F8
Swannington LE67 . . . . **.71** B7
Tilton on t H LE7 . . . . **.133** C3
Woodhouse Eaves LE12 . . . **.75** A1
Church Hill CE Jun & Inf
Sch LE4 . . . . **.129** F7
Church Hill Rd
Cranoe LE16 . . . . **.208** D3
Mountsorrel LE12 . . . . **.76** D1
Thurmaston LE4 . . . . **.129** E8
Church House Mews
CV9 . . . . **.171** B7
Church La Ab Kettleby LE14 **.37** C3
Anstey LE7 . . . . **.127** D6
Arnesby LE8 . . . . **.221** F5
Asfordby LE14 . . . . **.57** F2
Ashby Folville LE14 . . . . . **.105** F4
Austrey CV9 . . . . **.119** B1
Barrow-u-S LE12 . . . . **.76** D8
Barrowden LE15 . . . . **.191** F4
Barsby LE7 . . . . **.105** D3
Barwell LE9 . . . . **.198** A6
Bisbrooke LE15 . . . . **.189** F4
Cadeby CV13 . . . . **.149** D1
Caldecott LE16 . . . . **.230** B8
Castle Donington DE74 . . . . **.17** B3
Chilcote DE12 . . . . **.91** E3
Church Langton LE16 . . . . **.225** C7
Clipsham LE15 . . . . **.89** D5
Croxton Kerrial NG32 . . . . . **.24** B7
Desford LE9 . . . . **.151** B3
Duddington PE9 . . . . **.193** B6
Dunton Bassett LE17 . . . . . **.219** D1
East Norton LE7 . . . . **.186** C5
Eaton NG32 . . . . **.22** F7
Edith Weston LE15 . . . . . . **.166** B7
Fenny Drayton CV13 . . . . . **.194** F6
Fleckney LE8 . . . . **.222** F7
Frisby on t W LE14 . . . . . . **.80** D8
Gaddesby LE7 . . . . **.105** B6
Gilmorton LE17 . . . . **.235** B4
Glaston LE15 . . . . **.190** B6
Goadby LE7 . . . . **.185** B2

Church La continued
Greetham LE15 . . . . **.88** A2
Grimston LE14 . . . . **.57** B8
Hemington DE74 . . . . **.17** E4
Hoby LE14 . . . . **.79** D7
Hungarton LE7 . . . . **.132** C3
Husbands Bosworth LE17 . . **.247** E5
Leicester LE2 . . . . **.180** B7
Leicester, Stoughton LE2 . . **.156** E1
Little Dalby LE14 . . . . **.108** B8
Long Clawson LE14 . . . . . . **.20** C3
Lyddington LE15 . . . . **.212** D6
Manton LE15 . . . . **.164** E6
Market Overton LE15 . . . . . **.86** F5
Morcott LE15 . . . . **.191** A6
Muston NG13 . . . . **.7** F8
Narborough LE8 . . . . **.201** C8
No Mans Heath B79 . . . . . **.119** A6
Old Dalby LE14 . . . . **.35** E4
Osgathorpe LE12 . . . . **.48** E4
Pickwell LE14 . . . . **.108** C3
Plungar NG13 . . . . **.5** F1
Preston LE15 . . . . **.164** C1
Quorn LE12 . . . . **.76** A6
Ratby LE6 . . . . **.152** C8
Ratcliffe Culey CV9 . . . . . **.171** B3
Ratcliffe on t W LE7 . . . . . **.78** C2
Ravenstone LE67 . . . . **.70** E1
Rearsby LE7 . . . . **.79** A2
Redmile NG13 . . . . **.6** F3
Ridlington LE15 . . . . **.163** D2
Saxelbye LE14 . . . . **.57** E6
Seaton LE15 . . . . **.190** C1
Sedgebrook NG32 . . . . **.4** F1
Sewstern NG33 . . . . **.63** F8
Shawell LE17 . . . . **.253** C4
Shearsby LE17 . . . . **.222** A3
Sheepy Magna CV9 . . . . . **.171** B7
Somerby LE14 . . . . **.108** B5
South Kilworth LE17 . . . . . **.255** C8
South Luffenham LE15 . . . . **.191** E8
South Witham NG33 . . . . . **.65** B3
Sproxton LE14 . . . . **.41** F6
Stamford PE9 . . . . **.143** E2
Stapleton LE9 . . . . **.174** E1
Stathern LE14 . . . . **.13** A2
Stockerston LE15 . . . . . . **.211** B8
Stretton LE15 . . . . **.88** F4
Swannington LE67 . . . . . . **.71** C4
Swinford NN6 . . . . **.254** F2
Thorpe Satchville LE14 . . . **.106** E4
Thrussington LE7 . . . . **.78** F4
Thurlaston LE9 . . . . **.177** A3
Thurnby LE7 . . . . **.156** F4
Twyford LE14 . . . . **.106** E1
Upper Broughton LE14 . . . . **.19** A1
Waltham on t W LE14 . . . . . **.40** A7
Welford NN6 . . . . **.256** E5
Whetstone LE8 . . . . **.201** F8
Wigston Parva LE10 . . . . . **.231** F8
Willoughby-on-t-W LE12 . . . **.34** C7
Wymondham LE14 . . . . . . **.62** E2
Church Langton CE
Prim Sch LE16 . . . . . . **.225** D7
Church Lea LE14 . . . . **.82** F6
Church Leys Ave LE7 . . . . **.79** A2
Church Leys (Convent)
LE7 . . . . **.79** A2
Church Nook LE18 . . . . . **.180** D3
Church Rd
Barlestone CV13 . . . . **.149** D8
Burley LE15 . . . . **.111** C2
Egleton LE15 . . . . **.138** D3
Glenfield LE3 . . . . **.127** B1
Great Glen LE8 . . . . **.205** A8
Hartshill CV10 . . . . **.194** B1
Ketton PE9 . . . . **.168** A3
Kibworth Beauchamp LE8 . . **.206** A1
Kirby Muxloe LE9 . . . . . . **.152** D5
Kirkby Mallory LE9 . . . . . **.175** C6
Leicester, Aylestone LE2 . . **.179** C6
Leicester, Evington LE5 . . . **.156** B2
Lyndon LE15 . . . . **.165** D5
Nailstone CV13 . . . . **.123** B3
Peckleton LE9 . . . . **.176** A6
Shackerstone CV13 . . . . . **.121** E2
Swadlincote DE11 . . . . **.44** A6
Wanlip LE7 . . . . **.102** C2
Witherley CV9 . . . . **.194** B7
Church Row LE2 . . . . **.182** D5
Church Side LE12 . . . . **.50** C4
Church Sq
Market Harborough LE16 . . . **.240** E3
Melbourne DE73 . . . . **.26** B6
Church St
Appleby Magna DE12 . . . . . **.119** E8
Barrow-u-S LE12 . . . . **.76** D8
Belton LE12 . . . . **.49** B6
Belton-in-R LE15 . . . . **.187** D7
Billesdon LE7 . . . . **.159** B2
Blaby LE8 . . . . **.202** C8
Bottesford NG13 . . . . **.3** B3
Braunston-in-R LE15 . . . . . **.137** A2
Burbage LE10 . . . . **.216** A5
Carlby PE9 . . . . **.117** B8
Churchover CV23 . . . . . . **.252** B6
Clifton u D CV23 . . . . **.257** A5
Cottingham LE16 . . . . **.229** D1
Countesthorpe LE8 . . . . . . **.202** F3
Donisthorpe DE12 . . . . **.67** C2
Earl Shilton LE9 . . . . **.176** A1
Easton on t H PE9 . . . . . . **.169** A6
Empingham LE15 . . . . **.141** A4
Granby NG13 . . . . **.5** B5
Hartshorne DE11 . . . . **.45** B6
Hathern LE12 . . . . **.30** A1
Husbands Bosworth LE17 . . **.247** E5
Langham LE15 . . . . **.110** C3

Church St continued
Leicester LE1 . . . . **.259** C3
Leicester, Oadby LE2 . . . . . **.181** A5
Lockington DE74 . . . . **.17** E4
Lutterworth LE17 . . . . **.244** C5
Market Bosworth CV13 . . . . **.148** F3
Market Harborough LE16 . . . **.240** E3
Melbourne DE73 . . . . **.26** B7
Melton Mowbray LE13 . . . . . **.59** C3
Netherseal DE12 . . . . **.91** F6
North Kilworth LE17 . . . . . **.246** F3
North Luffenham LE15 . . . . **.166** D3
North Witham NG33 . . . . . . **.65** B8
Oakham LE15 . . . . **.138** A6
Orston NG13 . . . . **.2** A7
Rothley LE7 . . . . **.101** F6
Ryhall PE9 . . . . **.116** F2
Sapcote LE9 . . . . **.217** D7
Scalford LE14 . . . . **.38** E5
Seagrave LE12 . . . . **.77** F8
Shepshed LE12 . . . . **.50** C4
Sibbertoft LE16 . . . . **.249** A2
Skillington NG33 . . . . **.43** B8
South Witham NG33 . . . . . . **.65** B3
Stamford PE9 . . . . **.143** E2
Stoney Stanton LE9 . . . . . **.199** E2
Swadlincote DE11 . . . . **.44** A6
Swadlincote DE11 . . . . **.44** B1
Swadlincote DE11 . . . . **.44** C4
Swepstone LE67 . . . . **.94** D2
Thurlaston LE9 . . . . **.177** A3
Thurmaston LE4 . . . . **.129** D7
Twycross CV9 . . . . **.146** D6
Worthington LE65 . . . . **.47** F6
Wymeswold LE12 . . . . **.33** C3
Church Terr LE13 . . . . **.59** C3
Church View
Bottesford NG13 . . . . **.3** A3
Breaston DE72 . . . . **.9** D7
Ibstock LE67 . . . . **.122** E8
Narborough LE9 . . . . **.201** C8
Newbold Verdon LE9 . . . . . **.150** A4
Osgathorpe LE12 . . . . **.48** E4
Twyford LE14 . . . . **.106** D1
Church Wlk Blaby LE8 . . . **.202** B8
Bruntingthorpe LE17 . . . . . **.236** C8
Donisthorpe DE12 . . . . **.92** E8
Hinckley LE10 . . . . **.215** D8
Hose LE14 . . . . **.20** F7
Lubenham LE16 . . . . **.239** F3
Market Harborough LE16 . . . **.241** A2
Church Wlks CV13 . . . . . **.196** D7
Churchgate LE16 . . . . . . **.209** D6
Churchill Cl
Ashby-De-La-Z LE65 . . . . . **.69** A6
Breaston DE72 . . . . **.9** D7
Leicester LE2 . . . . **.181** A5
Lutterworth LE17 . . . . **.244** A5
Melton Mowbray LE13 . . . . . **.59** C5
Churchill Dr
Leicester Forest East LE3 . . **.153** B4
Upper Bruntingthorpe LE17 . **.236** D5
Churchill Rd
Oakham LE15 . . . . **.137** E6
Stamford PE9 . . . . **.143** C5
Churchill St LE2 . . . . **.155** B4
Churchill Way LE8 . . . . . **.223** A4
Churchlands LE11 . . . . . . **.52** B6
Churchward Ave LE4 . . . . **.128** C4
Cider Cl LE3 . . . . **.191** F5
Cinder La CV9 . . . . **.145** A8
Circle The LE5 . . . . **.155** F5
City Of Dan LE67 . . . . **.71** F4
City of Leicester Sch The
LE5 . . . . **.156** C3
City Of Three Waters
LE67 . . . . **.71** E6
City Rd LE14 . . . . **.12** F3
City The
Kibworth Beauchamp LE8 . . **.206** A2
Woodville DE11 . . . . **.44** F2
City Yd LE15 . . . . **.165** A2
Civic Way DE11 . . . . **.44** B4
Clamp Dr St DE74 . . . . . . **.17** B3
Clapgun St DE74 . . . . **.17** B3
Clare Cl PE9 . . . . **.143** C3
Clare Gr LE3 . . . . **.153** D2
Clarefield Rd LE3 . . . . . . **.154** B5
Claremont Dr
Market Harborough LE16 . . . **.241** A3
Ravenstone LE67 . . . . **.70** F2
Claremont St LE4 . . . . . . **.129** A3
Clarence Ct LE10 . . . . . . **.215** E8
Clarence Dr LE67 . . . . **.96** F8
Clarence Rd
Hinckley LE10 . . . . **.215** E8
Long Eaton NG10 . . . . **.10** C6
Narborough LE9 . . . . **.178** D2
Clarence St Leicester LE1 . **.259** B4
Loughborough LE11 . . . . **.52** C5
Market Harborough LE16 . . . **.240** F3
Clarendon Ho LE10 . . . . . **.215** B7
Clarendon Park Rd LE2 . . **.155** B1
Clarendon Rd LE10 . . . . . **.215** C7
Clarendon St LE2 . . . . . . **.154** E4
Claresholm Cres LE15 . . . **.138** B6
Claridge Pl 4 LE65 . . . . . **.69** B6
Clark Cardens LE8 . . . . . **.202** A8
Clark Dr LE13 . . . . **.59** C6
Clarke Cl LE67 . . . . **.71** F4
Clarke Dr NG10 . . . . **.10** A4
Clarke Gr LE4 . . . . **.129** A6
Clarke Rd LE67 . . . . **.97** C8
Clarke St Leicester LE3 . . **.129** B3
Market Harborough LE16 . . . **.240** D3
Clarkes Dale LE16 . . . . . **.229** D6
Clarkes La DE72 . . . . **.16** B8
Clarkes Rd LE18 . . . . . . **.180** B2

Clatterpot La LE15 ......112 C8
Clawson Cl LE11 ....51 D6
Clawson La
Ab Kettleby LE14 ......37 D4
Hickling LE14 ....19 D7
Long Clawson LE14 ......21 C1
Upper Broughton LE14 ...19 E1
Claxton Rise LE14 ....20 C2
Clay La Ellistown LE67 ...96 E2
Gretton NN17 ....213 B1
Peggs Green LE67 ......71 A8
Clay St Draycott DE72 .....9 A7
Wymeswold LE12 ....33 C3
Claybrook Ave LE3 ......179 A8
Claybrooke Prim Sch
LE17 ....232 E4
Claydon Rd LE5 ....155 E8
Claye St LE10 ....10 E7
Claymar Dr DE11 ....44 A7
Claymill Rd LE4 ....129 F4
Clayton Dr LE7 ....129 F6
Clear View Cres LE9 ....175 F1
Cleeve Mount LE11 ......51 C4
Clematis Cl LE4 ....128 A5
Clement Ave LE4 ....129 A3
Clements Gate DE74 .....28 D6
Clevedon Cres LE4 .....155 E8
Cleveland Ave 4 NG10 ...10 F8
Cleveland Cl DE11 ......44 B3
Cleveland Rd
Hinckley LE10 ....215 C8
Loughborough LE11 .....74 F7
Wigston LE18 ....180 D3
Cleveleys Ave LE3 .....179 A8
Cliff Ave LE11 ....51 F5
Cliff Cres LE9 ....143 D3
Cliff Rd Stamford PE9 ...143 D3
Woolsthorpe by B NG32 ...8 C1
Cliffe Hill Rd LE67 .....98 A1
Cliffe House Mews LE8 ..201 F8
Cliffe La LE67 ....98 B2
Cliffe Rd Birstall LE4 ...128 F6
Easton on t H PE9 .....169 A3
Clifford Cl NG10 ....10 A4
Clifford Rd LE11 ....51 F5
Clifford St Leicester LE3 ..154 D6
Long Eaton NG10 ......10 E7
Wigston LE18 ....179 F1
Cliffwood Ave LE4 .....128 F7
Clifton Ave
Ashby-De-La-Z LE65 ....69 B8
Long Eaton NG10 ......10 F7
Clifton Cl Overseal DE12 ..67 A3
Swadlincote DE11 ......44 A2
Clifton Ct Hinckley LE10 ..197 B1
Oakham LE15 ....137 F6
Clifton Dr
Ashby-De-La-Z LE65 ....69 A7
Wigston LE18 ....180 A1
Clifton Rd Leicester LE2 ..179 F8
Netherseal DE12 ......91 D6
Clifton Way LE10 ......197 A1
Clint Hill Dr LE9 ......199 E3
Clipper Rd LE4 ....129 F3
Clipsham Rd
Castle Bytham NG33 ....90 B7
Stretton LE15 ....89 A4
Clipsham Woods
Nature Trail LE15 ......89 E7
Clipston Rd
East Farndon LE16 .....250 B4
Great Oxendon LE16 ....250 D2
Clipston St LE16 ......240 F1
Clipstone Cl LE18 ......180 E2
Clipstone Gdns LE18 ....180 E2
Clipstone Ho 2 LE2 ....155 B5
Clivesway LE9 ....197 C2
Cloisters The LE9 ......198 E8
Close The
Albert Village DE11 .....67 D8
Anstey LE7 ....127 D7
Barwell LE9 ....198 B7
Blaby LE8 ....179 B1
Burton Lazars LE14 .....82 F6
Easton on t H PE9 .....168 F4
Narborough LE19 ......178 A2
Ratby LE6 ....126 C1
Stamford PE9 ....143 F4
Swinford LE17 ....254 B4
Cloud Hill View LE67 ....47 E3
Cloud Lea LE12 ....101 A5
Cloudsley Bush La LE9 ...231 A5
Clovelly Rd Glenfield LE3 ..153 D8
Leicester LE5 ....155 F4
Clover Cl LE9 ....201 A8
Clover Dr LE13 ....82 E8
Clover Gdns PE9 ......142 E4
Clover La LE12 ....76 F1
Clover Pk LE10 ....197 B3
Clover Pl LE67 ....71 D8
Clover Wlk LE7 ....103 E7
Cloverdale DE11 ....44 B7
Cloverdale Rd LE5 .....130 C3
Cloverfield LE10 ......197 C3
Clowbridge Dr LE11 .....51 C5
Clumber Cl LE7 ....103 D5
Clumber Rd LE5 ....155 E6
Clumber St
Long Eaton NG10 ......10 D7
Melton Mowbray LE13 ...59 B4
Clun Wlk NN17 ....230 C1
Clwyd Wlk NN17 ......230 C1
Clyde Ct LE67 ....71 E4
Clyde St LE1 ....259 C3
Co-op Coll (Stanford Hall)
LE12 ....31 F4
Co-operation St LE9 ....178 B3
Co-operative St NG10 ....10 E6

Coach Rd LE12 ....50 C3
Coachhouse Mews DE11 ..44 A7
Coachmans Ct LE12 .....50 C5
Coal Baulk LE7 ....132 B3
Coal La Hartshorne DE11 ..45 D8
Hose LE14 ....20 F8
Coal Pit La
Lutterworth LE23, LE17 ..243 A5
Willey CV23 ....242 C6
Wolvey CV23 ....231 F1
Coalbourn Cl LE4 ......128 E4
Coales Ave LE8 ....202 A5
Coalfield Way LE65 .....69 E6
Coalville Com Hospl LE67 ..72 A1
Coalville Cotts PE9 .....143 E4
Coalville La LE67 ......71 A1
Coatbridge Ave LE4 ....129 D4
Coates Ave LE3 ....154 A7
Cobden Prim Sch LE2 ....52 C4
Cobden St Leicester LE1 ..155 B7
Long Eaton NG10 ......10 E7
Loughborough LE11 .....52 C4
Cobden Street Ind Est
LE1 ....155 B7
Cobleas NG32 ....15 B7
Cobwells Cl LE8 ....223 A7
Cock La CV9 ....120 A2
Cockleys LE10 ....10 C6
Cockshut La DE73 ......26 A8
Coe Ave LE7 ....51 B5
Cokayne Rd LE3 ......153 D6
Colbert Dr LE3 ....179 A7
Colby Dr LE4 ....130 A6
Colby Rd LE4 ....129 F5
Colchester Rd LE5 .....156 B7
Cold Overton Rd
Knossington LE15 .....136 B7
Langham LE15 ....110 B2
Oakham LE15 ....137 D6
Coldstream Cl LE10 ....197 A1
Colebrook Cl LE5 ......155 E3
Coleford Rd LE4 ......130 A5
Coleman Cl LE5 ....155 F7
Coleman Ct LE5 ....155 F7
Coleman Prim Sch LE5 ..155 E4
Coleman Rd Fleckney LE8 ..204 E1
Leicester LE5 ....156 A5
Coleorton La LE65 ......69 D3
Coleridge Dr LE9 ......178 A2
Coles Cl LE4 ....129 D5
Coley Cl LE10 ....215 D7
Colgrove Rd LE11 ......52 A2
Colin Grundy Dr LE5 ....130 B1
Colindale Ave LE4 ......129 A8
Collaton Rd LE18 ......180 C1
College Ave Leicester LE2 ..155 B4
Melton Mowbray LE13 ...82 C8
College Cl Coalville LE67 ..96 C8
Great Casterton PE9 ....142 E7
College Farm La LE15 ...187 D8
College La LE10 ......197 E1
College Rd
Sutton Bonington LE12 ...30 A8
Syston LE7 ....103 B3
Whetstone LE8 ....202 A8
College St Leicester LE2 ..155 B4
Ullesthorpe LE17 .....233 B4
Collett Rd LE4 ....128 C4
Colley Rise LE15 ......212 C7
Colliery Cl LE67 ....96 E4
Swadlincote DE11 ......44 A1
Colliery Row DE11 ......44 A1
Collin Pl LE4 ....129 C2
Collingham Rd LE3 .....154 C1
Collingwood Cl LE13 .....58 F3
Collingwood Cres LE13 ...58 F3
Collingwood Dr LE12 ....77 D4
Collingwood Rd NG10 ....10 A8
Collins Cl LE3 ....153 D2
Colne Cl Corby NN17 ....230 C1
Leicester LE2 ....181 D5
Colonel's La LE14 ......19 A1
Colsterdale Cl LE4 .....128 D5
Colsterworth Rd
Skillington NG33 ......43 C7
Stainby NG33 ....43 B7
Colston La LE14 ....11 E4
Coltbeck Ave LE19 .....201 A7
Coltfoot Way LE13 ......82 A8
Colthurst Way LE5 .....156 E6
Colton St LE1 ....259 C3
Colts Cl LE10 ....215 D4
Coltsfoot Rd LE5 ......130 C2
Coltsfoot Way LE19 ....219 A4
Columbia Cl LE9 ......178 A3
Columbine Cl LE3 ......153 E2
Columbine Rd LE5 .....130 B3
Colwell Rd LE3 ....154 D8
Combe Cl LE3 ....154 C8
Comet Cl LE3 ....154 B7
Comet Way LE67 ......71 D2
Commerce St DE73 .....26 A7
Commercial Sq LE2 .....154 F1
Common Rd DE11 ......44 B2
Common Side DE11 .....44 B2
Common The Barwell LE9 ..198 B5
Leicester LE5 ....156 A3
Compass Rd LE5 ......156 D7
Compton Ave DE72 .....16 A8
Compton Cl LE11 ......74 C8
Compton Dr LE9 ......200 D8
Compton Rd LE3 ......154 C2
Conaglen Rd LE2 ......179 B6
Condon Rd LE12 ....76 E7
Condor Cl LE9 ....218 F7
Conduit Rd PE9 ....143 E4
Cone La LE2 ....155 C3

Coneries The LE11 ......52 B4
Conery La LE9 ....178 A4
Coneygrey LE8 ....204 F1
Congerstone Cty Prim Sch
CV13 ....147 D8
Congerstone La
Barton in t B CV13 ....122 B1
Carlton CV13 ....148 C6
Shackerstone CV13 ....121 E1
Conifer Cl
4 Leicester LE2 ......155 C4
Lutterworth LE17 .....244 B6
Coninsby Cl LE3 ......154 B1
Coniston Ave LE2 ......259 A1
Coniston Cl LE9 ......198 F8
Coniston Cres LE11 .....51 D1
Coniston Gdns LE65 .....69 C5
Coniston Rd
Barrow-u-S LE12 ......76 D8
Edith Weston LE15 ....166 A7
Melton Mowbray LE13 ...59 A6
Coniston Way LE9 .....200 D4
Connaught Rd LE16 ....240 F4
Connaught St LE2 .....155 B4
Connell Cl LE16 ......239 F3
Constable Ave LE4 .....155 B8
Constable Rd CV21 ....257 B1
Constance Rd LE5 .....155 D5
Constitution Hill LE1 ...259 C3
Convent Cl LE13 ....59 B2
Convent Dr LE67 ......96 C8
Conway Cl LE11 ....51 C5
Conway Dr
Melton Mowbray LE13 ...59 C5
Shepshed LE12 ....49 F2
Conway Rd Leicester LE2 ..155 D3
Long Eaton NG10 ......10 F8
Mountsorrel LE12 .....76 D1
Conway St NG10 ....10 F8
Conway Wlk NN17 .....230 D1
Cooch's Ct 7 PE9 .....143 D2
Cooden Ave LE3 ......154 B4
Cook's La LE9 ....217 D5
Cooke Cl Braunstone LE3 ..153 D2
Long Eaton NG10 ......10 B7
Cooke's Dr LE9 ....218 E6
Cooks Ave DE74 ....17 A3
Cooks La LE8 ....203 F7
Cookson Pl LE11 ....51 C6
Coombe Cl LE12 ....50 C2
Coombe Pl LE2 ....181 B4
Coombe Rise LE2 ......181 C3
Cooper Cl Huncote LE9 ..200 E8
Leicester LE2 ....179 C6
Whitwick LE67 ....71 D5
Cooper Ct LE11 ....52 C2
Cooper Gdns LE2 ......181 D4
Cooper St LE4 ....129 A1
Cooper's La LE17 .....219 D2
Cooper's Nook LE7 ....103 D7
Copdale Rd LE5 ....155 E5
Cope Dale Cl CV13 .....149 C8
Copeland Ave LE3 .....128 A1
Copeland Cres LE11 .....51 D5
Copeland Rd LE4 ......128 F6
Cophills Cl DE12 ....93 C4
Copinger Rd LE2 ......179 F7
Copley Cl LE13 ....59 E4
Coplow Ave LE5 ....155 E2
Coplow Cres LE7 ......103 A2
Coplow La LE7 ....103 D7
Coppice Cl Hinckley LE10 ..197 F3
Ravenstone LE67 ......71 A4
Coppice La
Clifton Campville B79 ...118 A8
Queniborough LE7 .....103 F5
Coppice Rd PE9 ......116 E2
Coppice Side DE11 .....44 C3
Coppice The
Atherstone CV9 ......194 A6
Countesthorpe LE8 ....202 E4
Hinckley LE10 ....215 F8
Markfield LE67 ......125 E8
Narborough LE9 ......201 A8
Quorn LE12 ....76 B4
Thurmaston LE4 ......130 A7
Coppice Wlk LE10 .....197 F3
Copse Cl Coalville LE67 ...96 C7
Leicester LE2 ....181 C7
Leicester Forest East LE3 ..152 F1
Copse Gr LE11 ....75 A6
Copse Rise DE11 ....44 B7
Copseside Cl NG10 .....10 A8
Copsey Croft Ct 2 NG10 ..10 F7
Copson St LE67 ....96 A1
Copston La LE10 ......231 B5
Copt Oak Rd Copt Oak LE67 98 B5
Narborough LE9 ......200 F8
Narborough LE9 ......201 A8
Copthall Ho LE18 ......179 F3
Copthill Prep Sch PE9 ...144 F3
Copthorne Cl LE3 .....153 D6
Corah St LE3 ....259 A1
Coral Cl LE10 ....215 F4
Coral St LE4 ....129 A1
Cordelia Cl LE5 ....155 E8
Cordell Rd LE11 ....51 D6
Cordery Rd LE5 ....156 B3
Cordhill La LE14 ....85 D7
Cordle Way LE15 ....86 F5
Cordonnier Cl LE9 .....219 A4
Cordwell Ct DE74 ......16 F3
Corfield Rise LE3 ......153 E3
Coriander Rd LE2 ......154 D4
Cork Ho LE2 ....179 A2
Cork La LE2 ....179 A2

Cork St LE5 ....155 C5
Corkscrew La
Ashby-De-La-Z LE65 ....69 F5
Coleorton LE67 ....70 A6
Cornfield LE67 ....197 C4
Cornfield Cl LE9 ......201 C7
Cornfields LE2 ....182 D5
Cornflower Cl PE9 .....142 E4
Cornstall Bldgs 5 LE2 ..143 E3
Cornwall Pl LE13 ....82 C8
Cornwall Rd
Leicester LE4 ....128 D1
Stamford PE9 ....143 D4
Wigston LE18 ....179 F2
Cornwall St LE3 ......178 B3
Cornwall Way LE10 ....197 C6
Cornwallis Ave LE4 ....128 B2
Cornwallis Cl NG10 .....10 D6
Coronation Ave
Broughton Astley LE9 ..218 E6
Long Clawson LE14 .....20 B2
Moira DE12 ....68 B6
Wigston LE18 ....180 B2
Coronation Cl DE73 .....26 B8
Coronation La DE12 .....92 F6
Coronation Rd LE9 ....198 D7
Coronation St
Overseal DE12 ....67 A4
Swadlincote DE11 ......44 A5
Corporation Rd LE4 ....128 F2
Cort Cres LE3 ....153 E3
Cosby La LE8, LE9 .....220 B5
Cosby Prim Sch LE9 ....201 D4
Cosby Prim Sch (Annexe)
LE9 ....201 C2
Cosby Rd
Broughton Astley LE9 ..219 A8
Countesthorpe LE8 ....202 B3
Littlethorpe LE9 .....201 C6
Cosford La CV21 ......252 A2
Cossington La
Rothley LE7 ....102 A6
Syston LE7 ....103 A7
Cossington Rd LE12 ....77 C2
Cossington St LE4 .....129 B1
Costello Cl LE67 ....95 F3
Coston Rd
Buckminster NG33 .....42 D2
Garthorpe LE14 ......62 A7
Sproxton LE14 ....41 F5
Cotes Rd Barrow-u-S LE12 ..53 B3
Hinckley LE10 ....215 F5
Cotes Yd LE11 ....52 C5
Cothelstone Ave LE11 ....51 C5
Cotley Cres LE15 ....87 E2
Cotley Rd LE4 ....128 C5
Cotman Dr LE10 ......197 A3
Coton Rd
Churchover CV23 .....252 C5
Rugby CV21 ....257 A1
Cotmore Cl LE9 ....95 B2
Cotswold Ave LE9 .....201 E2
Cotswold Cl
Long Eaton NG10 ......10 B8
Loughborough LE11 .....51 D3
Melton Mowbray LE13 ...82 D8
Swadlincote DE11 ......44 A3
Cotswold Gn LE4 ......128 D5
Cotswold St LE15 ....87 D2
Cotswold Way LE65 .....69 B5
Cotswold Wlk LE15 ....137 D6
Cottage Cl Ratby LE6 ...126 D1
Swadlincote DE11 ......44 D1
Cottage Farm Cl LE4 ....30 A1
Cottage Gardens Cl LE12 ..30 A1
Cottage Gdns LE9 .....198 F8
Cottage Homes LE2 ....181 A7
Cottage La
Broughton Astley LE9 ..219 B6
Desford LE9 ....151 B4
Markfield LE67 ....98 C3
Norton-J-T CV9 ......120 A4
Cottage Lane Ind Est
LE9 ....219 A6
Cottage Rd LE18 ......180 E1
Cottage Row LE3 ......179 B8
Cottagers Cl LE2 ......179 F5
Cottesbrooke Cl LE18 ...180 D2
Cottesmore Airfield LE15 ..87 E4
Cottesmore Ave
Leicester LE2 ....181 D4
Melton Mowbray LE13 ...59 B3
Cottesmore Cty Prim Sch
LE15 ....87 E3
Cottesmore Dr LE11 .....74 F8
Cottesmore Rd
Ashwell LE15 ....111 C8
Burley LE15 ....111 F2
Cottesmore LE15 ......87 E2
Exton LE15 ....112 E4
Leicester LE5 ....155 D7
Stamford PE9 ....143 A3
Uppingham LE15 .....189 A4
Cottingham CE Prim Sch
LE16 ....229 C1
Cottingham Rd LE16 ....230 A4
Cotton Cl
Broughton Astley LE9 ..219 A5
Leicester LE4 ....129 D5
Cotton Croft LE12 ......50 B2
Cotton Ct LE9 ....198 D5
Cotton Way LE11 ....51 E2
Cottons The LE16 .....230 B4
Coulson Cl LE8 ....202 A6
Council Ho's PE9 ......117 B6
Council Ho's LE16 .....250 B8
Council Rd LE10 ......197 D1
Council St LE17 ......244 C6

Countesthorpe Com Coll
LE8 ....202 C3
Countesthorpe Rd
Countesthorpe LE8, LE18 ..202 F2
Whetstone LE8, LE9 ....201 E2
Wigston LE18 ....201 E2
Counting House Rd LE2 ..154 F2
Countryman Way LE67 ..125 E8
Countryman's Way LE7 ..103 E8
Countrymans Way LE12 ..50 C5
Court 22 LE65 ....69 C6
Court Cl LE9 ....152 E5
Court La NN16 ....256 D3
Court Rd Glen Parva LE2 ..179 B2
Thurnby LE7 ....156 F4
Court St DE11 ....44 E3
Courtenay Rd LE3 .....154 C8
Courtyard The
Coalville LE67 ....71 D2
Waltham on t W LE14 ...40 A7
Courtyard Workshops
LE16 ....240 E1
Coventry Cl DE11 ......44 D6
Coventry Rd
Broughton Astley LE9 ..218 D7
Croft LE9 ....200 D3
Hinckley LE10 ....215 A7
Hinckley, Sketchley LE10 ..215 F5
Lutterworth LE17 .....243 D5
Lutterworth LE17 .....244 B5
Market Harborough LE16 ..240 D3
Narborough LE9 ......201 B7
Pailton CV23 ....242 A1
Sapcote LE9 ....218 B7
Sharnford LE10 ......217 B3
Coventry St 4 LE3 .....154 D5
Coverack Wlk LE5 .....156 A4
Coverdale LE67 ....71 E6
Coverdale Rd LE18 ....180 F1
Coverley Rd NG33 ......65 B4
Coverside Rd LE2 .....182 C1
Covert Cl Leicester LE2 ..181 C6
Syston LE7 ....102 E3
Covert La LE7 ....157 B8
Covert Pl DE11 ....67 C8
Covett Way LE3 ....153 E5
Cow La Ratby LE6 .....125 F2
Whissendine LE15 .....84 F1
Cowdall Rd LE3 ....153 E3
Cowdray Cl LE11 ....52 A1
Cowley Way LE5 ......156 E7
Cowper Rd LE10 ......215 D6
Cowslip Cl LE9 ....200 F8
Cowslip Dr LE13 ....82 A8
Cox Dr NG13 ....2 F3
Cox's La LE15 ....135 B4
Crabtree Cl DE74 ......17 A2
Crabtree Cnr LE2 .....180 A5
Crabtree Rd Barwell LE9 ..197 F5
Skillington NG33 ......43 C6
Crackbottle Rd LE7 ....186 B3
Craddock Cl LE11 ......52 B4
Cradock Dr LE12 ....75 F5
Cradock Rd LE2 ......155 B2
Cradock St LE5 ....155 B6
Crafton St E LE1 ......259 C4
Crafton St W LE1 .....259 C4
Craftsmans Way LE7 ...103 D7
Cragdale LE67 ....71 D7
Craig Gdns LE3 ....153 D6
Craig St NG10 ....10 E7
Craighill Rd LE2 ......180 B8
Cramer Cotts CV9 .....194 A6
Crammond Rd LE10 ....215 B8
Cramps Cl LE2 ....76 D7
Cranberry Cl LE3 ......153 D2
Cranbourne Gdns LE2 ..181 B8
Cranbrook Rd LE7 .....156 F6
Crane St LE1 ....259 B5
Crane-Ley Rd LE6 .....126 E3
Cranesbill Rd LE5 .....130 C1
Cranfield Rd LE2 ......179 D6
Cranfleet Way NG10 ....10 B7
Cranmer Cl LE8 ......202 A6
Cranmer Dr LE7 ......102 F3
Cranmer La LE17 ......246 F3
Cranmer St Leicester LE3 ..154 D4
Long Eaton NG10 ......10 D8
Cranmere Rd LE13 .....59 F5
Cranoe Rd Glooston LE16 ..208 C4
Stonton Wyville LE16, LE8 ..207 D2
Cranstone Cres LE3 ....153 C7
Crantock Cl LE5 ......156 D3
Cranwell Cl LE5 ......156 B2
Craven Cl LE11 ....74 F7
Craven Lodge Specl Sch
LE13 ....59 D2
Craven St Leicester LE1 ..259 A5
Melton Mowbray LE13 ...59 C1
Craven's Rough LE67 ....99 B4
Crawford Ho LE18 .....180 B3
Crawford Rd LE3 ......154 B6
Crawshaw Cl LE12 ......29 C3
Craxford Rd NN17 .....213 B1
Crayford Way LE5 .....130 D1
Craythorne Cl DE11 ....44 A7
Craythorne Way LE18 ...180 F2
Creaton Cl LE18 ......180 E2
Creaton Rd LE18 ......180 E2
Crediton Cl LE18 ......203 D8
Crescent Cl LE16 .....240 F4
Crescent Jun Sch LE3 ...153 E4
Crescent St Coalville LE67 ..96 C7
Lutterworth LE17 .....244 C6
Crescent St LE1 ......259 B2

Crescent The
Asfordby LE14 ....58 A3
Blaby LE8 ....202 B7
Breaston DE72 ....9 C7
Breedon on t H DE73 ....26 E2
Easton on t H PE9 .....168 F5
Elmesthorpe LE9 ....198 D5
Great Glen LE8 ....205 B8
Ketton PE9 ....168 A7
Leicester LE1 ....259 B2
Market Harborough LE16 .240 F4
Melton Mowbray LE13 ...59 B4
Old Dalby LE14 ....36 B6
Pickwell LE14 ....108 C3
Ryhall PE9 ....117 A2
Saltby LE14 ....24 E1
Stathern LE14 ....13 A2
Wigston LE18 ....180 C4
Cresside Ct LE3 ....153 E2
Cresside Pl LE3 ....153 E2
Cresswell Cl LE4 .....130 A6
Cresswell Dr LE15 ....112 C8
Crestway The LE8 ....201 F8
Creswell Dr LE67 ......95 E8
Creswell Wlk NN17 ....230 C1
Crete Ave LE18 ....179 E2
Cricket La LE11 ....74 E8
Cricket Lawns LE15 ...138 A5
Critchlow Rd LE9 .....200 D8
Crocket La LE15 ......141 A6
Croft Ave LE2 ....179 C6
Croft CE Prim Sch LE9 .200 C3
Croft Cl Barwell LE9 ..198 B6
Netherseal DE12 ....91 F7
Croft Dr LE18 ....180 B4
Croft Gdns LE14 ....35 C4
Croft Hill Rd LE9 .....200 C7
Croft La Ashwell LE15 .111 B8
Huncote LE9 ....200 A7
Croft Rd Atherstone CV9 .170 D1
Cosby LE9 ....201 B3
Leicester LE4 ....128 C2
Thurlaston LE9 ....177 A1
Croft The
Ashby-De-La-Z LE65 .....69 D5
Draycott DE72 ....9 A6
Kegworth DE74 ....18 D2
Kirby Muxloe LE9 ......152 E5
Measham DE12 ....93 B5
▣ Melbourne DE73 ......26 B4
Ravenstone LE67 ....95 F8
Stamford PE9 ....143 F3
Twycross CV9 ....146 D6
Croft Way LE9 ....219 A5
Crofters LE13 ....153 B8
Crofters The LE5 .....156 A7
Crofters Vale Pk CV13 .149 D8
Croftway LE67 ....125 D8
Cromarty Cl LE4 .....129 D3
Cromarty Dr LE10 ....196 F1
Cromarty Rd PE9 .....143 A4
Cromer St LE2 ....155 C3
Cromford Ave LE18 ...180 A1
Cromford Cl NG10 .....10 A5
Cromford Rd LE9 .....201 D4
Cromford St LE2 .....155 C6
Cromford Way LE9 ....219 B6
Cromore Cl LE67 ......72 C1
Crompton Rd LE14 .....58 C3
Cromwell Cl
▣ Ashby-De-La-Z LE65 ...69 D7
Walcote LE17 ....245 B4
Cromwell Cres LE16 ...240 D1
Cromwell Ho LE2 .....179 E8
Cromwell Rd
Great Glen LE8 ....205 B8
Melton Mowbray LE13 ...59 D1
Mountsorrel LE12 ......101 D8
Croome Cl LE11 ....52 C1
Cropston Ave LE11 .....51 B2
Cropston Dr LE67 ......97 B8
Cropston Rd Anstey LE7 .127 F7
Cropston LE7 ....100 F1
Cropston Resr
Nature Reserve LE7 ....100 D3
Cropthorne Ave LE5 ...155 F5
Crosby Rd LE16 ......240 F1
Cross Bank LE16 .....229 D6
Cross Gn LE7 ....101 E6
Cross Hands The CV9 .146 C1
Cross Hedge LE7 .....101 E7
Cross Hedge Cl LE4 ...128 C4
Cross Hill Cl LE12 .....33 C3
Cross Hill La LE11 .....75 A8
Cross In Hand LE17 ...243 B4
Cross Keys Gn LE5 ....156 E7
Cross La Burton Lazars LE14 .82 F7
Mountsorrel LE12 ......101 D8
Mountsorrel LE12 ......101 E8
Preston LE15 ....164 C1
Cross Rd LE2 ....155 C1
Cross Roads LE7 .....184 B3
Cross St Blaby LE8 ....202 B8
Breedon on t H DE73 ....26 F2
Enderby LE9 ....178 B3
Gaddesby LE7 ....105 B7
Hathern LE12 ....30 A1
Leicester LE4 ....129 A1
Leicester, Oadby LE2 ...181 A7
Long Eaton NG10 ....10 E4
Loughborough LE11 .....52 C5
Market Harborough LE16 .240 F2
Syston LE7 ....103 B3
Wigston LE18 ....180 D2
Cross The Enderby LE9 .178 B3

Cross The continued
Hallaton LE16 ....209 D6
Walton LE17 ....236 B3
Crossfield Dr LE13 .....59 E4
Crosskirk Rd LE10 ....196 F1
Crossland Row LE10 ...216 A6
Crossley Cl LE12 ......76 C7
Crossley St LE3 ......153 C6
Crossleys LE8 ....222 F7
Crossroads Farm Mus
LE14 ....22 A5
Crossway The
Braunstone LE3 ....179 A8
Leicester LE3 ....179 F6
Crossways LE10 ......215 F5
Crossways Ho LE8 ....202 B8
Crossways The LE4 ...129 B7
Crosswood Cl LE11 ....51 C3
Crow La LE3 ....154 D4
Crowan Dr LE18 .....203 C8
Crowfoot Way LE9 ...218 F4
Crowhill Rd CV11 .....214 A1
Crowhurst Dr LE3 ....178 E8
Crown Cl NG10 ....10 A7
Crown Gdns LE15 .....138 A6
Crown Hills Ave LE5 ..155 E5
Crown Hills Com Coll
LE5 ....155 E5
Crown Hills Rise LE5 ..155 E5
Crown La Barrowden LE15 .191 F5
Mountsorrel LE12 ....76 D3
Crown St Oakham LE15 .138 A6
Ryhall PE9 ....116 F3
Stamford PE9 ....143 D3
Crown Wlk LE15 ......138 A6
Crownhill Rd LE10 ....215 D4
Croxton Kerrial
CE Prim Sch NG32 .....24 A7
Croxton La NG32 ......15 B2
Croxton Rd
Queniborough LE7 ....104 B4
Saltby LE14 ....24 D3
South Croxton LE7 ....132 A8
Croyde Cl LE5 ....155 F4
Croyland Gn LE5 .....156 E6
Crummock Ave LE15 ..166 A7
Crusaders Cl LE67 .....71 F5
Cuckoo Cl LE15 ......191 E5
Cufflin Cl LE3 ....152 D8
Cuffling Cl LE3 ......153 D6
Cuffling Dr LE3 ......153 D6
Culham Ave LE5 ......155 F8
Culver Rd LE3 ....154 C8
Culworth Dr LE18 ....180 E2
Cumberland Rd
Loughborough LE11 .....51 F4
Wigston LE18 ....179 F3
Cumberland St LE1 ...259 A4
Cumberland Way LE9 .198 A2
Cumberwell Dr LE9 ...178 C1
Cumbrae Dr LE10 ....197 B2
Cumbrian Way LE12 ...50 C2
Cunnery Cl CV13 .....149 C8
Cunningham Dr LE17 .244 A5
Curlew Cl Coalville LE67 ..97 A8
Syston LE7 ....102 E4
Curlew Wlk LE5 ......155 C7
Curteys LE3 ....154 B1
Curtis Cl LE8 ....201 F7
Curtis Gr DE74 ....18 C3
Curtis Way CV13 .....149 C8
Curzon Ave Birstall LE4 .129 A6
Wigston LE18 ....180 A1
Curzon Cl Hinckley LE10 .215 F7
Queniborough LE7 .....103 D5
Curzon Dr LE2 ....179 E2
Curzon St Ibstock LE67 .95 F1
Leicester LE1 ....155 B7
Loughborough LE11 .....52 A4
Cutters Cl LE3 ....201 B7
Cutting La LE15 ......166 D1
Cutting The DE11 .....44 F4
Cuttings The LE7 .....156 F6
Cygnet Cl LE7 ....102 F4
Cypress Cl LE11 ......75 A7
Cyprus Rd LE2 ....179 E6
Cyril St LE3 ....179 A8

D

Dabey Cl LE67 ....125 D8
Dadlington La LE9 ....174 D2
Dag La Mowsley LE17 .237 F7
North Kilworth LE17 ...246 F3
Dahlia Cl LE10 ....215 E6
Dairy Cotts LE17 .....247 A5
Dairy La LE14 ....20 F7
Dakota Rd DE74 ......28 B8
Dakyn Rd LE5 ....156 D6
Dalby Ave Birstall LE4 .129 B8
Bushby LE7 ....157 A5
Dalby Dr LE6 ....126 F3
Dalby Rd Anstey LE7 ..127 D7
Melton Mowbray LE13 ...82 C5
Dalby's La LE16 ......224 E1
Dale Acre LE8 ....202 F4
Dale Ave LE18 ....180 A4
Dale Cl DE72 ....9 D8
Dale End Cl LE10 ....215 A7
Dale St LE2 ....155 C5
Daleacre Ave DE74 ....17 F5
Dalefield Dr DE11 .....44 B3
Dales The LE8 ....202 C4
Dalgliesh Way LE14 ...57 E2
Dalkeith Rd LE4 ......129 D4
Dalkeith Wlk LE67 ....71 D8
Dalley Cl LE7 ....103 B2

Dallison Cl LE16 .....250 E8
Dalliwell LE14 ....13 A2
Dalton Rd NN17 ......230 E2
Dalston Rd DE11 ......44 A5
Dames La LE67 ....121 E6
Damson Ct LE12 .....215 B7
Dan's La LE9 ....176 D7
Danbury Dr LE4 ......128 D2
Dandees Cl LE67 ......98 E1
Dane St LE3 ....154 D5
Danehill LE6 ....152 C8
Danehill Prim Sch LE9 .178 B2
Danehill Prim Sch
(Annexe) LE9 ....178 B3
Danehurst Ave LE3 ...154 B6
Daneshill Rd LE3 .....154 C5
Daniel Ct PE9 ....143 E2
Dannett St LE3 ......154 D6
Dannett Wlk LE3 ....154 D6
Danver's La LE12 .....50 C4
Danvers Rd Leicester LE3 .154 C3
Mountsorrel LE12 ....76 C4
Dare's Wlk LE10 .....197 D1
Darenth Dr LE4 ......128 A3
Darescroft LE16 .....229 B1
Darien Way LE3 ......153 D2
Darker St LE1 ....259 B4
Darklands La DE11 ....44 A4
Darklands Rd DE11 ....44 B5
Darley Ave LE4 ......180 A1
Darley Cl DE11 ....44 A1
Darley Dr NG10 ....10 A5
Darley Rd Blaby LE8 ..202 A2
Hinckley LE10 ....215 E6
Darley St LE2 ....155 C5
Darlington Rd LE3 ....154 A8
Darsway DE74 ....16 F4
Dart Cl Corby NN17 ...230 D2
Hinckley LE10 ....215 A8
Leicester LE2 ....181 D5
Dartford Rd LE2 .....154 E1
Darwen Cl LE3 ....154 B8
Darwin Cl Braunstone LE3 .153 C1
Broughton Astley LE9 ..219 A5
Hinckley LE10 ....197 E3
Stamford PE9 ....143 C5
Darwin Rd NG10 ......10 B5
Dashwood Rd LE2 ....155 C3
Dauphine Cl LE67 .....72 D1
Davenport Ave LE2 ...180 F5
Davenport Rd
Leicester LE5 ....156 C5
Wigston LE18 ....180 D1
Davenport Terr LE10 .215 E8
Davett Cl LE3 ....156 B6
David Ave LE4 ....128 C5
Davis Rd DE11 ....44 B4
Davison Cl LE5 ......156 A6
Dawlish Cl LE5 ......156 D5
Dawson's La LE9 ....198 B6
Dawson's Rd LE12 ....48 D4
Dawsons La LE7, LE14 .134 C6
Day St LE4 ....129 A3
Daybell Cl Bottesford NG13 ..3 B3
Whetstone LE8 ....178 F1
Daybell Rd DE12 ......68 A4
Dayton Cl LE67 ....71 A2
De Lisle Cl LE16 .....240 D2
De Lisle Ct LE11 ......51 B2
De Lisle RC Sch LE11 ..51 D3
De Montfort LE13 .....59 C5
De Montfort Cl LE11 ...51 C5
De Montfort Mews LE1 .259 C2
De Montfort Pl LE1 ...259 C2
De Montfort Rd LE10 .197 E1
De Montfort Sq LE1 ..259 C2
De Montfort St LE1 ...259 C2
De Montfort Univ LE2 .154 E4
De Montfort Univ
(Scraptoft Campus)
LE7 ....156 F8
De Ruthyn Cl DE12 ....68 A4
De Verdon Rd LE17 ..244 A5
De Verdun Ave LE12 ...49 B6
De-La-Bere Cres LE10 .216 A6
Deacon Ave CV13 ....149 C8
Deacon Cl Bitteswell LE17 .244 A8
Shepshed LE12 ....50 C3
Deacon Rd LE4 ......128 D8
Deacon Rise CV13 ....122 C1
Deacon St LE2 ......259 A2
Dean Cl LE10 ....197 E2
Dean Rd Hinckley LE10 .197 E2
Leicester LE4 ....129 C1
Dean Rd W LE10 .....197 E2
Dean's Cl LE14 ....74 B3
Dean's St LE15 ......137 F6
Dean's Terr LE15 ....189 A4
Deancourt Rd LE2 ....180 B6
Deane Gate Dr LE7 ...157 F4
Deane St LE11 ....51 E5
Deanery Cres LE4 ....128 D8
Deansburn Ho LE3 ...153 F8
Deanside Dr LE11 .....51 E6
Debdale LE15 ....112 C8
Debdale La Gumley LE16 .224 C3
Smeeton Westerby LE8 .224 A6
Debdale Pl LE14 ....57 E2
Deben Rd NN17 ......230 D1
Dee Cl LE15 ....137 E4
Deeming Dr LE12 .....75 F7
Deene Cl LE16 ....241 A3
Deene Ct LE16 ....241 A3
Deene Rd NN17 ......213 F7
Deepdale
Great Easton LE16 ....229 D7
Leicester LE15 ....155 F6
Deepdale Cl LE67 ......95 F2

Deepdale Rd NG10 ....10 A5
Deeping La CV13 .....149 B4
Deepway The LE12 ....75 E5
Deers Acre LE11 ......52 B6
Degens Way LE67 ......96 B7
Deighton Way LE11 ....51 C6
Delamere Rd LE13 .....59 D6
Delamere Cl DE72 ......9 D8
Delaware Rd LE5 .....156 E4
Dell The Oakham LE15 .138 A5
Ullesthorpe LE17 .....233 B4
Delph The DE73 ......26 F2
Delven La DE74 ....17 B3
Denacre Ave LE18 ....180 A1
Denbigh Pl LE17 .....244 C7
Denbydale LE18 ......180 F1
Denegate Ave LE4 ....128 E8
Denham Cl LE3 ....153 C6
Denholme Rd LE2 ....179 E8
Deniston Cl LE9 ......218 D7
Denman La LE9 ......200 D8
Denmark Rd LE2 .....179 E8
Denmead Ave LE18 ...180 C4
Dennis St LE67 ....96 D6
Denstone Cl LE65 .....69 A8
Denton La Harston NG32 .15 C4
Sedgebrook NG32 ....8 F6
Denton Rise LE13 .....59 E2
Denton St LE3 ....154 B5
Denton Wlk LE18 ....180 E2
Derby Cl LE9 ....219 A5
Derby La DE12 ....121 A6
Derby Rd
Ashby-De-la-Z LE65 ....69 B6
Aston-on-T DE72 ....16 A8
Draycott DE72 ....9 A7
Hathern LE12 ....29 F2
Hinckley LE10 ....197 D1
Kegworth DE74 ....18 C2
Long Eaton NG10 ....10 A8
Long Eaton NG10 ....10 D8
Loughborough LE11 .....51 E6
Melbourne DE73 ....26 A8
Smisby LE65 ....45 F6
Swadlincote DE11 ......44 C3
Derby Sq ▣ LE11 ......52 A4
Derby St LE3 ....154 B5
Derrys Hollow LE67 ....96 E3
Dersingham Rd LE4 ...128 E2
Derwent Ave LE15 ...166 A7
Derwent Cl
Castle Gresley DE11 ....44 A1
Earl Shilton LE9 ......198 F8
Derwent Dr
Loughborough LE11 .....51 D1
Melton Mowbray LE13 ...59 B1
Derwent Gdns LE65 ....69 C5
Derwent Rd LE12 ......76 D8
Derwent St Draycott DE72 .9 A7
Leicester LE2 ....155 C6
Long Eaton NG10 ....10 C6
Derwent Street Ind Est
NG10 ....10 C6
Derwent Wlk Corby NN17 .230 D2
Leicester LE2 ....181 C5
Desborough Rd
Arthingworth LE16 ....251 F1
Braybrooke LE16 .....251 F5
Desford Com Prim Sch
LE9 ....151 A2
Desford Cross Roads
LE9 ....177 B8
Desford La
Kirkby Mallory LE9 ...175 D7
Peckleton LE9 ....176 B8
Ratby LE6 ....152 B6
Desford Rd Enderby LE9 .177 D6
Kirby Muxloe LE9 .....152 D6
Narborough LE9 ......201 B8
Newbold Verdon LE9 ..150 D4
Thurlaston LE9 ....176 F4
Devana Ave LE67 ......96 F8
Devana Rd LE2 ....155 C3
Devenports Hill LE7 ...157 B5
Deveron Cl LE67 ......72 C1
Deveron Ct LE10 .....197 B1
Deveron Way LE10 ...197 B1
Deveron Wlk NN17 ...230 D1
Devitt Way LE9 ......218 F4
Devon Cl DE12 ....68 C6
Devon La NG13 ....3 B3
Devon Way LE5 ......155 F5
Devon Wlk LE15 ....87 D2
Devonia Rd LE2 ......181 D4
Devonshire Ave LE18 .180 A1
Devonshire La LE11 ....52 B3
Devonshire Rd LE4 ...128 E1
Devonshire Sq LE11 ...52 B3
Devonshire Wlk LE2 ..181 C3
Deweys St LE15 ......166 D3
Dexters Cl LE12 ....76 A7
Dick's Hill LE16 .....249 C5
Dicken The LE8 ......201 F7
Dickens Cl LE12 ......77 D4
Dickens Ct LE3 ......154 A5
Dickens Dr
Melton Mowbray LE13 ...59 B6
Stamford PE9 ....143 A3
Swadlincote DE11 ......44 C5
Dickinson Way LE4 ...129 C7
Dickman's La LE14 ....12 B3
Didcott Way DE12 ...119 C6
Didsbury St LE3 .....153 E3
Dieppe Way LE13 .....59 B5
Digby Cl
Leicester LE3 ....154 B3
Tilton on t H LE7 .....160 A8

Digby Dr
Melton Mowbray LE13 ...81 F8
Oakham LE15 ....137 E6
Digby Rd LE15 ......166 D3
Dillon Gn LE3 ....127 F1
Dillon Rd LE3 ....153 F8
Dillon Rise LE3 .....153 F8
Dillon Way LE3 .....127 F1
Dimmingsdale Cl LE7 .127 E7
Dingle Gdns The PE9 ..144 E1
Dingle La B79, DE12 ..119 C6
Dingley Ave LE4 .....129 C1
Dingley La LE16 .....241 F6
Dingley Link LE18 ...180 E3
Dingley Rd LE16 ....241 B6
Dingley Terr LE16 ...240 F3
Dinmore Grange DE11 .45 B6
Diseworth CE Prim Sch
DE74 ....28 C3
Diseworth Rd DE74 ....17 A1
Diseworth St LE2 ....155 C5
Disney Cl LE9 ....199 D2
Disraeli Cl LE8 ......223 F8
Disraeli St Leicester LE2 .179 D7
Quorn LE12 ....76 A6
Ditchling Ave LE3 ....154 A6
Dixie Gram Sch The
CV13 ....148 F3
Dixon Dr LE2 ....155 C3
Dobney Ave LE7 .....103 C6
Dockhouse The LE16 .240 D4
Doctor Cookes Cl LE9 .198 A6
Doctor's La
Breedon on t H DE73 ...26 F2
Melton Mowbray LE13 ...59 E4
Doctor's Wlk The DE12 .93 C5
Doctors Fields LE9 ...198 D1
Doddridge Rd LE16 ...240 E4
Dodgeford La LE12 ....48 E5
Dodwells Bridge Ind Est
LE10 ....214 E8
Dodwells Rd LE10 ....214 E8
Dog And Gun La LE8 ..201 F5
Dog La Burton Lazars LE14 .83 A7
Netherseal DE12 ......91 F6
South Kilworth LE17 ..255 C8
Wilson DE73 ....26 E6
Dogwood Ct LE2 .....181 A7
Dolphin Ct LE15 .....189 A4
Dominion Rd
Glenfield LE3 ....153 D8
Swadlincote DE11 ......44 B5
Dominus Way LE3 ...178 D8
Domont Cl LE12 ....50 B3
Don Cl Corby NN17 ...230 D1
Oakham LE15 ....137 E4
Donald Cl LE4 ....129 F4
Donald Greaves Ho
NN17 ....230 D1
Donaldson Rd LE4 ...155 A8
Donats Ho LE17 .....244 C6
Doncaster Rd LE4 ....129 B1
Donington Dr LE65 ....68 F5
Donington Grand Prix
Collection DE74 ....27 D8
Donington La
Shardlow DE72 ....17 C7
Shardlow DE72 ....17 C8
Donington le Heath
Manor House LE67 ......96 C6
Donington Park Motor
Racing Circuit DE74 ....27 C8
Donisthorpe Cty Prim Sch
DE12 ....68 A1
Donisthorpe La DE12 ..67 E2
Donnett Cl LE15 .....156 B6
Donnington St LE2 ...155 C5
Dorchester Cl Blaby LE8 .202 B6
Wigston LE18 ....203 D8
Dorchester Rd
Burbage LE10 ....216 B7
Leicester LE3 ....154 B4
Dorchester Way CV11 .214 A7
Dore Rd LE5 ....155 C4
Dorian Rise LE13 .....59 B2
Dorothy Ave
Glen Parva LE2 ....179 B3
Melton Mowbray LE13 ...59 A4
Thurmaston LE4 ......129 D6
Dorothy Goodman
Specl Sch LE10 ....197 D2
Dorothy Rd LE5 .....155 F8
Dorset Ave Glenfield LE3 .127 C1
Wigston LE18 ....179 F3
Dorset Dr
Melton Mowbray LE13 ...82 D7
Moira DE12 ....68 C6
Dorset St LE4 ....155 A8
Double Rail Cl LE18 ..180 A1
Doudney Cl LE9 .....199 D1
Doughty St PE9 .....143 F5
Douglas Dr LE67 .....122 F8
Douglas Jane Cl LE13 ..59 A4
Douglass Dr LE16 ....240 F4
Dove Bank Prim Sch
CV13 ....123 B3
Dove Cl Hinckley LE10 .215 A8
Oakham LE15 ....137 E6
Woodville DE11 ....44 F3
Dove La NG10 ....10 C8
Dove Rd
Coalville LE67 ....97 A7
Diseworth DE74 ....28 C8
Dove Rise LE2 ....181 C6
Dovecote
Breedon on t H DE73 ...27 B3
Castle Donington DE74 ..17 B3
Shepshed LE12 ....50 C4

Dovecote Cl
Barrowden LE15 . . . .**191** F5
Sapcote LE9 . . . .**217** D7
Dovecote La LE9 . . . .**200** C5
Dovecote St LE12 . . . .**30** A1
Dovecote Way LE9 . . . . . .**198** B6
Dovedale Ave Blaby LE8 .**202** B7
Long Eaton NG10 . . . .**10** B6
Dovedale Cl LE13 . . . .**59** B1
Dovedale Ct NG10 . . . .**10** B6
Dovedale Prim Sch NG10 .**10** B6
Dovedale Rd
Leicester LE5 . . . .**155** E1
Thurmaston LE4 . . . .**129** E7
Dovelands Prim Sch LE3 .**154** B5
Dover Cl LE12 . . . .**101** D8
Dover St
Kibworth Beauchamp LE8 .**223** F8
Leicester LE1 . . . .**259** C3
Dower House Gdns LE12 .**76** A6
Down St LE4 . . . .**129** B1
Downham Ave LE4 . . . . . .**128** E2
Downing Cres PE9 . . . . . .**143** D5
Downing Dr LE5 . . . .**156** D4
Downside Dr LE65 . . . .**69** A7
Doyle Cl LE11 . . . .**51** D6
Dragon La LE9 . . . .**150** A5
Dragon St NG13 . . . .**5** B5
Dragwell DE74 . . . .**18** D2
Drake Way LE10 . . . .**197** D4
Draper St LE2 . . . .**155** C3
Draycott Prim Sch DE72 . . .**9** A7
Draycott Rd Breaston DE72 . .**9** C7
Long Eaton NG10 . . . .**10** A4
Drayton Cl CV13 . . . .**194** F6
Drayton Ct CV10 . . . .**194** B2
Drayton La CV13 . . . .**194** E6
Drayton Rd
Bringhurst LE16 . . . .**229** B5
Drayton LE16 . . . .**228** D4
Leicester LE3 . . . .**153** E7
Medbourne LE16 . . . .**228** A5
Drayton St DE11 . . . .**44** C4
Dribdale LE8 . . . .**223** A7
Drift Ave PE9 . . . .**143** D4
Drift Cl DE11 . . . .**68** B8
Drift Gdns PE9 . . . .**143** F5
Drift Hill Redmile NG13 . . . .**6** F4
Wymondham LE14 . . . .**63** A2
Drift Rd PE9 . . . .**143** E4
Drift Side DE11 . . . .**68** B7
Drift The Collyweston PE9 .**168** D2
Denton NG32 . . . .**15** E3
Essendine PE9 . . . .**116** D6
Sewstern NG33 . . . .**42** F2
Thistleton NG33 . . . .**64** B5
Drinkstone Rd LE5 . . . . . .**155** E5
Drive, Dalby Rd LE13 . . . .**59** C1
Drive The Barwell LE9 . . . .**198** C8
Birstall LE4 . . . .**129** A6
Countesthorpe LE8 . . . . .**202** C4
Kibworth Beauchamp LE8 .**224** B8
Scraptoft LE7 . . . .**156** F8
Woodhouse Eaves LE12 . . .**100** A8
Drome Cl LE67 . . . .**72** D1
Dronfield St LE5 . . . .**155** C5
Drought Gdn LE15 . . . . . .**139** D6
Drove The PE9 . . . .**168** D1
Drovers Way LE9 . . . .**201** B2
Druid St LE10 . . . .**197** D1
Drumcliff Rd LE5 . . . .**156** E6
Drummond Rd
Enderby LE9 . . . .**178** A3
Leicester LE4 . . . .**128** F3
Drummond Wlk LE13 . . . .**59** B5
Drury La LE15 . . . .**190** C1
Drurys La LE15 . . . .**180** F6
Dry Pot La LE12 . . . .**28** F2
Dryden Cl DE12 . . . .**93** C4
Dryden St LE1 . . . .**259** C5
Duck Lake DE12 . . . .**119** F8
Dudleston Cl LE5 . . . .**156** A5
Dudley Ave LE5 . . . .**156** C6
Dudley Cl LE5 . . . .**156** C6
Dudley Rise LE10 . . . .**215** D6
Duffield Ave LE4 . . . .**180** B4
Duffield Cl NG10 . . . .**10** A5
Duffield St LE2 . . . .**155** C5
Duke St Leicester LE1 . . . .**259** B2
Loughborough LE11 . . . . . .**52** B5
Melton Mowbray LE13 . . . . .**59** E4
Dukes Cl Thurmaston LE4 .**129** F7
Wigston LE18 . . . .**180** B3
Dukes Drive Flats LE2 . . .**155** C2
Dukes Rd LE14 . . . .**36** B6
Dulverton Cl
Loughborough LE11 . . . . . .**74** D8
Wigston LE18 . . . .**203** D1
Dulverton Rd
Leicester LE3 . . . .**154** C5
Melton Mowbray LE13 . . . . .**59** A5
Dumbleton Ave LE3 . . . . .**154** C1
Dumps Rd LE67 . . . .**71** E6
Dunbar Rd Coalville LE67 . . .**97** C8
Leicester LE4 . . . .**129** E2
Dunbar Way LE65 . . . .**69** D6
Dunblane Ave LE4 . . . . . .**129** D4
Dunblane Way LE10 . . . . .**197** A4
Duncan Ave LE9 . . . .**200** D7
Duncan Rd LE2 . . . .**179** E7
Duncan Way LE11 . . . .**51** C6
Duncombe Rd LE3 . . . . . .**128** A1
Dundee Dr PE9 . . . .**143** A4
Dundee Rd Blaby LE8 . . . .**202** B6
Swadlincote DE11 . . . .**44** D5
Dundonald Rd LE4 . . . . . .**129** A1
Dunholme Ave LE11 . . . . .**51** B4

Dunholme Rd LE4 . . . . . .**129** E1
Dunire Cl LE4 . . . .**128** C3
Dunkirk St LE1 . . . .**259** C5
Dunley Way LE17 . . . .**244** C7
Dunlin Rd Essendine PE9 .**117** B6
Leicester LE5 . . . .**155** C7
Dunnicliffe La DE73 . . . . . .**26** A7
Dunnsmoor La DE11 . . . . .**44** E7
Duns La LE3 . . . .**259** A3
Dunslade Cl LE16 . . . .**241** A2
Dunslade Gr LE16 . . . .**241** B2
Dunslade Rd LE16 . . . .**241** A2
Dunsmore Cl LE11 . . . .**74** D8
Dunsmore Way DE11 . . . . .**44** E5
Dunstall Ave LE3 . . . .**153** D3
Dunster Rd LE12 . . . .**76** D1
Dunster St LE3 . . . .**154** B5
Dunville Wlk LE4 . . . .**129** D3
Dunton Bassett Prim Sch
. . . .**219** D2
Dunton La LE17 . . . .**234** A4
Dunton Rd
Broughton Astley LE17, LE9 .**219** A3
Leire LE17 . . . .**234** A8
Dunton St Leicester LE3 .**154** D7
Wigston LE18 . . . .**179** F1
Dupont Cl LE3 . . . .**153** D7
Dupont Gdns LE3 . . . .**153** D7
Duport Rd LE10 . . . .**215** F7
Durban Rd LE4 . . . .**128** C7
Durham Cl DE11 . . . .**44** E5
Durham Dr LE18 . . . .**180** A4
Durham Rd LE11 . . . .**51** E6
Durnford Rd LE18 . . . .**203** D7
Durrell Cl LE11 . . . .**51** C6
Durris Cl LE67 . . . .**72** C1
Durston Cl LE5 . . . .**156** D4
Duxbury Rd LE5 . . . .**155** E7
Dysart Way LE1 . . . .**155** B7
Dyson Cl Lutterworth LE17 .**244** C7
Rugby CV21 . . . .**257** A1
Dysons Cl DE12 . . . .**93** B5

E

Eagle Cl
Broughton Astley LE9 . . . .**218** E7
Measham DE12 . . . .**93** B4
Eagles Dr LE13 . . . .**82** B8
Eaglesfield LE17 . . . .**218** F1
Eaglesfield End LE17 . . . .**218** E1
Ealing Rd LE2 . . . .**154** F1
Eamont Cl LE2 . . . .**179** D3
Eamont Gn LE2 . . . .**179** D3
Earl Howe St LE2 . . . .**155** C4
Earl Howe Terr 5 LE3 . . .**154** C5
Earl Russell St LE2 . . . . .**179** C6
Earl Shilton Rd LE9 . . . . .**176** D2
Earl St Earl Shilton LE9 . . .**176** A1
Leicester LE1 . . . .**259** C4
Earls Cl LE4 . . . .**129** F7
Earls Rd LE14 . . . .**36** B6
Earls Way LE4 . . . .**129** F7
Earlstrees Ct NN17 . . . . . .**230** F2
Earlstrees Ind Est NN17 . .**230** E2
Earlstrees Rd NN17 . . . . . .**230** F2
Earlswood Cl DE72 . . . .**9** B8
Earlswood Rd LE5 . . . . . .**156** D4
Easby Cl LE11 . . . .**51** B5
Easedale Cl CV11 . . . .**214** A6
East Acre LE3 . . . .**108** C1
East Ave Leicester LE2 . . .**155** C2
Melton Mowbray LE13 . . . . .**59** A4
Syston LE7 . . . .**103** C3
Whetstone LE8 . . . .**201** F8
East Bond St LE1 . . . .**259** B4
East Cl LE10 . . . .**215** D7
East Cres LE67 . . . .**96** E2
East End LE14 . . . .**20** D4
East End Dr DE11 . . . .**44** C4
East Equity Rd LE9 . . . . .**198** F7
East Gates LE1 . . . .**259** B4
East Gn LE9 . . . .**198** A6
East Goscote Ind Est
LE7 . . . .**103** C7
East La Bardon LE67 . . . . . .**97** D4
Ridlington LE15 . . . .**163** E2
East Link LE18 . . . .**178** E7
East Midlands Airport
DE74 . . . .**28** C8
East Norton Rd LE16 . . . . .**209** D7
East Orch LE12 . . . .**77** C1
East Park Rd LE5 . . . .**155** D5
East Rd Birstall LE4 . . . . . .**129** A5
Wymeswold LE12 . . . .**33** E4
East Side Croft LE13 . . . . .**59** D6
East St Leicester LE1 . . . . .**259** C3
Leicester, Oadby LE2 . . . .**181** A6
Long Eaton NG10 . . . .**10** F8
Market Harborough LE16 . .**240** D3
Stamford PE9 . . . .**143** D3
East Wlk Ibstock LE67 . . . . .**95** F1
Ratby LE6 . . . .**126** C1
Eastboro Way CV11 . . . . .**214** A4
Eastcourt Rd LE2 . . . .**180** C6
Eastern Bvd LE2 . . . .**259** A2
Eastfield Ave LE13 . . . .**59** C4
Eastfield Ct LE3 . . . .**154** B5
Eastfield Cty Prim Sch
LE4 . . . .**129** F8
Eastfield Rd Leicester LE3 .**154** B5
Swadlincote DE11 . . . .**44** C6
Thurmaston LE4 . . . .**129** E7
Eastgate LE16 . . . .**209** D5
Easthorpe Rd NG13 . . . .**3** C2

Easthorpe View NG13 . . . . .**3** C2
Eastleigh Rd LE3 . . . .**154** D3
Eastmere Rd LE18 . . . . . .**180** F3
Easton Garfords
Charity Prim Sch PE9 .**169** A5
Eastway DE74 . . . .**17** B3
Eastway Rd LE18 . . . .**180** D4
Eastwood Rd LE2 . . . .**179** D5
Eastwoods Rd LE10 . . . . .**197** F2
Eaton Ct NG32 . . . .**22** F7
Eaton Grange Dr NG10 . . .**10** A8
Eaton Rd DE74 . . . .**17** B3
Ebchester Cl LE2 . . . .**179** C3
Ebchester Rd LE2 . . . .**179** C4
Edale Cl Leicester LE3 . . . .**153** C4
Long Eaton NG10 . . . .**10** B6
Edale Gn LE10 . . . .**215** F6
Eddystone Rd LE5 . . . . . .**156** E7
Edelin Rd LE11 . . . .**52** B1
Eden Cl Leicester LE2 . . . .**181** C6
Loughborough LE11 . . . . . .**51** C5
Eden Gdns LE4 . . . .**128** C7
Eden Rd LE2 . . . .**181** D6
Eden Way LE2 . . . .**179** D2
Edendale Dr LE10 . . . .**197** E4
Edendale Rd LE13 . . . .**82** B8
Edenhall Cl Leicester LE4 .**129** D3
Leicester, Oadby LE2 . . . .**181** D4
Edenhurst Ave LE3 . . . . . .**178** F7
Edensor St LE4 . . . .**129** C3
Edgbaston Cl LE4 . . . .**128** D7
Edge Hill Ct NG10 . . . .**10** D4
Edgecote Dr DE11 . . . .**44** A7
Edgehill Cl LE8 . . . .**205** B8
Edgehill Rd LE4 . . . .**129** E2
Edgeley Rd LE8 . . . .**202** F4
Edinburgh Cl LE16 . . . . . .**240** F4
Edinburgh Rd
Earl Shilton LE9 . . . .**198** D7
Stamford PE9 . . . .**143** D5
Edinburgh Way LE2 . . . . . .**76** C1
Edison Ctyd NN17 . . . .**230** F3
Edith Ave LE3 . . . .**179** A7
Edith Weston
Cty Prim Sch LE15 . .**166** A7
Edith Weston Rd LE15 . . .**166** D4
Edmonds Cl PE9 . . . .**143** E4
Edmondthorpe Drift LE14 .**63** B1
Edmondthorpe Mere
LE15 . . . .**85** E5
Edmondthorpe Rd LE14 . . .**62** E1
Edmonton Rd LE1 . . . .**259** C5
Edmonton Way LE15 . . . .**138** B6
Edmunds Dr PE9 . . . .**168** A5
Edward Ave LE3 . . . .**178** F8
Edward Cl LE2 . . . .**181** C5
Edward Dr LE2 . . . .**181** C5
Edward Rd Fleckney LE8 . .**222** F7
Leicester LE2 . . . .**155** B2
Long Eaton NG10 . . . .**10** D8
Market Harborough LE16 . .**240** D5
Stamford PE9 . . . .**143** D5
Edward St
Albert Village DE11 . . . . . .**44** C1
Anstey LE7 . . . .**127** E7
Hartshorne DE11 . . . .**45** A3
Hinckley LE10 . . . .**197** C2
Leicester LE5 . . . .**155** C7
Loughborough LE11 . . . . . .**52** A5
Overseal DE12 . . . .**67** B4
Edwards Ctr 6 LE10 . . . .**215** D8
Egerton Ave LE4 . . . .**128** E2
Egerton Hos LE2 . . . .**180** E7
Egerton Rd LE13 . . . .**59** D3
Egerton View LE13 . . . .**59** B3
Eggington Ct LE11 . . . .**51** E2
Egginton St LE5 . . . .**155** C5
Eglantine Cl LE2 . . . .**181** A7
Eider Cl LE8 . . . .**201** F4
Eight Acres 6 PE9 . . . . . .**143** C5
Eileen Ave LE4 . . . .**128** E2
Elbow La LE1 . . . .**259** A4
Elder La LE67 . . . .**48** A2
Eldon St LE1 . . . .**259** C4
Eleanor Cl PE9 . . . .**143** C4
Elfin Gr LE17 . . . .**219** E2
Elford St 2 LE65 . . . .**69** B6
Elgar Dr NG10 . . . .**10** B5
Elgin Ave LE3 . . . .**153** F8
Elgin Dr LE13 . . . .**59** C4
Elgin Wlk LE67 . . . .**71** D8
Eliot Cl Long Eaton NG10 . . .**10** B5
Loughborough LE11 . . . . . .**51** C6
Elizabeth Ave LE67 . . . . . .**95** F2
Elizabeth Cl Fleckney LE8 .**222** F6
Houghton on t h HE7 . . . .**157** F4
Elizabeth Cres LE8 . . . . .**180** B4
Elizabeth Ct Glenfield LE3 .**127** B1
Wigston LE18 . . . .**180** D2
Elizabeth Dr
Leicester LE2 . . . .**181** C4
Thurmaston LE4 . . . .**129** E8
Elizabeth Gdns LE8 . . . . .**201** F7
Elizabeth Rd
Fleckney LE8 . . . .**222** F6
Hinckley LE10 . . . .**197** D2
Stamford PE9 . . . .**143** D4
Elizabeth St LE5 . . . .**155** E5
Elizabeth Way LE15 . . . . .**189** B5
Elizabeth Woodville Sch
LE6 . . . .**126** E3
Elizabethan Way LE17 . . .**244** D7
Ellaby Rd LE11 . . . .**51** D6
Elland Rd LE3 . . . .**153** B5
Ellesmere Coll LE3 . . . . . .**154** B2
Ellesmere Pl LE3 . . . .**154** B2
Ellesmere Rd LE3 . . . .**154** B2

Elliot Cl
Kibworth Beauchamp LE8 .**224** A8
Leicester LE2 . . . .**181** E4
Whetstone LE8 . . . .**202** A4
Elliott Dr
Leicester Forest East LE3 .**153** B4
Thurmaston LE4 . . . .**130** A6
Elliott Rd LE4 . . . .**128** D4
Elliott's La LE67 . . . .**125** A8
Ellis Ave LE2 . . . .**129** A1
Ellis Cl Barrow-u-S LE12 . . .**76** F4
Glenfield LE3 . . . .**153** B8
Long Eaton NG10 . . . .**10** C6
Quorn LE12 . . . .**75** F7
Ellis Dr LE3 . . . .**152** F3
Ellis Fields LE2 . . . .**181** E3
Ellis St LE7 . . . .**127** D6
Ellison Ave DE72 . . . .**16** A7
Ellison Cl
Stoney Stanton LE9 . . . . .**199** D3
Wigston LE18 . . . .**202** F8
Ellistown Cty Prim Sch
LE67 . . . .**96** E1
Ellistown Terrace Rd
LE67 . . . .**96** E1
Leicester LE3 . . . .**154** D4
Ellwood Cl LE5 . . . .**156** B4
Elm Ave
Ashby-De-La-Z LE65 . . . . . .**69** D7
Long Eaton NG10 . . . .**10** C8
Lutterworth LE17 . . . .**244** B6
Elm Cl Groby LE6 . . . .**126** F2
Ibstock LE67 . . . .**95** E2
Mountsorrel LE12 . . . .**76** E1
Oakham LE15 . . . .**138** B7
Elm Dr LE16 . . . .**240** C6
Elm Gr LE12 . . . .**68** B6
Elm St PE9 . . . .**143** D6
Elm Tree Ave LE3 . . . .**153** B8
Elm Tree Dr LE10 . . . .**215** F8
Elm Tree Rd LE9 . . . .**201** C2
Elm Wlk NN17 . . . .**230** D1
Elmcroft Ave LE5 . . . .**156** B7
Elmcroft Rd LE17 . . . .**246** F3
Elmdale Rd LE9 . . . .**198** D6
Elmdale St LE4 . . . .**129** A2
Elmesthorpe La LE9 . . . . .**198** D6
Elmfield Ave Birstall LE4 .**128** F7
Leicester LE2 . . . .**155** C3
Elmfield Gdns LE2 . . . . . .**155** C3
Elmhirst Rd LE17 . . . .**244** B5
Elmhurst Ave LE13 . . . .**59** A5
Elmhurst Cl LE9 . . . .**201** A7
Elms Cl Leicester LE2 . . . .**181** B5
Rempstone LE12 . . . .**32** C5
Elms Ct CV9 . . . .**119** A2
Elms Dr Austrey CV9 . . . . .**119** A2
Peckleton LE9 . . . .**176** A7
Quorn LE12 . . . .**75** F5
Elms Farm Ind Est LE17 .**233** F2
Elms Gr Barrow-u-S LE12 . . .**53** D1
Loughborough LE11 . . . . . .**52** C3
Elms La LE8 . . . .**182** F1
Elms Rd Leicester LE2 . . . .**180** D8
Melton Mowbray LE13 . . . . .**59** C3
Elms The Blaby LE8 . . . . . .**202** B7
Countesthorpe LE8 . . . . .**202** E4
Leicester LE2 . . . .**181** B5
Elmsdale Rd DE11 . . . .**45** A4
Elmsleigh Ave LE2 . . . . . .**155** D1
Elmsleigh Cl DE11 . . . .**44** B6
Elmsleigh Cty Inf Sch
DE11 . . . .**44** B6
Elmsleigh Dr DE11 . . . .**44** B6
Elmsleigh Gn DE11 . . . .**44** B6
Elmsthorpe Rise LE3 . . . .**154** A3
Elmtree Cl LE3 . . . .**130** C2
Elmwood Row LE2 . . . . . .**180** A4
Elsadene Ave LE4 . . . .**129** B3
Elsalene Cl LE2 . . . .**155** D1
Elsalene Dr LE6 . . . .**126** C5
Elsdon Cl LE67 . . . .**71** D5
Elsham Cl LE3 . . . .**153** D5
Elstead La DE11 . . . .**45** B1
Elston Fields LE2 . . . .**179** F6
Elstree Ave LE5 . . . .**156** E8
Elsworthy Wlk LE3 . . . . . .**153** D6
Elton Cl PE9 . . . .**143** B4
Elton & Orston Sta NG13 . . .**2** A5
Elvaston Cl 2 LE65 . . . . . .**69** C5
Elvaston Dr NG10 . . . .**10** A4
Elvaston St DE72 . . . .**9** B7
Elwell Ave LE9 . . . .**175** B1
Elwells Ave LE17 . . . .**219** D2
Elwin Ave LE18 . . . .**180** D4
Ely Cl DE11 . . . .**44** D6
Emberton Cl LE18 . . . .**180** F3
Embleton Cl LE10 . . . .**197** B1
Emburn Ho LE3 . . . .**153** F8
Emerson Cl LE4 . . . .**128** A3
Emily Fortey Sch LE3 . . .**153** F6
Emlyns Gdns PE9 . . . .**143** E4
Emlyns St PE9 . . . .**143** E4
Emmanuel Rd PE9 . . . . . .**143** D5
Emperor Way LE8 . . . . . .**201** F4
Empingham CE Prim Sch
LE15 . . . .**141** B6
Empingham Rd
Exton LE15 . . . .**113** B2
Ketton PE9 . . . .**167** C6
Stamford PE9 . . . .**143** B3
Empire Rd LE3 . . . .**154** D7
Empress Rd LE11 . . . .**52** B4
Enderby Rd Blaby LE8 . . . .**202** B8
Thurlaston LE9 . . . .**177** B3
Whetstone, LE8, LE9 . . . .**178** E1
Enderby Road Ind Est
LE8 . . . .**178** E1

Enderbys La LE7 . . . .**159** B8
Englefield Rd LE5 . . . .**156** D5
English Martyr's
RC Prim Sch LE15 . .**138** B7
English Martyrs RC Sch
LE4 . . . .**128** B1
Ennerdale Cl LE2 . . . .**181** D4
Ennerdale Gdns LE65 . . . .**69** D5
Ennerdale Rd
Barrow-u-S LE12 . . . .**76** D3
Corby NN17 . . . .**230** E1
Ensbury Gdns LE5 . . . . . .**156** B3
Ensor Cl CV11 . . . .**214** A5
Enston St LE5 . . . .**150** B4
Epinal Ct LE11 . . . .**51** D5
Epinal Way LE11 . . . .**51** F3
Epping Dr LE13 . . . .**59** C5
Epping Way LE2 . . . .**179** D3
Epsom Rd LE4 . . . .**129** B2
Equity Rd Earl Shilton LE9 .**198** E7
Enderby LE9 . . . .**178** A2
Leicester LE3 . . . .**154** D4
Erdyngton Rd LE3 . . . . . .**153** F4
Erewash St NG10 . . . .**10** E8
Erith Rd LE2 . . . .**154** E1
Ermine Cl PE9 . . . .**143** B3
Ermine Rise PE9 . . . .**142** D7
Ermine Way PE9 . . . .**143** B3
Ernee Cl LE3 . . . .**153** D7
Ernest Hall Way DE11 . . . .**44** C4
Erskine Cl LE10 . . . .**197** A2
Erskine St LE1 . . . .**259** C4
Ervin Way LE7 . . . .**103** E6
Ervin's Lock LE18 . . . .**203** A8
Evington Ct LE3 . . . .**178** D6
Eskdale Leicester LE2 . . . .**181** D4
Long Eaton NG10 . . . .**10** B5
Eskdale Ho LE2 . . . .**179** C3
Eskdale Rd Hinckley LE10 .**215** A7
Leicester LE4 . . . .**128** D3
Essendine Rd PE9 . . . . . .**116** F4
Essex Cl LE9 . . . .**151** B3
Essex Gdns LE16 . . . .**240** D1
Essex Rd Leicester LE4 . . .**129** E2
Stamford PE9 . . . .**143** D4
Wigston LE18 . . . .**179** F3
Estelle Ho LE4 . . . .**129** E8
Estley Rd LE9 . . . .**218** E2
Estoril Ave LE18 . . . .**180** F3
Ethel Rd LE5 . . . .**155** E4
Eton Cl Ashby-De-La-Z LE65 .**69** A8
Leicester LE2 . . . .**180** B8
Eunice Ave LE9 . . . .**200** D7
Eureka Inf Sch DE11 . . . . .**44** D5
Eureka Rd DE11 . . . .**44** D5
Euro Bsns Pk LE16 . . . . . .**241** B4
Euston St LE2 . . . .**154** F1
Evelyn Dr LE3 . . . .**154** D2
Evelyn Rd LE3 . . . .**153** E2
Everard Cl CV23 . . . .**257** A5
Everard Cres LE67 . . . .**97** F1
Everard Way
Braunstone LE9 . . . .**178** F5
Stanton u B LE67 . . . .**97** F1
Everest Ct LE1 . . . .**155** B7
Everest Dr LE13 . . . .**59** A5
Everett Cl LE4 . . . .**130** A6
Everson Cl LE9 . . . .**218** F5
Every St LE1 . . . .**259** B3
Evesham Rd LE3 . . . .**154** C2
Evington Aboretum LE5 . .**156** B1
Evington Cl LE5 . . . .**155** E4
Evington Dr LE5 . . . .**155** E3
Evington La Leicester LE5 .**155** E3
Leicester, Evington LE5 . . .**155** D3
Evington Parks Rd LE2 . .**155** D3
Evington Pl LE2 . . . .**155** C4
Evington Rd LE2 . . . .**155** C3
Evington St LE2 . . . .**155** B5
Evington Valley Prim Sch
LE5 . . . .**155** D3
Evington Valley Rd LE5 . .**155** D4
Ewden Rise LE13 . . . .**59** B1
Excalibur Cl LE3 . . . .**153** A2
Exchange The LE2 . . . . . .**179** E4
Exeter Cl DE11 . . . .**44** E6
Exeter Ct 2 PE9 . . . .**143** D2
Exeter Gdns PE9 . . . .**143** B2
Exeter Rd LE18 . . . .**180** B4
Exmoor Ave LE4 . . . .**154** E8
Exmoor Cl Ellistown LE67 . .**96** D4
Loughborough LE11 . . . . . .**74** D8
Wigston LE18 . . . .**180** D1
Exton CE Prim Sch LE15 .**113** B3
Exton Cl PE9 . . . .**143** A3
Exton La LE15 . . . .**112** C2
Exton Rd Cottesmore LE15 .**112** F8
Empingham LE15 . . . .**140** F8
Leicester LE5 . . . .**155** E7
Eye Brook Cl LE11 . . . .**51** B2
Eyebrook Resr LE15 . . . . .**211** E4
Eynsford Ct LE2 . . . .**180** F8
Eyres Monsell Prim Sch
LE2 . . . .**179** D4

F

Fabis Cl DE11 . . . .**44** A3
Fabius Cl LE10 . . . .**215** C7
Factory La LE10 . . . .**240** E3
Factory Rd LE10 . . . .**197** D1
Factory St
Loughborough LE11 . . . . . .**52** C3
Shepshed LE12 . . . .**50** B4

Fair Acre Rd LE9 ....198 A6
Fair Field LE14 ....40 A6
Fair Lea Cl NG10 ....10 D6
Fair Mead LE12 ....101 E8
Fair View LE15 ....138 B6
Fairacre Rd LE3 ....198 A6
Fairbourne Rd LE3 ....154 A1
Fairburn Ho LE3 ....153 F8
Fairacre Rd LE3 ....153 C8
Fairfax Cl
 Ashby-De-La-Z LE65 ....69 D7
 Leicester LE4 ....129 E2
Fairfax Ct LE8 ....205 B8
Fairfax Rd Leicester LE4 ....129 E2
 Market Harborough LE16 ....240 E1
Fairfield LE67 ....95 F1
Fairfield Cl Langham LE15 ....110 C3
 Melton Mowbray LE13 ....59 D5
Fairfield Ct Coalville LE67 ....96 C6
 Loughborough LE11 ....52 C3
Fairfield Cty Prim Sch
 LE18 ....180 A3
Fairfield Prep Sch LE11 ....52 B3
Fairfield Rd Coalville LE67 ....96 C7
 Leicester LE2 ....181 B4
 Market Harborough LE16 ....240 D4
Fairfield St Leicester LE5 ....155 C5
 Wigston LE18 ....179 F1
Fairfield Terr DE11 ....44 F3
Fairfield (Uppingham Sch)
 LE15 ....188 F4
Fairford Ave LE5 ....156 B3
Fairhaven Rd LE7 ....127 E8
Fairholme Rd LE2 ....180 B6
Fairisle Way LE8 ....202 F3
Fairmeadows Way LE11 ....75 A7
Fairmount Dr LE11 ....51 E2
Fairstone Hill LE2 ....181 B4
Fairview Ave LE8 ....201 F7
Fairway
 Kibworth Beauchamp LE8 .224 B8
 Market Harborough LE16 .240 D4
 Nuneaton CV11 ....214 B1
Fairway Rd LE3 ....50 D3
Fairway Rd S LE12 ....50 C1
Fairway The Blaby LE8 ....202 A7
 Hinckley LE10 ....215 F7
 Kirby Fields LE9 ....152 F5
 Leicester LE2 ....179 F6
 Leicester, Oadby LE2 ....155 F1
Falcon Cl
 Broughton Astley LE9 ....218 E7
 Leicester Forest East LE3 .152 E2
Falcon Rd LE4 ....127 D5
Falcon St LE11 ....52 C5
Falcon Way DE11 ....44 F3
Falconer Cres LE3 ....153 E8
Faldo Cl LE4 ....129 E5
Faldo Dr LE13 ....59 C6
Falkirk Cl PE9 ....143 A4
Falkner Ct LE11 ....51 E2
Fallow Cl LE9 ....218 E4
Fallowfield Rd LE5 ....156 D4
Falmouth Cl CV11 ....214 A5
Falmouth Dr
 Hinckley LE10 ....197 E4
 Wigston LE18 ....180 D1
Falmouth Rd LE5 ....156 A4
Falstaff CV11 ....214 A1
Fane Cl PE9 ....143 D5
Far Croft DE72 ....9 D8
Far La LE12 ....30 D4
Far Lash LE10 ....215 F6
Far St LE12 ....33 C4
Faraday Rd LE10 ....214 D6
Faringdon Ave LE17 ....244 D6
Farleigh Ave LE18 ....180 D3
Farleigh Cl LE9 ....218 E2
Farleigh Gdns LE15 ....189 A5
Farleigh (Uppingham Sch)
 LE15 ....189 B5
Farley Rd LE2 ....180 D8
Farley Way
 Kirby Muxloe LE9 ....152 F5
 Quorn LE12 ....75 F7
Farm Cl Birstall LE4 ....129 B6
 Leicester LE2 ....179 F5
 Littlethorpe LE9 ....201 C7
 Long Eaton NG10 ....10 E5
Farm La LE67 ....96 B6
Farm Rd Barwell LE9 ....198 C8
 Hinckley LE10 ....215 E6
Farmers Cl LE3 ....153 B8
Farmhouse Cl NG13 ....3 A3
Farmway LE3 ....178 E6
Farndale Whitwick LE67 ....71 D6
 Wigston LE18 ....180 F2
Farndale Cl NG10 ....10 A5
Farndale Dr LE11 ....74 F8
Farndale View LE16 ....240 C2
Farndon Cl LE16 ....240 D2
Farndon Dr LE9 ....199 D2
Farndon Rd
 Great Oxendon LE16 ....250 D4
 Lubenham LE16 ....239 F2
 Market Harborough LE16 .240 D1
 Marston Trussell LE16 ....249 D7
Farneway LE10 ....197 B1
Farnham Cl LE7 ....101 E7
Farnham Ct LE12 ....76 D3

Farnham Rd LE11 ....75 B8
Farnham St Leicester LE5 .155 C6
 Quorn LE12 ....75 F6
Farnworth Cl LE4 ....129 D3
Farr Wood Cl LE6 ....126 E3
Farrier La LE4 ....128 B4
Farriers Cl DE12 ....120 E7
Farriers Way PE9 ....117 B8
Farriers' Way LE7 ....103 D7
Farriers Way LE10 ....215 F6
Farringdon St LE5 ....155 C7
Farthing Ct NG10 ....10 B7
Farthingdale Cl LE18 ....201 E3
Farthings The LE12 ....30 A1
Fastnet Rd LE5 ....156 E7
Faversham Cl LE3 ....153 C6
Fayrhurst Rd LE2 ....179 F6
Fearn Cl DE72 ....10 A7
Fearon St LE11 ....51 F4
Featherbed La
 Ashby-De-La-Z LE65 ....69 D7
 Rugby CV21 ....257 A1
Featherby Dr LE2 ....179 A3
Featherston Dr LE10 ....215 E6
Featherstone Dr LE2 ....179 C2
Feature Rd LE4 ....102 E1
Federation St LE9 ....178 A3
Feildingway LE17 ....244 C7
Feldspar Cl LE9 ....178 B5
Felley Way LE3 ....154 C8
Felstead Rd LE4 ....128 D4
Fen La NG23 ....1 D1
Fenn Lanes
 Dadlington CV13 ....173 D2
 Fenny Drayton CV13 ....195 D8
Fennel St LE11 ....52 B4
Fenners Cl LE4 ....128 C4
Fenny La LE17 ....222 A2
Fenton Ave DE11 ....45 B1
Fenton Cl Leicester LE2 .181 A3
 Measham DE12 ....93 B3
Fenton Cres DE12 ....93 C3
Fenton Dr PE9 ....117 C8
Fenwick Rd LE4 ....181 E4
Fermain Cl LE5 ....156 D5
Fern Bank LE5 ....155 C6
Fern Cl LE7 ....156 E5
Fern Cres LE6 ....126 D4
Fern Rise LE5 ....130 C1
Ferndale LE67 ....95 E1
Ferndale Dr LE6 ....152 D8
Ferndale Rd Leicester LE2 180 D6
 Thurmaston LE4 ....129 E6
Ferndene Dr NG10 ....10 A7
Ferndown Cl LE3 ....153 C6
Ferneley Ave LE10 ....197 A3
Ferneley Cres LE13 ....59 E5
Ferneley Rise LE7 ....78 F4
Ferness Cl LE9 ....197 B2
Ferness Rd LE9 ....197 B2
Fernhurst Rd LE3 ....178 F8
Fernie Ave LE13 ....59 B3
Fernie Chase LE16 ....226 A6
Fernie Cl LE2 ....181 C4
Fernie Dene LE8 ....182 C1
Fernie Rd Leicester LE5 .155 D7
 Market Harborough LE16 .240 F3
Fernlea LE9 ....177 F1
Fernleys Cl LE4 ....128 B3
Fernvale Prim Sch LE7 .156 F6
Ferrers Cl LE3 ....153 D1
Ferrers Cl
 Ashby-De-La-Z LE65 ....68 F5
 Castle Donington DE74 ....17 A3
 Oakham LE15 ....137 D6
Ferrers Croft CV13 ....149 D7
Ferrers Ctr for Arts &
 Crafts LE65 ....46 F6
Ferrers Rd
 Lutterworth LE17 ....244 B5
 Whitwick LE67 ....71 F4
Ferrers Rise LE6 ....126 E3
Ferrers Sch LE15 ....137 D6
Ferrers St LE2 ....179 F5
Ferrous Cl LE4 ....155 C8
Festival Ave Breaston DE72 .9 C7
 Thurmaston LE4 ....129 E6
Festival Dr LE11 ....52 A4
Fettes Cl LE65 ....69 A8
Field Ave LE12 ....50 C4
Field Cl Breaston DE72 ....9 F7
 Hinckley LE10 ....197 F3
 Houghton on t H LE7 ....158 A3
 Littlethorpe LE9 ....201 C7
 Melton Mowbray LE13 ....59 D1
 Thringstone LE67 ....71 D7
Field Court Rd LE6 ....126 F3
Field Crest LE12 ....101 D8
Field La Boundary DE11 ....45 C2
 Breedon on t H DE73 ....27 B3
Field St LE12 ....50 B4
Field The LE14 ....108 B2
Field View Syston LE7 ....102 E3
 Thurmaston LE4 ....130 A7
Field Way LE9 ....198 D7
Fieldfare Wlk LE5 ....155 C7
Fieldgate Cres LE4 ....128 E8
Fieldhead Cl LE16 ....240 C3
Fieldhouse Rd LE4 ....129 B3
Fieldhurst Ave LE3 ....178 E8
Fielding Cl CV9 ....170 D2
Fielding Palmer Hospl
 LE17 ....244 D6
Fielding Rd LE4 ....128 F6
Fields Farm Rd NG10 ....10 B5
Fieldway Cres LE8 ....182 B1
Fieldway The LE9 ....218 F5
Fife Cl PE9 ....142 F4

Filbert St LE2 ....259 A1
Filbert St E LE2 ....259 B1
Finch Ave LE15 ....137 D6
Finch Cl Leicester LE3 ....153 E5
 Uppingham LE15 ....189 A5
 Woodville DE11 ....44 F3
Finch Way LE9 ....201 A7
Finch-Hatton Dr NN17 ....213 C1
Finches The Desford LE9 .151 B2
 Market Overton LE15 ....87 A5
Fineshade Ave LE3 ....154 C8
Finkey St LE15 ....137 F6
Finney Cl LE2 ....67 E1
Finsbury Ave
 Loughborough LE11 ....52 C3
 Sileby LE12 ....77 C3
Finsbury Rd LE4 ....129 C1
Finson Cl LE18 ....180 D3
Fiona Dr LE7 ....156 F5
Fir Rd PE9 ....142 F5
Fir Tree Ave LE18 ....202 E4
Fir Tree Cl LE18 ....180 C5
Fir Tree La Groby LE6 ....126 E4
 Swinford LE17 ....254 C5
Fir Tree Wlk LE16 ....240 E4
Firdale LE14 ....108 C1
Firestone Cl LE3 ....153 C6
Firfield Ave Birstall LE4 ....129 A7
 Breaston DE72 ....9 E8
Firfield Prim Sch DE72 ....9 E7
Firs Ave LE15 ....189 A5
Firs Cl LE7 ....158 A4
Firs Rd LE7 ....158 A4
Firs St NG10 ....10 A4
Firs The LE6 ....240 C3
Firtree Ave LE17 ....244 B6
Firtree Cl LE9 ....198 B8
Firtree Wlk Groby LE6 ....126 E4
 Moira LE12 ....68 B6
Firwood Rd LE13 ....59 E5
Fisher Cl Cossington LE7 .102 D8
 Stoney Stanton LE9 ....199 C2
Fishley Cl LE3 ....153 B7
Fishpond La NG13 ....6 C2
Fishpond Way LE11 ....75 A6
Fishponds Cl LE3 ....153 B8
Fishpool Way LE12 ....76 B8
Fishpools LE3 ....178 E7
Fitzroy St LE3 ....154 C6
Fitzwilliam Cl LE2 ....181 D4
Fitzwilliam Rd PE9 ....143 C5
Fitzwilliam Wlk LE15 ....87 E2
Flamborough Rd LE5 ....156 D7
Flamingo Dr LE8 ....201 F4
Flamville Rd LE10 ....216 B5
Flatholme Rd LE5 ....156 E8
Flats La CV9 ....119 B1
Flats The
 Breedon on t H DE73 ....26 F2
 Illston on t H LE7 ....183 F1
Flavel Ct LE9 ....119 A1
Flax La CV9 ....146 D6
Flax Rd LE4 ....129 B2
Flaxfield Cl LE6 ....126 F3
Flaxland LE7 ....101 E4
Flaxland Cl LE16 ....241 B3
Flaxland Cres LE12 ....77 C2
Fleckney CE Prim Sch
 LE8 ....222 E8
Fleckney Ind Est LE8 ....223 A7
Fleckney Rd Arnesby LE8 .222 B5
 Fleckney LE8 ....223 A6
 Kibworth Beauchamp LE8 .223 B3
 Kilby LE8 ....204 A2
Fleet St LE1 ....259 C4
Fleet The LE9 ....199 E3
Fleetwood Cl LE16 ....240 D1
Fleetwood Ct LE15 ....89 A7
Fleetwood Gdns LE16 .240 D1
Fleetwood Rd LE2 ....155 A1
Fleming Ave NG13 ....3 C3
Fleming Cl LE11 ....51 D6
Fleming Rd LE10 ....214 F7
Flesh Hovel La LE12 ....76 A8
Fletcher Mall LE4 ....128 A4
Fletcher Rd Hinckley LE10 .215 E7
 Stoney Stanton LE9 ....199 C3
Fletchers Way LE7 ....103 D7
Fletchers Cl LE9 ....201 B7
Fletcher's Way LE7 ....103 D7
Fletchers' Way LE7 ....103 D7
Fleury Ct LE7 ....103 E7
Flint Cl Atherstone CV9 .170 E2
 Ryhall PE9 ....117 A2
Flora St LE3 ....154 D5
Florence Ave LE18 ....180 A1
Florence Cl CV9 ....170 D1
Florence Rd LE5 ....155 C6
Florence St LE2 ....179 E7
Florence Wragg Way
 LE2 ....181 E4
Floret Cl LE67 ....71 A2
Florin Gdns NG10 ....10 B7
Floyd Cl LE4 ....129 E5
Foan Hill LE67 ....71 B5
Folville Jun Sch LE3 ....154 A2
Folville Rise LE3 ....154 B2
Folville St LE14 ....105 F4
Fontwell Dr LE2 ....179 B5
Fontwell Gdns PE9 ....143 D3
Forbes Cl Glenfield LE3 ....153 C7
 Long Eaton NG10 ....10 E5
Ford Cl LE2 ....179 C3
Ford Rise LE2 ....179 C3
Ford The LE2 ....179 D1
Fordice Cl LE67 ....96 C7
Fordview Cl LE8 ....182 A1

Forest Ave LE4 ....129 E8
Forest Cl Groby LE6 ....126 D3
 Melton Mowbray LE13 ....59 C5
Forest Dr Kirby Fields LE9 .152 F4
 Sileby LE12 ....77 C4
Forest Gate LE7 ....127 D6
Forest Gdns PE9 ....142 F5
Forest House La LE3 ....152 D2
Forest La LE9 ....49 C4
Forest Lodge Prim Sch
 LE3 ....153 E8
Forest Rd Coalville LE67 ....96 D8
 Hinckley LE10 ....215 F8
 Huncote LE9 ....177 D1
 Leicester LE5 ....155 C7
 Loughborough LE11 ....51 E2
 Markfield LE67 ....125 D8
 Narborough LE9 ....177 F3
 Quorn LE12 ....75 E5
 Woodhouse LE12 ....75 C3
Forest Rise Groby LE6 ....126 E3
 Leicester LE2 ....181 C6
 Thurnby LE7 ....156 F5
Forest St LE12 ....50 C4
Forest View LE6 ....126 D4
Forest View Rd LE9 ....198 C2
Forest Way Sch LE67 ....97 A3
Foresters Cl LE3 ....153 B8
Foresters' Row LE7 ....103 D8
Forge Cl Fleckney LE8 ....222 F8
 Glenfield LE3 ....153 A8
 Hathern LE12 ....30 A1
Forge Cnr LE8 ....202 B8
Forge End LE7 ....101 E5
Forman Cl DE11 ....44 B4
Forman Rd LE12 ....50 C2
Formans Way LE67 ....71 A2
Forrester Cl
 Coleorton LE67 ....70 D4
 Cosby LE9 ....201 E3
Forresters Cl LE10 ....215 F6
Forresters Rd LE10 ....215 F6
Forryan Cl LE9 ....201 D2
Forryan Rd LE10 ....215 F7
Forryans Cl LE18 ....203 E8
Forsells End LE7 ....157 F3
Forsyth Cl LE11 ....51 B6
Fort Rd LE12 ....76 D1
Forth Cl LE15 ....137 E5
Forties La LE65 ....45 F3
Forty Foot La DE73 ....26 F2
Fosbrooke Dr DE74 ....16 F4
Fosbrooke Cl LE67 ....95 E8
Fosbrooke Dr NG10 ....10 D5
Fosse Cl Enderby LE9 ....178 D2
 Sharnford LE10 ....217 E4
Fosse Park Ave LE19 ....178 F5
Fosse Park South LE9 .178 F5
Fosse Prim Sch LE3 ....154 D7
Fosse Rd Central LE3 ....154 C5
Fosse Rd N LE3 ....154 C6
Fosse Rd S LE3 ....154 C3
Fosse Terr LE9 ....201 A7
Fosse Way
 Claybrooke Magna LE17 .232 A5
 Syston LE12 ....102 F3
Fosseway Gdns LE17 ....232 E6
Foster Rd DE11 ....44 F2
Foston Gate LE18 ....203 E8
Foston La Allington NG32 ....4 F6
 Foston LE8 ....203 C3
Foston Rd Kilby LE8 ....204 C4
 Wistow LE8 ....204 D4
Foundry Ct 4 PE9 ....143 C3
Foundry La
 1 Leicester LE1 ....155 A7
 Syston LE7 ....102 F3
Foundry Rd Ryhall PE9 ....116 F3
 Stamford PE9 ....143 C3
Foundry Sq 3 LE1 ....155 A7
Fountain's Row LE15 ....86 F5
Fountains Ave LE2 ....179 D3
Fowke St LE7 ....101 F6
Fowler Cl LE4 ....128 C4
Fowler St DE72 ....9 B7
Fox Cl Long Eaton NG10 ....10 D8
 Rugby CV21 ....257 B1
Fox Covert
 Loughborough LE11 ....52 B6
 Whetstone LE8 ....201 F5
Fox Dale PE9 ....143 B4
Fox Hollies LE10 ....217 B4
Fox Hollow
 East Goscote LE7 ....103 D8
 Leicester LE2 ....181 D4
Fox La
 Kirby Muxloe LE9 ....152 D5
 Leicester LE1 ....259 B4
Fox Rd DE74 ....16 F4
Fox St LE1 ....259 C3
Fox's Covert CV13 ....194 F6
Foxcote Dr LE11 ....51 A2
Foxcovert La CV13 ....196 A8
Foxcroft Cl LE3 ....179 C8
Foxfield Way LE15 ....138 A8
Foxglove Cl
 Broughton Astley LE9 ....219 A4
 East Goscote LE7 ....103 E8
 Mountsorrel LE12 ....76 F2
 Narborough LE9 ....201 A8
Foxglove Rd
 Coalville LE67 ....97 A8
 Hamilton LE5 ....130 C2
 Stamford PE9 ....142 E5
Foxhill LE15 ....85 A1

Foxhill Dr LE2 ....179 A3
Foxhill La LE18 ....18 C1
Foxhills Cl CV11 ....214 C1
Foxholes Rd LE3 ....153 D4
Foxhunter Dr LE2 ....180 F6
Foxhunter Rdbt LE9 ....178 D2
Foxon St LE3 ....154 D5
Foxon Way LE3 ....153 D1
Foxpond La LE2 ....181 E2
Foxton Lock Cl LE18 ....203 D8
Foxton Locks LE16 ....239 C8
Foxton Rd Gumley LE16 ....239 E6
 Lubenham LE16 ....239 D5
Framland Dr LE13 ....59 C6
Framland Ho 5 LE2 ....155 B5
Frampton Ave LE3 ....154 B5
Franche Rd LE3 ....154 C6
Francis Ave LE3 ....178 F7
Francis Ct LE2 ....179 C6
Francis Dr LE11 ....51 C6
Francis La LE67 ....121 C7
Francis St LE2 ....155 D1
Frank Booton Cl LE9 ....199 E8
Frank's La LE17 ....245 B4
Franklin Way LE18 ....201 F4
Franklyn Rd LE2 ....179 B6
Franks Rd LE67 ....97 C4
Frankson Ave LE3 ....154 A1
Fraser Cl LE1 ....259 C5
Frederick Ave
 Hinckley LE10 ....197 B2
 Kegworth DE74 ....18 C3
Frederick Cl LE7 ....103 E6
Frederick Rd LE5 ....155 C6
Frederick St
 Long Eaton NG10 ....10 D5
 Loughborough LE11 ....52 A3
 Wigston LE18 ....180 D3
 Woodville DE11 ....44 D4
Fredscott Cl LE5 ....156 E7
Free La LE1 ....259 B4
Freeboard Rd LE3 ....178 F7
Freeby Cl LE13 ....59 E2
Freehold Rd LE4 ....129 A5
Freehold St Leicester LE1 .155 B7
 Loughborough LE11 ....52 C4
 Quorn LE12 ....76 B6
 Shepshed LE12 ....50 C3
Freeman Rd N LE5 ....155 F7
Freeman Way LE12 ....75 F7
Freeman's Ct LE6 ....152 D8
Freeman's La LE10 ....216 A3
Freeman's Way LE7 ....103 E8
Freemantle Rd LE2 ....155 E1
Freemen's Common Rd
 LE2 ....154 F2
Freemen's Common
 Trad Est LE2 ....154 F2
Freemen's Halt LE2 ....179 C7
Freer Cl Blaby LE8 ....202 B8
 Houghton on t H LE7 ....157 F3
 Wigston LE18 ....203 E8
Freeschool La LE1 ....259 A4
Freesia Cl LE11 ....75 A6
French Rd LE5 ....155 E7
Frensham Cl LE3 ....181 A4
Freshney Cl LE13 ....59 B1
Freshwater Cl LE18 ....203 D7
Freswick Cl LE10 ....196 F1
Frewen Dr LE9 ....217 D8
Frewin St LE5 ....155 E7
Friar La LE1 ....259 B3
Friar St NG10 ....10 D5
Friars Cswy LE1 ....259 A4
Friary Cl LE10 ....197 E1
Friary Croft DE11 ....44 A7
Friary Rd CV9 ....170 C1
Friday St LE1 ....259 A5
Frinton Ave LE5 ....156 D5
Frisby Ave NG10 ....10 E6
Frisby CE Prim Sch LE14 .80 D2
Frisby La LE15 ....191 D8
Frisby Rd Barwell LE9 ....198 B7
 Leicester LE5 ....155 D8
Friswell La LE9 ....198 A7
Fritchley Cl LE9 ....200 E7
Frith Cl LE3 ....153 C8
Frith Way LE10 ....197 A3
Froanes Cl LE9 ....178 A4
Frobisher Cl LE10 ....197 D4
Frog Island LE3 ....259 A5
Frog La NG13 ....12 D3
Frolesworth La LE17 ....232 F7
Frolesworth Rd
 Ashby Parva LE17 ....233 D7
 Broughton Astley LE9 ....218 C5
 Leicester LE3 ....153 E7
 Leire LE17 ....233 E8
 Ullesthorpe LE17 ....233 B7
Frolesworth Way LE3 ....153 C6
Frome Ave LE2 ....181 D6
Front St Birstall LE4 ....129 B6
 Gaulby LE7 ....183 D6
Fulbeck Ave LE5 ....156 D5
Fulford Rd LE3 ....153 C5
Fuller Cl LE9 ....151 C4
Fullhurst Ave LE3 ....154 B2
Fullhurst Com Coll LE3 .154 B3
Fulmar Rd LE7 ....127 C6
Fulton Dr LE67 ....71 A2
Fulwell Ave NN17 ....213 C1
Fulwood Dr NG10 ....10 A7
Furlongs Cl LE7 ....103 C3
Furlongs The LE16 ....241 B3
Furnace La DE12 ....67 E3
Furrow Cl LE7 ....101 E7
Furrows Cl LE9 ....201 C7
Fyfe Rd NN17 ....230 B1

Gables Ct LE17 ....218 A2
Gables Lea LE12 ....30 B6
Gables The LE65 ....69 C4
Gaddesby Ave LE3 .....154 C3
Gaddesby La
  Frisby on t W LE14 ....80 E4
  Kirby Bellars LE14 ....81 B5
  Rearsby LE7 ....104 B8
  Rotherby LE14 ....80 A4
Gaddesby Prim Sch LE7 .105 C6
Gainsborough Ave LE10 .197 A3
Gainsborough Cl NG10 ...10 E5
Gainsborough Cres CV21 257 B1
Gainsborough Rd
  Kibworth Beauchamp LE8 .206 A1
  Leicester LE2 ....180 B8
  Stamford PE9 ....143 B5
  Uppingham LE15 ....189 B4
Galahad Cl LE3 ....153 A2
Galby St LE5 ....155 D8
Gale Cl LE17 ....244 C8
Gallards Hill LE3 ......153 E4
Galleywood Dr LE4 .....128 D2
Gallico Cl LE11 ....51 D6
Gallimore Cl LE3 ......127 E1
Gallow Field Rd LE16 ...239 E7
Galloway Cl LE9 ....197 F7
Gallows La DE12 ....93 E4
Gallowtree Gate LE1 ....259 B4
Galsworthy Cres LE13 ..59 B6
Galsworthy Ct LE3 .....154 A5
Galway Rd LE4 ....128 E5
Gamble Cl LE67 ....95 F3
Gamble Way LE12 ......75 F7
Gamel Rd LE5 ....156 B5
Gamel Wlk LE5 ....156 B5
Ganton Rd LE3 ....153 C6
Gaol St LE1 ....155 D8
Garden Cl Hinckley LE10 .215 D6
  Leicester LE2 ....181 A5
  Stamford PE9 ....142 F3
Garden Cres DE74 ....17 B3
Garden La LE13 ....59 A5
Garden Rd Coalville LE67 ..71 E2
  Exton LE15 ....113 B3
  Hinckley LE10 ....197 D1
Garden St Leicester LE1 ..259 B5
  Thurmaston LE4 ....129 E7
  Wigston LE18 ....179 F1
Gardenfield Rd LE4 .....129 F4
Gardiner St LE16 ......240 C3
Gardner Cl LE11 ....51 C6
Garendon Ave LE12 .....51 A8
Garendon Cl LE12 ......50 C3
Garendon Gn LE11 ......51 D4
Garendon High Sch LE11 .51 C4
Garendon Rd
  Coalville LE67 ....97 C8
  Loughborough LE11 .....51 D4
  Shepshed LE12 ....50 B3
Garendon St LE2 ......155 B6
Garendon Way LE6 .....126 E2
Garfield Ave DE72 ....9 A7
Garfield Pk LE8 ....182 B2
Garfield Rd LE67 ....96 C7
Garfit Rd LE9 ....152 E5
Garganey Cl LE67 ....97 A8
Garland LE7 ....101 E7
Garland Cres LE3 ......154 B8
Garlands La CV13 ......124 A2
Garnett Cres LE2 ......179 C4
Garsdale LE18 ....180 F2
Garsington Wlk LE5 ....156 A6
Garth Ave LE4 ....128 E4
Garth St LE15 ....87 D2
Garthorpe Dr LE13 ......59 E2
Garthorpe Rd LE14 ......61 E5
Garton Cl DE12 ....119 F8
Garton Rd LE11 ....52 B3
Gartree Cres LE3 ......198 D8
Gartree Ct LE13 ....82 C8
Gartree Dr LE13 ....59 D1
Gartree High Sch LE2 ..181 B3
Gartree Rd
  Carlton Curlieu LE8, LE16 .206 F8
  Great Stretton LE2 .....182 C5
  Leicester LE2 ....156 A1
Gas La Stamford PE9 ....143 E3
  Wigston LE18 ....180 C1
Gas Mus LE2 ....154 E1
Gas St Leicester LE1 ....154 F7
  Stamford PE9 ....143 E3
Gas Wlk LE14 ....12 B3
Gascoigne Ave LE7 .....103 E5
Gaskell Wlk LE3 ......154 A5
Gasny Ave DE74 ....17 B5
Gatehouse La
  Great Easton LE16 .....229 F6
  South Luffenham PE9 ....166 D1
Gateway St LE2 ....259 A2
Gateway The LE2 ......259 A2
Gateway VI Form Coll
  LE2 ....259 A3
Gaul St LE3 ....154 D4
Gaulby La
  Houghton on t h LE7 ....158 C2
  Leicester LE2 ....156 F1
  Little Stretton LE2 .....182 C8
Gaulby Rd Billesdon LE7 .159 B1
  Billesdon LE7 ....183 E8
  Illston on t H LE7 .....183 E4
Gavin Cl LE3 ....153 C2
Gavin Dr LE11 ....51 D6
Gawney La LE17 ....235 E5

Gayhurst Cl
  Braunstone LE3 ....178 F7
  Wigston LE18 ....180 E2
Gayton Ave LE4 ....129 C1
Gayton Hts LE9 ....178 A4
Geary Cl Narborough LE9 .201 B7
  Whitwick LE67 ....71 D5
Geary's Cl LE67 ....124 F3
Gedding Rd LE5 ....155 E5
Geddington Cl LE18 ....180 E2
Gedge Way LE2 ....179 E6
Gees Lock Cl LE2 ......179 B4
Gelders Hall Ind Est LE12 .50 A2
Gelders Hall Rd LE12 ....50 A1
Gelscoe La LE12, DE73 ...27 E1
Gelsmoor Rd Newbold LE67 47 E1
  Newbold LE67 ....47 F1
George Ave **2** NG10 ...10 F8
George Foster Cl LE9 ...176 A1
George Fox La CV13 ....195 A6
George Geary Cl LE9 ...198 C7
George Hill LE9 ....199 D3
George Holmes Way
  DE11 ....44 A3
George Hotel Mews The
  PE9 ....143 E2
George Mariott Cl LE9 ..199 C1
George St Anstey LE7 ...127 D6
  Barwell LE9 ....198 B6
  Enderby LE9 ....178 A3
  8 Hinckley LE10 ......215 D8
  Leicester LE1 ....259 C5
  Loughborough LE11 .....51 F4
  Lutterworth LE17 ......244 C6
  Melbourne DE73 ....26 A7
  Melton Mowbray LE13 ...59 D3
  Swadlincote DE11 ......44 A1
  Whitwick LE67 ....71 F4
George Toon Ct LE7 ....103 A4
George Ward Ct LE9 ....198 B7
George Yd LE11 ....52 B4
Georgeham Cl LE18 ....180 D1
Georgina Ct DE74 ....17 B4
Gerrard Cres DE74 ......18 D1
Gerrard Gdns LE16 .....250 D8
Gertrude Rd DE72 ....9 A7
Gervas Rd LE5 ....156 C7
Geveze Way LE9 ....219 A4
Gibb St NG10 ....10 E7
Gibbet La Bilstone CV13 ..147 B5
  Edith Weston LE15 .....166 A7
  Lutterworth LE17 ......253 B6
Gibbons Cl LE4 ....155 A8
Gibson Cl LE18 ....180 D3
Gibson Dr CV21 ....257 A1
Gibson Rd LE12 ....77 D4
Gibson Way LE17 ......244 A5
Gibson's La LE14 ....35 C2
Giffard Ct LE16 ....240 D3
Gifford Cl LE5 ....156 B3
Gilbert Cl LE4 ....129 E4
Gilbert's Dr LE4 ......150 B4
Giles Cl LE12 ....76 B5
Gillam Butts LE8 ......202 E3
Gillamore Dr LE67 ......72 A2
Gillbank Dr LE6 ....152 C8
Gilliver St Leicester LE2 .180 B8
Gillman Rd LE3 ....154 A8
Gilmorton Ave LE2 .....179 B5
Gilmorton Chandler
  CE Prim Sch LE17 .....235 B5
Gilmorton Cl LE2 ......179 B4
Gilmorton La LE8 ......220 D2
Gilmorton Rd
  Ashby Magna LE17 .....235 A7
  Lutterworth LE17 ......244 F4
Gilmour Cl LE4 ....128 B5
Gilpin Cl LE13 ....59 A1
Gilstead Cl LE7 ....156 F4
Gimson Ave LE9 ....201 D3
Gimson Cl LE5 ....130 A1
Gimson Rd LE3 ....154 B5
Gipsy Hollow La LE15 ...188 F3
Gipsy La Leicester LE4 ...129 D2
  Leicester LE5 ....130 A1
  Mountsorrel LE7 ......101 C8
Gipsy Nook LE14 ....40 E2
Gipsy Rd LE4 ....129 B2
Girton Way PE9 ....143 C5
Gisborough Way LE11 ....51 B5
Gisbourne Ct LE5 ......156 A2
Glade The LE3 ....178 F7
Gladstone Ave
  Loughborough LE11 .....52 B5
  Melton Mowbray LE13 ...59 B5
Gladstone Cl LE10 .....197 E4
Gladstone St Anstey LE7 .127 E6
  Fleckney LE8 ....222 F7
  Hathern LE12 ....30 A1
  Ibstock LE67 ....95 F1
  Kibworth Beauchamp LE8 .223 F8
  Leicester LE1 ....259 C4
  Long Eaton NG10 ......10 D6
  Loughborough LE11 .....52 B5
  Lutterworth LE17 ......244 D6
  Market Harborough LE16 .240 F2
  Wigston LE18 ....180 D3
Gladstone Terr LE10 ....215 E8
Glaisdale Cl LE4 ......128 C3
Glaisdale Rd LE18 .....180 E1
Glamis Cl LE12 ....101 D8
Glamorgan Ave LE18 ...179 F2
Glaston Pk LE15 ......190 B5
Glaston Rd
  Bisbrooke LE15 ....189 F4
  Morcott LE15 ....191 A5

Glaston Rd continued
  Preston LE15 ....164 C1
  Uppingham LE15 ......189 C5
  Wing LE15 ....165 B1
Glazebrook Rd LE3 .....154 A8
Glazebrook Sq LE3 .....154 A8
Glean Cl LE9 ....218 F4
Glebe Cl Billesdon LE7 ...159 C1
  Glenfield LE3 ....153 B8
  Leicester LE2 ....180 E7
  Mountsorrel LE12 ......76 D2
  Wigston LE18 ....180 D3
Glebe Dr LE8 ....202 D3
Glebe La CV13 ....172 A5
Glebe Rd Asfordby Hill LE14 .58 C3
  Broughton Astley LE9 ...218 E6
  Groby LE6 ....126 A3
  Hinckley LE10 ....197 F1
  Leicester LE2 ....180 F8
  Market Harborough LE16 .241 A2
  North Luffenham LE15 ...166 C3
  Queniborough LE7 .....103 E5
  Thringstone LE67 ......71 C8
  Wymondham LE14 ......62 C2
Glebe Rise CV9 ....119 B1
Glebe St Leicester LE2 ...259 C4
  Loughborough LE11 .....52 C5
  Swadlincote DE11 ......44 B3
Glebe The CV13 ......149 C8
Glebe View LE7 ....70 F2
Glebe Way Oakham LE15 .137 D5
  Syston LE7 ....102 E4
Glebeland Cl LE7 ....78 F5
Glebelands Prim Sch
  LE4 ....128 D8
Glebelands Rd LE4 .....128 D8
Glebelands The LE8 ....205 A8
Glen Ave LE67 ....123 A8
Glen Bank LE10 ....197 E1
Glen Cres Essendine PE9 .117 B5
  Stamford PE9 ....143 E5
Glen Dr LE15 ....137 F5
Glen Gate LE8 ....179 F1
Glen Hills Prim Sch LE2 .179 A3
Glen Ind Est PE9 ......117 B6
Glen Park Ave LE3 .....127 B3
Glen Rd Leicester LE2 ...181 C4
  Newton Harcourt LE8 ...204 E7
Glen Rise Glen Parva LE2 .179 B4
  Leicester LE2 ....181 E2
Glen St LE4 ....129 B2
Glen Way Coalville LE67 ..96 F7
  Leicester LE2 ....181 C4
Glenalmond Cl LE65 ....69 A8
Glenbarr Ave LE4 .....154 D8
Glenbarr Cl LE10 .....215 A8
Glenbarr Dr LE10 .....215 A8
Glenborne Rd LE2 .....180 A4
Glencoe Ave LE4 ......129 C4
Glencroft LE2 ....179 D1
Glendale Ave LE3 .....127 B3
Glendon Cl LE14 ....57 E2
Glendon St LE4 ....129 B1
Glendower Cl LE5 .....156 B6
Gleneagles Ave LE4 ...129 C4
Gleneagles Cl
  Nuneaton CV11 ....214 C1
  Stamford PE9 ....143 A4
Gleneagles Wlk LE4 ...129 C4
Glenfield Com Hospl
  LE3 ....127 E2
Glenfield Cres LE3 ....153 C8
Glenfield Frith Cotts LE3 153 E8
Glenfield Frith Dr LE3 ..127 D1
Glenfield General Hospl
  LE3 ....127 F2
Glenfield La LE9 ......152 F7
Glenfield Prim Sch LE3 ..153 B8
Glenfield Rd
  Leicester LE3 ....154 B6
  Long Eaton NG10 ......10 D5
Glenfield Rd E LE3 ....154 D5
Glenfields LE12 ....50 B3
Glenfrith Cl Leicester LE3 .127 F3
  Mountsorrel LE12 ......76 F1
Glenfrith Gdns LE12 ....76 F1
Glenfrith Hospl LE2 ...127 E2
Glenfrith Way LE3 .....127 F2
Glengarry Cl LE3 ......154 A7
Glengarry Ct LE3 .....154 A7
Glengarry Way LE3 ....153 F8
Glenhills Bvd LE2 .....179 D5
Glenhills Way LE2 .....179 D5
Glenmere Prim Sch
  LE18 ....180 F3
Glenmore Ave LE12 ....50 B4
Glenmore Rd LE4 .....129 D3
Glenrothes Cl LE3 .....153 C5
Glenville Ave
  Glen Parva LE2 ....179 B2
  Glenfield LE3 ....127 C2
Glenwood Cl LE2 .....155 D1
Glossop St LE5 ....155 C4
Gloucester Ave
  Melton Mowbray LE13 ...82 D8
  Syston LE7 ....103 C4
Gloucester Cl
  Desford LE9 ....151 B2
  Nuneaton CV11 ....214 A7
Gloucester Cres
  Melton Mowbray LE13 ...82 D8
  Wigston LE18 ....179 F3
Gloucester Rd PE9 ....143 D4
Glyn Cl LE2 ....198 A7
Goadby Hill LE7 ......185 B2
Goadby Rd Hallaton LE16 .209 B6
  Waltham on t W LE14 ....40 A7
Goddard Cl LE7 ....157 A5

Goddards Cl Kilby LE18 ..204 A3
  Leicester LE4 ....128 B2
Godfrey Cl LE4 ....128 A6
Godsons Hill CV13 ....148 D3
Godstow Wlk LE5 .....156 A6
Godwin Ave LE18 .....180 E2
Godwin Cl LE18 ......180 D2
Godwin Rd NN17 .....230 F3
Golden Sq LE12 ....51 A8
Goldhill LE18 ....180 A4
Goldhill Rd LE2 ......180 D7
Golding Cl LE11 ....51 B6
Goldspink Cl LE13 .....82 C8
Golf Course La LE3 ....153 C5
Golf Dr CV11 ....214 B1
Goliath Rd LE67 ....71 D2
Gonerby La NG32 ....4 F5
Goodacre Almshouses
  LE67 ....233 F5
Goodacre Cl LE3 ......257 A5
Goodacre Rd LE17 ....233 C4
Goode's Ave LE7 ......103 B3
Goode's La LE7 ....103 B3
Gooding Ave LE3 .....154 A3
Gooding Cl LE3 ......154 B3
Goodriche Ho LE13 .....59 D3
Goodriche St LE13 .....59 D3
Goodwood Cl LE16 ....241 B3
Goodwood Cres LE5 ...156 B4
Goodwood Rd LE5 ....156 B4
Goose La LE9 ....198 A5
Goosehills Rd LE10 ....215 E5
Gopsall
  Congerstone CV13 .....147 C8
  Hinckley LE10 ....197 D2
Gopsall St LE2 ....155 B5
Gordon Ave **9** LE2 ...155 B4
Gordon Ho **1** LE2 ....155 B5
Gordon Rd LE11 ....52 B6
Gores La LE3 ....241 A3
Gorham Rise LE9 .....218 D7
Gorse Hill Anstey LE7 ..127 E5
  Anstey LE7 ....127 F5
Gorse Hill City Farm LE4 128 B1
Gorse Hill Hospl LE7 ..127 F4
Gorse La Leicester LE2 ..181 D3
  Syston LE7 ....102 F3
Gorse Rd LE67 ....96 C6
Gorseburn Ho LE3 ....153 F8
Gorsey La DE12 ....92 A7
Gorsty Cl LE4 ....128 B3
Goscote Dr LE17 .....244 C6
Goscote Hall Rd LE4 ..128 F6
Goscote Ho **7** LE2 ...155 B5
Goseley Ave DE11 ......45 A4
Goseley Cres DE11 .....45 A4
Gosford Dr LE10 ......197 A1
Goshawk Cl LE7 ......218 E2
Gosling St LE2 ....259 A2
Gotham St LE2 ....155 B4
Gough Rd LE5 ....155 E6
Goward St LE16 ......240 E3
Gower St LE1 ....259 C5
Gowrie Cl LE10 ......197 B2
Grace Dieu Manor Sch
  LE67 ....71 F8
Grace Dieu Rd LE67 ....71 E7
Grace Gdns LE2 ......179 E7
Grace Rd Desford LE9 ..151 B3
  Leicester LE2 ....179 E8
  Sapcote LE9 ....217 E8
Gracedieu La LE67, LE12 ..48 F2
Gracedieu Rd LE11 .....51 D3
Gracelands LE16 ......240 C2
Grafton Dr LE18 ......180 F2
Grafton Pl LE1 ....259 B5
Grafton Rd LE11 ....51 E6
Graham Rise LE11 .....51 D6
Graham St LE5 ....155 B6
Grampian Cl LE2 ......179 E7
Grampian Way
  Long Eaton NG10 ......10 A8
  Oakham LE15 ....137 D6
Granary Cl Glenfield LE3 .153 C8
  Kibworth Beauchamp LE8 .224 B7
Granby Ave LE5 ......155 D6
Granby Cl LE10 ......215 C7
Granby Dr NG13 ....3 A2
Granby Hill NG13 ......5 B6
Granby Ho LE13 ....59 C3
Granby La Granby NG13 ..5 A7
  Plungar NG13 ....5 A7
Granby Pl LE1 ....259 B3
Granby Prim Sch LE2 ..179 D7
Granby Rd Hinckley LE10 .215 C7
  Leicester LE2 ....179 D7
  Melton Mowbray LE13 ...59 D6
Granby St Leicester LE1 ..259 C3
  Loughborough LE11 .....52 A4
Grange Ave Breaston DE72 ..9 D8
  Leicester Forest East LE3 .153 B3
  Rearsby LE7 ....103 F8
Grange Bsns Pk LE18 ..178 F1
Grange Cl
  Ashby-De-La-Z LE65 ....69 A5
  Glenfield LE3 ....153 B8
  Great Glen LE8 ....182 B1
  Langham LE15 ....110 D3
  Melbourne DE73 ....26 B8
  Newbold Verdon LE9 ...150 B4
  Ratby LE6 ....152 D8
Grange Ct LE18 ......151 B4
Grange Dr
  Castle Donington DE74 ..17 A3
  Glen Parva LE2 ....179 C3
  Hinckley LE10 ....215 E5

Grange Dr continued
  Long Eaton NG10 ......10 F8
  Melton Mowbray LE13 ...59 E1
  Whetstone LE8 ....201 F8
Grange Farm Bsns Pk
  LE67 ....96 E5
Grange Farm Cl DE74 ...17 D5
Grange La Coston LE14 ...62 E8
  Leicester LE2 ....259 B2
  Mountsorrel LE12 .....101 D8
  Nailstone CV13 ......123 B5
  Seaton LE15 ....190 B1
  Thorpe Langton LE16 ..226 A5
  Thurnby LE7 ....156 E4
Grange Pk NG10 ....10 F8
Grange Prim Sch NG10 ..10 F8
Grange Rd
  Broughton Astley LE9 ...218 E7
  Carlton Curlieu LE8 ....206 D7
  Coalville LE67 ....96 E6
  Hartshill Green CV10 ..194 C2
  Ibstock LE67 ....95 F1
  Long Eaton NG10 ......10 F8
  Shepshed LE12 ....50 A3
  Wigston LE18 ....180 D4
Grange St LE11 ....52 A5
Grange The
  Earl Shilton LE9 ......198 E7
  Packington LE65 ......69 C2
Grange Therapeutic Sch
  LE15 ....135 F6
Grangefields Dr LE7 ...101 F6
Granger Ct LE11 ....52 A4
Grangeway Rd LE18 ...180 D4
Granite Cl LE9 ....178 A4
Granite Way LE12 ......76 C4
Grant Way LE2 ....179 E4
Grantham Ave LE3 ....218 D8
Grantham Rd
  Bottesford NG13 ....3 D2
  Leicester LE3 ....156 C8
  Skillington NG33 ......43 B8
Grantwood Rd LE13 ....59 E5
Granville Ave LE2 .....180 F6
Granville Com Sch DE11 .44 E4
Granville Cres LE18 ...180 B5
Granville Gdns LE10 ...215 C8
Granville Rd
  Hinckley LE10 ....215 C8
  Leicester, LE1 ....155 B4
  Melton Mowbray LE13 ...59 A5
  Wigston LE18 ....180 C5
Granville St
  Loughborough LE11 .....52 A4
  Market Harborough LE16 .240 F2
  Woodville DE11 ....44 E3
Grape St LE1 ....259 B4
Grasmere LE67 ....72 C2
Grasmere Cl LE12 ......76 D8
Grasmere Rd
  Loughborough LE11 .....74 F7
  Wigston LE18 ....180 F3
Grasmere St LE2 .....259 A2
Grass Acres LE3 ......178 E7
Grassholme Dr LE11 ....51 A3
Grassington Cl LE4 ....128 C4
Grassington Dr
  Nuneaton CV11 ....214 A2
  Wigston LE18 ....180 E1
Grassy La LE67 ......125 B8
Gravel St LE1 ....259 B4
Gravel The LE8 ......205 F8
Gray St Leicester LE2 ...259 A2
  Loughborough LE11 .....52 B2
Grays Ct LE9 ....178 A3
Grayswood Dr LE4 ....128 A6
Great Arler Rd LE2 ...180 A8
Great Bowden CE Sch
  LE16 ....241 A6
Great Bowden Hall LE16 .240 E7
Great Bowden Rd LE16 .241 A4
Great Casterton CE
  Prim Sch PE9 ....142 E7
Great Central Railway
  LE4 ....128 E7
Great Central Railway
  Mus LE11 ....52 C3
Great Central Rd LE11 ..52 C3
Great Central Rly LE7 ...75 E2
Great Central St LE1 ...259 A4
Great Central Walk
  Nature Trail CV23 ....252 F2
Great Central Way LE3 .154 D2
Great Cl NG33 ....65 B4
Great Dalby Rd LE14 ...106 C5
Great Dalby Sch LE14 ..82 A1
Great Easton Rd
  Bringhurst LE16 ......229 C6
  Drayton LE16 ....229 A5
  Great Easton LE16 ....229 F6
Great La Frisby on t W LE14 .80 D8
  Greetham LE15 ....88 B2
Great Meadow Rd LE4 ..128 B2
Great North Rd
  Great Casterton PE9 ...114 D4
  Stamford PE9 ....142 F3
  Wothorpe PE9 ....169 B8
Greatford Rd PE9 .....144 E4
Greaves Ave
  Melton Mowbray LE13 ...59 B4
  Old Dalby LE14 ....36 C6
Grebe Cl LE12 ....76 E8
Grebe Way LE8 ......201 F5
Greedon Rise LE12 .....77 C4
Green Bank LE13 ......59 E3

Green Farm Cl CV23 . . . . .258 A6
Green Gdns LE17 . . . . . . .233 B4
Green Hill LE12 . . . . .30 A1
Green Hill Rise LE12 . . . . . .30 A2
Green La Ashley LE16 . . . . .227 F2
  Barton in t B CV13 . . . . . .122 E3
  Braybrooke LE16 . . . . . . .251 F5
  Breedon on t H DE73 . . . . .26 C2
  Countesthorpe LE8 . . . . . .202 F4
  Diseworth DE74 . . . . .28 B6
  Duddington PE9 . . . . .193 B6
  Earl Shilton LE9 . . . . .175 F1
  Easthorpe NG13 . . . . .3 C1
  Goadby Marwood LE14 . . . .22 C5
  Granby NG13 . . . . .5 C5
  Harby LE14 . . . . .12 C2
  Husbands Bosworth LE17 . .247 E5
  Market Harborough LE16 . .240 E1
  North Kilworth LE17 . . . . .246 F3
  Owston LE15 . . . . .135 B5
  Seagrave LE12 . . . . .77 F8
  Stamford PE9 . . . . .143 D5
  Stapleton LE9 . . . . .174 E2
  Tilton on t H LE7 . . . . . . .159 D6
  Upper Broughton LE14 . . . .19 B4
  Weston by W LE16 . . . . . .227 C6
  Whitwick LE67 . . . . .71 E3
  Wibtoft LE17 . . . . .232 B2
  Wilson DE73 . . . . .26 E5
  Wolvey LE10 . . . . .231 C5
Green Lands DE11 . . . . . . .44 B7
Green Lane Cl
  Leicester LE5 . . . . .155 F6
  Seagrave LE12 . . . . .77 F8
Green Lane Inf Sch LE5 .155 C7
Green Lane Rd LE5 . . . . . .155 E6
Green Leas DE72 . . . . .16 A8
Green Rd LE18 . . . . .218 E7
Green The
  Allington NG32 . . . . .4 F5
  8 Ashby-De-La-Z LE65 . . .69 B6
  Aston-on-T DE72 . . . . .16 B8
  Atherstone CV9 . . . . .194 A6
  Austrey CV9 . . . . .119 B1
  Barkestone-le-V NG13 . . . . .6 B3
  Bitteswell LE17 . . . . .244 B8
  Blaby LE8 . . . . .202 C8
  Breaston DE72 . . . . .9 D8
  Breedon on t H DE73 . . . . .26 E2
  Caldecott LE16 . . . . .230 B8
  Castle Donington DE74 . . . .17 A3
  Coalville LE67 . . . . .96 C5
  Dadlington CV13 . . . . .196 E8
  Diseworth DE74 . . . . .28 B5
  Draycott DE72 . . . . .9 A7
  Great Bowden LE16 . . . . . .241 B6
  Hathern LE12 . . . . .30 A1
  Hose LE14 . . . . .20 F7
  Huncote LE9 . . . . .200 D7
  Husbands Bosworth LE17 . .247 E5
  Ketton PE9 . . . . .167 F5
  Leire LE17 . . . . .233 E8
  Lilbourne CV23 . . . . .258 A6
  Long Whatton LE12 . . . . . . .29 C3
  Lubenham LE16 . . . . .239 E3
  Lyddington LE15 . . . . . . .212 D7
  Lyndon LE15 . . . . .165 D5
  Markfield LE67 . . . . .98 D1
  Markfield LE67 . . . . .125 D8
  Mountsorrel LE12 . . . . .76 E2
  Newton Burgoland LE67 . .121 E6
  North Kilworth LE17 . . . . .246 F3
  Orton-on-t-H CV9 . . . . . .145 C4
  Stathern LE14 . . . . .13 A3
  Stonesby LE14 . . . . .40 E6
  Thringstone LE67 . . . . .71 D7
  Thrussington LE7 . . . . .78 F4
  Weston by W LE16 . . . . . .227 B3
Green Wlk LE3 . . . . .153 E5
Green's Cl CV23 . . . . .252 C6
Greenacre Dr LE5 . . . . . .156 B5
Greenacres Dr LE17 . . . . .244 B6
Greenbank Dr LE2 . . . . . .181 B5
Greenbank Rd LE5 . . . . . .130 D1
Greenclose La **1** LE11 . .52 A4
Greencoat Ct LE3 . . . . . . .153 E7
Greencoat Rd LE3 . . . . . .153 E7
Greendale Rd LE2 . . . . . .179 B3
Greenfield Rd
  Measham DE12 . . . . .93 E5
  Oakham LE15 . . . . .138 A8
Greenfields LE8 . . . . .201 F7
Greenfields Dr LE67 . . . . . .72 A1
Greengate La LE4 . . . . . . .128 C7
Greenhill Cl
  Melton Mowbray LE13 . . . . .59 D5
  Narborough LE19 . . . . . . .201 A4
Greenhill Dr LE9 . . . . . . .198 B9
Greenhill Rd Coalville LE67 . .72 C1
  Leicester LE2 . . . . .155 B1
  Stoke Golding CV13 . . . . .196 D7
Greenhithe Rd LE2 . . . . . .154 D1
Greenland Ave LE5 . . . . . .156 A8
Greenland Dr LE5 . . . . . . .156 A8
Greenmoor Rd LE10 . . . . .215 D5
Greenside Cl
  Donisthorpe DE12 . . . . . . .67 C1
  Long Eaton NG10 . . . . .10 E7
  Nuneaton CV11 . . . . .214 C1
Greenside Pl LE7 . . . . . . .179 F5
Greenslade LE13 . . . . .59 D3
Greensward LE7 . . . . .103 E8
Greenway LE8 . . . . .224 B8
Greenway Cl LE7 . . . . . . .101 E6
Greenway The LE4 . . . . . .129 A2

Greenwich Cl LE9 . . . . . . .201 B8
Greenwood Rd
  Leicester LE5 . . . . .155 F6
  Stoke Golding CV13 . . . . .196 E7
Greetham Falconry Ctr
  LE15 . . . . .88 A2
Greetham Rd
  Cottesmore LE15 . . . . .87 D1
  Stretton LE15 . . . . .88 F4
Gregory Ave DE72 . . . . .9 C8
Gregory Cl
  Barlestone CV13 . . . . .149 C8
  Thurmaston LE4 . . . . .130 A7
Gregory Rd CV13 . . . . . . .149 C8
Gregory St LE11 . . . . .52 B3
Gregorys Cl LE3 . . . . .153 D1
Grendon Cl LE18 . . . . .180 E3
Grenehams Cl PE9 . . . . . .167 F5
Grenfell Rd LE2 . . . . .180 E8
Grenville Gdns LE16 . . . . .240 D1
Gresley Cl Leicester,
  Beaumont Leys LE4 . . . . . .128 C4
  Leicester, Thurnby LE7 . . .156 F6
Gresley Dr PE9 . . . . .143 C7
Gresley Wood Rd DE11 . . . .44 A2
Gresley Woodlands DE11 . .44 A4
Gretna Way LE5 . . . . .156 E7
Gretton Brook Rd NN17 . .230 E3
Gretton Ct LE13 . . . . .59 B3
Gretton Gdns LE14 . . . . . . .62 C2
Gretton Rd
  Harringworth NN17 . . . . . .213 E7
  Lyddington LE15 . . . . .212 D5
  Rockingham LE16 . . . . . . .230 B5
Grewcock Cl LE17 . . . . . . .232 E6
Grey Cl LE6 . . . . .126 F3
Grey Cres LE6 . . . . .99 D1
Grey Friars LE1 . . . . .259 B3
Greylag Way LE8 . . . . .201 F4
Greyland Paddock LE6 . . . .126 F3
Greys Dr LE9 . . . . .126 E2
Greystoke Cl LE4 . . . . .128 E3
Greystoke Prim Sch LE4 .201 C8
Greystoke Wlk **1** LE4 . . .128 E3
Greystone Ave LE5 . . . . . .156 B6
Griffin Cl Shepshed LE12 . . .50 A3
  Thurmaston LE4 . . . . .130 A5
Griffin Rd LE16 . . . . .251 E4
Griffith Gdns LE65 . . . . . . .68 C7
Griffiths Cl LE15 . . . . .138 A8
Griffydam Prim Sch LE67 .48 A2
Griggs Rd LE11 . . . . .75 B8
Grimston Cl LE4 . . . . .130 A4
Grimston St LE1 . . . . .259 A4
Grisedale Cl LE2 . . . . .259 A1
Grizedale Gr LE7 . . . . .177 F2
Grocot Rd LE5 . . . . .156 A3
Grosvenor Ave
  Breaston DE72 . . . . .9 B8
  Long Eaton NG10 . . . . .10 A4
Grosvenor Cl LE2 . . . . . . .179 D1
Grosvenor Cres
  Burbage LE10 . . . . .216 A6
  Leicester LE2 . . . . .180 F7
Grosvenor St LE1 . . . . . . .259 C5
Grove Cotts LE14 . . . . . . .108 B2
Grove Farm Triangle
  LE3, LE9 . . . . .178 E5
Grove La LE12 . . . . .76 D7
Grove Pk LE10 . . . . .216 A6
Grove Prim Sch LE13 . . . . .59 B3
Grove Rd Burbage LE10 . . .216 A6
  Leicester LE5 . . . . .155 C6
  Loughborough LE11 . . . . . .51 E3
  Whetstone LE8 . . . . .202 A7
  Whitwick LE67 . . . . .71 E4
Grove St DE11 . . . . .44 B4
Grove Stud LE14 . . . . .108 A2
Grove The Asfordby LE14 . . .57 E3
  Breaston DE72 . . . . .9 B8
  Desford LE9 . . . . .151 A3
  Hinckley LE10 . . . . .215 C8
Grove Way LE3, LE9 . . . . .178 F5
Grovebury Rd LE4 . . . . . . .128 F3
Grovebury Wlk **4** LE4 . . .128 F3
Guadaloupe Ave LE13 . . . . .59 E1
Guash Way PE9 . . . . .143 F5
Guild Cl LE7 . . . . .100 F3
Guildford Ave DE11 . . . . . .44 E6
Guildford Dr LE18 . . . . . . .180 B5
Guildford Rd LE2 . . . . . . .155 E1
Guildford Way LE11 . . . . . .74 C8
Guildhall La LE1 . . . . .259 A3
Guilford Rd LE2 . . . . .155 D1
Guilford St **2** LE2 . . . . . .155 C1
Guinea Cl NG10 . . . . .10 A7
Guinevere Way LE3 . . . . . .153 A2
Gullet La Ashley LE16 . . . . .227 F2
  Kirby Muxloe LE9 . . . . . . .152 C5
Gulliver Gdns DE72 . . . . . . .9 A7
Gumley Rd Foxton LE16 . . .239 C7
  Laughton LE16, LE17 . . . . .238 D6
  Smeeton Westerby LE8 . . .223 F5
Gumley Sq LE8 . . . . .178 B3
Gunby Hill DE12 . . . . .91 F8
Gunby Rd
  North Witham NG33 . . . . . .65 A8
  Sewstern NG33 . . . . .64 B8
  Stainby NG33 . . . . .43 E1
Gunnel La LE15 . . . . .141 B6

Gunnsbrook Cl LE16 . . . . .241 A6
Gunthorpe Cl LE15 . . . . . .138 B7
Gunthorpe Rd LE3 . . . . . . .153 D4
Gurnall Rd LE4 . . . . .128 A4
Gurney Cres LE9 . . . . .201 C6
Gurney La LE17 . . . . .236 A1
Guthlaxton Ave
  11 Leicester LE2 . . . . . . .155 B5
  Lutterworth LE17 . . . . . . .244 C6
Guthlaxton Coll LE18 . . . .180 B2
Guthlaxton Gap LE9 . . . . .200 F5
Guthlaxton St LE2 . . . . . . .155 B5
Guthlaxton Way LE18 . . . .180 C1
Guthridge Cres LE3 . . . . . .154 B3
Gutteridge St LE67 . . . . . . .96 C5
Gwencole Ave LE3 . . . . . . .179 A8
Gwencole Cres LE3 . . . . . .179 A8
Gwendolen Rd LE5 . . . . . .155 E4
Gwendolin Ave LE4 . . . . . .129 B8
Gwendoline Ave LE10 . . . .197 A2
Gwendoline Dr LE8 . . . . . .202 E4
Gynsill La Anstey LE7 . . . .127 C6
  LE7 . . . . .127 D3
Gypsy La CV9 . . . . .170 D2

H

Hackett Cl LE65 . . . . .69 B7
Hackett Rd LE3 . . . . .153 F8
Haddenham Rd LE3 . . . . . .154 C2
Haddon Cl LE7 . . . . .102 F3
Haddon Rd PE9 . . . . .143 B4
Haddon St LE2 . . . . .155 C6
Haddon Way
  Long Eaton NG10 . . . . .9 F4
  Loughborough LE11 . . . . . .75 A6
Hades La LE12 . . . . .34 D4
Hadfield Cl CV23 . . . . .257 A5
Hadfield Dr LE13 . . . . .59 C4
Hadrian Cl LE7 . . . . .102 E2
Hadrian Rd Leicester LE4 . .128 E5
  Thurmaston LE4 . . . . .129 E7
Hagley Cl LE16 . . . . .241 B7
Haig Pl LE3 . . . . .154 A2
Hailebury Ave LE65 . . . . . . .69 A8
Hailey Ave LE11 . . . . .51 C5
Halberd Cl LE10 . . . . .215 D5
Halcroft Rise LE18 . . . . . . .180 D1
Half Croft The LE7 . . . . . .103 A4
Half Moon Cres LE2 . . . . . .181 C6
Halford Cl Great Glen LE8 .205 B8
  South Witham NG33 . . . . . .65 B4
  Whetstone LE8 . . . . .201 F6
Halford Rd LE8 . . . . .223 F8
Halford St Leicester LE1 . .259 C3
  Syston LE7 . . . . .103 A3
Halifax Dr LE4 . . . . .128 E4
Halkin St LE4 . . . . .129 B1
Hall Cl Blackfordby DE11 . .68 C8
  Cossington LE7 . . . . .102 D8
  Cottesmore LE15 . . . . . . .112 C8
  Glen Parva LE2 . . . . .179 B3
  Kibworth Beauchamp LE8 .205 F1
  Weston by W NN14 . . . . . .227 B4
  Whissendine LE15 . . . . . . .85 A1
Hall Croft LE2 . . . . .50 B4
Hall Croft Ave DE12 . . . . . .67 B3
Hall Dr Asfordby LE14 . . . . .57 E2
  Burton-on-t-W LE12 . . . . . .54 A7
  Leicester LE2 . . . . .181 B6
  Stoke Golding CV13 . . . . .196 E7
Hall Farm Cl
  Castle Donington DE74 . . . .17 B3
  Queniborough LE7 . . . . . . .103 F5
  Swadlincote DE11 . . . . . . .44 C4
Hall Farm Cres LE9 . . . . . .219 A5
Hall Farm Rd
  Swadlincote DE11 . . . . . . .44 C4
  Thurcaston LE7 . . . . .101 B2
Hall Gate Coalville LE67 . . .97 C8
  Diseworth DE74 . . . . .28 C6
Hall La
  Ashby Magna LE17 . . . . . .220 A2
  Ashley LE16 . . . . .227 E2
  Bitteswell LE17 . . . . .234 C3
  Coalville LE67 . . . . .72 A2
  Donisthorpe DE12 . . . . . . .92 E8
  Drayton LE16 . . . . .229 A5
  Eastwell LE14 . . . . .22 B5
  Leicester LE2 . . . . .179 C7
  Odstone CV13 . . . . .122 C4
  Packington LE65 . . . . .69 C2
  South Luffenham LE15 . . . .191 E8
  Stainby NG33 . . . . .43 D2
  Ullesthorpe LE17 . . . . . . .233 B4
  Walton LE17 . . . . .236 A2
  Welford NN6 . . . . .256 D6
  Witherley CV9 . . . . .194 B8
Hall Leys LE12 . . . . .76 A5
Hall Orchard CE Prim Sch
  LE12 . . . . .76 D7
Hall Orchard La LE14 . . . . .80 D8
Hall Rd Hinckley LE10 . . . .215 D5
  Scraptoft LE7 . . . . .156 F6
Hall Sch The LE3 . . . . .127 E1
Hall St Ibstock LE67 . . . . .122 E8
  Swadlincote DE11 . . . . . . .44 A2
Hall Wlk LE9 . . . . .178 A4
Hall Yd PE9 . . . . .168 C2
Hallam Ave LE4 . . . . .128 F7
Hallam Cl LE9 . . . . .199 A8
Hallam Cres E LE3 . . . . . .154 A2
Hallam Fields DE74 . . . . . . .17 B2
Hallamford Rd LE12 . . . . . .50 A6

Hallaton CE Prim Sch
  LE16 . . . . .209 D6
Hallaton Rd Allexton LE15 .187 C4
  Horninghold LE16 . . . . . . .210 A3
  Leicester LE5 . . . . .155 F8
  Medbourne LE16 . . . . . . .227 F3
  Slawston LE16 . . . . .209 E3
  Tugby LE7 . . . . .185 E5
Hallaton St LE2 . . . . .179 E7
Hallaton Village Mus
  LE16 . . . . .209 D6
Hallbrook Rd LE9 . . . . . . .218 F4
Hallcroft Ave LE8 . . . . . . .202 E3
Hallcroft Gdns LE8 . . . . . .202 E3
Halley Cl LE4 . . . . .128 A6
Hallfield Cl CV9 . . . . .146 C7
Hallfields CV9 . . . . .146 C7
Hallfields La LE7 . . . . .101 F5
Halls Cres LE10 . . . . .217 C5
Halsbury St LE2 . . . . .155 D3
Halstead Rd LE2 . . . . .76 D1
Halstead Rise LE7 . . . . . . .160 A8
Halstead St LE5 . . . . .155 D6
Halter Slade LE18 . . . . . . .180 E1
Hamble Cl LE9 . . . . .151 B3
Hamble Rd LE2 . . . . .181 D6
Hambledon Cres
  Cottesmore LE15 . . . . .87 E2
  Loughborough LE11 . . . . . .74 F8
Hambledon Gn LE4 . . . . . .128 D5
Hambleton Cl LE3 . . . . . . .152 F2
Hambleton Rd
  Egleton LE15 . . . . .138 C3
  Stamford PE9 . . . . .143 A2
Hamelin Rd LE3 . . . . .153 F4
Hamilford Cl LE7 . . . . .130 E1
Hamilton Bsns Pk LE4 . . . .130 A4
Hamilton Com Coll LE5 . .130 E2
Hamilton Dr
  Melton Mowbray LE13 . . . . .59 C1
  Swadlincote DE11 . . . . . . .44 C5
Hamilton La LE7 . . . . .130 E2
Hamilton Rd Coalville LE67 . .97 C8
  Long Eaton NG10 . . . . .10 B8
  Leicester LE5 . . . . .155 B4
Hamilton St LE2 . . . . .155 B4
Hamilton Way LE5 . . . . . . .130 B2
Hamlet Ct CV11 . . . . .214 B1
Hammercliffe Rd LE5 . . . . .155 C8
Hammond Way LE16 . . . . .240 E4
Hampden Rd LE4 . . . . .129 C2
Hampshire Rd LE2 . . . . . . .179 D7
Hampstead Cl LE9 . . . . . . .201 B8
Hampton Cl
  Glen Parva LE2 . . . . .179 D1
  Wigston LE18 . . . . .180 E2
Hanbury Cl LE15 . . . . .137 D5
Hanbury Gdns LE15 . . . . . .137 D5
Hanbury Rd LE5 . . . . .156 D4
Hand Ave LE3 . . . . .153 E3
Handley St LE2 . . . . .179 E7
Hanford Way LE11 . . . . . . .52 B5
Hanger Bank DE72 . . . . . . .16 B8
Hangman's La
  Hinckley LE10 . . . . .197 E3
  Newton Regis B79 . . . . . . .118 A2
Hannah Par LE4 . . . . .129 A7
Hannah's Field LE15 . . . . .163 E2
Hannam Ct LE1 . . . . .259 B4
Hanover Cl LE5 . . . . .130 B1
Hanover Ct Hinckley LE10 .215 E6
  Loughborough LE11 . . . . . .51 D5
  4 Stamford PE9 . . . . . . .143 D3
Hanover Dr LE2 . . . . .77 D4
Hanover Est DE74 . . . . . . .17 B3
Hansard Dr LE16 . . . . .240 C7
Hansen Ct LE8 . . . . .180 B2
Hansom Ct **1** LE10 . . . . .215 D8
Hansom Rd LE10 . . . . .197 F2
Haramead Rd LE1 . . . . . . .155 B7
Harborough Hill Rd
  LE15 . . . . .211 B6
Harborough Rd
  Billesdon LE7 . . . . .184 C6
  Braybrooke LE16 . . . . . . .251 D7
  Clipston LE16 . . . . .250 A2
  Dingley LE16 . . . . .241 D5
  East Farndon LE16 . . . . . .250 C8
  Glooston LE16 . . . . .208 B3
  Great Oxendon LE16 . . . . .250 F4
  Kibworth Beauchamp LE8 . .224 E5
  Leicester LE2 . . . . .181 B5
  Lubenham LE16 . . . . .240 A3
  Market Harborough LE16 . .240 C7
  Theddingworth LE17 . . . . .238 F1
Harby CE Prim Sch LE14 . .12 B3
Harby La Harby NG13 . . . . .11 B5
  Hose LE14 . . . . .20 F7
  Plungar NG13 . . . . .12 E6
  Stathern LE14 . . . . .13 A6
Harcourt Cl LE7 . . . . .103 A4
Harcourt Est LE8 . . . . .206 A1
Harcourt Pl DE74 . . . . .17 B4
Harcourt Rd
  Kibworth Beauchamp LE8 . .223 F8
  Wigston LE18 . . . . .180 E1
Harcourt Spinney CV13 . . .148 E4
Harcourt St LE16 . . . . .240 D3
Harcourt Terr **1** PE9 . . . .143 C3
Harcourt Way LE3 . . . . . . .178 D6
Hardacre Cl DE73 . . . . .26 A8
Hardie Cres LE3 . . . . .153 D2
Harding St LE1 . . . . .259 A5
Hardwick Cl LE15 . . . . . . .138 B7
Hardwick Cres LE7 . . . . . .102 F3
Hardwick Ct
  Leicester LE3 . . . . .154 C3

Hardwick Ct continued
  Long Eaton NG10 . . . . .10 B4
Hardwick Dr LE11 . . . . .51 C4
Hardwick Rd
  Gretton NN17 . . . . .213 B1
  Leicester LE5 . . . . .156 E4
  Stamford PE9 . . . . .143 B4
Hardwicke Rd LE9 . . . . . . .200 F8
  Long Eaton NG10 . . . . .10 D6
Hardy Cl Hinckley LE10 . . .197 E4
  Long Eaton NG10 . . . . .10 D6
Hardy's Ave LE4 . . . . .129 C4
Hare Pie View LE16 . . . . . .209 E5
Hareatts Cl LE67 . . . . .95 F1
Harebell Cl LE5 . . . . .130 B3
Harebell Dr LE13 . . . . .82 A8
Harecroft Cres LE9 . . . . . .217 D8
Harefield Ave LE3 . . . . . . .179 C8
Harene Cres LE3 . . . . .152 E3
Harewood Cl LE15 . . . . . . .110 D3
Harewood St LE5 . . . . .155 D7
Harland Cl Asfordby LE14 . . .57 F2
  Cosby LE9 . . . . .201 D3
Harlaxton St LE2 . . . . .154 C2
Harlech Cl LE11 . . . . .51 E5
Harlech Wlk LE15 . . . . .59 C5
Harlequin Way LE8 . . . . . .201 F4
Harles Acres LE14 . . . . .19 C6
Harley Cl LE12 . . . . .50 B2
Harold St LE2 . . . . .179 E8
Harolds La LE9 . . . . .178 B5
Harpers La CV9 . . . . .194 A7
Harrier Cl LE9 . . . . .218 E7
Harriman Cl LE12 . . . . .50 B4
Harrimans Dr DE72 . . . . . . .9 E8
Harrington Cl LE12 . . . . . . .76 A6
Harrington Rd
  Shepshed LE12 . . . . .50 C3
  South Witham LE15 . . . . . .65 B4
  Wigston LE18 . . . . .180 C2
Harrington St Draycott DE72 . .9 B7
  Leicester LE4 . . . . .155 C8
  Long Eaton NG10 . . . . .10 B5
Harrington Way LE15 . . . . .137 E5
Harringworth Rd
  Gretton NN17 . . . . .213 C2
  Leicester LE5 . . . . .156 B5
Harris Cl LE9 . . . . .219 A5
Harris Gn LE3 . . . . .153 C3
Harris Rd Corby NN17 . . . .230 C1
  Leicester LE4 . . . . .128 B3
Harrison Cl
  Earl Shilton LE9 . . . . .198 F6
  Glenfield LE3 . . . . .153 C8
  Market Harborough LE16 . .240 D3
  Whetstone LE8 . . . . .202 A5
  Wigston LE18 . . . . .180 B1
Harrison Rd LE4 . . . . .129 B2
Harrison Row LE7 . . . . . . .103 B4
Harrison St LE4 . . . . .129 E8
Harrod Dr LE16 . . . . .241 A4
Harrogate Rd LE4 . . . . . . .129 C1
Harrogate Way LE18 . . . . .180 E2
Harrow Cl
  Ashby-De-La-Z LE65 . . . . . .69 A8
  Leicester Forest East LE3 .152 F1
Harrow Rd Leicester LE3 . .154 C3
  Swadlincote DE11 . . . . . . .44 B7
Harrowbrook Ind Est
  LE10 . . . . .214 E7
Harrowbrook Rd LE10 . . . .214 E7
Harrowden Cl LE5 . . . . . . .156 A6
Harrowden Rise LE5 . . . . . .156 A6
Harrowgate Dr LE4 . . . . . .101 F1
Harston Rd NG32 . . . . .15 F5
Hart Cl LE3 . . . . .201 F5
Hart Rd LE5 . . . . .155 C6
Hartfield Rd LE5 . . . . .156 D8
Hartington Gn LE10 . . . . . .215 E6
Hartington Rd LE2 . . . . . . .155 C6
Hartland Dr
  Market Harborough LE16 . .241 B4
  Melton Mowbray LE13 . . . . .82 C8
Hartopp Cl LE7 . . . . .157 A5
Hartopp Rd
  Leicester LE2 . . . . .155 B1
  Melton Mowbray LE13 . . . . .82 C8
Hartshill Hayes Ctry Pk
  CV10 . . . . .194 A2
Hartshill Rd DE11 . . . . .45 A4
Hartshorn Cl LE4 . . . . .129 F6
Hartshorne Rd DE11 . . . . . .44 F3
Hartside Gdns NG10 . . . . . .10 A8
Hartsthorne CE Prim Sch
  DE11 . . . . .45 B6
Harvard Cl LE2 . . . . .181 B6
Harvest Cl
  Leicester LE4 . . . . .128 B3
  Littlethorpe LE9 . . . . .201 D6
Harvest Gr DE12 . . . . .68 A5
Harvest Hill DE11 . . . . .44 B7
Harvest Way LE9 . . . . .218 F4
Harvester Cl LE3 . . . . .152 F1
Harvesters Row LE7 . . . . .103 E7
Harvey Cl LE8 . . . . .179 B1
Harvey Ct LE9 . . . . .217 D7
Harvey Rd DE74 . . . . .17 B2
Harwin Rd LE5 . . . . .156 B4
Harwood Dr LE10 . . . . . . .197 F4
Haskell Cl LE3 . . . . .153 D2
Haslemere Rd NG10 . . . . . .10 B8
Haslyn Wlk LE67 . . . . .97 B8
Hassal Rd LE3 . . . . .153 E8
Hastings Ave LE67 . . . . . . .72 A4
Hastings Cl
  Breedon on t H DE73 . . . . .26 E2
  Fleckney LE8 . . . . .223 A6
Hastings Dr LE9 . . . . .198 C7
Hastings High Sch LE10 .215 F7

Hastings Rd
Kirby Fields LE9 ......**152** E4
Leicester LE5 ....**155** D8
Swadlincote DE11 ......**44** B3
Woodhouse Eaves LE12 ...**99** F8
Hastings St
Castle Donington DE74 ...**17** B2
Loughborough LE11 .....**52** A4
Hastings The
Braunstone LE3 ....**153** D1
Ibstock LE67 ....**95** F2
Hastings Way LE65 ...**69** C5
Hastings Wlk LE3 .....**153** E1
Hat Rd LE3 ....**178** E7
Hathaway Ave LE3 .....**153** F1
Hathaway Dr CV11 .....**214** A1
Hatherleigh Rd LE5 ....**155** F3
Hathern CE Prim Sch
LE12 ....**30** A1
Hathern Cl NG10 ......**10** D5
Hathern Dr LE11, LE12 ..**50** F6
Hathern Rd
Long Whatton LE12 .....**29** D3
Shepshed LE12 ....**50** D6
Hathern Turn LE12 .....**29** F2
Hathernsage Ind Est LE12 30 C5
Hathersage Ave NG10 ...**9** F5
Hattern Ave LE4 ......**128** D4
Hatters Dr CV7 ....**170** D2
Hatton Crofts NG10 ....**10** C6
Hatton Ct DE73 ....**26** A7
Hatton La NN17 ....**213** B1
Haulton Dr DE74 ......**17** A4
Havelock St Leicester LE2 .**259** A2
Loughborough LE11 .....**51** F4
Haven Cl Belton LE12 ...**49** B6
Leicester Forest East LE3 .**152** F2
Haven Rd CV13 ....**148** E2
Haven Wlk LE3 ....**156** E6
Havencrest Dr LE5 .....**156** B7
Hawarden Ave LE5 .....**155** F7
Hawcliffe Rd LE12 .....**76** C4
Hawk Cl LE3 ....**218** E7
Hawker Rd LE2 ....**181** D4
Hawkes Hill LE2 ....**179** F5
Hawkesbury Rd LE2 ....**179** E7
Hawkins Cl Corby NN17 ..**230** B1
Hinckley LE10 ....**197** D4
Hawley Cl LE7 ....**96** E6
Hawley Rd LE10 ....**215** D7
Hawthorn Ave
Birstall LE4 ....**129** B8
Breaston DE72 ....**9** F8
Netherseal DE12 ....**91** F7
Hawthorn Cl Coalville LE67 .**71** E1
Leicester Forest East LE3 .**152** E2
Old Dalby LE14 ....**35** E4
Hawthorn Cres LE10 ....**215** E4
Hawthorn Dr Blaby LE8 ..**202** B6
Uppingham LE15 ....**189** B5
Hawthorn Gr LE2 ......**181** B7
Hawthorn Rd
Castle Donington DE74 ...**17** B4
Mountsorrel LE12 ......**76** E2
Hawthorn Rise LE3 .....**126** F3
Hawthorne Ave
Hathern LE12 ....**30** A2
Long Eaton NG10 ......**10** C4
Hawthorne Cl DE12 ....**93** C6
Hawthorne Dr
Ibstock LE67 ....**122** E8
Leicester LE5 ....**156** A3
Thornton LE67 ....**124** E4
Hawthorne Rd LE17 ....**246** F3
Hawthorne St LE3 .....**154** C7
Hawthorne Way LE12 ...**198** B6
Hawthorns The
Countesthorpe LE8 .....**202** E4
Leicester LE5 ....**155** D1
Lutterworth LE17 ......**244** B6
Markfield LE67 ....**125** E8
Hay Wain La DE11 .....**44** B7
Haybarn Cl LE9 ....**201** D6
Haybrooke Rd LE12 ....**77** D4
Hayden Ave LE2 ......**181** D4
Hayden Cl LE4 ....**128** E3
Haydon Rd LE11 ......**51** E4
Hayes Ave DE72 ......**9** B7
Hayes Cl LE67 ....**71** F4
Hayes End LE9 ....**151** B3
Hayfield Rd LE18 ......**180** E3
Hayfield Cl LE3 ....**153** B8
Hayhill LE12 ....**77** A5
Hayhill La LE12 ....**76** F6
Hayle Cl CV11 ....**214** A3
Hayling Cres LE5 ......**156** A8
Haymarket LE1 ....**259** B4
Haymarket Ctr LE1 .....**259** B4
Haymarket Theatre LE1 .**259** B4
Haynes Rd LE5 ....**155** E7
Hays La LE10 ....**215** B7
Hayward Ave LE11 ....**52** C2
Haywood Cl LE5 ......**156** B4
Hazel Cl Birstall LE4 ....**129** B8
Littlethorpe LE9 ....**201** C6
Measham DE12 ....**93** C5
Hazel Dr Braunstone LE3 .**178** F6
Lutterworth LE17 ......**244** B6
Hazel Gr Hallaton LE16 ..**209** E6
Moira DE12 ....**68** B6
Stamford PE9 ....**142** F4
Hazel Rd LE11 ....**75** A8
Hazel St Desford LE9 ...**151** B4
Leicester LE2 ....**154** F3
Hazel Way LE9 ....**198** A4
Hazeland Ct LE17 .....**244** C6
Hazelbank Cl LE4 ......**128** D2
Hazelbank Rd LE8 .....**202** F4

Hazeldene Rd LE5 .....**130** D2
Hazelhead Rd LE7 .....**127** D6
Hazelnut Cl LE5 ......**156** B4
Hazelrigg Cl DE74 .....**16** C1
Hazelwood Rd
Leicester LE5 ....**155** D3
Wigston LE18 ....**180** A1
Hazlemere Cl LE8 .....**202** A7
Hazlewood Cres LE14 ...**57** E3
Heacham Dr LE4 ......**128** C2
Headingly Cl LE4 ......**128** C7
Headland Rd LE3 ......**156** A3
Headland The LE7 .....**103** F8
Headlands The LE16 ....**240** F4
Headley Rd LE3 ....**178** F7
Heafield Dr DE74 ......**18** D2
Healey St LE18 ....**179** F1
Healy Cl LE4 ....**128** D4
Heards Cl LE18 ....**203** E8
Heart of the National
Forest Visitor Ctr DE12 ..**68** B4
Hearth St LE16 ....**240** D4
Hearthcote Rd DE11 ....**44** A3
Heath Ave
Narborough LE9 ....**178** E2
Syston LE7 ....**102** F3
Heath Ct LE9 ....**198** D7
Heath Dr LE15 ....**112** D8
Heath Gdns DE72 .....**10** A8
Heath La Boundary DE11 ..**45** C2
Earl Shilton LE9 ....**198** D8
Southwood DE11 ......**46** B6
Wyville NG32 ....**25** F8
Heath La S LE9 ....**198** D8
Heath Rd Bagworth LE67 .**124** C3
Market Bosworth CV13 ..**148** D3
Heathbrook Dr LE6 .....**152** D8
Heathcoat St LE11 .....**52** A4
Heathcote Dr LE12 .....**77** D4
Heathcott Rd LE2 ......**179** F7
Heather Cres Breaston DE72 .**9** F7
Melton Mowbray LE13 ...**82** A8
Heather Ct CV9 ....**170** D1
Heather Cty Prim Sch
LE67 ....**95** C2
Heather Ho LE67 ......**95** C2
Heather La
Normanton Le H LE67 ...**94** F6
Normanton Le H LE67 ...**95** A5
Packington LE65 ....**69** C1
Ravenstone LE67 ......**95** D6
Heather Way LE2 .....**180** A8
Heather Way LE2 .....**202** F3
Heatherbrook Prim Sch
LE4 ....**127** F6
Heatherbrook Rd LE4 ...**128** A5
Heatherdale LE67 ......**95** E1
Heathfield LE67 ....**71** E8
Heathfield High Sch LE9 .**198** D7
Heathfield Rd LE18 .....**180** D5
Heathgate Cl LE4 ......**128** F8
Heathley Cl LE3 ....**152** F2
Heathley Park Dr LE3 ...**128** A1
Heawood Way LE3 .....**153** D1
Heays Cl LE3 ....**153** F8
Hebden Cl LE2 ....**179** C2
Hebden Way CV11 .....**214** A2
Hecadeck La LE14 .....**36** C8
Hector Rd LE67 ....**71** D2
Heddington Cl LE2 .....**180** A5
Heddington Way LE2 ....**180** A5
Hedge Gr DE11 ....**44** B7
Hedge Rd LE67 ....**96** C7
Hedgerow La LE9 .....**152** D5
Hefford Gdns LE4 ......**128** D4
Heighton Cres LE9 .....**201** C6
Heights The LE16 ......**241** B2
Helena Cres LE4 ......**128** F4
Helmsdale Cl LE67 .....**97** C8
Helmsley Rd LE4 ......**179** F6
Helston Cl Nuneaton CV11 .**214** A5
Wigston LE18 ....**180** C1
Hemdale CV11 ....**214** A4
Hemington Ct DE74 ....**17** C5
Hemington Hill DE74 ....**17** C4
Hemington La DE74 ....**17** C5
Hemington Prim Sch
DE74 ....**17** D5
Hemington Rd LE5 .....**156** D3
Hemlock Cl LE9 ....**177** F1
Hemplow Dr NN6 .....**256** B2
Hendon Grange LE2 ....**180** E8
Henley Cres LE3 ......**153** F1
Henley Rd LE3 ....**154** C6
Henray Ave LE2 ......**179** C2
Henry Cl LE3 ....**152** F2
Henry St LE10 ....**197** A2
Henshaw St LE2 ......**259** B2
Hensman Cl LE8 ......**223** A6
Henson Cl LE4 ....**128** F6
Henson Way LE10 .....**217** C5
Henson's La LE67 .....**71** D8
Henton Rd LE3 ....**154** C5
Herald Way LE10 .....**215** D4
Herbert Ave LE4 ......**129** B2
Herbert Cl LE8 ....**202** A7
Herbert St LE11 ......**52** B5
Herdsmans Cl LE67 ....**201** C7
Hereford Ave LE4 .....**129** B2
Hereford Cres DE11 ....**44** D6
Hereford Rd LE2 ......**179** D7
Hereward Dr LE7 ......**156** F5
Herford Way LE10 .....**215** F6
Herle Ave LE3 ....**153** F2
Herle Wlk LE3 ....**153** F2
Hermitage Cl LE2 ......**181** C4
Hermitage Ct LE67 .....**71** E3

Hermitage Ind Est The
LE67 ....**71** C2
Hermitage Park Way
DE11 ....**44** A7
Hermitage Rd
Birstall LE4 ....**129** A5
Loughborough LE11 .....**51** C2
Whitwick LE67 ....**71** E3
Hermitage The PE9 ....**143** C3
Heron Ave LE7 ....**102** F3
Heron Cl Great Glen LE8 .**205** B2
Mountsorrel LE12 ......**76** F2
Heron Dr DE11 ....**44** F3
Heron Rd Barrow-u-S LE12 .**76** E8
Leicester LE5 ....**155** C7
Oakham LE15 ....**138** B8
Heron Way Coalville LE67 .**97** A8
Narborough LE9 ....**178** D2
Syston LE7 ....**102** F4
Heron's Way LE7 ......**103** E8
Herongate Rd LE5 .....**156** A8
Herrick Cl Enderby LE9 ..**178** A3
Sileby LE7 ....**77** B3
Herrick Dr LE7 ....**156** F5
Herrick Prim Sch LE4 ...**129** D4
Herrick Rd Leicester LE2 .**180** A4
Loughborough LE11 .....**52** B2
Woodhouse Eaves LE12 ..**74** F2
Herrick Way LE18 .....**180** E1
Herricks Ave LE4 .....**129** F5
Herriot Way LE11 .....**51** D5
Herschell St LE2 ......**155** C3
Hervey Woods LE67 ....**71** E5
Hesketh Ave LE2 ......**179** C3
Hesketh Cl LE2 ....**179** C3
Hesketh Ct LE15 ......**89** A7
Hewes Cl LE2 ....**179** B3
Hewett Cl LE8 ....**205** A8
Hewitt Dr LE9 ....**152** F4
Hextall Rd LE5 ....**156** A3
Hey St NG10 ....**10** C4
Heybridge Rd LE5 .....**155** F8
Heybrook Ave LE8 .....**202** A7
Heycock Cl LE8 ......**223** A6
Heyford Rd LE3 ......**153** D4
Heygate St LE16 ......**240** E4
Heythrop Cl LE2 ......**181** D4
Heythrop Rd LE15 .....**87** F3
Heyworth Rd LE3 .....**154** C1
Hickling Ct LE11 ......**51** F4
Hickling Dr LE12 ......**77** D4
Hickling La LE14 ......**20** A4
Hickling Rd LE12 ......**19** B8
Hidcote Rd LE2 ....**181** A4
Higgs Cl LE5 ....**156** A5
High Acres LE7 ......**159** C2
High Cres PE9 ....**142** D7
High Cross Rd LE17 ....**232** C6
High Mdw LE3 ....**30** A1
High St
Barrow-u-S LE12 ....**76** D7
Barwell LE9 ....**198** A6
Bottesford NG32 ....**3** A2
Braunston-in-R LE15 ....**137** A2
Carlby PE9 ....**117** B8
Carlby PE9 ....**117** C8
Castle Donington DE74 ..**17** A2
Coalville LE67 ....**71** C1
Collyweston PE9 ......**168** D2
Cottingham NN6 ......**229** C1
Desford LE9 ....**151** B3
Duddington PE9 ....**193** B6
Earl Shilton LE9 ....**198** F8
Easton on t H PE9 .....**169** A5
Enderby LE9 ....**178** B3
Exton LE15 ....**113** A3
Fleckney LE8 ....**222** F8
Great Easton LE16 .....**229** D7
Great Glen LE8 ....**205** A8
Gretton NN17 ....**213** B1
Hallaton LE16 ....**209** D6
Husbands Bosworth LE17 .**247** F5
Ibstock LE67 ....**122** F8
Kegworth DE74 ....**18** C2
Ketton PE9 ....**168** A5
Kibworth Beauchamp LE8 .**224** A8
Leicester LE1 ....**259** B4
Leicester, Evington LE5 ..**156** B2
Leicester Oadby LE2, ...**181** A5
Long Eaton NG10 ......**10** E8
Loughborough LE11 .....**52** B4
Lutterworth LE17 ......**244** C5
Market Harborough LE16 .**240** E3
Measham DE12 ....**93** C5
Melbourne DE73 ....**26** A7
Melton Mowbray LE13 ...**59** C3
Morcott LE15 ....**191** A6
North Kilworth LE17 ....**246** F4
Oakham LE15 ....**137** F6
Packington LE65 ......**69** C2
Quorn LE12 ....**75** F6
Sileby LE12 ....**77** C3
Somerby LE14 ....**108** B2
South Witham NG33 ....**65** B3
Stamford PE9 ....**143** E3
Staunton in t V NG13 ....**1** B4
Stoke Golding CV13 .....**196** D7
Swadlincote DE11 ......**44** A6
Swadlincote DE11 ......**44** C4
Swinford LE17 ....**254** B3
Syston LE7 ....**103** A4
Waltham on t W LE14 ...**40** A6
Walton LE17 ....**236** B3
Welford NN6 ....**256** E6
Whetstone LE8 ....**201** F7
Woodville DE11 ....**44** F2
High St E LE15 ....**189** B4
High St W LE15 ......**189** A4

High Street St Martin's
PE9 ....**143** E2
High Tor E LE9 ....**175** E1
High Tor W LE9 ......**175** E1
Higham La
Higham on t H CV11 ....**195** F1
Stoke Golding CV13 .....**196** C6
Higham on the Hill
CE Prim Sch LE10 .....**196** A4
Higham Way LE10 .....**215** E7
Higham Way Ho LE10 ...**215** E7
Highbridge LE7 ....**77** C3
Highbrow LE2 ....**182** C1
Highbury Rd LE4 ......**155** C8
Highcliffe Rd LE5 ......**130** A3
Highcroft LE17 ....**247** E6
Highcroft Ave LE2 .....**181** C4
Highcroft Cl NG10 .....**10** C5
Highcroft Rd LE2 ......**181** D3
Highcross St
Leicester LE1 ....**259** A4
Market Harborough LE16 .**240** C3
Higher Gn LE8 ....**205** B8
Highfield PE9 ....**193** B7
Highfield Ave LE13 .....**59** A5
Highfield Cl
Sheepy Magna CV9 .....**171** B8
Shepshed LE12 ....**50** C5
Highfield Cotts LE15 ....**191** E8
Highfield Cres
Croxton Kerrial NG32 ...**24** B7
Wigston LE18 ....**180** D4
Highfield Cl LE18 ......**198** E7
Highfield Dr LE18 ......**180** D4
Highfield End LE14 .....**105** F5
Highfield Rd Groby LE6 ..**126** E2
Swadlincote DE11 ......**44** B3
Highfield St Anstey LE7 ..**127** E6
Coalville LE67 ....**96** C7
Earl Shilton LE9 ....**198** E7
Fleckney LE8 ....**222** E8
Leicester LE2 ....**155** B4
Market Harborough LE16 .**240** D3
Stoney Stanton LE9 .....**199** D3
Swadlincote DE11 ......**44** B3
Highfields Barrow-u-S LE12 **76** D8
Thornton LE67 ....**124** F3
Highfields Cl LE65 .....**68** F6
Highfields Dr DE11 ....**51** E1
Highfields Rd
Hinckley LE10 ....**197** E1
Mountsorrel LE12 ......**76** D1
Highgate
Ashby-De-La-Z LE65 ....**69** A8
Leicester LE2 ....**180** A4
Highgate Ave LE4 .....**128** E8
Highgate Com Prim Sch
LE12 ....**77** D4
Highgate Dr LE2 ......**180** B5
Highgate La NG13 .....**13** A7
Highgate Rd LE12 .....**77** D3
Highgrove Cres LE2 ....**179** B5
Highland Ave LE3 .....**152** A2
Highlands PE9 ....**116** C2
Highlands Way PE9 ....**143** B3
Highmeres Rd LE4 .....**129** F3
Highway Rd Leicester LE5 .**155** E2
Thurmaston LE4 ....**129** F8
Hilary Bevins Cl CV13 ..**195** F4
Hilary Cl LE13 ....**59** E6
Hilary Cres
Coalville LE67 ....**72** A3
Groby LE6 ....**126** D3
Hilders Rd LE3 ....**154** A6
Hildyard Rd LE4 ......**129** A1
Hill Cl LE9 ....**176** A7
Hill Ct LE7 ....**156** F4
Hill Dr LE7 ....**244** C5
Hill Farm Ave CV11 ....**214** B1
Hill Field LE2 ....**181** E4
Hill Gdns LE16 ....**240** C3
Hill La Countesthorpe LE8 .**202** B2
Markfield LE67 ....**98** C5
Hill Lane Cl LE67 ......**98** D2
Hill Rd Oakham LE15 ...**137** E7
Orston NG13 ....**2** A6
Hill Rise Birstall LE4 ....**129** A8
Leicester LE4 ....**129** F5
Woodhouse Eaves LE12 ..**100** A4
Hill St
Ashby-De-La-Z LE65 ....**69** A6
Barwell LE9 ....**198** B6
Croft LE9 ....**200** C5
Donisthorpe DE12 .....**67** E1
Hinckley LE10 ....**215** D8
Leicester LE1 ....**259** C4
Newbold Verdon LE9 ....**150** B5
Swadlincote DE11 ......**44** B3
Swadlincote, Upper Midway
DE11 ....**44** A6
Hill Top
Castle Donington DE74 ...**17** A1
Earl Shilton LE9 ....**175** F1
Hill Top Rd LE11 ......**74** F8
Hill View LE9 ....**178** E3
Hill View Dr LE9 ......**201** D3
Hill View Rd NG33 .....**65** B3
Hill Way LE2 ....**181** C4
Hillary Cl PE9 ....**143** F4
Hillary Pl LE7 ....**154** A2
Hillberry Cl LE9 ......**201** A8
Hillcrest Ave
Kibworth Beauchamp LE8 .**206** A1
Market Harborough LE16 .**240** D4
Hillcrest La LE17 ......**247** E5
Hillcrest Rd LE2 ......**180** C6
Hillcroft Cl LE4 ....**129** F8
Hillcroft Rd LE5 ......**155** E5

Hillmorton La
Clifton u D CV23 ......**257** A4
Lilbourne CV23 ....**257** F5
Hillrise LE18 ....**215** F8
Hillrise Ave LE3 ......**179** A8
Hills Rd DE72 ....**9** C7
Hillsborough Cl LE2 ....**179** C2
Hillsborough Cres LE2 ..**179** C2
Hillsborough Rd LE2 ...**179** D3
Hillside
Appleby Magna DE12 ...**119** F8
Castle Donington DE74 ...**17** B4
Kegworth DE74 ....**18** D1
Market Bosworth CV13 ..**148** D3
Markfield LE67 ....**98** D1
Uppingham LE15 ....**189** B4
Hillside Ave
Melton Mowbray LE13 ...**59** B5
Wigston LE18 ....**180** D1
Hillside Ct DE73 ......**26** F2
Hillside Dr NG10 .....**10** B8
Hillside Rd Hinckley LE10 .**215** D6
Market Harborough LE16 .**240** F4
Woolsthorpe by B NG32 ..**8** B1
Hilltop NG13 ....**2** A6
Hilltop Ave LE8 ......**182** C1
Hilltop Dr LE15 ......**137** D6
Hilltop Ind Est LE67 ....**97** C4
Hilltop Rd LE5 ....**130** B4
Hilton Cl Long Eaton NG10 .**9** F7
Swadlincote DE11 ......**44** A7
Hinckley & District
General Hospl LE10 ....**215** D8
Hinckley & District Mus
LE10 ....**197** D1
Hinckley La CV13 .....**196** C3
Hinckley Rd
Aston Flamville LE9 .....**216** D7
Barwell LE9 ....**197** E5
Burbage LE10 ....**216** A7
Cadeby CV13 ....**149** C5
Earl Shilton LE9 ....**198** D4
Hinckley LE10 ....**215** E1
Ibstock LE67 ....**122** E7
Kirkby Mallory LE9 .....**174** E6
Leicester LE3 ....**153** D4
Leicester Forest East LE3 .**152** E2
Leicester, Westcotes LE3 ..**154** C5
Nuneaton CV11 ....**214** A5
Nuneaton, Burton Hastings
CV11 ....**215** B1
Sapcote LE9 ....**217** B8
Stoke Golding CV13 .....**196** F7
Thurlaston LE9 ....**176** E5
Hinckley Sta LE10 .....**215** D7
Hind Ave DE72 ....**9** C8
Hind Cl LE3 ....**202** A5
Hind Leys Com Coll LE12 .**50** D4
Hindoostan Ave LE18 ...**179** E2
Hinks Ave LE7 ....**156** F8
Hipwell Cres LE4 ......**128** C3
History of Stamford Mus
PE9 ....**143** E3
HMYOI Glen Parva LE2 .**179** D2
Hoball Cl LE3 ....**153** E8
Hobart St LE2 ....**155** B5
Hobby Cl LE9 ....**218** F7
Hobill Cl Huncote LE9 ...**200** E8
Leicester Forest East LE3 .**153** B2
Hobrook Rd LE8 ......**223** A6
Hobson Rd LE4 ......**128** F3
Hoby Rd Asfordby LE14 ..**57** C2
Asfordby LE14 ....**80** B8
Ragdale LE14 ....**56** C4
Thrussington LE7 ......**79** A5
Hoby St LE3 ....**154** D6
Hockley Farm Rd LE3 ...**153** D4
Hodgson Cl LE3 ......**128** A1
Hodson Cl LE8 ....**201** F6
Hodson Ct LE11 ......**52** B2
Hog La LE16 ....**209** D6
Hogarth Cl LE10 ......**197** A3
Hogarth Dr LE10 .....**197** A3
Hogarth Rd Birstall LE4 ..**101** C1
Whitwick LE67 ....**71** F5
Hoke Ct LE17 ....**218** E1
Holbeck Dr LE9 ......**219** A6
Holbein Cl LE11 ......**52** C4
Holbourne Cl LE12 ....**76** D7
Holbrook Cl LE2 ......**181** E4
Holbrook Rd LE2 .....**180** E8
Holcombe Cl LE67 ....**71** E6
Holden Ave DE72 .....**16** A8
Holden Cl LE8 ....**202** A5
Holden St LE4 ....**129** A2
Holdenby Cl LE16 .....**241** B3
Holderness Rd LE4 ....**128** D5
Holdings The DE11 ....**44** A1
Holgate Cl LE7 ....**127** E7
Holkham Ave LE4 .....**129** D1
Holland Mdw NG10 ....**10** D5
Holland Rd Leicester LE2 .**155** B6
Stamford PE9 ....**143** E4
Holland Way LE9 .....**201** B8
Hollands La LE14 .....**106** E1
Hollier's Wlk LE10 .....**197** D1
Holliers Walk Prim Sch
LE10 ....**197** D1
Holliers Way LE10 .....**200** C4
Hollies Cl
Houghton on t H LE7 ...**158** A4
Thurlaston LE9 ....**177** A3
Hollies The CV23 .....**252** F1
Hollies Way LE7 ......**156** F4
Hollington Rd LE5 .....**155** D4

Hollins Rd LE3 ....153 E4
Hollinwell Cl LE3 ......153 C5
Hollow La
  Burton Lazars LE14 ......83 A7
  Frisby on t W LE14 ......80 C8
Hollow Rd Anstey LE7 ....127 D6
  Breedon on t H DE73 .....26 E3
Hollow Sta LE8 ....224 A8
Hollow The
  Castle Donington DE74 ....17 B4
  Earl Shilton LE9 ....198 F8
  Knossington LE15 ....136 A6
  Leicester LE5 ....156 B2
  Normanton Le H LE67 ....94 F6
  Thornton LE67 ....124 D5
Hollowtree Rd LE5 ......130 C2
Holly Ave DE72 ....9 F8
Holly Bank LE67 ....96 D6
Holly Bank Cl LE5 ....130 C2
Holly Bank Est CV9 .....119 A2
Holly Bush Cl DE12 ......91 F7
Holly Cl Draycott DE72 ....9 A7
  Hinckley LE10 ....215 E5
  Market Harborough LE16 .240 E4
  Moira DE12 ....68 C6
Holly Ct Leicester LE2 ...181 A7
  Woodville DE11 ....44 F2
Holly Dr LE17 ....244 B6
Holly Gr LE8 ....202 B8
Holly Hayes Rd LE67 .....71 F4
Holly La Atherstone CV9 .170 D2
  Atherstone, Whittington
  CV9 ....170 A7
  Barwell LE9 ....198 B7
Holly Lane Ind Est CV9 ..170 C1
Holly Rd DE12 ....93 C5
Holly Tree Ave LE4 ......129 A8
Holly Tree Wlk LE17 .....232 E6
Holly Wlk CV11 ....214 A2
Hollybank Cl DE11 ....44 A7
Hollybank Ct LE2 ....155 C3
Hollybrook Cl LE4 ......130 A6
Hollybush Cl
  Leicester LE5 ....156 E7
  Syston LE7 ....102 F4
Hollycroft LE10 ....197 C1
Hollycroft Cres LE10 ...197 C1
Hollydene Cres LE9 .....198 D7
Hollygate Cl LE13 ....59 E1
Hollytree Cl Hoton LE12 ..32 D2
  Loughborough LE11 ......75 A7
Hollytree La LE14 ....20 C3
Holmdale Rd LE7 ....103 A3
Holmden Ave LE18 ......180 B3
Holme Dr LE2 ....181 B7
Holmes Cl LE6 ....126 E3
Holmes Ct DE11 ....44 B5
Holmes Rd DE72 ....9 D8
Holmewood Dr LE9 .....152 F5
Holmfield LE14 ....79 D7
Holmfield Ave
  Leicester LE2 ....155 D2
  Loughborough LE11 ......51 F6
Holmfield Ave E LE3 ....153 C3
Holmfield Ave W LE3 ...153 C3
Holmfield Cl LE7 ....244 A6
Holmfield Prim Sch LE3 .153 B3
Holmfield Rd Desford LE9 151 B3
  Leicester LE2 ....155 D2
Holmleigh Gdns LE7 ....156 F4
Holmrook Ho LE2 ....179 C3
Holmwood Dr LE3 ....127 E1
Holt Cres LE9 ....177 A3
Holt Dr Kirby Fields LE9 .152 F4
  Loughborough LE11 ......51 F1
Holt La LE17 ....219 F4
Holt Rd Birstall LE4 ....129 A6
  Hinckley LE10 ....215 E6
  Medbourne LE16 ....210 D1
  Medbourne LE16 ....228 C8
Holt Rise LE12 ....50 C1
Holt's La LE67 ....96 B6
Holte Rd CV9 ....170 E1
Holts Cl LE2 ....179 B4
Holy Bones LE1 ....259 A4
Holy Cross RC Prim Sch
  LE67 ....71 F5
Holy Cross RC Sch LE2 ..179 F4
Holygate Rd LE15 ......163 C1
Holyoak Dr LE10 ....217 B5
Holyoake Cres LE67 .....95 C2
Holyoake Dr Heather LE67 95 C2
  Long Eaton NG10 ....10 F7
Holyoake St LE9 ....178 B4
Holyrood Cl LE15 ....137 F5
Holyrood Dr LE8 ....202 D4
Holywell Ave LE5 ....69 B7
Holywell Cotts LE65 .....69 A6
Holywell Dr LE1 ....51 D1
Holywell Prim Sch LE11 ..74 C8
Holywell Rd
  Castle Bytham NG33 .....90 D7
  Clipsham LE15 ....89 F4
  Leicester LE2 ....179 C6
Holywell Way LE11 ....51 C1
Home Cl Blaby LE8 .....202 B8
  Kibworth Beauchamp LE8 .224 A8
Home Close Rd LE7 .....158 A4
Home Croft Dr LE65 .....69 C2
Home Farm Barns LE67 ..94 D1
Home Farm Cl
  Gilmorton LE17 ....235 C5
  Leicester LE4 ....128 C3
  Witherley CV9 ....194 B8
  Woodhouse LE12 ....75 B3

Home Farm Ct LE4 ......128 C3
Home Farm Sq LE4 ......128 C3
Home Pastures LE14 .....20 F7
Homefield La LE7 ....101 F7
Homefield Rd LE12 ......77 C4
Homemead Ave LE4 .....128 D2
Homer Dr LE9 ....201 A8
Homestead La LE7 ......102 D8
Homestead Dr LE8 ......180 D1
Homestead Rd LE67 .....71 D8
Homestead The LE2 ......76 E3
Homestone Gdns LE5 ...156 E6
Homestone Rise LE5 ....156 E6
Homeway Cl LE12 ....50 C3
Homeway Rd LE5 ....155 E3
Honey Pot La NG33 ......65 E8
Honeybourne Cl LE2 ....181 A4
Honeycomb Cl LE9 .....201 A8
Honeypot La LE17 ......247 E5
Honeysuckle Cl
  Coalville LE67 ....97 A8
  Swadlincote DE11 ....44 A6
Honeysuckle Rd LE5 ....130 C2
Honeysuckle Way
  Loughborough LE11 ......75 A6
  Melton Mowbray LE13 ....82 A8
Honiton Cl LE18 ....180 C1
Hooby La LE15 ....88 C6
Hooley Cl NG10 ....10 B6
Hope St DE73 ....26 A7
Hope's Yd LE15 ....189 B4
Hopefield Rd LE3 ......154 C2
Hoppner Cl LE4 ....101 D1
Hopton Fields LE16 ....250 D8
Hopwell Rd DE72 ....9 A8
Hopwood Cl LE4 ....128 B3
Hopyard Cl LE2 ....179 B4
Horn Cl LE15 ....138 B7
Horn La LE16 ....209 D6
Hornbeam Cl
  Leicester LE2 ....181 A7
  Loughborough LE11 ......75 A7
  Narborough LE9 ....201 A8
Hornbeam Rd LE9 ......150 B4
Horndean Ave LE18 ....180 D3
Hornecroft LE7 ....101 E6
Horninghold La LE16 ...210 A5
Horninghold Rd LE16 ...209 F6
Horse Field View LE13 ...59 A5
Horse Hill LE7 ....185 C1
Horse Shoe La LE16 ....241 B6
Horse Shoes The DE74 ...17 D4
Horsefair Cl LE16 ......240 D4
Horsefair St LE1 ....259 B3
Horsefair The 🔳 LE10 .215 D8
Horsepool LE10 ....216 A5
Horsepool The CV23 ....258 A7
Horses La DE12 ....93 D4
Horseshoe Cl LE9 ......201 D4
Horseshoe La 🔳 PE9 ...143 D3
Horsewell La LE18 .....180 D1
Horston Rd LE5 ....155 E3
Horton Ct LE8 ....202 A8
Hortons La LE5 ....85 A1
Horwood Cl LE18 ......180 E4
Hose CE Sch LE14 ....20 F7
Hose La
  Colston Bassett LE14 .....11 B3
  Harby LE14 ....12 A1
  Hose LE14 ....21 A8
  Long Clawson LE14 ......20 F5
Hoselett Field Rd NG10 ..10 E5
Hoskins Cl LE18 ....203 E8
Hospital Cl LE5 ....156 A4
Hospital La Blaby LE8 ..202 D6
  Ravenstone LE67 ....95 B4
  Swannington LE67 ....71 B7
Hospital of Christ The
  LE15 ....189 A4
Hospital The LE67 ....95 E8
Hospital Way LE11 ....51 E4
Hotel St Coalville LE67 ...71 D1
  Leicester LE1 ....259 B3
Hothorpe Rd LE17 .....248 D8
Hotoft Rd LE5 ....156 B8
Hoton Rd LE12 ....33 B3
Hough Hill LE67 ....71 A3
Houghton La Gaulby LE7 .183 D7
  Houghton on t H LE2, LE7 .157 B1
Houghton on the Hill
  CE Prim Sch LE7 ....157 F3
Houghton St LE5 ....155 D7
Houlditch Rd LE2 ......180 B8
Howard Cl Barwell LE9 .198 A7
  Loughborough LE11 ......51 C5
Howard Rd
  Glen Parva LE2 ....179 B3
  Leicester LE2 ....155 B2
Howard St LE11 ....52 B5
Howard Way LE16 ......240 D1
Howarth Cl NG10 ....10 A7
Howden Cl
  Loughborough LE11 ......51 B3
  Swadlincote DE11 ....44 A5
Howden Rd LE18 ....179 C4
Howdon Rd LE2 ....181 B3
Howe Cl LE9 ....199 C1
Howe Ct LE67 ....71 D5
Howe La LE7 ....101 E6
Howe Rd
  Loughborough LE11 ......52 B1
  Whitwick LE67 ....71 E7
Howitt St NG10 ....10 E7
Howitts Rd NG13 ....3 A1
Hoy Wlk NN17 ....230 C1
Hoylake Cl Leicester LE5 .155 E2
  Nuneaton CV11 ....214 B1
Hubbard Cl LE8 ....202 A5

Hudson Cl Leicester LE3 .154 A8
  Oakham LE15 ....137 D6
Hudson Rd LE12 ....77 C4
Hudson Road Ind Est
  LE13 ....59 E3
Hudson St LE11 ....52 C4
Huggett Cl LE14 ....129 E4
Hugglescote Cty Prim Sch
  LE67 ....96 C6
Hughenden Dr LE2 .....154 E1
Humber Cl LE5 ....130 B1
Humber Dr LE13 ....59 B1
Humber Wlk NN17 .....230 D2
Humberstone Ct LE5 ...156 B8
Humberstone Dr LE5 ...156 A8
Humberstone Gate LE1 .259 B4
Humberstone Jun &
  Inf Schs LE5 ....130 B1
Humberstone La LE4 ...129 F5
Humberstone Rd
  Leicester LE5 ....155 C7
  Leicester LE5 ....259 C4
Humble La LE7 ....102 E8
Hume St LE11 ....52 C4
Humes Cl LE8 ....201 F4
Humphrey Cl LE11 ......52 C2
Humphrey Perkins
  High Sch LE12 ....76 C8
Humphries Cl LE5 ......156 A5
Huncote Com Prim Sch
  LE9 ....200 D8
Huncote Rd Croft LE9 ..200 A6
  Narborough LE9 ....200 F7
  Stoney Stanton LE9 .....199 E4
Hungarton Bvd LE5 ....156 C8
Hungarton Dr LE7 .....103 C3
Hungarton La LE7 .....131 E4
Hungarton Rd LE7 .....132 F3
Hunt Dr LE13 ....59 E6
Hunt La CV9 ....194 B7
Hunt St LE15 ....87 E2
Hunt's La Hallaton LE16 .209 D6
  Ketton PE9 ....167 F6
Hunter Bvd LE17 ......243 B6
Hunter Rd LE4 ....129 A1
Hunters Ave LE7 ....160 B2
Hunters Cl LE17 ....247 E6
Hunters Dr LE17 ....244 B5
Hunters La CV13 ....195 A6
Hunters Rd LE13 ....59 D1
Hunters Rise LE14 ......81 B8
Hunters Row LE9 ......201 D3
Hunters Way
  Leicester LE2 ....181 D5
  Leicester Forest East LE3 .152 F2
Hunters Wlk CV9 ......194 B7
Huntingdon Cl LE12 .....54 A7
Huntingdon Ct
  🔳 Ashby-De-La-Z LE65 ...69 B6
  Measham DE12 ....93 A5
  Melbourne DE73 ....26 B8
Huntingdon Dr DE74 ....17 A4
Huntingdon Gdns LE16 .240 E1
Huntingdon Rd
  Ashby-De-La-Z LE65 .....68 F5
  Leicester LE4 ....129 E2
Huntingdon Way DE12 ...93 A4
Huntings The LE9 ......152 C6
Hunts Cl LE9 ....151 C8
Hunts La Desford LE9 ...150 F4
  Netherseal DE12 ....91 E8
Huntsman's Cl LE12 .....76 B6
Huntsman's Dale LE7 ...103 D8
Huntsmans Cl LE67 ....125 E8
Huntsmans Way LE4 ...129 D3
Hursley Cl LE2 ....181 C5
Hurst Rd Earl Shilton LE9 198 E7
  Hinckley LE10 ....215 D8
Hurst Rise LE5 ....156 A5
Hurstwood Rd LE11 .....51 B3
Husbands Bosworth
  CE Prim Sch LE17 .....247 E5
Huss's La NG10 ....10 F7
Huston Cl LE12 ....76 F5
Huston Ct LE11 ....52 A3
Hutchinson St LE2 .....155 B5
Hyacinth Way LE10 ....215 D5
Hyam's La DE74 ....28 D6
Hyde Cl Leicester LE2 ...181 C4
  Narborough LE9 ....201 B8
Hyde Lodge Rd LE7, LE15 134 E3
Hydes La LE10 ....214 E4
Hydra Wlk 🔳 LE2 ......155 B5
Hylion Rd LE2 ....180 A6

I

Ibbetson Ave LE3 ......153 C7
Ibsley Way LE2 ....179 D3
Ibstock Com Coll LE67 ...95 F1
Ibstock Rd Ellistown LE67 96 D3
  Nailstone CV13 ....123 A4
  Ravenstone LE67 ....95 F8
Ickworth Cl LE5 ....130 C2
Iffley Cl LE5 ....155 F5
Iffley Ct LE5 ....156 A5
Iliffe Ave LE4 ....180 F5
Iliffe Ho LE10 ....215 B4
Iliffe Rd LE4 ....129 E1
Iliffes Cl LE12 ....76 E8
Iliffes Rd LE12 ....76 E8
Illingworth Rd LE5 ....156 B5
Illston Cross Roads LE7 .184 C2
Illston Gdns LE2 ....76 E7
Illston La LE7 ....181 F4
Illston Rd Gaulby LE7 ..183 E5
  Illston on t H LE7 .....184 D3

Ilmington Cl LE3 ......127 C1
Ilminster Cl LE10 .....216 B7
Imperial Ave LE3 ......154 B3
Imperial Avenue Inf Sch
  LE3 ....154 B3
Imperial Rd LE8 ....223 F8
Industrial Heritage Mus
  LE67 ....71 B1
Infirmary Cl LE1 ......259 B2
Infirmary Rd LE1, LE2 ..259 B2
Infirmary Sq LE1 ......259 B2
Ingarsby Cl LE7 ....158 A4
Ingarsby Dr LE5 ....156 C3
Ingarsby La LE7 ....158 A6
Ingarsby Old Hall LE7 ..158 A7
Ingarsby Rd LE7 ....131 E2
Ingle Dr
  Ashby-De-La-Z LE65 .....68 F7
  Ratby LE6 ....152 D2
Ingle St LE3 ....154 B7
Ingleberry Rd LE12 .....73 D6
Ingleborough Gdns NG10 .10 A8
Ingleby Rd
  Long Eaton NG10 ....9 F4
  Wigston LE18 ....180 C3
Inglehurst Inf Sch LE3 .154 B7
Inglehurst Jun Sch LE3 .154 B7
Ingles Hill LE65 ....68 F7
Ingleton Cl CV11 ......214 A2
Ingold Ave LE4 ....128 A6
Ingrams Way LE18 .....203 E8
Inhams The LE15 ......189 A4
Inleys The LE12 ....50 D3
Innace Park Small Ind
  Units CV9 ....170 C1
Insley's Cl CV13 ....121 E2
Invergary Cl LE4 ......129 D4
Iona Cl LE4 ....128 B3
Iona Rd LE7 ....102 F4
Iona Way LE8 ....202 F3
Ipswich Cl LE4 ....128 A6
Ireland Way LE18 .....203 E8
Ireton Rd Leicester LE4 .129 E2
  Market Harborough LE16 .240 D2
Iris Ave Birstall LE4 ...129 B8
  Glen Parva LE2 ....179 B1
Iris Cl Hinckley LE10 ...215 E5
  Mountsorrel LE12 ....76 F2
Irlam St LE8 ....202 F8
Irmington Gdns LE5 ...156 C6
Irnham Rd PE9 ....143 E5
Ironmonger St 🔳 PE9 .143 E7
Ironworks Rd LE4 .....155 C8
Irwell Cl
  Melton Mowbray LE13 ....59 B1
  Oakham LE15 ....137 E5
Irwin Ave LE11 ....51 C6
Isis Cl LE7 ....181 D6
Island Cl LE10 ....197 E2
Islington St LE2 ....154 F2
Isobella Rd LE3 ....153 C1
Ivanhoe Cl LE3 ....153 C7
Ivanhoe Dr LE65 ....68 F7
Ivanhoe High Sch & Coll
  LE65 ....69 B7
Ivanhoe Ind Est LE65 ...69 A8
Ivanhoe Rd LE18 ......179 F2
Ivanhoe St LE3 ....154 C7
Ivatt Cl LE7 ....157 A5
Iveagh Cl LE12 ....93 D3
Iveshead La LE12 ....73 B8
Iveshead Rd LE12 ......73 A7
Ivy Cl Donisthorpe DE12 ..67 E1
  Stoke Golding CV13 ....196 C7
Ivy Rd LE3 ....154 C3
Ivychurch Cres LE5 ....130 E1
Ivydale Rd LE4 ....129 F6
Ivydene Cl LE9 ....198 F8

J

Jacklin Dr LE4 ....129 D5
Jacknell Rd LE10 ......214 D8
Jacks Wlk LE67 ....96 B7
Jackson Cl Leicester LE2 .181 D5
  Market Harborough LE16 .250 E8
  Overseal DE12 ....67 B3
Jackson Rd CV21 ......257 A1
Jackson St Coalville LE67 .71 C1
  Leicester LE4 ....129 B2
Jacob Cl LE9 ....178 A3
Jacqueline Rd LE67 ....125 F8
Jacquemart Cl LE67 .....72 D1
Jacques Cl LE9 ....178 A3
Jacques Rd LE67 ....95 F2
James Ave LE11 ....51 C6
James Gavin Way LE2 ..181 E4
James Lambert Dr LE13 .58 F5
James St Anstey LE7 ...127 D7
  Blaby LE8 ....202 B8
  Coalville LE67 ....96 C8
  Earl Shilton LE9 ....198 E7
  Stoney Stanton LE9 ....199 D3
  Swadlincote DE11 ....44 D5
Jamesway LE67 ....201 D4
Janes Way LE67 ....125 E8
Japonica Cl LE11 ....75 A7
Jardine Ct DE72 ....9 B7
Jarrett Cl LE3 ....178 A3
Jarrom Ct LE2 ....259 A2
Jarrom St LE2 ....259 A2
Jarvis Cl LE10 ....197 D4
Jarvis Dr LE13 ....59 B4
Jarvis St LE3 ....259 A4
Jarvis Way LE67 ....71 E5
Jasmine Cl Hamilton LE5 .130 B3
  Loughborough LE11 ......75 A7

Jasmine Ct
  Narborough LE9 ....177 E1
  Wigston LE18 ....179 F1
Jasper Rd LE15 ....138 C4
Jawbone La DE73 ....26 C8
Jay Cl LE15 ....138 B8
Jean Dr LE4 ....128 D1
Jeffares Cl DE74 ....18 C3
Jeffcoats La LE67 ....71 B7
Jefferies Cl LE10 ......197 E2
Jeffcoats La LE67 .....155 E6
Jellicoe Way LE10 .....197 E2
Jenkins Rd CV21 ......257 A1
Jennett Cl LE5 ....156 C6
Jenny's La LE67 ....95 F8
Jeremy Cl LE4 ....129 B2
Jermyn St LE4 ....129 B2
Jersey Rd LE4 ....128 C4
Jersey Way LE4 ....198 A6
Jerwood Way LE16 ....240 F2
Jessons Cl LE4 ....129 D3
Jessop Cl LE3 ....154 A8
Jetcott Ave LE11 ....75 A7
Jetties The LE15 ......166 C3
Jetty The LE15 ....165 A3
Jewry Wall Mus LE1 ...259 A3
Jewsbury Ave DE12 .....93 D5
Joe Moore's La LE12 ....99 E6
John Bold Ave LE9 ....199 B8
John Cleveland Coll The
  LE10 ....197 F1
John Ellis Com Coll LE4 .129 A2
John Ferneley High Sch
  LE13 ....59 C7
John Nichols St LE10 ...215 B7
John Phillips Cl LE11 ....51 E4
John St Albert Village DE11 44 C2
  Enderby LE9 ....178 B3
  Hinckley LE10 ....197 E1
  Oakham LE15 ....137 E6
  Swadlincote DE11 ....44 C5
  Thringstone LE67 ....71 D7
John Taylor Bellfoundry
  Mus LE1 ....52 C4
John Wycliffe Prim Sch
  LE17 ....244 B5
John's Cl LE10 ....215 D8
John's Ct LE8 ....202 B8
John's Lee Cl LE11 ......51 F1
Johns Ave LE12 ....101 E8
Johnson Cl
  Broughton Astley LE9 ...219 A5
  Melton Mowbray LE13 ....59 C4
  North Luffenham LE15 ..166 D3
  Whetstone LE8 ....202 A7
Johnson Rd Birstall LE4 .128 C7
  Uppingham LE15 ....189 A4
Johnson Rise LE9 .....199 B8
Johnson St LE1 ....259 A5
Jolly Farmers La LE12 ...73 A8
Jon Baker Ct LE10 .....215 E8
Jonathan Cl LE6 ......127 A3
Jordan Ave LE18 ......180 A1
Jordan Cl Glenfield LE3 .153 C8
  Market Harborough LE16 .241 E3
Jordan Ct LE6 ....152 D8
Journeyman's Gn LE6 ..152 D8
Jowett Cl LE3 ....128 A1
Joyce Rd LE3 ....154 B8
Jubilee Ave Asfordby LE14 58 A3
  Sileby LE12 ....77 D5
Jubilee Cl DE73 ....26 B7
Jubilee Cres LE2 ......201 C7
Jubilee Dr Glenfield LE3 .153 C9
  Langham LE15 ....110 C2
  Loughborough LE11 .....52 A6
Jubilee Gdns
  Leicester LE5 ....155 D8
  Market Harborough LE16 .240 F4
Jubilee Rd
  Broughton Astley LE9 ...218 E6
  Leicester LE1 ....259 B5
  Newbold Verdon LE9 ....150 B4
Jubilee St LE13 ....59 C3
Jubilee Terr DE12 ....67 E1
Judgemeadow Com Coll
  LE5 ....156 C3
Judges St LE11 ....52 D3
Judith Dr
  Countesthorpe LE8 .....202 F4
  Leicester LE5 ....156 B4
Julian Rd LE2 ....179 C2
Juliet Cl CV11 ....214 A1
Junction Rd
  🔳 Leicester LE1 ....155 A7
  Wigston LE18 ....180 C3
June Ave LE4 ....130 A5
Junior St LE1 ....259 A4
Juniper Cl
  Leicester Forest East LE3 .152 F2
  Lutterworth LE17 ......244 B7
Juniper Way LE11 ....75 A7
Juno Cl LE3 ....153 C2
Jupiter Cl LE2 ....155 B6
Justin Pk LE16 ....250 F7

K

Kamloops Cres LE1 ....259 C5
Kane Cl LE67 ....71 C1
Kapelle Cl LE13 ....59 E6
Kashmir Rd LE1 ....155 B7
Kate St LE3 ....154 D5
Katrine Cl NN17 ....230 B1
Kay Rd LE3 ....153 F8
Keats Cl Earl Shilton LE9 .175 F1

Keats Cl *continued*
Long Eaton NG10 . . . .**10** B5
Melton Mowbray LE13 . . . . .**59** B6
Narborough LE9 . . . .**178** A3
Keats Dr DE11 . . . .**44** C6
Keats Gr PE9 . . . .**143** A4
Keats La LE9 . . . .**175** F1
Keats Wlk LE4 . . . .**155** B6
Keays Way LE7 . . . .**156** F8
Keble Cl PE9 . . . .**143** C5
Keble Ct PE9 . . . .**143** C5
Keble Dr LE7 . . . .**103** C3
Keble Rd LE2 . . . .**155** A1
Kedleston Ave LE4 . . . . . .**129** A5
Kedleston Cl NG10 . . . .**10** A5
Kedleston Rd LE5 . . . .**155** D4
Keel Dr NG13 . . . .**3** A2
Keenan Cl LE2 . . . .**179** B5
Keep The LE9 . . . .**152** D5
Keepers' Croft LE7 . . . . . .**103** E7
Keepers Wlk LE4 . . . .**128** B3
Kegworth Ave LE5 . . . .**155** F5
Kegworth La LE12, DE74 . . .**29** C5
Kegworth Mus DE74 . . . . . .**18** C2
Kegworth Prim Sch DE74 .**18** D2
Kegworth Rd NG11 . . . .**18** F5
Keightley Rd LE3 . . . .**153** E8
Keightley Wlk LE4 . . . .**129** F6
Kelbrook Cl LE4 . . . .**128** C4
Kelmarsh Ave LE18 . . . . . .**180** E2
Kelso Cl LE65 . . . .**69** C6
Kelso Ct LE67 . . . .**71** E8
Kelso Gn LE2 . . . .**179** D3
Kelthorpe Cl PE9 . . . .**168** A4
Kelvon Cl LE3 . . . .**127** D1
Kemp Ho NN17 . . . .**230** F3
Kemp Rd LE2 . . . .**127** F1
Kempson Rd LE2 . . . .**179** E8
Ken Mackenzie Cl LE17 . .**244** C8
Kendal Cl CV11 . . . .**214** A6
Kendal Pl LE67 . . . .**96** D4
Kendal Rd Ellistown LE67 . .**96** D4
Sileby LE12 . . . .**77** D2
Kendall's Ave LE2 . . . .**200** C4
Kendrick Dr LE2 . . . .**181** B3
Kendricks DE11 . . . .**45** A7
Kenilworth Cl
Broughton Astley LE9 . . . . .**218** B3
Mountsorrel LE12 . . . .**76** C1
Kenilworth Ct LE18 . . . . . .**179** F3
Kenilworth Dr
🄸 Ashby-De-La-Z LE65 . . . .**69** C5
Leicester LE2 . . . .**180** E1
Kenilworth Rd LE18 . . . . . .**179** F2
Kenmore Cres LE67 . . . . . .**97** D8
Kenmore Dr LE10 . . . .**197** B2
Kennedy Ave NG10 . . . .**10** C5
Kennedy Cl LE15 . . . .**137** E6
Kennedy Way LE3 . . . .**153** B2
Kennel La CV9 . . . .**194** B7
Kennet Way LE13 . . . .**59** A1
Kenneth Gamble Ct
LE18 . . . .**180** B4
Kenny Cl LE8 . . . .**202** A6
Kensington Ave LE11 . . . . .**51** C5
Kensington Cl
Glen Parva LE2 . . . .**179** D1
Leicester LE2 . . . .**181** C3
Kensington Dr LE18 . . . . . .**180** D5
Kensington St LE4 . . . .**129** A1
Kent Cres LE18 . . . .**179** F3
Kent Dr Hinckley LE10 . . . .**197** F4
Leicester LE2 . . . .**181** C5
Kent St LE5 . . . .**155** B6
Kent The CV21 . . . .**257** A4
Kenton Ave LE18 . . . .**180** C1
Kentworth Terr 🄸 LE65 . . . .**69** B6
Kenwood Rd LE2 . . . .**180** C7
Kepston Cl LE2 . . . .**179** D4
Kercey Rd LE12 . . . .**75** F7
Kernan Dr LE11 . . . .**51** F6
Kerrial Gdns LE3 . . . .**153** E7
Kerrial Rd LE3 . . . .**153** E7
Kerry Cl LE9 . . . .**197** F7
Kerrysdale Ave LE4 . . . . . .**129** D2
Kertley LE8 . . . .**222** F8
Kesteven Rd PE9 . . . .**143** E5
Kestrel Ave DE11 . . . .**44** F3
Kestrel Cl
Broughton Astley LE9 . . . . .**218** B3
Hinckley LE10 . . . .**215** F6
Leicester LE5 . . . .**155** C7
Leicester Forest East LE3 . .**152** A6
Syston LE7 . . . .**102** F4
Kestrel La LE12 . . . .**76** F2
Kestrel Rd
Melton Mowbray LE13 . . . . .**82** B4
Oakham LE15 . . . .**138** B8
Kestrel's Field Prim Sch
LE5 . . . .**130** D2
Keswick Ave LE11 . . . .**51** D1
Keswick Cl Birstall LE4 . . .**129** B8
Nuneaton CV11 . . . .**214** A6
Keswick Rd LE8 . . . .**202** A7
Ketco Ave PE9 . . . .**168** B7
Kettering Rd
Market Harborough LE16 . . .**241** B2
Wothorpe PE9 . . . .**169** C8
Ketton CE Prim Sch PE9 .**168** A5
Ketton Rd Collyweston PE9 **168** C3
Ketton PE9 . . . .**167** B3
Kevern Cl LE18 . . . .**180** C1
Kew Dr Leicester LE2 . . . . .**181** C3
Wigston LE18 . . . .**180** B5
Keyham Cl LE5 . . . .**130** B1
Keyham Ct LE5 . . . .**156** A8

Keyham La Keyham LE7 . . .**131** C3
Leicester LE5 . . . .**130** D1
Keyham La E LE5 . . . .**131** C2
Keyham La W LE5 . . . .**130** E1
Keythorpe St LE2 . . . .**155** B6
Kibworth CE Prim Sch
LE8 . . . .**206** A1
Kibworth High Sch LE8 . .**224** A7
Kibworth High Sch
(Annexe) LE8 . . . .**224** A8
Kibworth Rd
Carlton Curlieu LE8 . . . . . .**206** E7
Fleckney LE8 . . . .**223** A7
Saddington LE8 . . . .**223** C6
Tur Langton LE8 . . . .**206** A2
Wistow LE8 . . . .**204** E4
Kielder Cl LE9 . . . .**177** F2
Kigston Way LE16 . . . .**240** E6
Kilbourne Cl LE12 . . . .**77** C2
Kilburn Ave LE2 . . . .**180** F6
Kilburn Rd LE15 . . . .**137** F7
Kilby Ave LE4 . . . .**129** A5
Kilby Dr LE18 . . . .**180** E1
Kilby Ho 🄳 NG10 . . . .**10** E7
Kilby Prim Sch LE18 . . . . .**203** F3
Kilby Rd Fleckney LE8 . . . .**222** D8
Wistow LE8 . . . .**204** C4
Kildare St LE1 . . . .**259** B4
Kilmarie Cl LE10 . . . .**197** A1
Kilmelford Cl LE4 . . . .**129** D4
Kiln Ave LE4 . . . .**129** F6
Kiln Cl LE9 . . . .**219** A5
Kiln Way DE11 . . . .**44** D3
Kilverstone Ave LE5 . . . . .**156** D3
Kilwardby St LE65 . . . .**69** A6
Kilworth Dr LE5 . . . .**155** E3
Kilworth Rd
Husbands Bosworth LE17 . .**247** D4
North Kilworth LE17 . . . . . .**246** C6
Swinford LE17 . . . .**254** C7
Kimberley Rd LE2 . . . .**155** C3
Kimberley St LE8 . . . .**223** F8
Kimcote Rd LE17 . . . .**236** A2
Kincaple Rd LE4 . . . .**129** D4
Kinchley La LE7 . . . .**76** B1
Kincraig Rd LE4 . . . .**129** D4
Kinder Ave DE11 . . . .**44** A5
Kinder Cl LE8 . . . .**202** A5
King Edward Ave LE9 . . . . .**201** B8
King Edward Rd
Leicester LE5 . . . .**155** F7
Loughborough LE11 . . . .**52** C3
King Edward VII Com Coll
LE67 . . . .**72** C2
King Edward VII Sch LE13 **.82** D8
King Edward VII Upper Sch
LE13 . . . .**59** D1
King Edward's Way LE15 .**166** B7
King George Ave
Ashby-De-La-Z LE65 . . . . . .**69** B7
Loughborough LE11 . . . .**52** D2
King George Rd LE11 . . . . .**52** D2
King George's Way LE15 .**215** B7
King John's Rd LE67 . . . . . .**71** F6
King Richard Inf Sch
LE3 . . . .**154** D5
King Richard Rd LE10 . . . .**197** C2
King Richard's Hill
Earl Shilton LE9 . . . .**176** B1
Whitwick LE67 . . . .**71** F5
King Richards Rd LE3 . . . .**154** C5
King St Barkby LE7 . . . . . .**130** D7
Barwell LE9 . . . .**198** B6
Coalville LE67 . . . .**96** D8
Enderby LE9 . . . .**178** B3
Hinckley LE10 . . . .**197** D1
Leicester, Oadby LE2 . . . . .**181** B5
Leicester LE1 . . . .**259** B2
Long Eaton NG10 . . . .**10** D8
Loughborough LE11 . . . .**52** C3
Melton Mowbray LE13 . . . . .**59** C3
Nether Broughton LE14 . . . .**36** D8
Scalford LE14 . . . .**38** E5
Seagrave LE12 . . . .**77** F8
Sileby LE12 . . . .**77** C3
Twyford LE14 . . . .**133** D8
Whetstone LE8 . . . .**201** F7
King Street La LE14 . . . . . .**41** B4
King Williams Way LE7 . . .**127** E7
King's Cl LE14 . . . .**38** E5
King's Ct LE16 . . . .**240** E3
King's Head Pl LE16 . . . . .**240** E3
King's La
Burrough on t H LE14 . . . . .**107** D2
Newton Regis B79 . . . .**118** D4
King's Mill La DE72, DE74 .**16** A4
King's Rd
Market Harborough LE16 . . .**240** E3
Melton Mowbray LE13 . . . . .**59** D4
Oakham LE15 . . . .**137** E6
Shepshed LE12 . . . .**50** B2
King's Way LE17 . . . .**244** B5
King's Wlk LE9 . . . .**198** E8
Kingcup Cl LE15 . . . .**152** F2
Kingfisher Ave
Leicester LE5 . . . .**155** C7
Woodville DE11 . . . .**44** F3
Kingfisher Cl
Barrow-u-S LE12 . . . .**76** B3
Desford LE9 . . . .**151** B2
Great Glen LE8 . . . .**182** B1
Leicester Forest East LE3 . .**152** E2
Oakham LE15 . . . .**138** B8
Syston LE7 . . . .**102** F4
Twyford LE14 . . . .**106** D1
Kingfisher Ct LE11 . . . .**52** A2
Kingfisher Rd LE12 . . . . . .**76** F2

Kingfisher Way LE11 . . . . .**52** A2
Kingfisher Wlk LE5 . . . . . .**155** C7
Kings Ave LE11 . . . .**51** F6
Kings Brook Cl LE12 . . . . . .**32** D6
Kings Cl
Market Overton LE15 . . . . . .**86** F5
Oakham LE15 . . . .**137** E6
Kings Dr
Leicester Forest East LE3 . .**153** A4
Wigston LE18 . . . .**180** D3
Kings Gate DE74 . . . .**17** F4
Kings La Barrowden LE15 .**191** F5
Keyham LE7 . . . .**131** E2
South Croxton LE7 . . . .**105** B1
Kings Lock Cl LE2 . . . .**179** B4
Kings Mill La 🄸 PE9 . . . . .**143** D2
Kings Newton St LE2 . . . . .**155** C4
Kings Rd
Long Clawson LE14 . . . .**20** C2
North Luffenham LE15 . . . . .**166** D3
Stamford PE9 . . . .**143** D4
Swadlincote DE11 . . . .**44** B6
Kings Way LE6 . . . .**126** F2
Kings Wlk LE3 . . . .**153** A3
Kingsbridge Cl LE9 . . . . . .**201** A8
Kingsbridge Cres LE4 . . . .**128** B7
Kingsbury Ave LE5 . . . . . .**156** C4
Kingscliffe Cres LE5 . . . . .**156** D4
Kingsdale Cl NG10 . . . .**10** A5
Kingsfield Rd Barwell LE9 .**198** B7
Cosby LE9 . . . .**201** C2
Kingsgate Ave LE4 . . . . . .**128** F8
Kingsley Cl LE9 . . . .**178** A1
Kingsley Cres NG10 . . . . . .**10** B4
Kingsley St LE2 . . . .**180** A8
Kingsmead Cl LE2 . . . .**180** C6
Kingsmead Rd LE2 . . . . . .**180** C6
Kingsthorpe Cl LE4 . . . . . .**128** F3
Kingston Ave LE18 . . . . . .**180** C4
Kingston Dr LE10 . . . .**197** E4
Kingston La DE74 . . . .**18** F3
Kingsway Braunstone LE3 .**178** F8
Leicester LE3 . . . .**179** A7
Kingsway N LE3 . . . .**153** E2
Kingsway Prim Sch LE3 . .**153** E2
Kingswood Ave
Leicester LE3 . . . .**154** B5
Loughborough LE11 . . . .**51** A5
Kingswood Cl LE18 . . . . . .**180** C2
Kinley Rd LE4 . . . .**128** A4
Kinross Ave LE5 . . . .**156** A6
Kinross Cres LE5 . . . .**51** D5
Kinross Way LE10 . . . .**196** F1
Kinsdale Dr LE5 . . . .**156** F7
Kintyre Cl LE10 . . . .**197** B1
Kintyre Dr LE4 . . . .**129** C4
Kiplin Dr LE9 . . . .**178** A2
Kipling Cl PE9 . . . .**143** A3
Kipling Dr LE13 . . . .**59** B5
Kipling Gr LE4 . . . .**128** A3
Kirby Cl Mountsorrel LE12 .**101** D8
Sapcote LE9 . . . .**217** D8
Kirby Dr DE74 . . . .**18** C1
Kirby Hall LE14 . . . .**81** B7
Kirby La
Eye Kettleby LE13, LE14 . . .**81** E8
Leicester Forest East LE3 . .**152** F3
Melton Mowbray LE13 . . . . .**82** D7
Kirby Muxloe Castle LE9 .**152** E6
Kirby Muxloe Prim Sch
LE9 . . . .**152** E5
Kirby Rd Glenfield LE3 . . . .**153** A8
Gretton NN17 . . . .**213** C1
Leicester LE3 . . . .**154** C5
Kirfield Dr LE10 . . . .**197** F3
Kirk Ave DE74 . . . .**18** D2
Kirk La LE9 . . . .**178** C3
Kirk Ley Rd LE12 . . . .**31** D8
Kirk's Cl LE15 . . . .**88** B1
Kirkby La
Newbold Verdon LE9 . . . . .**150** C3
Peckleton LE9 . . . .**175** E6
Kirkby Rd Barwell LE9 . . . .**175** B2
Desford LE9 . . . .**151** A3
Kirkdale Gdns NG10 . . . . . .**10** B6
Kirkdale Rd LE18 . . . .**179** F2
Kirke Wlk LE3 . . . .**153** D6
Kirkewhite Ave NG10 . . . . .**10** D7
Kirkewhite Ho NG10 . . . . . .**10** D7
Kirkfield Dr DE72 . . . .**9** C3
Kirkfield Rd LE8 . . . .**202** F4
Kirkhill Cl LE2 . . . .**50** C3
Kirkhill Cl LE67 . . . .**72** D1
Kirkland Cl DE74 . . . .**17** A3
Kirkland Rd LE3 . . . .**178** F8
Kirkman Cl LE12 . . . .**149** C7
Kirkscroft Wlk 🄶 LE4 . . . .**128** F3
Kirkstead Wlk 🄸 LE4 . . . .**128** D1
Kirkstone Cl LE3 . . . .**127** D1
Kirkstone Dr LE11 . . . .**51** D1
Kirkstone Wlk CV11 . . . . . .**214** A6
Kirkwall NN17 . . . .**230** C1
Kirkwall Cres LE5 . . . .**156** E7
Kirloe Ave LE3 . . . .**152** F3
Kirtland Cl CV9 . . . .**119** B1
Kirtley Way LE9 . . . .**219** A6
Kirton Ave NG10 . . . .**10** D7
Kirton Dr LE13 . . . .**59** A6
Kirton Rd LE67 . . . .**72** D1
Kitchener Rd Anstey LE7 . .**127** E7
Leicester LE5 . . . .**155** E7
Kite Cl LE9 . . . .**218** E8
Klevedon Cl CV11 . . . .**214** A1
Klondyke La LE14 . . . .**106** F5
Klondyke Way LE14 . . . . . .**57** E2
Knapton Dr LE10 . . . .**197** A3

Knight Cl LE4 . . . .**129** F7
Knight's Cres LE7 . . . .**101** E6
Knight's End Rd LE16 . . . . .**241** B6
Knight's Garth LE67 . . . . . .**71** F5
Knighton Church Rd
LE2 . . . .**180** D7
Knighton Cl LE9 . . . .**219** A4
Knighton Ct LE2 . . . .**155** C2
Knighton Dr LE2 . . . .**155** D1
Knighton Fields
Cty Prim Sch LE2 . . . . .**179** F8
Knighton Fields Rd E
LE2 . . . .**180** A8
Knighton Grange Rd LE2 .**180** E8
Knighton Junction La
LE2 . . . .**155** A1
Knighton La LE2 . . . .**179** E8
Knighton La E LE2 . . . . . .**180** A7
Knighton Park Rd LE2 . . . .**155** D1
Knighton Rise LE2 . . . .**155** E1
Knighton St LE2 . . . .**259** B2
Knights Cl
🄳 Ashby-De-La-Z LE65 . . . .**69** A7
Billesdon LE7 . . . .**159** B2
Hinckley LE10 . . . .**215** D4
Stoney Stanton LE9 . . . . . .**199** D3
Knights Link LE3 . . . .**176** B1
Knights Rd LE4 . . . .**128** C6
Knightsbridge Rd LE2 . . . .**179** D1
Knightthorpe Ct LE11 . . . . .**51** B3
Knightthorpe Lodge LE11 .**51** B3
Knightthorpe Rd LE11 . . . . .**51** B3
Knipton Dr LE11 . . . .**51** C3
Knipton La NG32 . . . .**15** A4
Knipton Rd NG32 . . . .**23** C7
Knob Hill Rd LE15 . . . .**210** D8
Knoll St LE5 . . . .**240** C3
Knoll The DE11 . . . .**44** B6
Knollgate Cl LE4 . . . .**128** E8
Knossington Rd
Braunston-in-R LE15 . . . . .**137** A2
Owston LE15 . . . .**135** D5
Somerby LE14, LE15 . . . . .**135** D5
Knowles Rd LE3 . . . .**153** E7
Koppe Cl DE12 . . . .**68** B6
Krefeld Way LE4 . . . .**128** B4

L

Labrador Cl LE1 . . . .**259** C5
Laburnam Way LE11 . . . . . .**75** A6
Laburnum Ave
Lutterworth LE17 . . . .**244** B6
Newbold Verdon LE9 . . . . .**150** A3
Laburnum Cl LE12 . . . .**30** A1
Laburnum Dr LE9 . . . .**198** D7
Laburnum Rd
Leicester LE5 . . . .**130** C1
Swadlincote DE11 . . . .**44** A6
Lacey Ct LE12 . . . .**50** B3
Ladbroke Gr LE8 . . . .**202** F4
Lady Gate LE12 . . . .**28** C5
Lady Jane Grey Prim Sch
LE6 . . . .**126** E2
Lady Leys LE9 . . . .**201** C3
Ladybower Cl DE11 . . . .**44** A2
Ladybower Rd LE11 . . . .**51** B3
Ladyfields DE11 . . . .**44** D6
Ladylea Rd NG10 . . . .**10** A4
Ladysmith Rd
Kirby Muxloe LE9 . . . .**152** D5
Wigston LE18 . . . .**179** E3
Ladywell LE15 . . . .**138** B7
Ladywood Ct LE16 . . . .**244** C7
Lag La LE13, LE14 . . . .**60** A4
Laithwaite Cl LE4 . . . .**128** B6
Lake Terr LE13 . . . .**59** A2
Lakeside Ave NG10 . . . .**10** C5
Lakeside Cres NG10 . . . . . .**10** D5
Lakeside Ct LE7 . . . .**156** F4
Lakeside Inf Sch NG10 . . . .**10** C4
Lambert Ave LE12 . . . .**50** B3
Lambert Cl LE13 . . . .**59** C6
Lambert Mews PE9 . . . . . .**143** E2
Lambert Rd Allington NG32 . .**4** F5
Leicester LE3 . . . .**154** C2
Lambeth Wlk PE9 . . . .**143** E2
Lambley Lodge La LE15 . . .**187** D8
Lambourne Rd LE4 . . . . . .**129** B8
Lamen Rd LE3 . . . .**127** E1
Lamford Cl LE10 . . . .**197** B1
Lammas Cl
Ashby Parva LE17 . . . .**233** F5
Braunston-in-R LE15 . . . . .**137** B2
Husbands Bosworth LE17 . .**247** E5
Lammas Cotts LE15 . . . . . .**84** F1
Lampad Cl 🄸 DE73 . . . .**26** A8
Lamplighters LE8 . . . .**222** F7
Lamport Cl
Loughborough LE11 . . . .**51** C4
Wigston LE18 . . . .**180** F2
Lancashire St LE4 . . . .**129** C3
Lancaster Ave CV13 . . . . . .**148** C2
Lancaster Boys Sch LE2 . .**180** A7
Lancaster Cl
Atherstone CV9 . . . .**170** E1
Coalville LE67 . . . .**72** D1
Desford LE9 . . . .**151** B3
Lutterworth LE17 . . . .**244** C5
Lancaster Ct LE6 . . . .**126** E2
Lancaster Pl LE1 . . . .**259** C1
Lancaster Rd
Hinckley LE10 . . . .**215** D8
Leicester LE1 . . . .**259** B2
Leicester, South Fields LE1 .**259** C1

Lancaster Rd *continued*
Stamford PE9 . . . .**143** D4
Lancaster St LE5 . . . .**155** E6
Lancaster Way LE2 . . . . . .**179** E1
Lance Cl LE10 . . . .**215** D5
Lancelot Cl LE3 . . . .**153** A2
Lancing Ave LE3 . . . .**154** A6
Land Society La LE9 . . . . . .**198** E8
Landcroft La LE12 . . . .**30** B8
Landor LE17 . . . .**230** D1
Lands End Way LE15 . . . . .**137** C6
Landscape Dr LE5 . . . .**156** C4
Landsdowne Rd LE2 . . . . . .**179** E8
Landseer Cl CV21 . . . .**257** B1
Landseer Dr LE10 . . . .**197** B3
Landseer Rd LE2 . . . .**155** B1
Landyke La LE14 . . . .**38** B7
Lane The LE3 . . . .**153** C8
Lane The Barsby LE7 . . . . .**105** D3
Lanes Cl LE12 . . . .**77** D4
Lanes Hill Gr LE9 . . . .**199** E1
Lanesborough Ct LE7 . . . .**101** B3
Lanesborough Ct LE11 . . . .**52** B2
Lanesborough Rd LE4 . . . .**129** B3
Laneshaw Ave LE11 . . . . . .**51** B2
Laneside Dr LE10 . . . .**197** F3
Lanfear Cl LE10 . . . .**215** C7
Langar Airfield NG13 . . . . .**11** F7
Langar La
Colston Bassett NG12 . . . . .**11** A8
Harby LE14 . . . .**12** A4
Langdale LE8 . . . .**222** F8
Langdale Ave LE11 . . . .**51** D1
Langdale Dr
Long Eaton NG10 . . . .**10** A4
Nuneaton CV11 . . . .**214** A6
Langdale Ho LE2 . . . .**179** C3
Langdale Rd
Hinckley LE10 . . . .**215** A4
Thurmaston LE4 . . . .**129** F7
Langdale Wlk LE16 . . . . . .**240** E1
Langen Ct NG10 . . . .**10** E6
Langham CE Prim Sch
LE15 . . . .**110** C2
Langham Dr LE9 . . . .**201** B8
Langham La LE15 . . . .**111** C2
Langham Rd Ashwell LE15 **110** F7
Leicester LE4 . . . .**129** F3
Langhill The LE5 . . . .**155** F6
Langholm Rd LE5 . . . .**156** E6
Langley Ave LE4 . . . .**128** F3
Langley Cl LE9 . . . .**200** E8
Langley Dr DE74 . . . .**18** C2
Langley Wlk 🄳 LE4 . . . . . .**128** F3
Langmoor Prim Sch LE2 .**180** F5
Langton LE67 . . . .**71** E6
Langton Rd Foxton LE16 . .**225** A2
Great Bowden LE16 . . . . . .**241** A7
Kibworth Beauchamp LE8 . .**206** B3
Slawston LE16 . . . .**209** B4
Wigston LE18 . . . .**180** D1
Lank's La LE15 . . . .**87** E8
Lansdowne Ave LE12 . . . . . .**50** C5
Lansdowne Dr LE11 . . . .**52** A1
Lansdowne Gr LE18 . . . . . .**180** A1
Lansdowne Rd
Leicester LE2 . . . .**179** E8
Shepshed LE12 . . . .**50** B5
Swadlincote DE11 . . . .**44** A3
Lant The LE2 . . . .**50** C4
Lapwing Cl LE4 . . . .**128** B6
Lapwing Ct LE9 . . . .**201** A7
Larch Dr LE17 . . . .**244** B6
Larch Gr LE3 . . . .**153** C3
Larch Rd NN17 . . . .**230** D1
Larch St LE5 . . . .**155** C7
Larchfield LE15 . . . .**138** A8
Larchwood LE8 . . . .**202** E4
Larchwood Ave LE6 . . . . . .**126** F2
Larchwood Cl LE2 . . . .**180** A7
Larchwood Rise LE15 . . . . .**136** A6
Lark Cl LE3 . . . .**152** F2
Lark Rise LE11 . . . .**75** A6
Larkspur Cl LE5 . . . .**130** B3
Larkswood LE8 . . . .**224** B8
Lastingham Cl LE2 . . . .**180** A6
Latham Cl Blaby LE8 . . . . .**202** A6
Gretton NN17 . . . .**213** C1
Latimer Cres LE16 . . . .**240** F2
Latimer Ct LE7 . . . .**127** D5
Latimer Rd LE7 . . . .**100** F3
Latimer Sch The LE7 . . . . .**127** E6
Latimer St Anstey LE7 . . . .**127** E6
Leicester LE3 . . . .**154** D4
Latymer Cl LE16 . . . .**251** E5
Laud Cl LE67 . . . .**95** E1
Laughton Ct LE2 . . . .**155** D1
Laughton La LE17 . . . .**238** A6
Laughton Rd LE16 . . . .**239** C4
Launceston Dr LE67 . . . . . .**96** C7
Launceston Ho LE18 . . . . .**203** C8
Launceston Rd LE18 . . . . .**180** B2
Launde Cross Rds LE7 . . . .**161** C6
Launde Gdns PE9 . . . .**143** A2
Launde Pk LE16 . . . .**241** A2
Launde Prim Sch LE2 . . . .**181** B6
Launde Rd Leicester LE2 . .**180** E5
Markfield LE67 . . . .**125** E8
Tilton on t H LE7 . . . .**161** B6
Laundon Cl LE6 . . . .**126** F2
Laundon Way Groby LE6 . .**126** E2

Laundon Way *continued*
Whetstone LE8 . . . .**202** A5
Laundry La LE4 . . . .**129** B3
Laura Davies Cl LE13 . . . . .**59** C6
Laurel Cl Glenfield LE3 . . . .**153** E8
Mountsorrel LE12 . . . .**76** E2
Laurel Cres NG10 . . . .**10** C6
Laurel Dr
Countesthorpe LE8 . . . . . .**202** A4
Leicester LE2 . . . .**181** D3
Laurel Fields LE17 . . . .**232** E6
Laurel Rd Blaby LE8 . . . . . .**202** B7
Leicester LE2 . . . .**155** C4
Loughborough LE11 . . . .**75** A7
Laurel Way NG13 . . . .**2** F3
Laurels The LE67 . . . .**125** E6
Laureston Dr LE2 . . . .**155** D2
Lavender Cl Blaby LE8 . . . .**202** B8
Loughborough LE11 . . . .**75** A6
Lavender Ho LE13 . . . .**59** D3
Lavender Rd LE3 . . . .**154** C3
Lavender Way PE9 . . . .**142** F5
Laverstock Rd LE18 . . . . . .**203** C8
Law St LE4 . . . .**129** A1
Lawford Rd LE2 . . . .**179** D4
Lawn Ave LE4 . . . .**129** B7
Lawn La LE14 . . . .**35** E2
Lawns Dr LE11 . . . .**44** A7
Lawns The Aston-on-T DE72 . .**16** B8
Hinckley LE10 . . . .**215** E8
Lawnswood LE10 . . . .**215** A8
Lawnwood Rd LE6 . . . .**126** D3
Lawrence Ave DE72 . . . .**9** D8
Lawrence Cl Birstall LE4 . .**101** C1
Ellistown LE67 . . . .**96** C4
Market Overton LE15 . . . . . .**86** F5
Lawrence St NG10 . . . .**10** D8
Lawrence Way LE11 . . . . . .**51** C5
Lawson Ave NG10 . . . .**10** E7
Lawton Cl LE10 . . . .**214** F8
Lawyers La LE2 . . . .**181** A5
Laxford Cl Hinckley LE10 . .**196** F1
Leicester LE4 . . . .**128** C2
Laxton Cl Birstall LE4 . . . .**129** B8
Wigston LE18 . . . .**180** F2
Laycock Ave LE13 . . . .**59** C4
Layton Rd LE5 . . . .**155** E7
Lea Cl
Broughton Astley LE9 . . . . .**219** A5
Thurmaston LE4 . . . .**129** E7
Lea La LE67 . . . .**98** F4
Lea The LE8 . . . .**206** B1
Lea View PE9 . . . .**116** C2
Leake La LE12 . . . .**31** D3
Lealand The LE16 . . . .**250** B8
Leamington Dr LE8 . . . . . .**202** B6
Leamington Terr LE15 . . . .**189** B4
Leas Cl LE7 . . . .**156** F6
Leas The LE15 . . . .**112** C8
Leatherlands DE74 . . . .**18** D3
Leathermill La CV10 . . . . .**194** D4
Leawood Rd DE11 . . . .**44** D7
Leckhampton Rd LE11 . . . .**51** C4
Leconfield Rd LE11 . . . .**74** C8
Ledbury Cl LE2 . . . .**181** D4
Ledbury Gn LE4 . . . .**128** D5
Ledbury Rd LE11 . . . .**74** F7
Ledbury Wlk LE15 . . . .**87** E2
Ledwell Dr LE3 . . . .**127** C1
Lee Cl LE19 . . . .**199** E3
Lee Rise LE6 . . . .**152** D8
Lee St LE1 . . . .**259** C4
Leecrofts The LE9 . . . .**198** F8
Lees Cres LE67 . . . .**72** A5
Lees High LE10 . . . .**217** B4
Leeside LE9 . . . .**150** F8
Leeson St LE2 . . . .**179** E7
Leesthorpe Rd LE14 . . . . .**108** D6
Legion Dr LE67 . . . .**122** F8
Legion Way LE3 . . . .**178** D8
Leicester Cath LE1 . . . . . .**259** A3
Leicester City FC
(City Stadium) LE2 . . . . . .**154** E3
Leicester Coll
Leicester, Abbey Park LE1 .**155** A8
Leicester, Westcotes LE3 . .**154** D3
Leicester Coll St
Margarets Campus
LE1 . . . .**259** B5
Leicester Cres LE7 . . . . . .**170** E1
Leicester Frith Hospl
LE3 . . . .**127** F2
Leicester General Hospl
LE5 . . . .**156** A4
Leicester Gram Jun Sch
LE5 . . . .**156** C4
Leicester Gram Sch LE1 .**259** A3
Leicester High Sch for
Girls LE2 . . . .**180** E8
Leicester Hospl (BUPA)
LE2 . . . .**156** A1
Leicester Islamic Acad
LE2 . . . .**155** C2
Leicester La
Desford LE9 . . . .**151** D2
Great Bowden LE16 . . . . . .**240** D4
Narborough LE9 . . . .**178** C4
Swithland LE12 . . . .**100** D5
Leicester Pl LE13 . . . .**59** C3
Leicester Rd Leicester LE7 .**127** E5
Ashby-De-La-Z DE12 . . . . . .**69** D5
Barwell LE9 . . . .**198** C5
Belton-in-R LE15 . . . .**187** C6
Billesdon LE7 . . . .**158** E3
Blaby LE8 . . . .**202** B8

Leicester Rd *continued*
Countesthorpe LE8 . . . .**202** F5
Croft LE9 . . . .**200** D1
Earl Shilton LE9 . . . .**175** F2
Fleckney LE8 . . . .**222** F8
Glen Parva LE2 . . . .**179** B3
Glenfield LE3 . . . .**127** D2
Groby LE6 . . . .**127** A4
Hinckley LE10 . . . .**197** F2
Husbands Bosworth LE17 . .**247** D7
Ibstock LE67 . . . .**96** A3
Kibworth Beauchamp LE8 . .**205** F3
Kirby Bellars LE14 . . . .**80** D7
Leicester LE2 . . . .**180** F7
Leicester, Oadby LE2 . . . . .**181** A5
Loughborough LE11 . . . .**52** C2
Lutterworth LE17 . . . .**234** C2
Market Harborough LE16 . .**240** D5
Markfield LE67 . . . .**98** E1
Markfield LE67 . . . .**125** F8
Measham DE12 . . . .**93** C6
Melton Mowbray LE13 . . . . .**59** B2
Mountsorrel LE12 . . . .**76** F1
Mowsley LE17 . . . .**237** E6
Narborough LE9 . . . .**178** D1
Narborough LE9 . . . .**201** C8
Quorn LE12 . . . .**76** B5
Ravenstone LE67 . . . .**96** A7
Sapcote LE9 . . . .**217** E7
Sharnford LE10 . . . .**217** C4
Shepshed LE12 . . . .**50** C2
South Croxton LE7 . . . .**133** B5
Thurcaston LE7 . . . .**101** B2
Tilton on t H LE7 . . . .**159** F3
Uppingham LE15 . . . .**188** F5
Uppingham, Wardley LE15 . .**188** C6
Whitwick LE67 . . . .**72** B4
Wigston LE18 . . . .**180** C4
Leicester Royal Infmy
LE1, LE2 . . . .**259** B2
Leicester Royal Infmy
Mus LE2 . . . .**259** B2
Leicester St Leicester LE5 .**155** D6
Long Eaton NG10 . . . .**10** E6
Melton Mowbray LE13 . . . . .**59** C3
Leicester Sta LE2 . . . .**259** C3
Leicester Tigers (Rugby
Football Gd) LE2 . . . . . .**259** B1
Leicestershire Cty Crkt
Gd LE2 . . . .**179** E8
Leicestershire Hospice
The LE3 . . . .**128** A1
Leighfield Prim Sch
LE15 . . . .**189** A3
Leighton Ave LE11 . . . .**51** B3
Leighton Cres LE9 . . . .**198** F5
Broughton Astley LE9 . . . . .**218** E4
Dunton Bassett LE17 . . . . .**219** C1
Leire Rd LE17 . . . .**218** D1
Leire St LE4 . . . .**129** B2
Leith Cl LE65 . . . .**69** D5
Lema Cl LE4 . . . .**129** C5
Lemontree La LE11 . . . .**75** A7
Lemyngton St LE11 . . . .**52** B4
Len Hollis Ct B LE2 . . . . .**155** B5
Lenthall Sq LE16 . . . .**240** E1
Leopold Cl LE8 . . . .**202** D4
Leopold Rd LE2 . . . .**155** A1
Leopold St
Long Eaton NG10 . . . .**10** D8
Loughborough LE11 . . . .**51** F4
Wigston LE18 . . . .**179** F1
Leslie Cl LE11 . . . .**51** D7
Letchworth Rd LE3 . . . . . .**154** A5
Lethbridge Cl
Leicester LE1 . . . .**259** C5
Oakham LE15 . . . .**138** B6
Leven Cl LE10 . . . .**215** B8
Leven Way NN17 . . . .**230** B1
Lever Rd CV21 . . . .**257** A1
Leveret Dr LE7 . . . .**201** F6
Leveric Rd LE5 . . . .**155** E8
Lewett Cl LE4 . . . .**128** C4
Lewis Cl LE4 . . . .**128** B2
Lewis Rd LE11 . . . .**51** D5
Lewis Way LE8 . . . .**202** F3
Lewisher Rd LE4 . . . .**129** F8
Lexham St LE4 . . . .**129** B2
Leyburn Cl
Nuneaton CV11 . . . .**214** A2
Swadlincote DE11 . . . .**44** B1
Leybury Way LE7 . . . .**156** F7
Leycroft Rd LE4 . . . .**128** C5
Leyes The CV23 . . . .**253** A1
Leyland Rd LE3 . . . .**178** F7
Leys Cl LE2 . . . .**181** C6
Leys Cres LE17 . . . .**246** D1
Leys Dr LE2 . . . .**181** B4
Leys The
Countesthorpe LE8 . . . .**202** C3
Kibworth Beauchamp LE8 . .**206** A1
Leicester LE4 . . . .**128** B3
Welford NN6 . . . .**256** C5
Leysdale Cl LE4 . . . .**128** B3
Leysland Ave LE8 . . . .**202** C4
Leysland High Sch LE8 . .**202** C4
Leysmill Cl LE10 . . . .**196** F1
Leyton Cl LE17 . . . .**244** D5
Liberty Rd LE3 . . . .**153** D6
Library Cl LE10 . . . .**216** A5
Lichfield Ave
Broughton Astley LE9 . . . . .**218** D4
Swadlincote DE11 . . . .**44** E5
Lichfield Cl CV11 . . . .**214** A7
Lichfield Dr LE8 . . . .**202** B6
Lichfield St LE1 . . . .**259** B5

Lidster Cl LE5 . . . .**156** B8
Light Foot La LE16 . . . . . .**229** B1
Lilac Ave LE5 . . . .**130** C1
Lilac Cl Hinckley LE10 . . . .**215** E6
Loughborough LE11 . . . .**75** A7
Lilac Way LE13 . . . .**59** B5
Lilbourne La LE17 . . . .**254** B3
Lilbourne Rd CV23 . . . .**257** C5
Lilleshall Way LE11 . . . .**51** B5
Lillingstone Cl LE67 . . . . . .**98** E1
Lily Bank LE3 . . . .**71** C8
Lily Cotts LE67 . . . .**71** A8
Lilypools The DE73 . . . .**26** B7
Limber Cres LE3 . . . .**153** E3
Limby Hall La LE67 . . . .**71** A6
Lime Ave Groby LE6 . . . . . .**126** F1
Loughborough LE11 . . . .**52** C3
Measham DE12 . . . .**93** C6
Lime Cl LE7 . . . .**103** C3
Lime Dr LE7 . . . .**103** C3
Lime Gr Bagworth LE67 . . .**124** B5
Blaby LE8 . . . .**202** B8
Bottesford NG13 . . . .**3** A2
Earl Shilton LE9 . . . .**198** E7
Kirby Muxloe LE9 . . . .**152** D5
Long Eaton NG10 . . . .**10** D8
Lime Grove Cl LE4 . . . .**128** C4
Lime Kilns LE18 . . . .**203** E8
Lime Kilns The LE12 . . . . . .**76** D8
Lime St LE14 . . . .**82** F6
Lime Terr NG10 . . . .**10** D8
Lime Tree Ave
Birstall LE4 . . . .**129** A8
Swadlincote DE11 . . . .**44** B7
Lime Tree Rd LE9 . . . .**178** D2
Limefield LE15 . . . .**138** A8
Limehurst Ave LE11 . . . . . .**52** A5
Limehurst High Sch LE11 .**52** B5
Limehurst High Sch
(Annexe) LE11 . . . .**52** B4
Limehurst Rd LE5 . . . .**130** C1
Limekiln The
Breedon on t H DE73 . . . . . .**26** F2
Pickworth PE9 . . . .**115** B8
Limes Ave LE13 . . . .**59** D4
Limes The
Market Overton LE15 . . . . . .**86** F5
Ravenstone LE67 . . . .**71** A4
Thorpe Langton LE16 . . . . .**226** A5
Limestone Cl DE11 . . . .**45** A4
Linacres Rd LE3 . . . .**153** E3
Lincoln Ct LE16 . . . .**240** F5
Lincoln Dr Blaby LE8 . . . . .**202** B6
Melton Mowbray LE13 . . . . .**82** D8
Syston LE7 . . . .**103** C2
Wigston LE18 . . . .**179** F2
Lincoln Rd Barwell LE9 . . .**198** A6
Stamford PE9 . . . .**143** F5
Lincoln St LE2 . . . .**155** B5
Lincoln Way DE11 . . . .**44** E5
Linden Ave LE8 . . . .**202** C4
Linden Cl LE67 . . . .**95** E2
Linden Com Jun Sch
LE8 . . . .**202** E4
Linden Dr Leicester LE5 . .**156** A3
Lutterworth LE17 . . . .**244** B6
Linden Farm Dr LE8 . . . . .**202** E4
Linden Gr LE2 . . . .**76** E1
Linden La LE9 . . . .**152** F4
Linden Prim Sch LE5 . . . . .**156** A3
Linden Rd Hinckley LE10 . .**197** C1
Loughborough LE11 . . . .**52** A5
Linden St LE5 . . . .**155** E5
Linden Way LE67 . . . .**71** C2
Lindfield Rd LE3 . . . .**154** A6
Lindisfarne Dr LE11 . . . . . .**51** B5
Lindisfarne Rd
Corby NN17 . . . .**230** C1
Syston LE7 . . . .**102** F3
Lindrick Dr LE5 . . . .**155** E2
Lindridge La LE9 . . . .**151** A6
Lindsay Rd LE3 . . . .**154** B1
Lindsey Gdns LE16 . . . . . .**250** D8
Lindsey Rd Stamford PE9 .**143** E4
Uffington PE9 . . . .**144** E4
Lindum Cl LE7 . . . .**102** F2
Linford Cl LE18 . . . .**180** E3
Linford Cres
Coalville LE67 . . . .**72** B1
Markfield LE67 . . . .**125** E8
Linford Rd LE11 . . . .**51** E1
Linford St LE4 . . . .**129** A3
Ling Ave LE11 . . . .**75** C8
Ling Dale LE7 . . . .**103** E5
Ling Rd LE11 . . . .**52** B1
Lingdale Cl LE11 . . . .**52** B1
Lingdale Ho LE11 . . . .**52** B1
Lings LE12 . . . .**22** F7
Link Rd Anstey LE7 . . . . . .**127** D7
Leicester LE2 . . . .**180** E7
Queniborough LE7 . . . .**103** D5
Link Rise LE67 . . . .**125** F8
Linkfield Ave LE12 . . . .**76** E1
Linkfield Rd LE12 . . . .**76** E1
Links Cl LE7 . . . .**96** C6
Links Rd
Kibworth Beauchamp LE8 . .**224** B8
Kirby Muxloe LE9 . . . .**152** C5
Linkway Gdns LE3 . . . .**154** C5
Linley Ave LE18 . . . .**50** C2
Linley Gn LE19 . . . .**201** D3
Linnet Cl LE13 . . . .**82** B8
Linnett Cl LE9 . . . .**201** A7
Linney Rd LE4 . . . .**128** C3
Lintlaw Cl LE4 . . . .**129** D4
Linton St LE5 . . . .**155** C4

Linwal Ave LE7 . . . .**157** F4
Linwood Cl LE10 . . . .**197** B2
Linwood La LE2 . . . .**179** F5
Lionville Cotts LE14 . . . . . .**38** D8
Lipton Rd LE4 . . . .**128** B6
Liskeard Cl CV11 . . . .**214** A5
Lisle St LE1 . . . .**52** A5
Lismore Dr LE10 . . . .**197** C1
Lismore Wlk NN17 . . . .**230** C1
Lister Cl NN17 . . . .**230** F1
Lister Rd CV9 . . . .**170** E1
Litelmede LE5 . . . .**155** E7
Little Ave LE4 . . . .**129** B3
Little Barley Cl LE4 . . . . . .**128** B3
Little Bowden Cty
Prim Sch LE16 . . . .**240** F2
Little Bowden Manor
LE16 . . . .**240** F3
Little Bytham Rd NG33 . . . .**90** C8
Little Casterton Rd PE9 . .**143** B6
Little Church La LE12 . . . . .**77** C3
Little Cl DE11 . . . .**44** B4
Little Dale LE18 . . . .**180** C1
Little Dunmow Rd LE5 . . .**155** F8
Little End LE17 . . . .**236** C8
Little Glen Rd LE2 . . . .**179** D1
Little Haw La LE12 . . . .**50** A3
Little Holme St LE3 . . . . . .**154** D5
Little La Desford LE9 . . . . .**151** B4
Greetham LE15 . . . .**88** B1
Leire LE17 . . . .**218** F3
Little London La CV23 . . . .**253** A1
Little Lunnon LE17 . . . . . .**219** C1
Little Masons Cl LE3 . . . . .**153** D1
Little Moor La LE11 . . . .**52** D4
Little Moorside DE72 . . . . . .**16** B8
Little Shaw La LE67 . . . .**98** A3
Little Theatre LE1 . . . .**259** C3
Little Wood Cl LE4 . . . .**128** C4
Littlefare The LE3 . . . .**153** D2
Littlefield La LE9 . . . .**151** B3
Littlegarth LE2 . . . .**179** F4
Littlejohn Rd LE2 . . . .**179** E4
Littlemeer Cl LE3 . . . .**153** D1
Littlemore Cl LE5 . . . .**155** F6
Littleton St LE4 . . . .**154** D7
Littleway The LE5 . . . .**155** F6
Littleworth La LE15 . . . . . .**187** D6
Livesey Dr LE9 . . . .**217** C2
Livingstone Cl LE15 . . . . .**138** A8
Livingstone St LE3 . . . . . .**154** C4
Llewellyn Ct LE2 . . . .**155** D1
Lobbs Wood Cl LE5 . . . . . .**156** B8
Lobelia Cl Hinckley LE10 . .**215** E5
Narborough LE9 . . . .**200** F8
Lochmore Cl LE10 . . . .**215** A8
Lochmore Dr LE10 . . . .**215** A8
Lochmore Way LE10 . . . . .**215** A8
Lock La NG10 . . . .**10** C4
Lock's Cl LE15 . . . .**88** A1
Locke Ave LE4 . . . .**129** D5
Lockerbie Ave LE4 . . . .**129** C4
Lockerbie Wlk LE4 . . . .**129** D4
Lockhouse Cl LE2 . . . .**179** B4
Lockington Rd DE74 . . . . . .**17** D5
Lockley Cl LE6 . . . .**152** D8
Locks The
Loughborough LE11 . . . .**51** F6
Rugby CV21 . . . .**257** B1
Locksley Cl B LE65 . . . . . .**69** A7
Lockton Cl LE65 . . . .**69** C7
Loddington La
Belton-in-R LE15 . . . .**187** B8
East Norton LE7 . . . .**186** D7
Loddington Rd LE7 . . . . . .**160** C6
Loddon Cl LE13 . . . .**59** B1
Lodge Cl
Ashby-De-La-Z LE65 . . . . . .**69** A5
Atherstone CV9 . . . .**194** A6
Barrow-u-S LE12 . . . .**76** D7
Burbage LE10 . . . .**216** A5
Huncote LE9 . . . .**200** D8
Kibworth Beauchamp LE8 . .**205** F2
Melton Mowbray LE13 . . . . .**59** B2
Syston LE7 . . . .**103** C4
Thurmaston LE4 . . . .**129** F6
Uppingham LE15 . . . .**189** A4
Lodge Farm Rd LE5 . . . . .**156** C6
Lodge Gdns LE15 . . . .**138** A6
Lodge La LE7 . . . .**100** D3
Lodge Mews
Aston-on-T DE72 . . . .**16** B7
Thurnby LE7 . . . .**156** E4
Lodge Park Sch NN17 . . . .**230** B1
Lodge Rd Fleckney LE8 . . .**222** F6
Long Eaton NG10 . . . .**10** D5
Netherseal DE12 . . . .**91** E8
Lodge St DE72 . . . .**9** A7
Lodge The LE15 . . . .**138** A6
Lodgewood Ave LE4 . . . . .**128** F7
Logan Ave LE2 . . . .**179** C6
Logan Cres LE16 . . . .**240** C4
Logan Ct LE16 . . . .**240** D4
Logan St LE16 . . . .**240** D3
Loire Cl LE65 . . . .**69** A7
Lombard St NG13 . . . .**2** A6
Lombardy Rise LE5 . . . . . .**155** C7
Lomond Cl Corby NN17 . . .**230** C1
Hinckley LE10 . . . .**215** B8
Lomond Cres LE4 . . . .**128** C2
London La
Willoughby-on-t-W LE12 . . .**34** D7
Wymeswold LE12 . . . .**33** B3
London Rd Coalville LE67 . . .**96** E8
Great Glen LE8 . . . .**205** D6
Hinckley LE10 . . . .**215** E8

London Rd *continued*
Kegworth DE74 . . . .**29** E6
Leicester LE2 . . . .**155** B3
Leicester, Oadby LE2 . . . . .**181** E2
Leicester, Oadby LE2 . . . . .**181** B5
Leicester, South Knighton
LE2 . . . .**180** E8
Markfield LE67 . . . .**125** E8
Shardlow DE72 . . . .**17** B8
Uppingham LE15 . . . .**189** B3
London St LE5 . . . .**155** D6
Long Brimley Cl LE16 . . . .**241** B3
Long Cl LE12 . . . .**75** F7
Long Clawson CE Prim
Sch LE14 . . . .**20** C3
Long Croft DE72 . . . .**16** A8
Long Eaton Com Sch
NG10 . . . .**10** D7
Long Eaton Sta NG10 . . . . .**10** C5
Long Field High Sch The
LE13 . . . .**59** A2
Long Furlong LE12 . . . . . .**101** D8
Long Furrow LE7 . . . .**103** E6
Long Hedge La LE65 . . . . . .**47** E6
Long Holden DE74, LE12 . . .**28** E5
Long La Billesdon LE7 . . . .**159** B2
Bottesford NG13 . . . .**13** B7
Coalville LE67 . . . .**71** E2
Hickling LE14 . . . .**19** C6
Kegworth DE74 . . . .**18** D5
Leicester LE1 . . . .**259** A4
Owston LE15 . . . .**135** B4
Redmile NG13 . . . .**6** F1
Stathern LE14 . . . .**12** F4
Long Mdw LE18 . . . .**203** E8
Long Meadow Way LE15 .**112** B8
Long Mere La LE12, DE74 . .**28** C3
Long Row
Newton Harcourt LE8 . . . . .**204** D6
Oakham LE15 . . . .**137** F6
Shardlow DE72 . . . .**9** B2
Sibson CV13 . . . .**172** A6
Long Shoot The CV11 . . . .**214** C6
Long St Belton LE12 . . . . . .**49** B6
Stoney Stanton LE9 . . . . . .**199** E2
Wigston LE18 . . . .**180** D2
Long Whatton
CE Prim Sch LE12 . . . . . .**29** C3
Longate Rd LE13 . . . .**59** C6
Longcliff Cl LE14 . . . .**35** E4
Longcliff Hill LE7 . . . .**35** E4
Longcliff Rd LE67 . . . .**97** B8
Longcliffe Gdns LE11 . . . . .**74** A7
Longcliffe Rd
Leicester LE5 . . . .**155** C7
Shepshed LE12 . . . .**50** A3
Longfellow Rd LE2 . . . . . .**180** A8
Longfield Rd LE13 . . . .**59** D6
Longford Cl LE18 . . . .**203** C8
Longgrey LE8 . . . .**204** E1
Longhade Furlong LE7 . . .**127** F7
Longhedge La
Bottesford NG13 . . . .**2** F3
Orston NG13 . . . .**2** E7
Longhurst Cl LE4 . . . .**129** C5
Longlands Rd DE11 . . . .**44** D7
Longleat Cl Leicester LE5 .**155** D8
Market Harborough LE16 . .**241** B3
Longslade Com Coll LE4 .**102** B1
Longstone Gn LE5 . . . .**156** E7
Longwill Ave LE13 . . . .**59** D4
Lonsdale Rd
Stamford PE9 . . . .**143** A3
Thurmaston LE4 . . . .**129** E6
Lonsdale St LE2 . . . .**155** C4
Lonsdale Way LE15 . . . . . .**137** C6
Lord Burghley's Hospl
PE9 . . . .**143** E2
Lord Byron St LE2 . . . . . .**180** A8
Lord Crewe Cl LE9 . . . . . .**150** B4
Lord's La NG33 . . . .**43** B8
Lords Ave LE4 . . . .**128** C2
Lords Cl LE67 . . . .**97** A7
Lordship La NG13 . . . .**2** A6
Lorne Rd LE2 . . . .**155** B1
Lorraine Rd LE2 . . . .**179** E7
Lorrimer Rd LE2 . . . .**179** E8
Lorrimer Way LE11 . . . .**51** C5
Loseby La LE1 . . . .**259** B3
Losecoat Cl PE9 . . . .**143** F5
Lossiemouth Rd LE10 . . . .**196** F1
Lothair Rd LE2 . . . .**154** E1
Lothian Pl DE74 . . . .**17** A3
Loudoun Ct B LE65 . . . . . .**69** B6
Loudoun Pl DE74 . . . .**17** A4
Loudoun Way LE65 . . . .**68** F5
Loughbon NG13 . . . .**2** A7
Loughborough CE Sch
LE11 . . . .**51** F3
Loughborough Coll LE11 . .**51** F3
Loughborough General
Hospl LE11 . . . .**52** B4
Loughborough Gram Sch
LE11 . . . .**52** B2
Loughborough High Sch
LE11 . . . .**52** B3
Loughborough Hospl
LE11 . . . .**51** E4
Loughborough Rd
Asfordby LE14 . . . .**57** D3
Birstall LE4 . . . .**129** A2
Burton-on-t-W LE12 . . . .**53** E7
Cotes LE12 . . . .**53** B6
East Leake LE12 . . . .**31** F7
Hathern LE12 . . . .**51** A8
Hoton LE12 . . . .**53** B8
Loughborough LE12 . . . .**75** D3
North End LE12 . . . .**76** D3

Loughborough Rd continued
Peggs Green LE67 . . . . .71 A7
Quorn LE12 . . . . .75 E6
Rothley LE7 . . . . .102 A6
Shepshed LE12 . . . . .50 C4
Thringstone LE67 . . . . .71 D8
Walton on t W LE12 . . . . . .53 F4
Whitwick LE67 . . . . .71 F6
Loughborough Sta LE11 . .52 C5
Loughborough Tech Ctr
LE11 . . . . .51 F3
Loughborough Univ LE11 .51 E3
Loughborough Univ of
Tech LE11 . . . . .51 C1
Loughborough Univ Sch
of Art & Design
Loughborough, (Epinal Way)
LE11 . . . . .51 F3
Loughborough, (Packe St)
LE11 . . . . .52 A4
Louise Ave LE6 . . . . .126 F2
Lound Rd LE9 . . . . .217 D8
Lount Rd CV13 . . . . .148 F8
Lounts Cres LE16 . . . . . . .229 D7
Love La LE10 . . . . .216 A6
Loveday Cl CV9 . . . . .170 D2
Lovelace Cl CV13 . . . . . . .172 A6
Lovelace Cres LE9 . . . . . . .198 F5
Lovelace Way LE8 . . . . . . .223 A7
Loves La
Dunton Bassett LE17 . . . . .219 D1
Empingham LE15 . . . . .141 A8
Lovett Cl LE12 . . . . .77 C3
Lovetts Cl LE10 . . . . .214 F8
Low Woods La LE12 . . . . . .49 B3
Lowcroft Dr LE2 . . . . .181 C4
Lower Bond St LE10 . . . . .197 D1
Lower Brand LE67 . . . . . . .48 A4
Lower Brook St NG10 . . . . .10 E7
Lower Brown St LE1 . . . . .259 B4
Lower Cambridge St LE11 52 B5
Lower Church St
Ashby-De-La-Z LE65 . . . . . . .69 B6
Syston LE7 . . . . .103 B4
Lower Free La LE1 . . . . . . .259 B4
Lower Gladstone St LE11 .52 B5
Lower Gn LE11 . . . . .74 D8
Lower Hastings St LE1 . .259 C2
Lower Hill St LE1 . . . . . . .259 B4
Lower Hilmorton Rd [5]
CV21 . . . . .257 A1
Lower Holme LE12 . . . . . . .30 B3
Lower Keyham La LE5 . . . .130 B1
Lower La LE14 . . . . .79 E7
Lower Lee St LE1 . . . . .259 B4
Lower Leicester Rd
LE17 . . . . .244 D6
Lower Moor Rd LE67 . . . . .70 D4
Lower Packington Rd
LE65 . . . . .69 B4
Lower Willow St LE1 . . . . .155 A7
Lowesby Cl LE13 . . . . .59 E2
Lowesby La
Tilton on t H LE7 . . . . .133 D4
Twyford LE14 . . . . .133 E8
Loweswater Cl
Barrow-u-S LE12 . . . . .53 D1
Nuneaton CV11 . . . . .214 A6
Loweswater Dr LE11 . . . . .51 D1
Loweswater Gr LE65 . . . . .69 C4
Lowfields La NG32 . . . . .4 E6
Lowick Dr LE18 . . . . .180 E2
Lowland Ave LE3 . . . . .153 A2
Lowther Cl LE15 . . . . .110 C2
Lowther Way LE11 . . . . . . .52 B1
Loxley Dr LE13 . . . . .59 E1
Loxley Rd LE3 . . . . .127 C1
Lubbesthorpe Bridle Rd
LE3 . . . . .153 C4
Lubbesthorpe Rd LE3 . . .178 E6
Lubbesthorpe Way LE3 . .178 E7
Lubenham CE Sch LE16 .239 F3
Lubenham Hill LE16 . . . . .240 C2
Lubenham Rd
East Farndon LE16 . . . . . .240 B1
Marston Trussell LE16 . . . .239 D1
Lucas Rd LE10 . . . . .215 D6
Lucas Way LE9 . . . . .198 E2
Ludgate Cl LE4 . . . . .128 C8
Ludlam Cl LE8 . . . . .202 C4
Ludlow Cl Leicester LE2 . .181 C4
Loughborough LE11 . . . . . .74 C8
Ludlow Dr LE13 . . . . .59 C5
Ludlow Pl LE12 . . . . .50 A2
Luffenham Cl PE9 . . . . . . .143 A3
Luffenham Rd
Barrowden LE15 . . . . .191 F6
Ketton PE9 . . . . .167 E4
Lyndon LE15 . . . . .165 E5
Lullington Mews DE12 . . .67 A3
Lullington Rd DE12 . . . . . .67 A3
Lulworth Cl Leicester LE5 .156 A4
Wigston LE18 . . . . .203 D7
Lumby's Terr PE9 . . . . . . .143 E2
Lundy Cl LE10 . . . . .197 B1
Lunsford Rd LE5 . . . . .155 C8
Lupin Cl LE10 . . . . .215 D5
Luther St LE3 . . . . .154 C4
Lutterworth Gram Sch
& Comm Coll LE17 . . . . .244 B6
Lutterworth High Sch
LE17 . . . . .244 B5
Lutterworth Rd
Arnesby LE8, LE17 . . . . . .221 D4
Bitteswell LE17 . . . . .244 B4
Blaby LE8 . . . . .202 B7
Burbage LE10 . . . . .216 C3
Churchover CV23, LE17 . . .252 D5

Lutterworth Rd continued
Dunton Bassett LE17 . . . . .219 E2
Gilmorton LE17 . . . . .235 B2
Kimcote LE17 . . . . .235 E2
Leicester LE2 . . . . .179 C6
Lutterworth LE17 . . . . . . .244 D4
Nuneaton CV11 . . . . .214 A1
Pailton CV23, LE17 . . . . . .243 B3
Shawell LE17 . . . . .253 D6
Swinford LE17 . . . . .254 B6
Ullesthorpe LE17 . . . . . . .233 C3
Walcote LE17 . . . . .245 C4
Whetstone LE8 . . . . .202 A3
Lutterworth Rd Comm Est
LE10 . . . . .216 B5
Lyall Cl LE11 . . . . .51 D6
Lychgate Cl Burbage LE10 216 A5
Cropston LE7 . . . . .100 E2
Lychgate La LE10 . . . . . . .216 C5
Lydall Rd LE2 . . . . .179 E4
Lyddington Rd
Caldecott LE15, L16 . . . . .212 D2
Gretton NN17 . . . . .213 A1
Lydford Rd LE4 . . . . .129 C2
Lyle Cl Leicester LE4 . . . . .129 C5
Melton Mowbray LE13 . . . .59 C6
Lyme Rd LE2 . . . . .155 C3
Lymington Rd LE5 . . . . . . .156 D8
Lyncote Rd LE3 . . . . .179 B8
Lyncroft Leys LE7 . . . . . . .156 F7
Lyndale Cl LE4 . . . . .129 C6
Lyndale Rd LE3 . . . . .178 F8
Lynden Ave NG10 . . . . .10 D5
Lyndene Cl LE9 . . . . .198 F7
Lyndhurst Cl LE10 . . . . . .216 A7
Lyndhurst Ct LE2 . . . . . . .155 C2
Lyndhurst Rd LE2 . . . . . . .181 A6
Lyndon Dr LE2 . . . . .180 F6
Lyndon Rd Manton LE15 . .164 F6
North Luffenham LE15 . . . .166 B4
Lyndon Way PE9 . . . . .143 A3
Lyneham Cl LE10 . . . . . . .197 A1
Lyngate Ave LE4 . . . . .129 A8
Lynholme Rd LE2 . . . . . . .180 B6
Lynmouth Cl LE3 . . . . . . .153 C2
Lynmouth Dr
Gilmorton LE17 . . . . .235 C4
Wigston LE18 . . . . .180 A5
Lynmouth Rd LE5 . . . . . . .156 D8
Lynton Cl LE17 . . . . .235 C4
Lynton Rd LE13 . . . . .59 A6
Lynwood Cl LE9 . . . . .151 B3
Lyon Cl LE18 . . . . .180 A4
Lytham Rd LE2 . . . . .155 A1
Lytton Rd LE2 . . . . .155 B1

M

Mablowe Field LE18 . . . .203 E8
Macaulay Rd
Lutterworth LE17 . . . . . . .244 C8
Rothley LE7 . . . . .101 E6
Macaulay St LE2 . . . . .179 F8
Macdonald Rd LE4 . . . . . .129 A1
Machin Dr LE9 . . . . .219 A4
Mackaness Cl LE17 . . . . . .235 C4
Mackenzie Way LE1 . . . . .259 C5
Mackworth Cl DE11 . . . . . .44 B7
Maclean Ave LE11 . . . . . . .51 C6
Madeline Cl LE16 . . . . . . .241 A5
Madeline Rd LE4 . . . . .128 C6
Madras Rd LE1 . . . . .155 B6
Magee Cl LE10 . . . . .197 C2
Magna Pk LE17 . . . . .243 C6
Magna Rd LE18 . . . . .180 A1
Magnolia Ave LE11 . . . . . .75 A7
Magnolia Cl Leicester LE2 .179 C5
Leicester Forest East LE3 . .152 E2
Magnolia Dr LE17 . . . . . . .244 B7
Magnus Rd LE4 . . . . .129 C2
Mahatma Ghandi Ho
LE4 . . . . .155 B8
Maiden La PE9 . . . . .143 A3
Maiden St LE7 . . . . .102 F3
Maidenhair Cl LE11 . . . . . .75 A6
Maidenwell Ave LE5 . . . . .130 C2
Maidstone Rd LE2 . . . . . . .155 B5
Maidwell Cl LE18 . . . . . . .180 F2
Main Rd Ab Kettleby LE14 . .37 C3
Austrey CV9 . . . . .119 B1
Barleythorpe LE15 . . . . . .137 E8
Bilstone CV13 . . . . .147 C8
Claybrooke Parva LE17 . . .232 C5
Collyweston PE9 . . . . .168 D2
Glaston LE15 . . . . .190 B5
Granby NG13 . . . . .5 A4
Newton Regis B79 . . . . . . .118 C2
Old Dalby LE14 . . . . .35 E4
Ratcliffe Culey CV9 . . . . . .171 B4
Redmile NG13 . . . . .6 E4
Sheepy Magna CV9 . . . . . .171 A6
Stainby NG33 . . . . .43 D2
Twycross CV9 . . . . .146 D7
Uffington PE9 . . . . .144 E3
Upton CV13 . . . . .172 C4
Wycomb LE14 . . . . .39 A6
Main St Albert Village DE11 .44 C1
Asfordby LE14 . . . . .57 F3
Ashby Parva LE17 . . . . . . .233 F5
Ashley LE16 . . . . .227 F2
Bagworth LE67 . . . . .124 B5
Barkby LE7 . . . . .130 C8
Barlestone CV13 . . . . .149 D8
Barrowden LE15 . . . . .191 F5
Barsby LE7 . . . . .105 D4
Barton in t B CV13 . . . . . .122 D1

Main St continued
Beeby LE7 . . . . .131 C5
Belmesthorpe PE9 . . . . . . .117 A1
Belton-in-R LE15 . . . . .187 D7
Bisbrooke LE15 . . . . .189 E4
Blackfordby DE11 . . . . .68 B8
Botcheston LE9 . . . . .151 C6
Branston NG32 . . . . .23 C8
Braunstone LE3 . . . . .153 F2
Breaston DE72 . . . . .9 D8
Breedon on t H DE73 . . . . .26 F2
Broughton Astley LE9 . . . .218 E7
Bruntingthorpe LE17 . . . . .221 C1
Buckminster NG33 . . . . . . .42 D2
Burrough on t H LE14 . . . .107 D2
Burton Overy LE8 . . . . . . .182 F1
Cadeby CV13 . . . . .149 C1
Caldecott LE16 . . . . .230 B8
Carlton CV13 . . . . .148 D7
Clifton u D CV23 . . . . .257 A5
Clipsham LE15 . . . . .89 E5
Cold Overton LE15 . . . . . .109 C2
Congerstone CV13 . . . . . .147 D7
Cosby LE9 . . . . .201 D2
Cossington LE7 . . . . .102 D8
Cotesbach LE17 . . . . .244 B1
Cottesmore LE15 . . . . .112 C8
Countesthorpe LE8 . . . . . .202 F3
Croxton Kerrial LE14 . . . . .24 B7
Dadlington CV13 . . . . .173 E1
Drayton LE16 . . . . .229 A5
Dunton Bassett LE17 . . . . .219 D2
East Farndon LE16 . . . . . .250 B7
East Langton LE16 . . . . . .225 D6
Eastwell LE14 . . . . .22 B6
Eaton NG32 . . . . .22 F6
Egleton LE15 . . . . .138 D3
Empingham LE15 . . . . . . .141 A6
Fleckney LE8 . . . . .222 F7
Foxton LE16 . . . . .224 E1
Frisby on t W LE14 . . . . . . .80 D8
Frolesworth LE17 . . . . . . .218 B2
Gaddesby LE7 . . . . .105 B7
Gaulby LE7 . . . . .183 D7
Gilmorton LE17 . . . . .235 C4
Glenfield LE3 . . . . .127 B1
Glooston LE16 . . . . .208 C4
Goadby Marwood LE14 . . . .22 C1
Granby NG13 . . . . .5 C5
Great Bowden LE16 . . . . . .241 A6
Great Dalby LE14 . . . . .82 B2
Great Glen LE8 . . . . .205 B8
Great Oxendon LE16 . . . . .250 E3
Greetham LE15 . . . . .88 B1
Grimston LE14 . . . . .57 B8
Gumley LE16 . . . . .239 A8
Gunby NG33 . . . . .64 E8
Harby LE14 . . . . .12 A2
Hartshorne DE11 . . . . .45 B6
Heather LE67 . . . . .95 C2
Hemington DE74 . . . . .17 D5
Hickling LE14 . . . . .19 C6
Higham on t H CV13 . . . . .196 A3
Hoby LE7 . . . . .79 E8
Holwell LE14 . . . . .37 F4
Houghton on t H LE7 . . . . .157 F3
Huncote LE9 . . . . .200 D7
Hungarton LE7 . . . . .132 C3
Illston on t H LE7 . . . . . . .183 F3
Keyham LE7 . . . . .131 D1
Kibworth Beauchamp LE8 .206 A2
Kilby LE18 . . . . .204 A3
Kirby Bellars LE14 . . . . . . .81 B8
Kirby Muxloe LE9 . . . . . . .152 E6
Kirkby Mallory LE9 . . . . . .175 C6
Knossington LE15 . . . . . . .136 A6
Laughton LE17 . . . . .238 C7
Leicester, Evington LE5 . . .156 B3
Leicester, Humberstone LE5 156 B8
Leire LE17 . . . . .218 F1
Lockington DE74 . . . . .17 F5
Loddington LE7 . . . . .161 D1
Long Eaton NG10 . . . . .10 E7
Long Whatton LE12 . . . . . .29 B4
Lubenham LE16 . . . . .239 F3
Market Bosworth CV13 . . .148 F3
Market Overton LE15 . . . . .86 F5
Markfield LE67 . . . . .98 D1
Medbourne LE16 . . . . .228 A7
Mowsley LE17 . . . . .237 F7
Nailstone CV13 . . . . .123 B3
Nethersea DE12 . . . . .91 F7
Newbold Verdon LE9 . . . . .150 B4
Newton CV23 . . . . .253 A1
Newton Burgoland LE67 . .121 E7
Newtown Linford LE6 . . . . .126 D8
Normanton le H LE67 . . . . .94 F4
Normanton on S LE12 . . . . .30 D3
Norton-J-T CV9 . . . . .120 A2
Oakthorpe DE12 . . . . .93 A7
Orton-on-t-H CV9 . . . . . . .145 D4
Osgathorpe LE12 . . . . .48 D3
Overseal DE12 . . . . .67 B3
Owston LE15 . . . . .135 B4
Peatling Magna LE8 . . . . . .221 A6
Peatling Parva LE17 . . . . .235 F8
Peckleton LE9 . . . . .175 F7
Preston LE15 . . . . .164 C2
Queniborough LE7 . . . . . .103 F5
Ragdale LE14 . . . . .56 C4
Ratby LE6 . . . . .152 C8
Ratcliffe on t W LE7 . . . . . .78 C2
Ravenstone LE67 . . . . .95 E8
Redmile NG13 . . . . .6 F3
Rempstone LE12 . . . . .32 D5
Ridlington LE15 . . . . .163 D2
Rockingham LE16 . . . . . . .230 B4
Rotherby LE14 . . . . .79 F6

Main St continued
Saddington LE8 . . . . .223 B4
Saltby LE14 . . . . .24 E1
Saxelbye LE14 . . . . .57 E7
Scraptoft LE7 . . . . .156 F8
Seaton LE15 . . . . .190 C1
Sewstern NG33 . . . . .63 F8
Shackerstone CV13 . . . . . .121 E2
Shangton LE8 . . . . .207 B5
Shawell LE17 . . . . .253 C5
Shearsby LE17 . . . . .222 A2
Shenton CV13 . . . . .173 B5
Skeffington LE7 . . . . .160 A2
Smeeton Westerby LE8 . . .223 F6
Smisby LE65 . . . . .45 F3
Snarestone DE12 . . . . .121 A8
South Croxton LE7 . . . . . .105 B1
Sproxton LE14 . . . . .41 F5
Stanford on S LE12 . . . . . .31 C1
Stanton u B LE67 . . . . .97 F1
Stapleton LE9 . . . . .174 F1
Stathern LE14 . . . . .13 A3
Stoke Dry LE15 . . . . .211 F6
Stoke Golding CV13 . . . . .196 D7
Stonesby LE14 . . . . .40 E6
Sutton Bassett LE16 . . . . .227 A1
Sutton Bonington LE12 . . . .30 B7
Sutton Cheney CV13 . . . . .174 B6
Swannington LE67 . . . . . . .71 B5
Swepstone LE67 . . . . .94 D2
Swithland LE12 . . . . .100 E7
Theddingworth LE17 . . . . .248 D8
Thistleton LE15 . . . . .87 E8
Thornton LE67 . . . . .124 E4
Thorpe Satchville LE14 . . .106 E4
Thringstone LE67 . . . . .71 D8
Thurlaston LE9 . . . . .177 A3
Thurmaston LE7 . . . . .103 C1
Thurnby LE7 . . . . .157 A4
Tilton on t H LE7 . . . . .160 A8
Tilton on t H, Cold Newton
LE7 . . . . .133 B1
Tugby LE7 . . . . .185 E6
Tur Langton LE16 . . . . . . .207 A2
Twyford LE14 . . . . .106 D1
Ullesthorpe LE17 . . . . . . .233 B4
Wakerley LE15 . . . . .192 A4
Whissendine LE15 . . . . . . .84 F1
Willey CV23 . . . . .242 F6
Willoughby Waterleys LE8 .220 C5
Willoughby-on-t-W LE12 . . .34 D7
Wilson DE73 . . . . .26 E5
Woodhouse Eaves LE12 . . .75 A2
Woodthorpe LE12 . . . . .75 C8
Worthington LE65 . . . . .47 F5
Wymondham LE14 . . . . . . .62 E2
Zouch LE12 . . . . .30 B3
Maino Cres LE17 . . . . . . .244 B5
Maitland LE12 . . . . .76 E1
Maizefield LE10 . . . . .197 C4
Malabar Rd LE1 . . . . .155 B7
Malcolm Arc LE1 . . . . . . .259 B4
Malcolm Sargent Sch
PE9 . . . . .143 A3
Malham Cl Leicester LE4 . .128 C3
Nuneaton CV11 . . . . .214 A1
Malham Way LE2 . . . . . . .181 D5
Mallard Ave LE6 . . . . .126 E3
Mallard Cl Essendine PE9 .117 B6
Measham DE12 . . . . .93 B4
Mallard Ct PE9 . . . . .143 D2
Mallard Dr LE7 . . . . .102 F4
Mallard Rd
Barrow-u-S LE12 . . . . .76 C8
Mountsorrel LE12 . . . . .76 F2
Mallard Way LE3 . . . . .152 E2
Malling Ave LE9 . . . . .218 E7
Malling Cl LE4 . . . . .102 B1
Mallory Cl LE9 . . . . .150 B3
Mallory La [11] PE9 . . . . . .143 D3
Mallory Pl LE15 . . . . .155 E8
Mallory St LE9 . . . . .198 C8
Mallow Cl LE15 . . . . .137 D6
Malmesbury Ave DE11 . . . .44 D6
Malthouse Cl CV13 . . . . . .123 B3
Malting Yd PE9 . . . . .143 E2
Maltings Rd NN17 . . . . . . .213 B1
Maltings The Ashley LE16 .227 F2
Glenfield LE3 . . . . .127 B1
Shardlow DE72 . . . . .9 B1
Maltings Yd LE15 . . . . . . .113 A3
Malton Dr LE2 . . . . .181 C6
Malvern Ave LE17 . . . . . . .50 C2
Malvern Cres
Ashby-De-La-Z LE65 . . . . . .69 A8
Cosby LE9 . . . . .201 D3
Malvern Gdns NG10 . . . . . .10 A8
Malvern Rd LE2 . . . . .155 D2
Malvern Wlk LE15 . . . . . . .137 D6
Mammoth St LE67 . . . . . . .71 D1
Mancetter Rd CV9 . . . . . . .194 A6
Manchester La DE11 . . . . .45 C5
Manchester St NG10 . . . . .10 D6
Mandarin Way LE8 . . . . . .201 F4
Mandervell Rd LE2 . . . . . .180 F5
Mandora La [7] LE2 . . . . . .155 B4
Manitoba Rd LE1 . . . . .259 C5
Mann Cl LE3 . . . . .153 D2
Manners Cl PE9 . . . . .144 F4
Manners Dr LE13 . . . . .59 D6
Manners Rd LE2 . . . . .179 E2
Mannion Cres NG10 . . . . . .10 B5
Manor Brook Cl
Coalville LE67 . . . . .96 C5
Stoney Stanton LE9 . . . . . .199 E3
Manor Case [1] LE65 . . . . .69 C6
Manor Cl Hinckley LE10 . .215 C5

Manor Cl continued
Leicester LE2 . . . . .181 B8
Long Whatton LE12 . . . . . .29 B4
Melton Mowbray LE13 . . . .59 E5
Ryhall PE9 . . . . .116 F3
Manor Cres LE9 . . . . .174 E2
Manor Ct Blaby LE8 . . . . .179 C1
Breaston DE72 . . . . .9 E8
Cottingham LE16 . . . . . . .229 C1
Little Stretton LE2 . . . . . . .182 D5
Manor Dr Leicester LE4 . . .128 A5
Loughborough LE11 . . . . . .75 B8
Netherseal DE12 . . . . .91 F6
Sileby LE12 . . . . .77 C2
Worthington LE65 . . . . .47 F6
Manor Farm Cl LE9 . . . . . .218 F6
Manor Farm La PE9 . . . . . .117 B6
Manor Farm Mews DE72 . .16 B8
Manor Farm Rd DE72 . . . .16 B8
Manor Farm Way LE3 . . . .153 C2
Manor Gdns Desford LE9 .151 B3
Glenfield LE3 . . . . .153 C8
Shepshed LE12 . . . . .50 B4
Manor Gn PE9 . . . . .167 F5
Manor High Sch LE7 . . . . .181 D7
Manor House Cl LE10 . . . .216 E6
Manor House Gdns LE5 . .156 B8
Manor House Rd NG10 . . .10 F6
Manor House Sch LE65 . . .69 C6
Manor La
Barleythorpe LE15 . . . . . .137 D8
Clifton u D CV23 . . . . .257 A6
Glaston LE15 . . . . .190 B6
Granby NG13 . . . . .5 A8
Langham LE15 . . . . .110 C3
Peckleton LE9 . . . . .175 F6
Somerby LE14 . . . . .108 B1
Manor Paddock NG32 . . . . .4 F4
Manor Pl LE2 . . . . .197 D1
Manor Rd
Barlestone CV13 . . . . .149 C8
Bitteswell LE17 . . . . .244 B8
Carlby PE9 . . . . .117 C8
Claybrooke Magna LE17 . .232 D6
Coalville LE67 . . . . .96 C6
Cosby LE9 . . . . .201 D4
Desford LE9 . . . . .151 B3
Easthorpe NG13 . . . . .3 C2
Fleckney LE8 . . . . .223 A4
Great Bowden LE16 . . . . . .241 A6
Heather LE67 . . . . .95 B2
Leicester LE2 . . . . .181 A8
Loughborough LE11 . . . . . .75 B8
Medbourne LE16 . . . . .228 A7
Sapcote LE9 . . . . .217 D8
Stretton LE15 . . . . .88 F4
Thurmaston LE4 . . . . .129 D6
Ullesthorpe LE17 . . . . . . .233 A4
Manor Road Extension
LE2 . . . . .181 B7
Manor St Hinckley LE10 . .197 C1
Wigston LE18 . . . . .180 B2
Manor View Ketton PE9 . .168 A6
Sibson CV13 . . . . .172 A6
Manor Way LE10 . . . . .215 D5
Manor Wlk LE16 . . . . .240 E3
Manorfield CE Prim Sch
LE9 . . . . .199 D2
Manorleigh DE72 . . . . .9 E8
Mansfield Ave LE12 . . . . . .76 A6
Mansfield St
Leicester LE1 . . . . .259 B4
Quorn LE12 . . . . .76 A6
Mansion House Gdns
LE13 . . . . .59 C6
Mansion St LE10 . . . . .215 D8
Manston Cl LE4 . . . . .130 A5
Mantle La LE67 . . . . .71 C2
Mantle Rd LE3 . . . . .154 D6
Manton Cl LE9 . . . . .219 B6
Manton Rd LE15 . . . . .166 A7
Maple Ave Blaby LE8 . . . .202 B7
Braunstone LE3 . . . . .153 C3
Countesthorpe LE8 . . . . . .202 F4
Maple Cl East Leake LE12 . .31 D8
Hinckley LE10 . . . . .215 E5
Melton Mowbray LE13 . . . .59 B5
Maple Ct NN17 . . . . .230 E1
Maple Dr Aston-on-T DE72 . .16 A7
Ibstock LE67 . . . . .95 E2
Lutterworth LE17 . . . . . . .244 B6
Maple Gr DE72 . . . . .9 F8
Maple Rd
Loughborough LE11 . . . . . .75 B8
Swadlincote DE11 . . . . . . .44 B6
Thurmaston LE4 . . . . .129 D6
Maple Rd N LE11 . . . . .75 B8
Maple Rd S LE11 . . . . .75 B7
Maple Tree Wlk LE9 . . . . .201 C7
Maple Way Desford LE9 . .151 A3
Earl Shilton LE9 . . . . .198 E6
Mapleton Rd Draycott DE72 . .9 A8
Wigston LE18 . . . . .180 C2
Maplewell LE67 . . . . .72 B1
Maplewell Dr LE4 . . . . . . .128 A6
Maplewell Hall Sch LE12 . .99 F7
Maplewell Rd LE12 . . . . . .99 F7
Maplin Rd LE5 . . . . .130 E1
Mapperley Ho LE13 . . . . . .59 C6
Marble St LE1 . . . . .259 B3
Marchant Rd LE10 . . . . . . .215 C8
Marchfont Cl CV11 . . . . . .214 A1
Marcus Cl LE7 . . . . .102 E2
Mardale Way LE11 . . . . . . .74 D8
Marefield Cl LE7 . . . . .157 A5

Marefield La
Burrough on t H LE14 .....**134** C8
Lowesby LE7 ....**133** E5
Tilton on t H LE7 ....**134** B1
Twyford LE14 ....**133** F8
Marfitt St LE4 ....**129** B2
Margaret Anne Rd LE2 .**181** B4
Margaret Cl LE18 ....**129** E8
Margaret Cres LE18 .....**180** B3
Margaret Rd LE5 ....**155** C5
Margaret St LE67 ....**71** C1
Marie Cl CV9 ....**194** A7
Marigold Cl LE9 ....**142** E4
Marigold Cres LE13 .....**82** B8
Marigold Dr LE10 ....**215** E5
Marigold La LE12 ....**76** F2
Marigold Way LE9 ......**200** F8
Marina Dr LE6 ....**127** A3
Marina Rd LE5 ....**155** D4
Marion's Way LE9 ......**200** D4
Marjorie St LE4 ....**155** A8
Market Bosworth Ctry Pk
CV13 ....**149** A3
Market Bosworth High Sch
& Com Coll CV13 ......**148** A3
Market Bosworth Sta
CV13 ....**148** C3
Market Harborough
CE Prim Sch LE16 .....**240** D3
Market Harborough
District Hospl LE16 ....**240** D2
Market Harborough
Farndon Fields Prim Sch
LE16 ....**250** E8
Market Harborough Mus
LE16 ....**240** E3
Market Harborough
Ridgeway Prim Sch
LE16 ....**240** F5
Market Harborough Sta
LE16 ....**241** A3
Market Mews CV13 .....**148** F3
Market Pl Belton LE12 ...**49** B6
5 Hinckley LE10 ....**215** D8
Kegworth DE74 ....**18** D2
Leicester LE1 ....**259** B3
Long Eaton NG10 ......**10** E8
Loughborough LE11 .....**52** B4
Market Bosworth CV13 ..**148** F3
Melbourne DE73 ....**26** B7
Melton Mowbray LE13 ...**59** C3
Mountsorrel LE12 ......**76** E3
Oakham LE15 ....**138** A6
Shepshed LE12 ....**50** B4
Uppingham LE15 ....**189** B4
Whitwick LE67 ....**71** F5
Market Pl S LE1 ....**259** B3
Market Place App LE1 ...**259** B3
Market Rd LE7 ....**159** B2
Market St
Ashby-De-La-Z LE65 .....**69** B6
Bottesford NG13 ....**3** B2
Castle Donington DE74 ..**17** B3
Coalville LE67 ....**71** C1
Draycott DE72 ....**9** A7
Leicester LE1 ....**259** B3
Loughborough LE11 .....**52** A4
Lutterworth LE17 ....**244** C6
Oakham LE15 ....**138** A6
Swadlincote DE11 ......**44** B4
Swadlincote, Church Gresley
DE11 ....**44** B1
Markfield La
Botcheston LE9 ....**151** C8
Markfield LE67 ....**98** F1
Thornton LE67 ....**124** F6
Markfield Rd Groby LE6 .**126** D4
Ratby LE6 ....**126** B2
Markham Ret Pk PE9 ...**143** F5
Markland LE2 ....**179** C4
Marl Fields LE12 ....**76** F1
Marlborough Cl LE10 ...**216** B7
Marlborough Dr LE8 ....**223** A6
Marlborough Rd
Breaston DE72 ....**9** D7
3 Long Eaton NG10 ....**10** F8
Marlborough Sq LE67 ...**71** C1
Marlborough St LE1 ....**259** B3
Marlborough Way
Ashby-De-La-Z LE65 .....**69** A7
Market Harborough LE16 .**240** E5
Marle Pit Hill LE12 .....**30** A8
Marlow Ct LE16 ....**228** A4
Marlow Rd LE3 ....**154** D2
Marmion Cl LE8 ....**223** A6
Maromme Sq **2** LE18 ...**180** D3
Marquis Rd LE14 ....**36** B6
Marquis St LE1 ....**259** B3
Marriott Dr LE8 ....**224** B8
Marriott Prim Sch LE2 ..**179** E6
Marriott Rd LE2 ....**179** E6
Marsden Ave LE7 ......**103** D5
Marsden La LE2 ....**179** B6
Marsh Ave LE8 ....**206** B1
Marsh Cl LE4 ....**129** C5
Marsh Ct NG13 ....**3** B3
Marsh Dr LE8 ....**206** A1
Marsh Rd LE12 ....**76** F1
Marsh's Paddock LE14 ..**19** C6
Marshall Ave LE12 .....**77** D4
Marshall St LE3 ....**154** D7
Marston Cl Leicester LE2 .**181** A3
Moira DE12 ....**68** A5

Marston Cres LE8 ......**202** E3
Marston Dr LE6 ....**126** F3
Marston Ho LE1 ....**155** B7
Marston La NG32 ....**4** F5
Marston Rd Croft LE9 ...**200** B5
Leicester LE4 ....**129** E2
Lubenham LE16 ....**239** D2
Marston Trussell Rd
LE16 ....**249** F7
Marstown Ave LE18 ....**179** F2
Marteg Cl LE13 ....**59** B1
Martin Ave
Barrow-u-S LE12 ....**76** D7
Leicester LE2 ....**181** B5
Leicester Forest East LE3 .**152** F3
Mountsorrel LE12 ......**76** D1
Martin Cl Leicester LE4 .**155** B8
Oakham LE15 ....**138** B8
Stoney Stanton LE9 ....**199** D1
Whitwick LE67 ....**71** D6
Martin Ct LE7 ....**127** D5
Martin Dr LE7 ....**102** E4
Martin High Sch The
LE7 ....**127** D7
Martin Square LE6 .....**152** D8
Martin St LE4 ....**155** C8
Martindale Cl
Leicester LE2 ....**259** B1
Loughborough LE11 .....**51** D1
Martins Dr CV9 ....**170** E2
Martinshaw La LE6 .....**126** E3
Martinshaw Prim Sch
LE6 ....**126** D4
Martival LE5 ....**155** E7
Marvin Cl LE3 ....**154** B7
Marwell Cl LE4 ....**128** F4
Marwell Wlk LE4 ....**128** F4
Marwood Rd LE4 ....**128** D4
Mary Gee Hos LE2 .....**180** D8
Mary Rd LE3 ....**154** B8
Mary La LE14, NG32 ....**40** C8
Mary St LE9 ....**198** F8
Mary's Cl LE12 ....**33** C3
Marydene Ct LE5 ......**156** C3
Marydene Dr LE5 ......**156** C3
Maryland Cl LE9 ....**197** F6
Maryland Ct DE11 ......**44** A7
Marylebone Dr LE17 ...**244** D6
Marys Ct LE7 ....**127** D6
Marywell Cl LE10 ......**196** F1
Masefield Ave
Narborough LE19 ......**178** A2
Swadlincote DE11 ......**44** C6
Masefield Cl Barwell LE9 .**198** C8
Measham DE12 ....**93** B3
Mason Ct LE10 ....**215** B8
Masons Cl LE9 ....**201** B7
Masterton Cl PE9 ......**143** F5
Masterton Rd PE9 .....**143** F5
Matlock Ave LE18 .....**180** A1
Matlock Ct NG10 ....**9** F5
Matlock St LE2 ....**155** C6
Matthew Arnold Ct LE11 .**51** D5
Matthews Ct LE65 ......**68** F7
Matts Cl LE2 ....**179** D5
Maughan St LE9 ....**175** F1
Maura Cl LE8 ....**201** F5
Maurice Dr LE8 ....**202** D3
Maurice Rd LE16 ....**250** D8
Mavis Ave LE3 ....**154** C2
Mawby Cl LE8 ....**202** A5
Mawby's La DE12 ......**119** F8
Maxfield Ho **3** LE2 .....**155** B5
Maxwell Dr LE11 ....**51** C5
Long Eaton NG10 ......**10** E7
Maxwell Way LE17 ....**244** C8
May Meadow Cl CV13 ..**149** D8
May Tree La LE12 ......**75** B4
Mayfield LE15 ....**138** A8
Mayfield Dr
Loughborough LE11 .....**52** B2
Wigston LE18 ....**180** D4
Mayfield Rd LE2 ....**155** C3
Mayfield St LE13 ....**59** B5
Mayfield Way LE9 .....**198** C7
Mayflower Cl LE67 ......**125** E8
Mayflower Ct LE67 .....**125** E8
Mayflower Jun Sch LE5 .**155** F4
Mayflower Rd LE5 .....**155** F4
Maylan Rd NN17 ....**230** F3
Maylands Ave DE72 .....**9** A8
Maynard Rd LE2 ....**155** B6
Mayns La LE8 ....**205** E7
Mayo Cl LE11 ....**74** F7
Mayor's Wlk LE1 ......**155** A3
Mays Farm Dr LE9 .....**199** D3
Maytree Cl LE3 ....**152** E3
Maytree Ct LE3 ....**152** E3
Maytree Dr LE3 ....**152** E2
MC Carthy Rd LE12 ....**50** A3
McCarthy Cl LE7 ....**71** E5
McDowell Way LE9 ....**201** B7
Mckenzie Wlk LE5 .....**156** A5
McNeil Gr DE72 ....**9** A7
McVicker Cl LE5 ....**156** A6
Meadhurst Gdns LE15 ..**189** B4
Meadhurst Rd LE3 .....**154** A5
Meadow Ave LE11 .....**52** B6
Meadow Cl
Bagworth LE67 ....**124** B5
Barrow-u-S LE12 ....**76** E8
Breaston DE72 ....**9** B8
Draycott DE72 ....**9** A7
Market Harborough LE16 .**240** F4
Ratby LE6 ....**152** D8
Sheepy Magna CV9 ....**171** B7

Meadow Cl *continued*
Stoney Stanton LE9 ....**199** D3
Meadow Court Rd
Earl Shilton LE9 ....**198** F7
Groby LE6 ....**126** F3
Meadow Cres DE74 .....**17** B2
Meadow Ct LE9 ....**178** A1
Meadow Dr LE10 ......**216** A7
Meadow Edge LE9 .....**178** A2
Meadow Gdns
Leicester LE2 ....**180** A5
Measham DE12 ....**93** C3
Meadow Hill LE8 ....**182** A1
Meadow La Birstall LE4 .**129** C8
Coalville LE67 ....**72** B2
Long Eaton NG10 ......**10** F7
Loughborough LE11 .....**52** B7
Markfield LE67 ....**98** E1
Ryhall PE9 ....**116** E1
Stanton u B LE67 ......**97** F1
Swadlincote DE11 ......**44** A6
Syston LE7 ....**102** E4
Meadow Lane Ind Est
LE11 ....**52** B6
Meadow Prim Sch The
LE18 ....**180** E3
Meadow Rd
Barlestone CV13 ....**149** D7
Barwell LE9 ....**198** C7
Mountsorrel LE12 ......**101** D8
Woodhouse Eaves LE12 ..**75** A1
Meadow St LE16 ....**240** E4
Meadow The LE9 ......**219** A5
Meadow View
Botcheston LE9 ....**151** C8
Coalville LE67 ....**96** C5
Leicester LE2 ....**181** B5
Stamford PE9 ....**144** A4
Meadow Way
Egleton LE15 ....**138** D3
Groby LE6 ....**126** F3
Melton Mowbray LE13 ...**59** D1
Swadlincote DE11 ......**44** A6
Wigston LE18 ....**180** D2
Meadow Wlk LE67 .....**95** F2
Meadowbrook Rd LE8 ..**223** F8
Meadowcourt Rd LE2 ..**180** F7
Meadowcroft Cl LE3 ...**153** B7
Meadowfield LE15 .....**138** A8
Meadows La LE4 ....**11** D1
Meadows Rise LE14 .....**62** D2
Meadows The
Burbage LE10 ....**216** A7
East Goscote LE7 ......**103** E8
Littlethorpe LE9 ....**201** D7
Shepshed LE12 ....**50** A3
Meadowside CV11 .....**214** B1
Meadowsweet PE9 .....**142** E5
Meads The LE3 ....**153** E5
Meadvale Rd LE2 ......**180** C7
Meadway LE3 ....**154** A6
Meadway The Birstall LE4 .**129** A8
Hinckley LE10 ....**215** F7
Syston LE7 ....**102** F2
Meadwell Rd LE3 ......**153** D3
Mease Cl DE12 ....**93** C4
Measham CE Prim Sch
DE12 ....**93** D5
Measham Rd
Acresford DE12 ....**92** D6
Ashby-De-La-Z LE65 .....**68** F3
Measham DE12 ....**92** F1
Moira DE12 ....**67** F3
Oakthorpe DE12 ....**93** A7
Packington LE65 ....**69** B1
Packington LE65 ....**93** F8
Snarestone DE12 ......**120** E8
Medbourne Rd
Ashley LE16 ....**227** E4
Drayton LE16 ....**228** E4
Hallaton LE16 ....**209** E5
Slawston LE16 ....**209** C1
Medhurst Cl LE8 ....**202** A5
Medina Rd Corby NN17 .**230** C1
Leicester LE3 ....**154** D8
Medway Cl LE16 ....**241** A3
Medway Dr LE13 ....**59** B1
Medway Prim Sch LE2 .**155** C4
Medway St LE2 ....**155** C4
Meer The LE8 ....**223** A6
Meeting House Cl LE12 ..**31** F8
Meeting St LE12 ....**75** F5
Melba Way LE4 ....**102** B1
Melbourne Cl LE8 ......**223** F8
Melbourne Dr LE13 ....**59** A3
Melbourne Ho LE13 ....**59** D1
Melbourne Inf Sch DE73 .**26** B8
Melbourne Jun Sch DE73 .**26** B8
Melbourne La DE73 .....**26** E3
Melbourne Rd
Ibstock LE67 ....**122** E8
Leicester LE2 ....**155** C5
Newbold LE67 ....**47** D2
Ravenstone LE67 ......**95** F5
Stamford PE9 ....**143** F4
Melbourne St
Coalville LE67 ....**71** D1
Leicester LE2 ....**155** B6
Melbray Dr LE13 ....**59** C6
Melbreak Ave LE11 ....**74** E8
Melcombe Wlk **5** LE4 ..**128** F3
Melcroft Ave LE3 ......**154** B5
Melford St LE5 ....**155** F7
Melland Pl LE2 ....**179** E5
Mellerstain Wlk LE5 ...**155** E7
Mellier Cl LE9 ....**178** A2
Mellor Prim Sch LE4 ...**129** B3
Mellor Rd LE3 ....**154** A5

Melrose Cl
Ashby-De-La-Z LE65 .....**69** D6
Hinckley LE10 ....**215** B8
Stamford PE9 ....**143** A4
Melrose Rd LE67 ....**71** E8
Melrose St LE4 ....**129** B1
Melton Ave Leicester LE4 .**129** C5
Melbourne DE73 ....**26** A8
Melton Ctry Pk LE13 ...**59** D6
Melton & District War
Meml Hospl LE13 .....**59** C2
Melton Dr LE9 ....**218** E8
Melton La LE14 ....**107** C5
Melton Mowbray
Coll of F Ed LE13 .....**59** B3
Melton Mowbray Coll
of F Ed (Annexe) LE13 .**59** C3
Melton Mowbray Sta
LE13 ....**59** C2
Melton Rd
Asfordby Hill LE14 .....**58** C3
Barrow-u-S LE12 ....**76** E8
Burton Lazars LE14 ....**83** B4
Burton-on-t-W LE12 ....**54** C4
East Goscote LE7 ......**103** F8
East Langton LE16 .....**225** C5
East Leake LE12 ....**31** E5
Langham LE15 ....**110** C2
Leicester LE4 ....**129** C3
Long Clawson LE14 ....**20** B1
Oakham LE15 ....**137** F6
Rearsby LE7 ....**79** C2
Rempstone LE12 ......**32** B6
Scalford LE14 ....**38** C3
Shangton LE8 ....**207** B6
Syston LE7 ....**103** C4
Thurmaston LE4 ....**129** D7
Tilton on t H LE7 ......**159** E5
Twyford LE14 ....**133** D4
Upper Broughton LE14 ..**19** A1
Waltham on t W LE14 ..**40** A6
Whissendine LE15 .....**84** C2
Wymondham LE14 ....**84** C4
Melton Spinney Rd LE14 .**59** F7
Melton St Earl Shilton LE9 .**198** E8
6 Leicester LE1 ....**155** A7
Melville Cl LE11 ....**51** B6
Memorial Homes LE7 ..**156** E8
Memorial Sq LE67 .....**71** C1
Memory La **2** LE1 .....**155** A7
Mendip Ave LE4 ....**128** D1
Mendip Cl
Ashby-De-La-Z LE65 .....**69** B5
Shepshed LE12 ....**50** C3
Mendip Rd
Edith Weston LE15 ....**166** C7
Oakham LE15 ....**137** D6
Mennecy Cl LE8 ....**202** D3
Mensa Cl LE2 ....**155** C5
Menzies Rd LE4 ....**128** E2
Meon Cl NN17 ....**230** C1
Mercenfield Prim Sch
LE67 ....**125** D8
Mercer's Way LE7 .....**103** E7
Merchant's Comm LE7 .**103** E7
Mercia Dr LE7 ....**180** F6
Mercury Cl **8** LE2 .....**155** B5
Mere Cl Leicester LE5 ..**155** C6
Mountsorrel LE12 ......**101** E8
Mere La Leicester LE2 ..**181** D2
Queniborough LE7 .....**103** E7
Wolvey LE10 ....**231** C3
Mere Rd
Great Stretton LE2 ....**182** C6
Ilston on t H LE7 ......**184** C3
Leicester LE5 ....**155** C5
Shangton LE8 ....**206** E4
Upper Bruntingthorpe LE17 .**236** C5
Waltham on t W LE14 ..**40** A7
Wigston LE18 ....**180** E3
Mere The LE8 ....**205** A8
Meredith Rd LE3 ......**154** B1
Mereoak La DE11 ......**45** E7
Merevale Ave LE10 ....**215** C7
Merevale Cl LE10 .....**215** C7
Merevale La CV9 ......**170** B1
Merevale Rd CV9 .....**170** C1
Mereworth Cl LE5 .....**155** D8
Merganser Way LE67 ..**97** A8
Meridian E LE3 ....**178** D7
Meridian N LE3 ....**178** D7
Meridian S LE3 ....**178** D6
Meridian W LE3 ....**178** D7
Meridian Way LE3 .....**153** D1
Meriton Rd LE17 ......**244** B5
Merlin Cl
Broughton Astley LE9 ..**218** E7
Leicester Forest East LE3 .**153** A2
Merlin Way DE11 ......**44** C7
Merrick Ct LE10 ....**215** F5
Merrifield Gdns LE4 ...**129** A2
Merry Lees Ind Est LE9 .**150** F8
Merrydale Inf Sch LE5 .**155** E8
Merrydale Jun Sch LE5 .**155** E8
Merrylees Rd Desford LE9 .**125** A2
Newbold Verdon LE9 ..**150** D8
Mersey Ho NN17 ......**230** C1
Merthull Rd LE5 ....**156** C6
Merton Ave Leicester LE5 .**154** C5
Syston LE7 ....**103** B3
Merton Cl LE9 ....**218** D7
Merton Ho LE5 ....**156** A6
Merton Prim Sch Syston
The LE7 ....**103** B2
Merton Way LE8 ......**205** F1
Mervyn Rd LE5 ....**155** D4
Messenger Cl LE11 ....**51** E7
Metcalf Cl LE9 ....**199** D2

Metcalfe St LE9 ....**198** E7
Methuen Ave LE4 .....**129** E8
Mews Cotts LE16 .....**250** E3
Mews The
Great Bowden LE16 ...**240** E7
4 Rugby CV21 ....**257** A1
Meynell Cl Leicester LE2 .**181** C4
Melton Mowbray LE13 ...**82** C8
Meynell Rd Leicester LE5 .**155** D7
Long Eaton NG10 ......**10** C5
Quorn LE12 ....**76** A7
Meynell St DE11 ....**44** A1
Michael Cl LE7 ....**103** E6
Michael Lewis Ho LE3 .**154** B6
Michael Ramsey Ct LE2 .**179** C3
Mickleborough Cl LE16 .**226** C7
Mickledon Gn LE67 ....**72** A2
Mickledon Cl NG10 ....**10** B8
Mickleton Cl DE11 .....**44** B1
Mickleton Dr LE5 ......**156** B3
Middelburg Cl CV11 ...**214** A1
Middle Ave LE4 ....**51** F6
Middle Cl DE11 ....**44** B4
Middle La LE14 ....**36** D8
Middle Orch LE12 .....**77** C1
Middle St Griffydam LE67 .**48** A1
Owston LE15 ....**135** B4
Middle St
Barkestone-le-V NG13 ...**6** C2
Croxton Kerrial NG32 ...**24** B7
Foxton LE16 ....**224** E1
Hose LE14 ....**20** F7
Skillington NG33 ......**43** B8
Stainby NG33 ....**43** D2
Wing LE15 ....**165** A3
Middledale Rd LE16 ...**241** A3
Middlefield Cl LE10 ...**197** D2
Middlefield Ct LE10 ...**197** D2
Middlefield La LE10 ...**197** D3
Middlefield Pl LE10 ...**197** D3
Middlefield Rd LE7 ....**102** D7
Middlesex Rd LE2 .....**179** D7
Middleton Cl
Stoney Stanton LE9 ....**199** E2
Wigston LE18 ....**180** F3
Middleton Pl LE11 .....**52** B2
Middleton Rd Ashley LE16 .**228** B3
Bringhurst LE16 ....**229** C4
Middleton St LE2 .....**179** C6
Midhurst Ave LE3 .....**178** F8
Midland Cotts LE18 ...**180** B2
Midland Ct LE17 ......**244** D8
Midland Rd Ellistown LE67 .**96** D4
Swadlincote DE11 ......**44** B5
Midland Rd Ind Est DE11 .**44** B5
Midland St Leicester LE1 .**259** C4
Long Eaton NG10 ......**10** E8
Midway La LE17 ....**236** B3
Midway Rd Leicester LE5 .**155** D2
Swadlincote DE11 ......**44** C5
Mikado Rd NG10 ......**10** C5
Milby Dr CV11 ....**214** A7
Mildenhall Rd LE11 ....**51** C4
Mildmay Cl LE13 ......**59** C6
Milestone Cl LE8 ......**224** C8
Milford Cl LE9 ....**201** A8
Milford Rd LE2 ....**180** B8
Mill Bank LE65 ....**69** B6
Mill Cl Birstall LE4 .....**129** B6
Sapcote LE9 ....**217** E8
Shepshed LE12 ....**50** C5
Smeeton Westerby LE8 .**223** F6
Swadlincote DE11 ......**44** C5
Wigston LE18 ....**202** F8
Wing LE15 ....**165** B2
Mill Dam LE67 ....**96** D6
Mill Dr LE6 ....**152** D7
Mill Gr Lutterworth LE17 .**244** D5
Whissendine LE15 .....**84** E1
Mill Green DE72 ....**9** A1
Mill Hill Enderby LE9 ..**178** A4
Laughton LE17 ....**238** C4
Leicester LE4 ....**129** A2
Lubenham LE16 ....**239** E3
Stathern LE14 ....**13** B2
Mill Hill Cl LE8 ....**202** A7
Mill Hill La Leicester LE2 .**155** B4
Markfield LE67 ....**98** D1
Mill Hill Rd Arnesby LE8 .**221** F5
Hinckley LE10 ....**197** C1
Market Harborough LE16 .**240** F3
Mill La Asfordby LE14 ...**57** F2
Atherstone CV9 ....**194** A6
Barrow-u-S LE12 ....**76** D6
Barrowden LE15 ......**192** A5
Belton LE12 ....**49** B7
Bilstone CV13 ....**147** C7
Blaby LE8 ....**202** E8
Caldecott LE16 ....**230** B8
Cottesmore LE15 ......**112** C8
Croxton Kerrial NG32 ...**24** B7
Earl Shilton LE9 ....**199** C8
East Leake LE12 ....**31** F8
Empingham LE15 .....**141** B6
Enderby LE9 ....**178** B2
Frisby on t W LE14 .....**80** D8
Gilmorton LE17 ....**235** D5
Heather LE67 ....**95** C2
Hickling LE14 ....**19** B7
Kegworth DE74 ....**18** D2
Ketton PE9 ....**168** A5
Leicester LE2 ....**259** A2
Long Clawson LE14 ....**20** D3
Long Whatton LE12 ....**29** D4
Loughborough LE11 ....**52** C5
Melton Mowbray LE13 ...**59** D2
Newbold Verdon LE9 ..**150** B4
Orston NG13 ....**2** A8

Mil–New 281

Mill La *continued*
Peggs Green LE67 71 A7
Sharnford LE10 217 C5
Shearsby LE17 222 A2
Sheepy Magna CV9 171 B7
Shenton CV13 173 B3
Smeeton Westerby LE8 223 F7
Somerby LE14 108 B2
South Witham NG33 64 E2
Thornton LE67 124 E4
Thurmaston LE4 129 D8
Waltham on t W LE14 40 A6
Willoughby-on-t-W LE12 34 D8
Witherley CV9 194 A8
Wolvey LE10 231 A5
Mill La The LE3 153 A8
Mill Lane Ind Est LE3 127 A1
Mill Pond LE67 96 D6
Mill Race View CV9 170 D2
Mill Rd Cottingham LE16 229 C2
Gretton LE15, NN17 212 F2
Rearsby LE7 78 F1
Thurcaston LE7 101 B3
Ullesthorpe LE17 233 B4
Woodhouse Eaves LE12 74 F1
Mill St Barwell LE9 198 A5
Duddington PE9 193 B6
Leicester LE2 259 B2
Melton Mowbray LE13 59 C2
Oakham LE15 138 A6
Packington LE65 69 B2
Ryhall PE9 116 F3
Mill View Hinckley LE10 197 E1
Huncote LE9 200 D7
Millais Rd LE10 197 A3
Millbrook Cl LE4 128 F3
Millbrook Dr LE9 218 F5
Millbrook Wlk 1 LE4 128 F3
Milldale Rd NG10 10 B6
Miller Cl LE4 129 E5
Miller's Yd LE16 240 E3
Millers Cl Glenfield LE3 153 B8
Syston LE7 103 A2
Millers Gn LE10 215 F6
Millers Grange LE9 218 F5
Millersdale Ave LE5 156 D5
Millfield DE72 9 B2
Millfield Ave LE16 229 D1
Millfield Cl Anstey LE7 127 D5
Ashby-De-La-Z LE65 69 A8
Millfield Com Sch LE3 178 E7
Millfield Cres LE3 178 F6
Millfield Croft DE11 44 B7
Millfield St DE11 45 A2
Millhouse Ct DE72 9 B7
Millhouse Est LE67 71 C8
Milligan Rd LE2 179 E7
Mills Cl DE72 9 A7
Mills The LE12 76 A5
Mills Yd LE11 52 B3
Millstone La Leicester LE1 259 B3
Syston LE7 103 C4
Millwood Cl LE4 128 E5
Milner Ave DE72 9 A7
Milner Cl LE12 77 C2
Milner Rd NG10 10 D8
Milnroy Rd LE5 156 E7
Milton Ave DE11 44 C6
Milton Cl Hinckley LE10 197 C1
Measham DE12 93 C3
Melton Mowbray LE13 59 B5
Wigston LE18 180 E2
Milton Cres LE4 128 B2
Milton Ct LE11 51 D5
Milton Gdns LE2 181 A5
Milton St Long Eaton NG10 10 D7
Loughborough LE11 51 E5
Narborough LE9 178 A1
Milton Terr NG10 10 D7
Milverton Ave LE4 128 D1
Milverton Cl LE18 180 C4
Milverton Dr LE18 180 C4
Mimosa Cl LE11 75 A6
Minehead St LE3 154 B5
Minster Cres LE4 128 D1
Minstrel's Wlk LE7 103 D7
Mint Gr NG10 10 A7
Mint Rd LE2 154 D4
Minton Rd DE74 16 F4
Mira Dr CV10 195 D3
Misterton Way LE17 244 D5
Mistral Cl LE10 215 F8
Mitchell Dr LE11 51 B6
Mitchell Rd LE9 178 A3
Mitchell St NG10 10 E7
Moat Cl LE9 176 F3
Moat Com Coll LE2 155 B5
Moat Gdns LE9 217 D7
Moat Rd Leicester LE5 155 D5
Loughborough LE11 74 E8
Moat St Swadlincote DE11 44 B1
Wigston LE18 180 D2
Moat The DE74 17 B4
Moat Way LE9 197 F6
Modbury Ave LE4 128 E4
Model Farm Cl LE11 51 E1
Moira Dale DE74 17 C3
Moira Funace Mus DE12 67 E3
Moira Inf Sch DE12 68 B6
Moira Rd
Donisthorpe DE12 68 A1
Overseal DE12 67 C3
Shellbrook LE65 68 E6
Woodville DE11 44 E2
Moira St Leicester LE4 129 B1
Loughborough LE11 52 B3
Melbourne DE73 26 A7
Moles La LE15 190 C1
Molesworth Bglws PE9 168 A6
Molyneux Dr LE12 77 D1
Mona St LE9 198 E7
Monal Cl LE8 201 F4
Monar Cl LE4 129 D4
Monarch Cl LE4 129 C8
Monarch Way LE11 52 A6
Monckton Cl LE1 259 C5
Moneyhill LE65 69 B8
Monica Rd LE3 178 F7
Monks Cres LE4 128 C8
Monks Kirby La CV23 231 F1
Monmouth Dr LE2 179 D2
Monsaldale Cl NG10 10 B6
Monsarrat Way LE11 51 D6
Monsell Dr LE2 179 C5
Montague Ave LE7 103 B2
Montague Cl LE9 150 B5
Montague Dr LE11 74 C8
Montague Rd
Broughton Astley LE9 218 F7
Leicester LE2 155 B2
Monteith Pl DE74 17 B4
Montford Mews DE74 17 B4
Montgomery Cl LE17 244 A5
Montgomery Rd LE9 199 A8
Montilo La CV23 242 E1
Montreal Rd LE1 259 C5
Montrose Cl
Market Harborough LE16 240 D1
Stamford PE9 143 A4
Montrose Ct LE5 156 A8
Montrose Prim Sch LE2 179 D6
Montrose Rd LE2 179 C6
Montrose Rd S LE2 179 D5
Montsoreau Way LE12 101 D8
Moon Cl LE2 155 B5
Moor Hill LE7 186 C2
Moor La Aston-on-T DE72 16 B8
Breedon on t H DE73 27 B4
Coleorton LE67 70 F6
East Norton LE7 186 D5
Hallaton LE7 186 C4
Long Bennington NG23 1 E6
Loughborough LE11 52 E3
Normanton on S LE12 30 C4
North Luffenham LE15 166 D2
South Witham NG33 64 D4
Stathern LE14 13 A4
Moor The LE67 70 E6
Moorbarns La LE17 244 B4
Moorcroft Cl CV11 214 B1
Moore Ave DE74 18 D3
Moore Cl DE12 119 F8
Moore Rd LE9 198 C7
Moores Cl LE18 179 E2
Moores La LE9 178 B4
Moores Rd LE4 129 B2
Moorfield Pl LE12 50 B4
Moorfields LE5 156 D8
Moorgate Ave LE4 128 F8
Moorgate St LE4 155 A8
Moorland Cl CV13 148 F3
Moorland Rd LE7 102 E3
Moorlands The LE67 70 E4
Moray Cl Hinckley LE10 215 A8
Stamford PE9 142 F4
Morban Rd LE2 179 B6
Morcote Rd LE3 153 E3
Morcott Rd
Barrowden LE15 191 D5
Glaston LE15 190 D5
Wing LE15 165 A2
Moreton Dale LE12 77 D4
Morgans Orch LE12 76 D8
Moriston Cl NN17 230 C1
Morkery La NG33 66 C3
Morkery Wood Nature Trail
LE15 66 A3
Morland Ave LE2 180 E8
Morland Dr LE10 197 B3
Morledge St LE1 259 C4
Morley Arc LE1 259 B4
Morley Cl LE13 59 A4
Morley La LE12 50 B1
Morley Rd Leicester LE5 155 C6
Sapcote LE9 217 E7
Morley St
Loughborough LE11 52 C5
Market Harborough LE16 240 D3
Mornington St LE5 155 D7
Morpeth Ave LE4 128 D5
Morpeth Dr LE2 181 D4
Morris Cam Wlk LE14 57 E3
Morris Cl
Braunstone LE3 153 D2
Loughborough LE11 52 C4
Morris Ct LE17 236 C8
Morris Rd LE2 155 A1
Morrison Ct LE8 224 A8
Mortiboys Way LE9 199 D2
Mortimer Pl LE3 154 B1
Mortimer Rd
Melton Mowbray LE13 59 C4
Narborough LE9 201 A7
Mortimer Way
Leicester LE3 154 B1
Loughborough LE11 51 B6
Mortoft Rd LE4 129 B3
Morton Wlk LE5 155 E8
Morwoods The LE2 181 B5
Moscow La
Great Dalby LE14 107 D8
Shepshed LE12 50 A1
Mossdale LE67 71 E6
Mossdale Cl LE2 259 A2
Mossdale Rd LE3 178 E8
Mosse Way LE2 181 C6
Mossgate LE3 154 A7
Mosswithy LE8 222 F6
Mostyn Ave LE7 103 C4
Mostyn St LE3 154 B5
Mottisford Rd LE4 128 F4
Mottisford Wlk LE4 128 F4
Moulds La LE16 229 D7
Mount Ave Barwell LE9 198 C7
Leicester LE5 155 D6
Mount Grace High Sch
LE10 197 E1
Mount Grace Rd LE11 51 B5
Mount Pleasant
Castle Donington DE74 17 B3
Kegworth DE74 18 C2
Leicester LE2 181 E3
Uppingham LE15 189 B4
Mount Pleasant La DE12 92 A8
Mount Pleasant Rd
Morcott LE15 191 A6
Swadlincote DE11 44 A1
Mount Rd Cosby LE9 201 D3
Hartshorne DE11 45 A4
Hinckley LE10 215 D8
Leicester LE5 155 C6
Leicester, Oadby LE2 181 B5
Mount Sch The LE13 59 B2
Mount St DE72 9 F7
Mount The
Dunton Bassett LE17 219 D2
Scraptoft LE7 156 F8
Mount View LE8 182 B1
Mountain Rd LE4 130 A4
Mountbatten Ave PE9 143 C4
Mountbatten Rd LE15 137 E6
Mountbatten Way LE17 244 B5
Mountcastle Rd LE3 154 C2
Mountfield Rd LE9 198 E8
Mountfields Dr LE11 51 E2
Mountfields Lodge
Cty Prim Sch LE11 51 F2
Mountsorrel Cotts LE9 199 D2
Mountsorrel La
Rothley LE7 101 E7
Sileby LE12 77 A3
Mowbray Ct LE13 59 B3
Mowbray Dr LE7 103 C4
Mowmacre Hill LE4 128 E5
Mowmacre Hill Prim Sch
LE4 128 D5
Mowsley Ct LE17 247 E6
Mowsley End LE18 180 D2
Mowsley La LE17 236 D4
Mowsley Rd
Husbands Bosworth LE17 247 E6
Saddington LE8 223 B2
Theddingworth LE17 238 B2
Muckle Gate La LE12 54 F1
Muirfield Cl LE3 153 C6
Mulberry Ave LE3 153 C6
Mulberry Cl LE17 244 B7
Mull Way LE8 202 F3
Muncaster Cl LE9 219 A4
Mundella Com Coll LE5 155 F8
Mundella St LE2 155 C3
Mundy Cl LE12 53 F7
Munnings Cl LE4 155 B8
Munnings Dr LE10 197 A3
Muntjack Rd LE8 201 F5
Murby Way LE3 153 C1
Murdoch Rise LE11 51 D6
Muriel Rd LE3 154 C5
Murray Cl LE9 218 F4
Murray St LE2 155 B6
Murrayfield Rd LE3 153 C5
Muscovey Rd LE67 97 A8
Museum Sq LE1 259 C2
Musgrove Cl 3 LE3 154 D5
Mushill La LE12 33 D5
Mushroom La DE11 67 D8
Musk Cl LE16 229 D7
Musson Dr LE65 69 A5
Musson Rd LE3 153 E7
Muston La NG13 3 D1
Myrtle Ave Birstall LE4 102 B1
Long Eaton NG10 10 C6
Myrtle Cl LE9 198 A7
Myrtle Rd LE2 155 C4
Mythe La CV9 194 A8
Mythe View CV9 170 E1

N

Nagle Gr LE4 129 D5
Nailstone Rd
Barton in t B CV13 122 E1
Carlton CV13 148 E8
Nairn Rd PE9 143 A3
Namur Rd LE18 179 E3
Nanhill Dr LE12 100 A8
Nanpantan Rd LE11 74 B7
Nansen Rd LE5 155 E4
Narborough Rd
Cosby LE9 201 D4
Huncote LE9 200 D7
Leicester LE3 154 C3
Narborough Rd N LE3 154 D5
Narborough Rd S LE3 178 F6
Narborough Sta LE9 201 C7
Narrow Boat Cl LE18 203 A8
Narrow La
Donisthorpe DE12 92 E8
Hathern LE12 30 A1
Leicester LE2 179 C6
Stathern LE14 13 A3
Wymeswold LE12 34 B2
Narrows The LE10 215 E8
Naseby Cl
Market Harborough LE16 240 E2
Wigston LE18 180 E2
Naseby Dr 2
Ashby-De-La-Z LE65 69 D7
Long Eaton NG10 10 E4
Loughborough LE11 51 A2
Naseby Rd Leicester LE4 129 E2
Sibbertoft LE16 248 F2
Naseby Sq LE16 240 E2
Naseby Way LE8 205 B8
Nathaniel Rd NG10 10 F7
Navigation St
Leicester LE1 154 F7
Measham DE12 93 C5
Navigation Way LE11 52 A5
Navins The LE12 76 E2
Naylor Ave LE11 52 D2
Naylor Rd LE7 103 C5
Neal Ave LE3 153 E2
Neale St NG10 10 E7
Near Mdw NG10 10 E5
Necton St LE7 103 A3
Nedham St LE2 155 B6
Needham Ave LE2 179 A3
Needham Cl Leicester LE2 181 E4
Melton Mowbray LE13 59 C4
Needlegate LE1 259 A5
Needwood Way LE9 177 F2
Nelot Way LE5 156 B5
Nelson Cl LE12 50 D4
Nelson Dr LE10 197 D4
Nelson Fields LE67 72 A2
Nelson St Leicester LE1 259 C2
Long Eaton NG10 10 D6
Market Harborough LE16 240 D3
Swadlincote DE11 44 B5
Syston LE7 103 B3
Nene Cl LE13 59 B1
Nene Cres Corby NN17 230 C1
Oakham LE15 137 F5
Nene Ct Leicester LE2 181 C5
3 Stamford PE9 143 C3
Nene Dr LE2 181 C5
Nene Way LE67 97 A7
Neptune Cl LE2 155 C5
Neston Gdns LE2 179 F6
Neston Rd LE2 179 F6
Nether Cl LE15 112 D8
Nether End LE7 105 B6
Nether Farm Cl LE17 235 C4
Nether Field Way LE3 153 D1
Nether St Belton-in-R LE15 187 D7
Harby LE14 12 A3
Nethercote LE67 121 D7
Nethercroft Dr LE65 69 C2
Netherfield La DE72 17 F8
Netherfield Rd
Anstey LE7 127 E7
Long Eaton NG10 10 C4
Netherhall La LE4 129 B6
Netherhall Rd LE5 130 D1
Netherhall Sch LE5 130 D1
Netherley Rd LE10 197 D3
Netherseal Rd DE12 91 F4
Netton Cl LE18 203 C8
Nevanthon Rd LE3 154 B5
Nevill Holt Prep Sch
LE16 228 D8
Nevill Holt Rd LE16 228 F6
Neville Cl LE12 50 B4
Neville Day Cl PE9 168 F5
Neville Dr Coalville LE67 72 A1
Markfield LE67 125 D8
Neville Rd LE3 154 B5
Neville Smith Cl LE9 217 D7
Nevis Cl NN17 230 C1
New Ashby Ct LE11 51 B2
New Ashby Rd LE11 51 B2
New Ave LE7 79 A1
New Bldgs LE10 197 D1
New Bond St LE1 259 B4
New Brickyard La DE74 18 D1
New Bridge Rd LE2 179 B2
New Bridge St LE2 154 E3
New Causeway NG13 6 C2
New Cl Leicester LE5 155 D4
Swannington LE67 71 A4
New Cross Rd PE9 143 D4
New Field Rd LE15 113 B3
New Fields Ave LE3 154 A2
New Fields Sq LE3 154 B1
New Forest Cl LE18 203 D8
New Henry St LE3 259 A5
New Inn Cl LE9 219 B5
New Inn La LE7 184 B2
New King St LE11 52 C3
New La LE12 54 A4
New Park Rd LE2 179 E8
New Park St LE3 154 D5
New Parks Bvd LE3 153 E7
New Parks Com Coll
LE3 153 F7
New Parks Cres LE3 154 A8
New Parks Way LE3 153 E7
New Pingle St LE3 259 A5
New Rd
Appleby Magna DE12 119 E7
Belton-in-R LE15 187 C6
Burbage LE10 216 A6
Burton Lazars LE14 82 F6
Clipsham LE15 89 D5
Collyweston PE9 168 C2
Easton on t H PE9 169 A5
Illston on t H LE7 183 E4
Kibworth Beauchamp LE8 224 B8
Leicester LE1 259 B4
Peggs Green LE67 71 A8
New Rd *continued*
Ryhall PE9 116 E2
Staunton in t V NG13 1 D3
Stoney Stanton LE9 199 D2
Stretton LE15 88 B7
Woodville DE11 44 E2
New Romney Cl LE5 156 E8
New Romney Cres LE5 156 E8
New Row Ibstock LE67 122 F8
Moira DE12 68 A4
Willoughby-on-t-W LE12 34 E7
Woolsthorpe by B NG32 8 B1
New St Asfordby LE14 57 F3
Barlestone CV13 149 D8
Barrow-u-S LE12 76 D7
Blaby LE8 202 B8
Coalville LE67 96 D8
Coalville, Snibston LE67 96 B7
Countesthorpe LE8 202 F4
Donisthorpe DE12 67 E1
Draycott DE72 9 A7
Earl Shilton LE9 198 E7
Hinckley LE10 197 D1
Kegworth DE74 18 E3
Leicester LE1 259 B3
Leicester, Oadby LE2 181 B6
Long Eaton NG10 10 E8
Loughborough LE11 52 B3
Lutterworth LE17 244 C6
Measham DE12 93 C6
Melton Mowbray LE13 59 C3
Oakham LE15 137 F6
Oakthorpe DE12 93 A7
Queniborough LE7 103 E5
Scalford LE14 38 E5
Stamford PE9 143 E4
Swadlincote DE11 44 B2
New Star Rd LE4 130 A4
New Swannington
Prim Sch LE67 71 C5
New Town PE9 169 A5
New Tythe St NG10 10 F7
New Walk Mus & Art Gall
LE1 259 C2
New Way Rd LE5 155 D2
New Wharf LE2 259 A3
New Wlk Leicester LE1 259 C2
Sapcote LE9 217 D7
Shepshed LE12 50 B4
New Zealand La LE7 103 C6
Newark Cl LE12 49 F3
Newark Rd LE4 129 E7
Newarke Cl LE2 259 A2
Newarke Houses Mus
LE1 259 A3
Newarke St LE1 259 B3
Newarke The LE2 259 A3
Newbery Ave NG10 10 F6
Newbold CE Prim Sch
LE67 47 E2
Newbold Cl LE12 77 D4
Newbold Dr DE74 17 B5
Newbold La LE65 47 E5
Newbold Rd
Barlestone CV13 149 E7
Desford LE9 151 A4
Kirkby Mallory LE9 175 C7
Owston LE14, LE15 134 F7
Newbold Verdon Prim
Sch LE9 150 A4
Newbon Cl LE11 51 E4
Newborough Cl CV9 119 A2
Newboults La PE9 143 C3
Newbridge High Sch
LE67 96 D7
Newbury Ave LE13 59 A5
Newbury Cl LE18 180 C1
Newby Cl LE8 178 F1
Newby Gdns LE2 181 D4
Newcomb Ct 2 PE9 143 D3
Newcombe Rd LE3 154 B2
Newcombe St LE16 240 E2
Newcroft Prim Sch LE12 50 C2
Newgate End LE18 180 C2
Newgates 2 PE9 143 E3
Newhall Rd DE11 44 B5
Newham Cl LE4 130 A5
Newham Rd PE9 143 C5
Newhaven Rd LE5 156 D3
Newington St LE4 129 B2
Newington Wlk LE4 129 B2
Newland St LE16 251 E5
Newlands Ave LE12 50 C2
Newlands Cl DE11 44 A2
Newlands Rd
Barwell LE9 198 B7
Welford NN6 256 E5
Newlyn Par LE5 130 D1
Newmans Cl LE15 166 D3
Newmarket St LE2 180 B8
Newpool Bank LE2 181 E4
Newport Ave LE13 59 C4
Newport Lo LE13 59 C4
Newport Pl LE1 259 C3
Newport St LE3 154 C7
Newquay Cl LE10 197 E4
Newquay Dr LE3 127 C1
Newry Jun Sch The LE2 179 F5
Newry The LE2 179 F5
Newstead Ave
Bushby LE7 157 A4
Hinckley LE10 215 D4
Leicester LE3 128 C1
Wigston LE18 180 C4
Newstead Mill PE9 144 B4

Newstead Rd
Belmesthorpe PE9 . . . . .144 A8
Leicester LE2 . . . . .180 C8
Newton Cl
Barrow-u-S LE12 . . . . .76 E8
Hartshill Green CV10 . . . .194 B2
Loughborough LE11 . . . . . . .51 D6
Newton Dr LE4 . . . . .129 B8
Newton La
Austrey B79, CV9 . . . . .118 F2
Great Glen LE8 . . . . .205 A7
Newton CV23, LE17 . . . . . .253 A3
Newton Regis B79 . . . . . . .118 B3
Odstone CV13 . . . . .122 B5
Wigston LE18 . . . . .180 E1
Newton Park Cl DE11 . . . .44 A7
Newton Rd
Clifton u D CV23 . . . . .257 A7
Heather LE67 . . . . .95 B1
Hinckley LE10 . . . . .214 E2
Odstone CV13 . . . . .122 C4
Swepstone LE67 . . . . .121 D8
Newton Regis
CE Prim Sch B79 . . . . . .118 D3
Newton Way
Braybrooke LE16 . . . . .251 F6
Broughton Astley LE9 . . . .219 A4
Newtown Cres LE15 . . . .189 A3
Newtown Linford La LE6 .126 E5
Newtown Linford
Prim Sch 126 D8
Newtown Rd LE15 . . . . . .188 F3
Newtown St LE1 . . . . . . .259 B2
Nicholas Dr LE6 . . . . . . .152 D8
Nichols St LE1 . . . . .259 C4
Nicklaus Rd LE4 . . . . . . .129 E5
Nicolson Rd LE11 . . . . . . .74 C8
Nidderdale Rd LE18 . . . .180 F2
Nightingale Ave LE12 . . . .30 B1
Nightingale Cl CV9 . . . . .170 E1
Nightingale Dr DE11 . . . . .44 F3
Nightingale Way LE15 . . .138 B7
Nine Acres DE74 . . . . .18 C2
Nithsdale Ave LE16 . . . . .240 F2
Nithsdale Cres LE16 . . . .240 F2
No Man's Heath La CV9 . .119 A3
No Man's Heath Rd DE12 . .91 F3
Nob Hill CV9 . . . . .120 A2
Noble St LE3 . . . . .154 D6
Nock Verges
Earl Shilton LE9 . . . . .176 A1
Stoney Stanton LE9 . . . . . .199 D2
Noel Ave LE15 . . . . .137 E5
Noel St LE3 . . . . .154 D3
Nook Cl Ratby LE6 . . . . . .126 C1
Shepshed LE12 . . . . .50 C2
Nook La LE15 . . . . .140 F5
Nook St LE3 . . . . .154 B7
Nook The Anstey LE7 . . . .127 E6
Bitteswell LE17 . . . . .244 B8
Cosby LE9 . . . . .201 D2
Cottingham LE16 . . . . .229 D1
Croxton Kerrial NG32 . . . . .24 A7
Easton on t H PE9 . . . . . . .169 A5
Enderby LE9 . . . . .178 A3
Great Glen LE8 . . . . .205 A8
Sproxton LE14 . . . . .41 F5
Walcote LE17 . . . . .245 B4
Whetstone LE8 . . . . .201 F7
Whissendine LE15 . . . . .84 F1
Norbury Ave LE4 . . . . . . .129 C1
Norbury Cl LE16 . . . . . . .240 D3
Norfolk Cl LE10 . . . . .215 D4
Norfolk Dr LE13 . . . . .82 D8
Norfolk Rd Desford LE9 . .151 B2
 ■ Long Eaton NG10 . . . . . . .10 F8
Wigston LE18 . . . . .179 F3
Norfolk Sq PE9 . . . . .143 D4
Norfolk St LE3 . . . . .154 D5
Norfolk Wlk LE3 . . . . . . .154 D5
Norman Ct Kegworth DE74 . .18 D1
Leicester LE2 . . . . .181 D4
Norman St LE3 . . . . .154 D4
Norman Way LE13 . . . . . . .59 C3
Normandy Cl LE3 . . . . . . .153 C7
Normandy Way LE10 . . . .197 A3
Normanton Church Mus
LE15 . . . . .140 C1
Normanton Cl LE9 . . . . . .177 A3
Normanton Dr LE15 . . . . .138 B7
Normanton Gdns LE15 . . .140 D2
Normanton La
Bottesford NG13 . . . . .3 B4
Heather LE67 . . . . .95 B3
Normanton Le H LE67 . . . . .94 E6
Stanford on S LE12 . . . . . . .31 B1
Normanton on Soar
Prim Sch 30 D3
Normanton Rd
Edith Weston LE15 . . . . . . .166 B8
Leicester LE5 . . . . .155 D4
Packington LE65 . . . . .69 C1
Norris Cl LE4 . . . . .128 A3
Norris Hill DE12 . . . . .68 B6
North Ave Coalville LE67 . . .96 D1
Leicester LE2 . . . . .155 C2
North Bridge Pl LE3 . . . .154 E7
North Brook LE15 . . . . . . .88 A1
North Cl
Blackfordby DE11 . . . . .68 B8
Hinckley LE10 . . . . .215 E6
North Cres NG13 . . . . .3 A2
North Dr LE5 . . . . .156 A8
North End LE16 . . . . .209 D6

North End Cl LE2 . . . . . .179 F6
North La LE16 . . . . .224 D1
North Lea LE15 . . . . .227 B3
North Luffenham
CE Prim Sch LE15 . . . . .166 C3
North Luffenham Rd
Morcott LE15 . . . . .191 B8
North Luffenham LE15 . . . .166 B2
South Luffenham LE15 . . . .166 D1
North Memorial Homes
LE2 . . . . .181 B6
North Rd Clifton u D CV23 .257 A6
Long Eaton NG10 . . . . .10 C6
Loughborough LE11 . . . . . . .52 B6
South Kilworth LE17 . . . . . .246 A1
North St
Asfordby Valley LE14 . . . . . .58 B3
Ashby-De-La-Z LE65 . . . . . .69 B6
Barrow-u-S LE12 . . . . .76 D8
Leicester LE2 . . . . .181 A6
Melbourne DE73 . . . . .26 A7
Melton Mowbray LE13 . . . . .59 C4
Rothley LE7 . . . . .101 E6
Stamford PE9 . . . . .143 D3
Swadlincote DE11 . . . . .44 B5
Swinford LE17 . . . . .254 B4
Syston LE7 . . . . .103 A4
Whitwick LE67 . . . . .71 E5
Wigston LE18 . . . . .180 D1
North St E LE15 . . . . .189 B4
North St W LE15 . . . . . . .189 A4
North View LE14 . . . . .58 B3
North Warwickshire &
Hinckley Coll LE10 . . . . .215 F8
North Way LE17 . . . . .157 F4
North Witham Rd NG33 . . .65 B4
North Wlk DE12 . . . . .93 D7
Northage Cl LE12 . . . . .76 B4
Northampton Rd
Market Harborough LE16 . .240 F4
Welford NN6 . . . . .256 E4
Northampton Sq LE1 . . . .259 C3
Northampton St LE1 . . . .259 C3
Northbank LE16 . . . . .240 B3
Northcote Rd LE2 . . . . . .180 B8
Northcote St NG10 . . . . . .10 E7
Northcote Wlk CV9 . . . . .170 D2
Northdene Rd LE2 . . . . . .180 B5
Northdown Dr LE4 . . . . . .129 E6
Northern Perimeter Rd W
LE10 . . . . .197 C4
Northern's Cl NG33 . . . . . .65 B8
Northfield Ave
Birstall LE4 . . . . .129 B8
Long Eaton NG10 . . . . .10 B4
Wigston LE18 . . . . .180 B4
Northfield Cl LE13 . . . . . . .59 C4
Northfield Dr LE67 . . . . . .97 B8
Northfield House
Prim Sch LE4 . . . . .129 C1
Northfield Rd Blaby LE8 . .179 B1
Hinckley LE10 . . . . .215 C7
Leicester LE4 . . . . .129 C1
Northfields
Ashby-De-La-Z LE65 . . . . . .69 B8
Long Eaton NG10 . . . . .10 B4
Syston LE7 . . . . .103 B4
Northfold Rd LE2 . . . . . . .180 C6
Northgate St
Leicester LE3 . . . . .259 A5
Oakham LE15 . . . . .137 F6
Northgates LE1 . . . . .259 A4
Northleigh Gr LE16 . . . . .240 D4
Northleigh Way LE9 . . . . .198 F7
Northumberland Ave
Leicester LE4 . . . . .129 C2
Market Bosworth CV13 . . . .148 E2
Stamford PE9 . . . . .143 C4
Northumberland Rd
LE18 . . . . .179 F3
Northumberland St LE1 . .259 A5
Northwick Rd PE9 . . . . . .167 F5
Northwood Dr LE12 . . . . . .50 C6
Norton Hill CV9 . . . . .119 D1
Norton La Gaulby LE7 . . . .183 C4
Orton-on-t-H CV9 . . . . . . .145 D6
Norton Rd LE9 . . . . .198 C8
Norton St Leicester LE1 . .259 B2
Uppingham LE15 . . . . .189 B4
Norwich Cl
Nuneaton CV11 . . . . .214 A8
Shepshed LE12 . . . . .50 A2
Norwich Rd LE4 . . . . .128 E3
Norwood Cl LE10 . . . . . . .197 E3
Norwood Rd LE5 . . . . . . .155 E3
Noseley Rd LE7 . . . . .184 A3
Notley Ct LE9 . . . . .198 C8
Notley Manor Dr LE9 . . . .198 C8
Nottingham La LE14 . . . . .35 C5
Nottingham Rd
Ashby-De-La-Z LE65 . . . . . .69 D7
Barrow-u-S LE12 . . . . .53 E3
Bottesford NG13 . . . . .2 F2
Kegworth DE74 . . . . .18 D2
Leicester LE5 . . . . .155 D6
Long Eaton NG10 . . . . .10 F8
Loughborough LE11, LE12 . . .52 D6
Melton Mowbray LE13 . . . . .59 B5
Nether Broughton LE14 . . . .37 C4
Peggs Green LE67 . . . . .71 A8
Worthington LE65 . . . . .47 C5
Nottingham St LE13 . . . . .59 C3
Nuffield Hospl The LE5 . .156 B8
Nuffield Rd LE10 . . . . . . .214 E7
Nugent St LE3 . . . . .154 D6
Nuneaton La CV13 . . . . . .195 F2

Nuneaton Rd
Atherstone CV9, CV10 . . . .194 B4
Hartshill Green CV10 . . . . .194 B2
Nunneley Way LE16 . . . . .240 F5
Nursery Cl
Empingham LE15 . . . . .141 A6
Queniborough LE7 . . . . . . .103 E5
Shepshed LE12 . . . . .50 C6
Swadlincote DE11 . . . . .44 B6
Thurlaston LE9 . . . . .177 A2
Thurmaston LE4 . . . . .129 D6
Nursery End
Loughborough LE11 . . . . . . .74 D8
Market Harborough LE16 . .240 C2
Nursery Gdns LE9 . . . . . .198 D7
Nursery Gr LE12 . . . . .76 E8
Nursery Hollow LE2 . . . . .179 A3
Nursery La Holwell LE14 . . .37 D4
Knipton NG32 . . . . .14 E3
Quorn LE12 . . . . .76 A6
Nursery Rd LE5 . . . . .156 D7
Nurses La LE14 . . . . .62 E2
Nutfield Rd LE3 . . . . .154 C3
Nuthall Gr LE2 . . . . .179 B4
Nutkin Cl LE11 . . . . .51 F2
Nutt's La LE10 . . . . .215 A7
Nyggeston Cotts NG13 . . . .3 B4

O

Oadby Ct LE2 . . . . .180 F6
Oadby Hill Dr LE2 . . . . . .180 F6
Oadby Ind Est LE2 . . . . . .180 F5
Oadby Rd LE18 . . . . .180 E3
Oak Ave LE18 . . . . .218 E1
Oak Cl Coalville LE67 . . . . .97 A8
Hinckley LE10 . . . . .215 E5
Loughborough LE11 . . . . . . .75 A6
Market Harborough LE16 . .240 F4
Measham DE12 . . . . .93 C5
Uppingham LE15 . . . . .189 A5
Oak Cres Braunstone LE3 . .153 C2
East Leake LE12 . . . . .31 D8
Oak Dr Ibstock LE67 . . . . . .95 E1
Syston LE7 . . . . .103 B2
Oak La LE8 . . . . .221 F5
Oak Rd Desford LE9 . . . . .151 A3
Littlethorpe LE9 . . . . .201 C6
Melton Mowbray LE13 . . . . .59 C3
Stamford PE9 . . . . .142 F4
Oak St Leicester LE5 . . . . .155 C7
Swadlincote DE11 . . . . .44 A2
Oak Way LE14 . . . . .80 D8
Oakberry Rd LE17 . . . . . .244 D6
Oakcroft Ave LE9 . . . . . . .152 E5
Oakdale Cl LE3 . . . . .153 C6
Oakdale Rd LE9 . . . . .198 D7
Oakdene Rd LE2 . . . . .180 A6
Oakenshaw Cl LE4 . . . . . .128 E5
Oakfield LE13 . . . . .138 A8
Oakfield Ave Birstall LE4 . .128 F7
Glenfield LE3 . . . . .127 D2
Leicester LE4 . . . . .129 C1
Markfield LE67 . . . . .125 D8
Oakfield Cl LE8 . . . . .182 B1
Oakfield Cres LE8 . . . . . .202 C6
Oakfield Rd LE2 . . . . .155 C3
Oakfield Way CV9 . . . . . . .171 B8
Oakham Castle Hall
LE15 . . . . .138 A6
Oakham CE Prim Sch
LE15 . . . . .138 A7
Oakham Cl LE11 . . . . .51 E6
Oakham Dr LE67 . . . . .72 C2
Oakham Gr LE65 . . . . .69 A7
Oakham Rd Ashwell LE15 . .111 B3
Braunston-in-R LE15 . . . . .137 B3
Exton LE15 . . . . .113 A2
Greetham LE15 . . . . .88 A1
Halstead LE7, LE15 . . . . . . .161 C8
Knossington LE15 . . . . .136 A6
Langham LE15 . . . . .110 D2
Leesthorpe LE14 . . . . .83 D2
Oakham LE15 . . . . .138 C8
Preston LE15 . . . . .164 C3
Somerby LE14 . . . . .108 D1
Whissendine LE15 . . . . .84 F1
Oakham Sch (Old Sch)
LE15 . . . . .138 A6
Oakham Sta LE15 . . . . . .137 F7
Oakhurst Ct LE11 . . . . .51 C4
Oakland Ave
Leicester LE4 . . . . .129 C4
Long Eaton NG10 . . . . .10 C5
Oakland Rd LE2 . . . . .155 A1
Oakland Terr NG10 . . . . . .10 C5
Oaklands Ave LE11 . . . . . . .51 F2
Oaklands Pk LE16 . . . . . .240 F1
Oaklands (Prim)
Specl Sch LE5 . . . . .156 B4
Oakleigh Ave LE2 . . . . . . .179 E1
Oakley Ave LE5 . . . . .50 B5
Oakley Cl LE12 . . . . .50 B5
Oakley Dr
Long Whatton LE12 . . . . . . .29 D2
Loughborough LE11 . . . . . . .51 F1
Oakley Mews LE16 . . . . . .240 D3
Oakley Rd Cottesmore LE15 . .87 E2
Leicester LE5 . . . . .155 D7
Shepshed LE12 . . . . .50 B5
Oakley's Rd NG10 . . . . . . .10 E7
Oakmeadow LE3 . . . . .153 B7
Oakmeadow Way LE6 . . . .126 E2
Oakpool Gdns LE2 . . . . . .179 D3
Oakridge Cl LE13 . . . . . . .130 C3
Oaks Ct LE9 . . . . .201 A8

Oaks Dr Blaby LE8 . . . . . .202 C7
Newbold Verdon LE9 . . . . .150 C4
Oaks Ind Est
Loughborough LE11 . . . . . . .51 F6
Lutterworth LE17 . . . . .244 D7
Ravensthorpe LE67 . . . . . . .71 A1
Oaks Ind Est The LE9 . . .201 A7
Oaks Rd Great Glen LE8 . . .205 C8
Whitwick LE67 . . . . .72 C5
Oaks Way Earl Shilton LE9 .198 E8
Leicester LE2 . . . . .180 F8
Oakside Cl LE5 . . . . .156 C4
Oakside Cres LE5 . . . . . . .156 C5
Oaks Way Earl Shilton LE4 .154 B4
Oaktree Cl Groby LE6 . . . .126 E3
Hamilton LE5 . . . . .130 C2
Kibworth Beauchamp LE8 . .206 B1
Oaktree Rd LE67 . . . . .96 B7
Oakwood Ave LE18 . . . . . .180 D4
Oakwood Cl
Leicester Forest East LE3 . .152 F2
Thornton LE67 . . . . .124 E3
Oakwood Dr LE11 . . . . . . .51 B1
Oasis The LE3 . . . . .153 B8
Oban Cl PE9 . . . . .143 A4
Oban Rd LE18 . . . . .215 A2
Oban St LE3 . . . . .154 C7
Oberon Cl CV11 . . . . .214 A1
Occupation La
Willoughby-on-t-W LE12 . . . .34 C5
Woodville DE11 . . . . .44 D1
Occupation Rd
Albert Village DE11 . . . . . . .44 C1
Middleton LE16 . . . . .229 B2
Nailstone CV13 . . . . .123 B2
Ocean Cl LE5 . . . . .156 C7
Ocean Rd LE5 . . . . .156 C7
Odam Cl LE3 . . . . .153 F2
Oddfellows Row DE12 . . . .93 C5
Odstone Dr LE10 . . . . . . .214 F8
Odstone La Heather LE67 . .121 F6
Odstone Rd CV13 . . . . . . .122 D3
Offranville Cl LE4 . . . . . . .129 C6
Ogwen Cl LE5 . . . . .156 D6
Okehampton Ave LE5 . . . .155 F3
Old Ashby Rd LE11 . . . . . .51 E3
Old Barn Pas 8 PE9 . . . . .143 D2
Old Bridewell LE13 . . . . . .59 D6
Old Charity Farm LE2 . . . .156 E1
Old Church St LE2 . . . . . .179 C7
Old Dalby CE Sch LE14 . . .35 E4
Old Dalby La LE14 . . . . . . .36 C6
Old End DE12 . . . . .92 F1
Old Engine Yd The LE12 . . .32 E5
Old Field Cl LE8 . . . . .202 C4
Old Forge La NG13 . . . . .5 C5
Old Gn LE16 . . . . .227 D6
Old Grammar Sch The
LE8 . . . . .224 A8
Old Granary The LE7 . . . .160 A7
Old Great North Rd
Great Casterton PE9 . . . . .142 E6
Wothorpe PE9 . . . . .169 F7
Old Hall Cl Groby LE6 . . . .126 F3
Thurmaston LE4 . . . . .129 E8
Old Hall Farm B79 . . . . . .118 D3
Old Hall Gdns DE11 . . . . . .44 A2
Old Hall La LE16 . . . . .239 F3
Old Hill The NG32 . . . . . . .14 F3
Old Holly La CV9 . . . . .170 C3
Old Holt Rd LE16 . . . . . . .228 A4
Old La The NG13 . . . . .6 C2
Old Mill Cl LE9 . . . . .218 F5
Old Mill La LE1 . . . . .259 A5
Old Mill Prim Sch LE9 . . .218 F6
Old Mill Rd LE9 . . . . .218 F5
Old Milton St LE1 . . . . . . .259 C4
Old Nurseries The LE67 . . .95 F8
Old Park Cl NG11 . . . . .18 F6
Old Parsonage La LE12 . . .32 C1
Old Post La NG33 . . . . .65 B8
Old Rectory Cl
Broughton Astley LE9 . . . .218 F4
Churchover CV23 . . . . .252 C6
Old Rectory Mus LE11 . . . .52 B4
Old School Cl
Ellistown LE67 . . . . .96 E2
North Luffenham LE15 . . . .166 D3
Walton LE17 . . . . .236 A2
Old School La LE67 . . . . . .124 B4
Old School Mews DE72 . . . .16 B8
Old Stableyard The LE16 . .225 D6
Old Station Cl
Coalville LE67 . . . . .71 D1
Shepshed LE12 . . . . .50 B2
Old Station Dr LE18 . . . . . .61 C3
Old Station Yd NG13 . . . . . .3 C3
Old Vicarage Gdns LE14 . . .37 D3
Old Way LE12 . . . . .30 A1
Oldbury Rd CV10 . . . . .194 A1
Oldbury View CV10 . . . . . .194 B1
Oldershaw Ave DE74 . . . . .18 C2
Oldershaw Rd LE12 . . . . . .31 D8
Oldfield Dr DE11 . . . . .44 C5
Oldfield La LE7 . . . . .101 F8
Oliver Ct LE2 . . . . .155 D2
Oliver Rd Leicester LE4 . . .129 D2
Loughborough LE11 . . . . . . .52 B2
Oliver St LE2 . . . . .179 E8
Olphin St LE4 . . . . .155 A8
Olympic Cl LE3 . . . . .153 D8

One Barrow La LE12 . . . . . .72 E7
Onslow St 3 LE2 . . . . . . .155 C4
Ontario Cl LE1 . . . . .259 C5
Orange Hill LE17 . . . . . . .244 D5
Orange St
Uppingham LE15 . . . . .189 B4
Wigston LE18 . . . . .202 F8
Orchard Ave
Castle Donington DE74 . . . .17 A3
Glen Parva LE2 . . . . .179 B3
Orchard CE Prim Sch
LE9 . . . . .218 D7
Orchard Cl
Austrey CV9 . . . . .119 A2
Barlestone CV13 . . . . .149 D8
Breaston DE72 . . . . .9 F8
Burbage LE10 . . . . .216 A5
Diseworth DE74 . . . . .28 C5
East Leake LE12 . . . . .31 D8
Egleton LE15 . . . . .138 C3
Gilmorton LE17 . . . . .235 C4
Glaston LE15 . . . . .190 B5
Leicester LE2 . . . . .181 A4
Melbourne DE73 . . . . .26 A7
Osgathorpe LE12 . . . . .48 C4
Ravenstone LE67 . . . . .70 F2
Shepshed LE12 . . . . .50 B3
 ■ Stamford PE9 . . . . .143 D3
Sutton Bonington LE12 . . . .30 C5
Uppingham LE15 . . . . .189 B5
Witherley CV9 . . . . .194 B8
Orchard Com Prim Sch
DE74 . . . . .17 A4
Orchard Est LE67 . . . . . . .75 F6
Orchard Gdns LE4 . . . . . .129 F6
Orchard La
Countesthorpe LE8 . . . . . . .202 F3
Great Glen LE8 . . . . .205 B7
Gretton NN17 . . . . .213 C1
Orchard Rd Birstall LE4 . . .129 B8
Broughton Astley LE9 . . . .218 E7
Langham LE15 . . . . .110 C3
Lutterworth LE17 . . . . .244 B5
Stamford PE9 . . . . .143 D3
Willoughby Waterleys LE8 . .220 C5
Orchard St Fleckney LE8 . .222 F7
Hinckley LE10 . . . . .215 D8
Ibstock LE67 . . . . .95 F1
Leicester LE1 . . . . .259 B5
Long Eaton NG10 . . . . .10 F7
 ■ Loughborough LE11 . . . . .52 A4
Market Harborough LE16 . .240 E4
Orchard Terr NN6 . . . . . . .256 E6
Orchard The Groby LE6 . . .126 E3
Lyndon LE15 . . . . .165 C5
Seagrave LE12 . . . . .77 F8
Stoney Stanton LE9 . . . . . .199 E2
Orchard View LE12 . . . . . .101 E8
Orchard Way
Easton on t H PE9 . . . . . . .168 F6
Measham DE12 . . . . .93 C5
Syston LE7 . . . . .103 C3
Wymeswold LE12 . . . . .33 D4
Orchard Wlk LE17 . . . . . . .233 D4
Orchards Dr LE18 . . . . . . .180 B2
Orchards The
Leicester LE5 . . . . .156 E8
Newton CV23 . . . . .252 F1
Orchardson Ave LE4 . . . . .155 B8
Orchid Cl Hamilton LE5 . . .130 C2
Mountsorrel LE12 . . . . .76 F2
Narborough LE9 . . . . .178 A1
Orchid Pl LE9 . . . . .219 B4
Oriel Dr LE7 . . . . .103 C3
Oriel Ho LE5 . . . . .156 A6
Orkney Cl LE10 . . . . .197 C1
Orkney Way LE8 . . . . .202 F3
Orkney Wlk NN17 . . . . . . .230 C1
Orlando Rd LE2 . . . . .155 B2
Orly Ave DE74 . . . . .17 A2
Orme Cl LE4 . . . . .128 A3
Ormen Gn LE3 . . . . .153 D6
Ormes La CV9 . . . . .171 B4
Ormond Cl LE9 . . . . .198 A2
Ormonay Rd LE4 . . . . .128 B3
Orpine Rd LE5 . . . . .130 B3
Orsett Cl LE5 . . . . .156 A8
Orson Dr LE18 . . . . .180 B3
Orson St LE5 . . . . .155 C5
Orston La NG13 . . . . .2 E4
Orston Prim Sch NG13 . . . .2 A7
Orton Cl LE7 . . . . .78 F1
Orton Hill CV9 . . . . .145 B8
Orton La Austrey CV9 . . . .145 B8
Norton-J-T CV9 . . . . .120 A2
Orton-on-t-H CV9 . . . . . . .145 D5
Sheepy Magna CV9 . . . . . .146 A2
Twycross CV9 . . . . .146 B6
Orton Rd Leicester LE4 . . .128 F3
Warton B79 . . . . .145 A3
Ortons Ind Est LE67 . . . . .71 D1
Orwell Cl Clifton u D CV23 .257 A5
Loughborough LE11 . . . . . . .51 D6
Orwell Dr LE4 . . . . .128 A4
Osbaston Cl LE10 . . . . . . .197 F3
Osbaston La CV13 . . . . . . .149 D5
Osborne Rd Leicester LE5 . .155 D5
Loughborough LE11 . . . . . . .51 C6
Osbourne Ct LE8 . . . . . . .201 F8
Osiers Business Pk The
LE3 . . . . .178 E6
Osiers The
Braunstone LE3 . . . . .178 F7
Kegworth DE74 . . . . .18 E2
Loughborough LE11 . . . . . . .75 A7
Mountsorrel LE12 . . . . .76 C1
Osmaston Cl NG10 . . . . . . .9 F5
Osmaston Rd LE5 . . . . . . .155 D4

Osprey Cl LE9 . . . .218 F7
Osprey Rd LE4 . . . .128 A6
Osterley Cl LE11 . . . .51 C4
Ostler La LE14 . . . .57 D7
Oswin Rd LE3 . . . .153 E5
Ottawa Rd LE1 . . . .259 C4
Otter La LE12 . . . .76 F2
Otter Way LE8 . . . .201 F5
Oundle Cl LE65 . . . .69 A8
Our Lady's Convent Sch
 LE11 . . . .52 B2
Out Woods Nature Reserve
 LE11 . . . .74 C5
Out Woods Nature Trail
 LE11 . . . .74 C5
Outfields Dr LE7 . . . .100 F2
Outlands Dr LE10 . . . .197 A2
Outwood Cl LE3 . . . .153 D5
Outwoods Ave LE11 . . . .51 F1
Outwoods Dr LE11 . . . .51 F1
Outwoods Edge Prim Sch
 LE11 . . . .75 A7
Outwoods La LE67 . . . .70 E8
Outwoods Rd LE11 . . . .74 F8
Oval Cl LE15 . . . .166 D4
Oval The Coalville LE67 . . . .97 A7
 Leicester LE1 . . . .259 C2
 Leicester, Oadby LE2 . . . .180 F4
 Market Harborough LE16 . . . .240 E4
 Nailstone LE9 . . . .123 B3
 Stoney Stanton LE9 . . . .199 E2
Overdale Ave LE2 . . . .127 B3
Overdale Cl Anstey LE7 . . . .127 B2
 Long Eaton NG10 . . . .10 A6
 Market Harborough LE16 . . . .241 A4
Overdale Inf Sch LE2 . . . .180 C6
Overdale Jun Sch LE2 . . . .180 C7
Overdale Rd
 Leicester LE2 . . . .180 C7
 Thurmaston LE4 . . . .129 F6
Overfield Ave LE16 . . . .240 F5
Overfield Cl
 Narborough LE9 . . . .201 A7
 Ratby LE6 . . . .152 D8
Overfield Wlk LE6 . . . .126 D1
Overing Cl LE4 . . . .129 A3
Overpark Ave LE3 . . . .154 A3
Overseal Prim Sch DE12 . . . .67 B4
Overseal Rd LE3 . . . .153 E8
Overton Cl LE67 . . . .70 E7
Overton Rd Ibstock LE67 . . . .122 F7
 Leicester LE5 . . . .155 D7
Owen Ave NG10 . . . .10 F5
Owen Cl Braunstone LE3 . . . .153 D1
 Leicester LE4 . . . .129 C5
Owen Cres LE13 . . . .59 D4
Owen Dr LE13 . . . .59 D4
Owen St LE67 . . . .71 C1
Owston Dr LE18 . . . .180 B3
Owston Rd
 Knossington LE15 . . . .135 F5
 Somerby LE14, LE15 . . . .108 C1
Owston Wood Rd LE15 . . . .135 E3
Oxbow Rd LE3 . . . .59 A2
Oxburgh Cl LE11 . . . .51 C5
Oxendon Hall LE16 . . . .250 E3
Oxendon Rd
 Arthingworth LE16 . . . .251 A1
 Braybrooke LE16 . . . .251 D5
 Clipston LE16 . . . .250 B1
 East Farndon LE16 . . . .250 D5
Oxendon St LE2 . . . .155 B5
Oxendon Wlk [9] LE2 . . . .155 B5
Oxey Cross Rds LE7 . . . .161 B3
Oxford Ave LE2 . . . .155 B3
Oxford Ct Leicester LE1 . . . .259 C4
 Syston LE7 . . . .103 C4
Oxford Dr
 Melton Mowbray LE13 . . . .82 D8
 Wigston LE18 . . . .179 F2
Oxford Rd Desford LE9 . . . .151 A3
 Leicester LE2 . . . .155 B2
 Stamford PE9 . . . .143 C5
Oxford St Barwell LE9 . . . .198 B2
 Coalville LE67 . . . .71 E1
 Earl Shilton LE9 . . . .198 F8
 Leicester LE1 . . . .259 B3
 Long Eaton NG10 . . . .10 E8
 Loughborough LE11 . . . .51 F4
 Shepshed LE12 . . . .50 B2
 Swadlincote DE11 . . . .44 A1
 Syston LE7 . . . .103 C3
Oxley Cl LE12 . . . .50 A3
Oxley Prim Sch LE12 . . . .50 A3
Oxon Way LE5 . . . .156 A6
Oxted Rise LE2 . . . .181 A3
Ozier Holt NG10 . . . .10 C6

P

Pack Horse La LE11 . . . .52 B3
Pack Horse Rd DE73 . . . .26 C3
Packe St LE11 . . . .52 A4
Packe Terr LE8 . . . .205 B8
Packer Ave LE3 . . . .153 B4
Packhorse Gn LE2 . . . .179 D3
Packhorse Rd LE2 . . . .179 D3
Packington CE Sch LE65 . . . .69 B2
Packington Hill DE74 . . . .18 C2
Packington Nook La LE65 . . . .69 A4
Packman Gn LE8 . . . .202 E4
Packwood Rd LE4 . . . .128 E3
Paddock Cl
 Castle Donington DE74 . . . .16 F1
 Countesthorpe LE8 . . . .202 E4
 Leicester LE2 . . . .180 C4
 Melton Mowbray LE13 . . . .59 D1

Paddock Cl continued
 Quorn LE12 . . . .76 B5
 Rothley LE7 . . . .101 E5
 Whissendine LE15 . . . .85 A1
Paddock Ct LE16 . . . .240 E3
Paddock La LE16 . . . .228 D8
Paddock St LE18 . . . .180 D2
Paddock The Allington NG32 . . . .4 F5
 Kibworth Beauchamp LE8 . . . .224 A8
 Markfield LE67 . . . .98 E1
 Newbold Verdon LE9 . . . .150 A4
 Newton CV23 . . . .253 A1
 Shepshed LE12 . . . .50 B4
 Stamford PE9 . . . .143 C3
Paddock View LE2 . . . .102 F3
Paddocks The
 Bottesford NG13 . . . .3 A2
 Littlethorpe LE9 . . . .201 D7
 Sutton Bonington LE12 . . . .30 B6
 Waltham on t W LE14 . . . .40 A7
Paddocks View NG10 . . . .10 B8
Paddy's La LE14 . . . .35 A1
Padgate Cl LE7 . . . .156 F6
Padstow Rd LE4 . . . .129 E3
Padwell La LE7 . . . .157 A4
Page La DE74 . . . .28 C5
Paget Ave LE4 . . . .129 B7
Paget Ct LE8 . . . .224 A8
Paget Rd Leicester LE3 . . . .154 D6
 Lubenham LE16 . . . .239 E3
Paget St
 Kibworth Beauchamp LE8 . . . .224 A8
 Leicester LE1 . . . .179 C6
 Loughborough LE11 . . . .51 F4
Paget's End LE14 . . . .20 D4
Paggett La LE67 . . . .95 F3
Paigle Rd LE2 . . . .179 C6
Painter St LE1 . . . .155 A8
Palace Hill LE7 . . . .158 C4
Palfreyman La LE2 . . . .181 A4
Pall Mall LE13 . . . .59 E5
Pallett Dr CV11 . . . .214 A7
Palmer Ave LE11 . . . .51 F5
Palmer Dr LE7 . . . .244 C5
Palmer Rd LE10 . . . .197 B2
Palmer St LE4 . . . .129 A3
Palmers La LE7 . . . .185 C4
Palmerston Bvd LE2 . . . .180 C6
Palmerston Cl LE8 . . . .223 F8
Palmerston Ct LE73 . . . .26 B7
Palmerston Rd LE59 . . . .59 A6
Palmerston Way LE2 . . . .180 D6
Pamela Pl LE4 . . . .128 E4
Pankhurst Rd LE4 . . . .128 B6
Pantain Rd LE11 . . . .51 F1
Paper Mill Cl LE7 . . . .127 D6
Parade The
 [9] Hinckley LE10 . . . .215 D8
 Leicester LE1 . . . .181 A6
Paradise Cl DE12 . . . .68 A4
Paradise La LE14 . . . .35 F4
Paramore Cl LE8 . . . .202 A5
Paris Cl LE65 . . . .69 A7
Park Ave Allington NG32 . . . .4 F5
 Castle Donington DE74 . . . .16 F3
 Leicester LE2 . . . .179 E8
 Loughborough LE11 . . . .52 B1
 Markfield LE67 . . . .98 E1
 Melton Mowbray LE13 . . . .59 B3
 Shepshed LE12 . . . .50 C2
Park Cl Ashby-De-La-Z LE65 . . . .69 A8
 Cosby LE9 . . . .201 D2
 Earl Shilton LE9 . . . .175 E1
 Foxton LE16 . . . .224 E1
 Shepshed LE12 . . . .50 B4
Park Cres LE2 . . . .181 C4
Park Ct Loughborough LE11 . . . .52 B2
 Swadlincote DE11 . . . .44 C4
Park Dr Braunstone LE3 . . . .153 C3
 Glenfield LE3 . . . .153 C8
 Market Harborough LE16 . . . .240 E4
Park Hill LE7 . . . .105 B7
Park Hill Ave LE2 . . . .179 D7
Park Hill Dr LE2 . . . .179 D8
Park Hill La LE12 . . . .78 B2
Park Ho LE16 . . . .240 E4
Park House Ct Blaby LE8 . . . .202 B8
 Sapcote LE9 . . . .217 D7
Park La Bagworth LE67 . . . .124 A7
 Castle Donington DE74 . . . .16 E3
 Leicester LE2 . . . .155 D2
 Melton Mowbray LE13 . . . .59 C3
 Oakham LE15 . . . .137 F6
 Skillington NG33 . . . .43 B8
 Stamford PE9 . . . .143 E2
 Sutton Bonington LE12 . . . .30 C5
 Walton LE17 . . . .236 B3
Park Mews LE16 . . . .240 E4
Park Rd Allington NG32 . . . .4 F5
 Anstey LE7 . . . .127 D5
 Ashby-De-La-Z LE65 . . . .69 B7
 Birstall LE4 . . . .128 F6
 Blaby LE8 . . . .202 B8
 Coalville LE67 . . . .71 D1
 Cosby LE9 . . . .201 D3
 Earl Shilton LE9 . . . .198 E8
 Hinckley LE10 . . . .215 D8
 Ketton PE9 . . . .167 F5
 Loughborough LE11 . . . .52 B2
 Loughborough LE11 . . . .75 A8
 Melton Mowbray LE13 . . . .59 C3
 Moira DE12 . . . .67 E2
 Narborough LE9 . . . .201 B7
 Overseal DE12 . . . .67 A6
 Ryhall PE9 . . . .116 F1
 Sapcote LE9 . . . .217 D7
 Sileby LE12 . . . .77 C4
 Swadlincote DE11 . . . .44 C2

Park Rd continued
 Tilton on t H LE7 . . . .133 B4
 Wigston LE18 . . . .202 F8
Park Rise Leicester LE3 . . . .153 E5
 Shepshed LE12 . . . .50 B4
Park St Breaston DE72 . . . .9 F8
 Fleckney LE8 . . . .222 F8
 Leicester LE1 . . . .259 B3
 Loughborough LE11 . . . .52 B3
 Market Bosworth CV13 . . . .148 F3
 Swadlincote DE11 . . . .44 A6
Park The CV13 . . . .149 A3
Park Vale Rd LE5 . . . .155 C5
Park View Aston-on-T DE72 . . . .16 B7
 Leicester LE3 . . . .153 E5
 Sharnford LE10 . . . .217 B4
 Sheepy Magna CV9 . . . .171 B7
 Stamford PE9 . . . .143 F2
Park Wlk LE6 . . . .169 A6
Parkdale LE67 . . . .95 F1
Parkdale Rd LE4 . . . .129 E6
Parker Dr LE4 . . . .128 E2
Parkers Cl DE11 . . . .45 B1
Parkers Fields LE12 . . . .76 A7
Parkfield Cl LE6 . . . .152 D8
Parkfield Cres DE12 . . . .92 F1
Parkfield Rd
 Oakham LE15 . . . .137 E7
 Ryhall PE9 . . . .116 F1
Parkhill LE7 . . . .179 D8
Parkhouse Cl LE4 . . . .129 A5
Parkinson Dr CV9 . . . .170 E2
Parkland Cty Prim Sch
 LE18 . . . .179 F1
Parkland Dr LE2 . . . .181 A6
Parklands Ave LE6 . . . .126 D3
Parklands Dr LE11 . . . .75 A8
Parks Cl LE67 . . . .71 E5
Parks Prim Sch LE3 . . . .154 A8
Parks Sch The LE15 . . . .137 F7
Parkside LE6 . . . .126 F4
Parkside Ave NG10 . . . .10 B8
Parkside Cl LE4 . . . .128 A6
Parkside Dr NG10 . . . .10 A6
Parkside The NG33 . . . .43 B8
Parkstone Cl LE18 . . . .203 C8
Parkstone Rd
 Desford LE9 . . . .151 B2
 Leicester LE5 . . . .156 D8
 Syston LE7 . . . .103 B5
Parkway The LE5 . . . .156 B7
Parlour Cl LE8 . . . .180 C2
Parnham's Cl LE14 . . . .36 C8
Parry St LE5 . . . .155 C7
Parson's La LE10 . . . .215 F8
Parsons Dr
 Glen Parva LE2 . . . .179 A3
 Sileby LE7 . . . .77 E4
Parsonwood Hill LE67 . . . .71 E5
Partridge Cl
 Mountsorrel LE12 . . . .76 F2
 Syston LE7 . . . .102 F4
 Upper Bruntingthorpe LE17 . . . .236 D5
Partridge Dr DE11 . . . .44 F3
Partridge Rd LE4 . . . .129 F6
Partridge Way LE15 . . . .138 B8
Parvian Rd LE2 . . . .180 A4
Paske Ave LE7 . . . .105 C7
Pasley Cl LE2 . . . .179 D4
Pasley Rd LE2 . . . .179 D4
Pass Ctyd [5] LE65 . . . .69 B6
Pasture La
 Barleythorpe LE15 . . . .137 D8
 Gaddesby LE7 . . . .105 C8
 Hathern LE12 . . . .30 B2
 Hose LE14 . . . .21 A4
 Knipton NG32 . . . .14 F4
 Leicester LE1 . . . .259 A5
 Newbold Verdon LE9 . . . .150 B4
 Stathern LE14 . . . .12 F1
 Sutton Bonington LE12 . . . .30 A6
Pastures La DE12 . . . .93 C7
Pastures Primary Sch The
 LE9 . . . .177 F2
Pastures The
 Barrow-u-S LE12 . . . .76 E6
 Broughton Astley LE9 . . . .218 F5
 Cottesmore LE15 . . . .112 D8
 Market Harborough LE16 . . . .240 C3
 Narborough LE9 . . . .178 A1
 Syston LE7 . . . .102 E3
Pate Rd LE13 . . . .81 F8
Paterson Cl LE4 . . . .128 B6
Paterson Dr LE12 . . . .74 F1
Paterson Pl LE12 . . . .50 B5
Paton St LE3 . . . .154 D4
Patrick St LE16 . . . .240 F2
Patterdale Dr DE11 . . . .51 C1
Patterdale Rd LE4 . . . .129 E6
Paudy Cross Roads LE12 . . . .54 D2
Paudy La LE7, LE12 . . . .55 C5
Paul Dr LE4 . . . .129 F4
Pauline Ave LE4 . . . .129 A7
Paulyn Way LE65 . . . .68 F5
Pawley Cl LE8 . . . .202 A6
Pawley Gdns LE2 . . . .179 D4
Pawley Gn LE2 . . . .179 D4
Payne St LE4 . . . .129 B3
Payne's La LE16 . . . .227 F7
Peace Hill LE7 . . . .185 C2
Peach La NG32 . . . .4 F4
Peacock Dr LE8 . . . .201 F5
Peacock La LE1 . . . .259 A3
Peakdale Cl LE4 . . . .180 F1
Peake Rd LE4 . . . .129 D1
Pear Tree Ave DE11 . . . .44 A7

Pear Tree Cl Barwell LE9 . . . .198 B8
 Hartshorne DE11 . . . .45 A7
 Lutterworth LE17 . . . .244 C5
Pear Tree Gdns LE16 . . . .240 D2
Pear Tree La LE11 . . . .51 A6
Peartree Ave LE12 . . . .50 D3
Peartree Cl Anstey LE7 . . . .127 D5
 Castle Donington DE74 . . . .17 A3
 Glenfield LE3 . . . .153 B7
Peartree Ct LE65 . . . .47 F5
Peashill Cl LE12 . . . .77 E3
Peatling Rd
 Ashby Magna LE17 . . . .235 E8
 Countesthorpe LE8 . . . .202 F2
Pebble Cott LE17 . . . .248 D8
Peckleton Comm LE9 . . . .176 B7
Peckleton Gn LE9 . . . .198 B8
Peckleton La Desford LE9 . . . .151 B2
 Peckleton LE9 . . . .176 E8
Peckleton Rd LE9 . . . .175 D5
Pedlars Cl LE4 . . . .128 B3
Peebles Way LE4 . . . .129 C3
Peel Cl LE8 . . . .223 F8
Peel La LE11 . . . .52 C4
Peel St NG10 . . . .10 E8
Peewit Cl LE2 . . . .179 A3
Pegasus Cl LE2 . . . .155 B5
Peggs Cl Earl Shilton LE9 . . . .198 F8
 Measham DE12 . . . .93 D5
Peggs Grange LE67 . . . .96 D6
Peggs La LE7 . . . .103 F5
Peldar Pl LE67 . . . .97 B8
Peldon Cl LE4 . . . .128 D2
Pelham St Leicester LE1 . . . .259 C2
 Leicester, Oadby LE2 . . . .181 A6
Pelham Way LE1 . . . .259 C2
Pell Cl LE12 . . . .76 E8
Pells Cl LE8 . . . .222 F8
Pembroke Ave
 Syston LE7 . . . .103 C2
 Wigston LE18 . . . .179 F2
Pembroke Rd PE9 . . . .143 C5
Pembroke St LE5 . . . .155 C7
Pembury Cl LE8 . . . .182 B1
Pen Cl LE2 . . . .179 E4
Penclose Rd LE8 . . . .222 E8
Pendene Rd LE2 . . . .155 C1
Pendlebury Dr LE2 . . . .180 A7
Pendragon Way LE3 . . . .153 D7
Penfold Cl Hathern LE12 . . . .30 A2
 Sapcote LE9 . . . .217 D8
Penfold Dr LE8 . . . .202 D4
Penhale Rd LE3 . . . .178 F8
Peniston Rise DE73 . . . .26 A6
Penistone St LE67 . . . .95 F2
Penkridge Rd DE11 . . . .44 B1
Penkridge Wlk LE4 . . . .128 E4
Penman Way LE9 . . . .178 E5
Penn La Melbourne DE73 . . . .26 B7
 Stathern LE14 . . . .12 F4
 Wibtoft LE17, CV23 . . . .232 B2
Penn St LE15 . . . .138 A6
Pennant Cl LE3 . . . .153 D7
Pennant Rd LE10 . . . .215 D5
Penney Cl LE18 . . . .180 C3
Pennie Cl LE10 . . . .215 D4
Pennine Cl Leicester LE2 . . . .181 D5
 Shepshed LE12 . . . .50 C2
Pennine Dr LE15 . . . .166 C7
Pennine Way
 Ashby-De-La-Z LE65 . . . .69 B5
 Swadlincote DE11 . . . .44 A3
Pennine Way Jun Sch
 DE11 . . . .44 A2
Penny La LE18 . . . .198 A6
Penny Long La LE3 . . . .152 F3
Pennyfields Bvd NG10 . . . .10 B7
Penrith Ave LE12 . . . .49 F2
Penrith Rd LE4 . . . .129 C2
Penryn Cl CV11 . . . .214 A4
Penryn Dr LE18 . . . .180 C1
Pensilva Cl LE12 . . . .180 C1
Pentland Ave LE12 . . . .50 D3
Pentland Cl LE10 . . . .197 B1
Pentland Ct LE15 . . . .137 D6
Pentland Rd LE65 . . . .69 D6
Pentridge Cl LE18 . . . .203 C8
Penzance Ave LE18 . . . .180 D1
Penzance Cl LE10 . . . .197 E4
Penzance Way CV11 . . . .214 A5
Pepper Dr LE12 . . . .75 F7
Pepper's Cl LE12 . . . .76 D4
Pepper's La LE12 . . . .82 F7
Peppercorn Cl LE4 . . . .128 D3
Peppers Dr DE74 . . . .18 B2
Percival St LE5 . . . .155 D7
Percy Rd Cottesmore LE15 . . . .87 E2
 Leicester LE7 . . . .179 E7
Percy St LE3 . . . .179 A8
Peregrine Cl DE12 . . . .93 C4
Peregrine Rd LE9 . . . .218 E7
Peregrine Rise LE4 . . . .128 A6
Perkin's La LE14 . . . .36 A1
Perkins Cl LE16 . . . .240 F4
Perkyn Rd LE5 . . . .156 D6
Perran Ave LE67 . . . .72 A2
Perry Ct LE2 . . . .74 F2
Perry Gr LE11 . . . .52 C1
Perseverance Rd LE4 . . . .129 A5
Perth Ave LE3 . . . .154 A7
Perth Rd PE9 . . . .143 A4
Peter's Dr LE9 . . . .199 C2
Peterborough Ave LE15 . . . .138 B6
Peterborough Rd PE15 . . . .191 D6
Petergate [1] PE9 . . . .143 D2
Peterhouse Cl PE9 . . . .143 D5
Peters Ave LE9 . . . .150 C4
Peters Cl DE73 . . . .27 B3

Peters Dr LE5 . . . .156 F7
Peters Way LE15 . . . .189 F3
Petersfield LE9 . . . .200 D4
Petersfield Rd
 Coalville LE67 . . . .72 A3
 Melton Mowbray LE13 . . . .59 B4
Petersham Rd NG10 . . . .10 B8
Pettiver Cres [2] CV21 . . . .257 A1
Petunia Cl LE3 . . . .152 F2
Petworth Dr Leicester LE3 . . . .154 B6
 Loughborough LE11 . . . .51 C5
 Market Harborough LE16 . . . .241 B2
Pevensey Ave LE5 . . . .156 D3
Pevensey Rd LE11 . . . .51 E5
Peverel Rd LE3 . . . .154 A2
Peveril Cres NG10 . . . .9 F5
Peveril Rd LE17 . . . .220 A2
Phillip Dr LE2 . . . .179 E1
Phillips Cres LE4 . . . .128 B6
Phillips Ct PE9 . . . .143 E2
Phipps Cl LE8 . . . .202 A6
Phoenix Bsns Pk LE10 . . . .214 E8
Phoenix Cl LE3 . . . .154 B7
Phoenix Dr LE12 . . . .77 D2
Phoenix Theatre LE1 . . . .259 B3
Phyllis Gr NG10 . . . .10 F7
Piccaver Rise LE3 . . . .153 D6
Pick St LE12 . . . .50 B4
Pickards La LE14 . . . .39 A6
Pickering Cl LE4 . . . .129 D1
Pickering Dr LE67 . . . .96 C4
Pickering Rd LE9 . . . .218 F4
Pickford Cl CV11 . . . .214 A1
Pickwell Cl LE3 . . . .153 E8
Pickworth Rd PE9 . . . .115 D3
Piers Rd LE3 . . . .127 C1
Pike Cl LE10 . . . .215 D5
Pilgrim Gdns LE5 . . . .156 A3
Pilgrims Gate LE10 . . . .216 A6
Pilgrims La CV23 . . . .252 F1
Pilkington Rd LE3 . . . .153 E3
Pillings Rd LE15 . . . .137 D6
Pilton Rd LE15 . . . .166 B2
Pimpernel Cl LE9 . . . .177 F1
Pincet La
 Husbands Bosworth LE17 . . . .237 B2
 North Kilworth LE17 . . . .247 A6
Pindar Rd LE3 . . . .154 A7
Pine Cl Ashby-De-La-Z LE65 . . . .69 D7
 East Leake LE12 . . . .31 C8
 Loughborough LE11 . . . .75 A7
 Lutterworth LE17 . . . .244 A7
 Stamford PE9 . . . .142 F4
 Stoke Golding CV13 . . . .196 F2
Pine Ct LE2 . . . .68 B6
Pine Dr LE7 . . . .103 B2
Pine Gr CV21 . . . .257 A1
Pine Rd LE3 . . . .153 C8
Pine Tree Ave Groby LE6 . . . .126 F2
 Leicester LE5 . . . .156 A8
Pine Tree Cl
 Leicester LE2 . . . .181 B4
 Newbold Verdon LE9 . . . .150 C4
Pine Tree Gdn LE2 . . . .181 B4
Pine Tree Gr LE2 . . . .152 E2
Pine View LE3 . . . .153 B4
Pine Wlk NN17 . . . .230 E1
Pinehurst Cl LE3 . . . .153 C6
Pinel Cl LE9 . . . .219 A4
Pines The Draycott DE72 . . . .9 B7
 Great Bowden LE16 . . . .241 E6
Pinewood Ave LE4 . . . .129 E6
Pinewood Cl
 Countesthorpe LE8 . . . .202 E4
 Leicester LE4 . . . .128 A5
Pinewood Dr LE67 . . . .125 E6
Pinfold LE3 . . . .178 F7
Pinfold Cl Bottesford NG13 . . . .3 A3
 North Luffenham LE15 . . . .166 C4
 South Luffenham LE15 . . . .191 E8
Pinfold Ct LE14 . . . .106 E4
Pinfold Gate LE11 . . . .52 B4
Pinfold Gdns LE11 . . . .52 B4
Pinfold La Bottesford NG13 . . . .3 A3
 Harby LE14 . . . .12 C3
 Market Overton LE15 . . . .87 A6
 North Luffenham LE15 . . . .166 C4
 South Luffenham LE15 . . . .166 C4
 Stamford PE9 . . . .143 E3
Pinfold Pl LE14 . . . .12 C3
Pinfold Rd LE9 . . . .129 D6
Pinfold The
 Markfield LE67 . . . .125 E8
 Newton Burgoland LE67 . . . .121 D7
Pingle La Morcott LE15 . . . .191 B6
 Potters Marston LE9 . . . .199 E6
Pingle Sch The DE11 . . . .44 A5
Pingle St LE3 . . . .259 A5
Pingle The
 Barlestone CV13 . . . .149 D8
 Long Eaton NG10 . . . .10 D8
 Melbourne DE73 . . . .26 A7
 Quorn LE12 . . . .75 E5
Pintail Cl LE8 . . . .201 F4
Pintail Ct DE12 . . . .93 B4
Pinwall La CV9 . . . .170 E4
Pipe La CV9 . . . .145 C4
Piper Cl Leicester LE3 . . . .154 A7
 Long Whatton LE12 . . . .29 C3
 Loughborough LE11 . . . .51 F1
 Shepshed LE12 . . . .50 C6
Piper Dr LE12 . . . .29 C2
Piper La LE67 . . . .95 F8
Piper Way LE3 . . . .154 A7

Piper Way Sch LE3 .....153 F6
Pipewell Wlk 2 LE4 .....128 E3
Pipit Cl DE12 ....93 C4
Pisca La LE67 ....95 D2
Pit Hill LE8 ....223 F6
Pit La PE9 ....168 A7
Pitchens Cl LE4 ....127 F5
Pitchers La LE16 ....229 D7
Pithiviers Cl LE65 ....69 A5
Pits Ave LE3 ....178 E7
Pitsford Dr LE11 ....51 A2
Pitt La LE67 ....70 E5
Pitton Cl LE18 ....203 C8
Plackett Cl DE72 ....9 D8
Plain Gate LE7 ....101 C8
Plant La NG10 ....10 A4
Plantation Ave LE2 .....179 C6
Plantation The LE8 .....202 E4
Plantations The NG10 ...10 A8
Platts La LE7 ....102 C7
Player Cl LE4 ....129 D5
Pleasant Cl
  Leicester Forest East LE3 .152 F2
  Loughborough LE11 .....52 A4
Pleasant Pl DE74 ....18 D2
Pleasant Terr LE15 .....189 B4
Plough Cl
  Broughton Astley LE9 ...219 A4
  Mountsorrel LE12 ......101 D8
Ploughman's Lea LE7 ...103 D7
Ploughmans Dr LE12 ....50 C5
Plover Ave DE11 ....44 F3
Plover Cl LE15 ....138 B8
Plover Cres LE4 ....128 B6
Plover PE9 ....117 B6
Plowman Cl LE3 ....127 C1
Plummer La DE74 ....18 C2
Plummer Rd DE11 ....44 A5
Plumtree Cl LE11 ....51 F6
Plumtree Way LE7 .....103 B3
Plungar La NG13 ....6 A1
Plungar La NG13 ....5 C4
Pluto Cl LE2 ....155 B5
Plymouth Dr LE5 ....155 F4
Plymstock Cl LE3 ....154 B6
Poachers Cnr LE67 ......72 B8
Poachers Cl LE3 ....153 B8
Poachers Pl LE2 ....181 D4
Pochin Cl LE13 ....59 B2
Pochin Dr LE16 ....240 F5
Pochin St LE9 ....200 C4
Pochin Way LE12 ....77 D4
Pochins Cl LE18 ....180 C1
Pocket End LE11 ....74 E8
Pocklingtons Wlk LE1 ..259 B3
Polaris Cl LE2 ....155 B5
Polden Cl LE12 ....50 C2
Polebrook Mews LE9 ....151 B4
Pollard Cl LE13 ....59 E5
Pollard Ct LE2 ....155 D2
Pollard Rd LE3 ....153 E3
Pollard Way LE67 ....71 A2
Polly Bott's Lane or
  Lea LE67 ....98 F4
Pomeroy Dr LE2 ....180 F5
Pond La LE15 ....88 B1
Pond St LE12 ....77 F7
Pool Rd LE3 ....44 D2
  Melbourne DE73 ....26 D6
Pool St DE11 ....44 D2
Pope Cres LE9 ....178 A3
Pope St LE2 ....180 A8
Poplar Ave Birstall LE4 ..129 A7
  Countesthorpe LE8 .....202 E4
  East Leake LE12 ....31 D8
  Lutterworth LE17 ......244 B6
  Markfield LE67 ....125 D8
  Moira DE12 ....67 E2
  Swadlincote DE11 ....44 B6
Poplar Cl LE15 ....189 B5
Poplar Dr DE12 ....93 C6
Poplar Hill LE2 ....54 A4
Poplar Rd Breaston DE72 ..9 F8
  Corby NN17 ....230 D1
  Littlethorpe LE9 ......201 B6
  Loughborough LE11 .....75 B7
Poplar Terr CV13 ......147 E8
Poplars Cl LE16 ....126 E3
Poplars Ct LE16 ....240 D4
Poplars The Billesdon LE7 .159 C2
  Earl Shilton LE9 ......176 A1
  Leicester LE3 ....179 A7
  Ratby LE6 ....126 B1
Poppins The LE4 ....128 B6
Popple Cl LE3 ....219 A5
Poppy Cl Leicester LE2 ..179 F4
  Loughborough LE11 .....75 A6
Porlock Cl
  Long Eaton NG10 ....10 A8
  Shepshed LE12 ....50 C2
Porlock Dr LE17 ....235 C4
Porlock St LE3 ....154 B5
Portcullis Rd LE5 ......130 E1
Porter's La PE9 ....169 A5
Portgate LE18 ....180 C1
Portia Cl CV11 ....214 A1
Portishead Rd LE5 .....155 E8
Portland Dr LE10 ......197 E4
Portland Rd
  Kirby Fields LE9 ......152 E4
  Leicester LE2 ....155 C1
  Long Eaton NG10 ....10 B4
Portland St LE2 ....201 D4
Portland Wlk LE2 .....181 C3

Portloc Dr LE18 ....203 D8
Portman St LE4 ....129 B2
Portmore Ct LE4 ......128 C2
Portsdown Rd LE2 .....180 D6
Portslade Ho LE3 ......153 C6
Portsmouth Rd LE4 ....129 B1
Portwey The LE5 ......155 F8
Post Office Hill NG33 ...43 D2
Post Office La
  Lyndon LE15 ....165 D5
  Newton Harcourt LE8 ...204 D6
  Plungar NG13 ....5 F1
  Redmile NG13 ....6 F4
Post Rd LE4 ....102 E1
Posy La LE15 ....16 A7
Pott Acre LE12 ....76 F1
Potter St Leicester LE1 ..259 C4
  Melbourne DE73 ....26 B7
Potters La LE12 ....31 F8
Potterton Rd LE4 .....128 D3
Pougher Cl LE9 ....217 E7
Poulteney Dr LE12 ......75 F6
Poultney La LE17 ......235 F1
Powers Rd LE4 ....197 F5
Powys Ave LE2 ....155 E1
Powys Gdns LE2 ......155 E1
Poynings Ave LE3 ....154 A6
Prebend La LE2 ....155 B4
Preceptory The NG33 ...43 D2
Precinct The LE17 ....244 B1
Presents La LE12 ....49 B6
Prestbury Rd LE11 ......51 B4
Preston Cl Sileby LE12 ..77 C2
  Stanton u B LE67 ......97 F1
Preston Dr LE9 ....150 B5
Preston Rd Hinckley LE10 .197 B2
  Wing LE15 ....164 E2
Preston Rise LE5 .....130 C1
Preston's La LE67 ......70 E5
Prestop Dr LE65 ....68 F6
Prestwold La LE12 ......53 D7
Prestwold Rd LE5 .....155 D8
Prestwood Park Dr DE11 ..44 D5
Pretoria Cl LE4 ....128 C7
Pretoria Rd Ibstock LE67 ..96 B3
  Kirby Muxloe LE9 .....152 D5
Prevost Gdns LE12 .....76 A6
Price Way LE4 ....130 A7
Pride Pl LE16 ....240 D2
Priest Mdw LE8 ....222 F7
Priesthills Rd LE10 ....215 D8
Priestley Rd LE3 ......154 A4
Priestman Rd LE3 .....153 C1
Primethorpe Wlk LE9 ..218 E7
Primrose Cl LE9 ......201 A8
Primrose Dr LE10 .....215 E5
Primrose Hill LE2 .....180 F6
Primrose Mdw DE11 ....44 B7
Primrose Way
  Kirby Muxloe LE9 .....152 F6
  Queniborough LE7 .....103 B4
  Stamford PE9 ....142 E5
Prince Albert Dr LE3 ..153 C7
Prince Charles St LE14 ..57 F3
Prince Dr LE2 ....181 C5
Prince St Coalville LE67 ..96 D8
  Long Eaton NG10 ....10 D8
Prince William Rd LE11 ..52 A4
Prince William Way LE11 ..52 A6
Princes Cl LE2 ....127 E6
Princes Rd Old Dalby LE14 .36 C6
  Stamford PE9 ....143 E4
Princess Anne Sq LE14 ..57 F3
Princess Ave
  Leicester LE2 ....181 C4
  Oakham LE15 ....137 E6
Princess Cl DE11 ....44 F2
Princess Dr
  Kirby Muxloe LE9 .....152 D4
  Melton Mowbray LE13 ..82 C7
Princess Rd
  Atherstone CV9 ....170 E1
  Hinckley LE10 ....215 E8
Princess Rd E LE1 .....259 C2
Princess Rd W LE1 ....259 C2
Princess Road Backways
  LE1 ....259 B2
Princess St
  Castle Gresley DE11 ...67 A8
  Long Eaton NG10 ....10 D8
  Loughborough LE11 .....52 B3
  Narborough LE9 ....201 C8
Princewood Rd NN17 ..230 E3
Prior Park Flats 6 LE65 ..69 C5
Prior Park Rd LE65 .....69 B5
Priorfields LE65 ....69 C5
Priory Cl Swadlincote DE11 .44 A6
  Syston LE7 ....102 F3
  Thringstone LE67 ......71 C8
Priory Cres LE3 ......153 E5
Priory Ct Hinckley LE10 ..197 E2
  South Witham NG33 ....65 B3
Priory La LE67 ....98 E4
Priory Rd
  Loughborough LE11 ....74 E8
  Manton LE15 ....164 E6
  Market Bosworth CV13 ..148 D2
  Stamford PE9 ....143 F3
Priory View LE14 ....81 B8
Priory Wlk Hinckley LE10 .197 E1
  Leicester Forest East LE3 .153 A3
Proctor's Park Rd LE12 ..76 C7
Progress Way LE4 .....130 A3
Prospect Hill LE5 .....155 C6
Prospect Rd
  Kibworth Beauchamp LE8 .223 F8
  Leicester LE5 ....155 D6

Prospect Way LE9 .....198 E8
Pryor Rd LE12 ....77 D4
Pudding Bag La
  Exton LE15 ....113 A3
  Shepshed LE12 ....72 F8
Pudding La LE14 ....19 C5
Pughe's Cl LE10 ......216 A6
Pulford Dr LE7 ....157 A6
Pullman Rd LE18 ......180 B2
Pullman Trad Est LE15 ..189 C3
Pulteney Ave LE11 ......75 B8
Pulteney Rd LE11 ......75 B8
Pump La Asfordby LE14 ..57 F2
  Shenton CV13 ....173 B5
Purbeck Ave LE12 ....50 D3
Purbeck Cl
  Long Eaton NG10 ....10 A8
  Wigston LE18 ....203 D8
Purcell Rd LE4 ....155 A8
Purdy Ct LE15 ....137 F6
Purdy Mdw NG10 ....9 F5
Purley Rd LE4 ....129 C1
Purley Rise LE12 ....50 C2
Putney Rd W LE2 ......154 F2
Pyeharps Rd LE10 ....215 E5
Pym Leys NG10 ....9 F5
Pymm Ley Cl LE6 .....126 F3
Pymm Ley Gdns LE6 ..126 F3
Pymm Ley La LE6 .....126 F3
Pytchley Cl
  Cottesmore LE15 ....87 F4
  Leicester LE4 ....128 E5
Pytchley Dr LE11 ....74 F8

Q

Quadrant The
  Leicester LE4 ....128 F2
  Uppingham LE15 ......189 B4
Quaker Cl CV13 ....195 A6
Quaker Rd LE12 ....77 C1
Quantock Rise LE12 ....50 C2
Quarry Berry La DE12 ..91 E1
Quarry La
  Atherstone CV9 ......194 A6
  Enderby LE9 ....178 A4
  Snarestone DE12 ......93 F1
Quebec Rd LE1 ....259 C4
Queen Eleanor Comp Sch
  PE9 ....143 D5
Queen Eleanor Comp Sch
  South Site PE9 ......143 D4
Queen Mary St LE1 ...155 A7
Queen St Barkby LE7 ..130 C7
  Barwell LE9 ....198 B6
  Bottesford NG13 ....3 B2
  Coalville LE67 ....96 D8
  Leicester LE1 ....259 C3
  Leicester, Oadby LE2 ..181 B5
  Long Eaton NG10 ....10 E7
  Loughborough LE11 ....52 C3
  Market Harborough LE16 .241 A2
  Markfield LE67 ....125 D8
  Shepshed LE12 ....50 B4
  Swadlincote DE11 ......44 A1
  Uppingham LE15 ......189 B4
Queen's Cl LE14 ....38 E5
Queen's Dr DE11 ....44 B6
Queen's Park Flats LE10 .215 E8
Queen's Park Terr LE10 .215 E8
Queen's Rd Blaby LE8 ..202 B7
  Hinckley LE10 ....215 E8
  Loughborough LE11 ....52 C4
  Oakham LE15 ....138 A7
  Uppingham LE15 ......189 A4
Queen's St DE12 ....93 C5
Queen's Wlk PE9 .....143 C3
Queens Ct DE72 ....9 A7
Queens Dr
  Leicester Forest East LE3 .153 A3
  Narborough LE9 ......178 A4
  Wigston LE18 ....180 B2
Queens Park Way LE2 .179 D2
Queens Rd
  Kegworth DE74 ....18 D2
  Leicester LE2 ....155 B1
Queens St PE9 ....143 D4
Queensgate Dr LE4 ...128 E8
Queensmead Cl LE6 ..126 E2
Queensmead Inf Sch
  LE3 ....153 F4
Queensmead Jun Sch
  LE3 ....154 A4
Queensway Barwell LE9 .198 C7
  Castle Donington DE74 ..16 F4
  Melbourne DE73 ....26 B6
  Melton Mowbray LE13 ..82 C8
  Old Dalby LE14 ....36 C6
Queensway Ho DE12 ...93 C5
Quelch Cl LE67 ....96 D6
Quemby Cl LE4 ....129 A2
Quenby Cres LE7 .....103 C3
Quenby Hall LE7 .....132 E2
Quenby St LE5 ....155 D7
Queniborough CE
  Prim Sch LE7 ....103 F5
Queniborough Ind Est
  LE7 ....103 D5
Queniborough Rd
  Leicester LE4 ....129 D1
  Queniborough LE7 ....103 E5
  Syston LE7 ....103 D2
Quick Cl DE73 ....26 A7
Quickthorns LE2 ......181 B7
Quiney Way LE2 ......181 D6
Quinton Rise LE2 .....181 A4

Quorn Ave Ab Kettleby LE14 .37 C2
  Leicester LE2 ....181 D4
  Melton Mowbray LE13 ..59 B3
Quorn Cl LE11 ....52 C2
Quorn Cres Coalville LE67 .97 B8
  Cottesmore LE15 ....87 F3
Quorn Flats LE12 ....76 A5
Quorn Pk LE12 ....54 B1
Quorn Rd LE5 ....155 D7
Quorn & Woodhouse Sta
  LE12 ....75 D5
Quorndon Cres NG10 ..10 D5
Quorndon Rise LE6 ...126 F2

R

Racecourse Rd PE9 ...169 D5
Racemeadow Prim Sch
  CV9 ....170 E1
Racemeadow Rd CV9 .170 E1
Rad Mdws NG10 ....10 C6
Radcliffe Cl PE9 ......143 D3
Radcliffe Rd PE9 .....143 D3
Radcot Lawns LE2 ....179 D3
Radford Cl CV9 ......170 E2
Radford Dr LE3 ......153 C3
Radford Ho LE3 ......153 C3
Radiant Rd LE5 ......156 C7
Radmoor Rd LE11 ......51 F3
Radmore Rd LE10 ....197 D3
Radnor Cl LE9 ....177 F2
Radnor Dr LE12 ....50 B5
Radnor Rd LE18 ......180 A3
Radstone Wlk LE5 ...156 A6
Raeburn Rd LE2 .....155 B1
Ragdale Rd Leicester LE4 .129 D1
  Ragdale LE14 ....56 D1
Railway Cl NG33 ....65 B3
Railway Side DE11 ....44 B1
Railway St LE18 ......202 F8
Railway Terr LE11 .....52 C5
Raine Way LE2 ....181 D3
Rainsborough Gdns
  LE16 ....250 D8
Rainsbrook Dr CV11 ..214 A1
Rainsford Cres LE4 ..128 E3
Raleigh Cl LE10 ......197 D4
Ralph Cl LE11 ....74 D8
Ralph Toon Ct LE14 ...57 F3
Ralph's Cl LE17 ......219 D2
Rambler Cl DE11 ......44 A5
Ramsbury Rd LE2 ....180 B5
Ramscliff Ave DE12 ...92 F8
Ramsdean Ave LE18 ..180 C3
Ramsden Rd CV9 .....194 A7
Ramsey Cl Hinckley LE10 .197 B1
  Lutterworth LE17 ....244 D6
Ramsey Gdns LE5 ....130 E1
Ramsey Way LE5 .....130 E1
Ramson Cl LE2 ....155 C2
Rancliffe Cres LE3 ...154 A4
Randall Cl LE7 ....105 D3
Randall Dr DE11 ....44 B4
Randles Cl LE7 ......157 A4
Range Rd LE65 ....69 C6
Range The LE15 ......110 B3
Ranksborough Dr LE15 .110 B3
Rannoch Cl Hinckley LE10 .215 B8
  Leicester LE4 ....128 C2
Rannoch Way NN17 ..230 C1
Ranton Way LE3 .....154 C8
Ranworth Wlk LE4 ...128 E4
Ratby La Braunstone LE3 .153 A5
  Kirby Muxloe LE9 ....152 E2
Ratby Meadow La LE9 .178 B3
Ratby Prim Sch LE6 ..152 C8
Ratby Rd LE6 ....126 B3
Ratcliff Cl LE65 ....69 A6
Ratcliffe Coll LE7 .....78 A3
Ratcliffe Ct LE2 ......180 D8
Ratcliffe Dr LE9 .....200 D7
Ratcliffe House La CV9 .171 C4
Ratcliffe La
  Lockington DE74 ......18 C7
  Sheepy Magna CV9 ...171 A5
Ratcliffe Rd Hinckley LE10 .215 F6
  Leicester LE2 ....180 D8
  Loughborough LE11 ....52 C5
  Sileby LE12 ....77 E3
  Thrussington LE7 ......78 E3
  Witherley CV9 ....170 F1
Ratcliffe St LE4 ......129 B2
Ratts La LE15 ....137 A2
Raven Cl DE12 ....93 B4
Raven Rd LE3 ....153 E3
Ravenhurst Prim Sch
  LE3 ....178 F8
Ravenhurst Rd LE3 ..178 F8
Ravensbridge Dr LE4 ..154 E8
Ravenslea LE67 ....95 E8
Ravensthorpe Dr LE11 .51 B3
Ravensthorpe Rd LE18 .180 E2
Ravenstone Cty Prim Sch
  LE67 ....95 E8
Ravenstone Rd
  Heather LE67 ....95 C4
  Ibstock LE67 ....95 C4
  Ravenstone LE67 ......71 A2
Raw Dykes Rd LE2 ...154 E2
Rawdon Cl DE74 ....17 A4
Rawdon Rd DE12 ....67 E5
Rawdon Terr 11 LE65 ..69 B6
Rawlings Ct LE2 .....181 E4
Rawlins Cl LE12 ....75 A1
Rawlins Com Coll Quorn
  LE12 ....76 A6

Rawson St Enderby LE9 ..178 B3
  Leicester LE1 ....259 C2
Rayleigh Gn LE5 .....130 E1
Rayleigh Way LE5 ...130 E1
Raymond Ave LE11 ...51 D6
Raymond Rd LE3 ....154 C3
Rayner Rd LE4 ......129 F3
Raynes Wlk LE3 ......59 D4
Raynham Dr LE11 .....51 C5
Rearsby La LE7 ......129 C1
Rearsby Rd Leicester LE4 .129 C1
  Queniborough LE7 ....103 C6
  Thrussington LE7 ......79 A3
Recreation Ground Rd
  PE9 ....143 E3
Recreation St NG10 ...10 E7
Rectory Cl DE73 ....26 E2
Rectory Gdns
  Aston-on-T DE72 ......16 A7
  Leicester LE2 ....156 B2
  Wigston LE18 ....180 D1
Rectory La
  Appleby Magna DE12 ..92 E1
  Bottesford NG13 ....3 B3
  Burrough on t H LE14 .107 D2
  Cadeby CV13 ....149 D1
  Edith Weston LE15 ....166 B7
  Kibworth Beauchamp LE8 .206 A1
  Market Bosworth CV13 .148 C5
  Market Harborough LE16 .228 A7
  Medbourne LE16 ......228 A7
  Nailstone CV13 ....123 B3
  North Witham NG33 ....65 B8
  Stretton en le F DE12 ..92 C4
  Thurcaston LE7 ......101 B2
  Woolsthorpe by B NG32 ..15 B8
Rectory Mews DE72 ....16 A7
Rectory Pl
  Loughborough LE11 ....52 B8
  Wymeswold LE12 ......33 C3
Rectory Rd Breaston DE72 ..9 E8
  Loughborough LE11 ....52 B5
  Markfield LE67 ....98 E1
  Wanlip LE7 ....102 B2
Red Burrow La LE65 ..94 C7
Red Causeway The LE14 ..12 B2
Red Hall Dr LE9 .....198 B7
Red Hall Rd LE9 .....198 C7
Red Hill Leicester LE4 ..128 F5
  Uppingham LE15 .....189 B3
Red Hill Ave LE9 ....201 A8
Red Hill Cl LE4 ......129 E8
Red Hill Field Prim Sch
  LE9 ....201 A8
Red Hill La LE4 .....129 F8
Red Hill Way LE4 ...128 D4
Red House Cl LE2 ...179 C4
Red House Gdns LE2 .179 C4
Red House Rd LE2 ...179 C4
Red House Rise LE2 .179 C4
Red Lion La LE9 .....150 C4
Red Lion Sq 12 PE9 ..143 D3
Red Lion St
  8 Stamford PE9 ......143 D3
  Stathern LE14 ....12 E3
Red Lodge Rd LE7, LE15 .134 B2
Redbrook Cres LE13 ..59 A1
Redcar Rd LE4 ....129 C1
Redcot Gdns PE9 ....143 D4
Redcot Mews PE9 ...143 D3
Redens The NG10 .....10 B4
Redhill Circ LE4 .....128 F4
Redhill La LE67 ....71 C6
Redhill Lodge Rd DE11 ..44 A7
Redland Cl LE15 .....191 F5
Redland Rd LE15 ....137 C2
Redlands Com Prim Sch
  LE12 ....77 C3
Redlands Est LE67 ....96 A3
Redliech Cl LE16 ....241 B3
Redmarle Rd LE3 ....154 A3
Redmile CE Prim Sch
  NG13 ....6 D3
Redmile La NG13 ....6 D3
Redmile's La PE9 ....168 A5
Redmires Cl LE11 .....51 B3
Redmoor High Sch LE10 .197 E3
Redpath Cl LE4 ......155 B7
Redruth Ave LE18 ...180 C1
Redruth Cl CV11 ....214 A4
Redway Croft 2 DE73 ..26 B8
Redwing Cl LE15 ....138 B7
Redwing Wlk LE5 ....155 C7
Redwood Ave LE13 ...59 D5
Redwood Rd LE11 .....75 A7
Redwood Wlk LE5 ...155 C7
Reedman Rd NG10 ....10 B4
Reedpool Cl LE8 ....202 F4
Rees Cl LE15 ....189 A5
Rees Gr LE4 ....129 D5
Reeth Cl LE4 ....128 C3
Reeve's Yd LE15 ....189 B4
Reeves Cl LE8 ......201 F5
Reeves La LE15 .....165 A3
Reeves Rd LE10 .....215 F6
Reform St PE9 ......143 B3
Regal Gdns NG33 .....90 C8
Regan Rd DE12 ....68 A4
Regency Cl LE2 .....179 D1
Regency Ct LE3 ....154 C5
Regency Rd LE14 .....57 F3
Regent Cl LE18 .....180 B2
Regent Ct
  8 Hinckley LE10 .....215 D8
  Lutterworth LE17 ....244 C5
  Swadlincote DE11 .....44 B2
Regent Pl LE13 ....59 D2

Regent Rd
Countesthorpe LE8 ......**202** F4
Hoby LE14 ....**79** D7
Leicester LE1 ....**259** C2
Regent St Barwell LE9 ..**198** B7
Hinckley LE10 ....**215** D8
Leicester LE1 ....**259** C2
Leicester, Oadby LE2 ...**181** A6
Long Eaton NG10 ......**10** D8
Loughborough LE11 ....**52** A4
Lutterworth LE17 .....**244** C5
Melton Mowbray LE13 ..**59** D2
Narborough LE9 ......**201** C8
Swadlincote DE11 ......**44** B2
Thrussington LE7 ......**78** F4
Regent Street Ind Est
LE9 ....**201** C7
Regents Wlk LE3 .....**153** A3
Rempstone Rd
East Leake LE12 ....**31** E7
Gryffydam LE67 ....**47** F2
Hoton LE12 ....**32** C2
Wymeswold LE12 ......**33** B4
Zouch LE12 ....**31** B6
Rendell Prim Sch LE11 ..**52** B1
Rendell Rd LE3 ......**129** B1
Rendell St LE11 ......**52** B5
Renfrew Rd LE5 ......**156** E8
Renishaw Dr LE5 .....**155** E2
Rennes Cl LE65 ......**69** A6
Renning End LE12 ...**101** E8
Repington Ave CV9 ..**170** D2
Repington Row LE2 ..**179** F5
Repton Cl LE65 ......**69** A8
Repton Rd Hartshorne DE11 **44** F7
Long Eaton NG10 ......**9** F4
Oakthorpe DE12 ....**93** A6
Wigston LE18 ....**180** B4
Repton St LE3 ....**154** D7
Reservoir Hill DE12 ...**67** D6
Reservoir Rd
Cropston LE7 ....**100** E3
Thornton LE67 ....**125** A3
Resolution Rd LE65 ..**69** D7
Rest Haven DE11 ......**44** B5
Retreat The
Barrow-u-S LE12 ......**76** D8
Easton on t H PE9 .....**168** F1
Leicester LE5 ....**155** F5
Revell Cl Hinckley LE10 **197** A3
Rugby CV21 ....**257** B1
Reynolds Pl LE3 .....**154** A2
Rhodes Cl LE16 ......**240** C2
Ribble Ave LE2 ......**181** D6
Ribble Dr LE12 ......**76** D6
Ribble Way LE13 .....**59** B1
Ribble Wlk LE15 .....**137** C5
Ribblesdale Ave LE10 .**197** E3
Ribblesdale Rd NG10 ..**10** A5
Riber Cl NG10 ....**10** D5
Richard Cl LE3 ......**153** C6
Richard Hill CE Prim Sch
LE7 ....**101** B2
Richard III Rd LE3 ...**259** A3
Richardson Cl LE9 ..**199** D1
Richardsons Cl LE3 ..**219** A5
Richil Cl LE15 ....**189** B4
Richil Ho LE15 ......**189** B4
Richmond Ave
Breaston DE72 ....**10** A8
Leicester LE2 ....**179** E8
Richmond Cl Cosby LE9 **201** C2
Desford LE9 ....**151** B2
Fleckney LE8 ....**222** F7
Leicester LE2 ....**179** E8
Richmond Dr
Glen Parva LE2 ....**179** E1
Melton Mowbray LE13 ..**82** D8
Richmond Flats LE2 ..**179** E8
Richmond Prim Sch
LE10 ....**197** C3
Richmond Rd
Coalville LE67 ....**96** B4
Hinckley LE10 ....**197** C3
Leicester LE2 ....**179** E8
Richmond St LE2 ....**259** A2
Richmond Way LE2 ..**181** C3
Riddington Rd
Braunstone LE3 ....**178** F7
Littlethorpe LE9 ......**201** C6
Riddon Dr LE10 .....**215** B8
Ridge Way LE2 ......**181** B3
Ridgemere Cl LE7 ...**103** D4
Ridgemere La LE7 ...**104** B2
Ridgeway LE5 ....**201** C6
Ridgeway Dr LE4 ....**129** F6
Ridgeway The
Hinckley LE10 ....**215** D6
Leicester LE3 ....**154** A4
Market Harborough LE16 **240** F5
Rothley LE7 ....**101** C6
Ridgeway W LE16 ...**240** E5
Ridgway Rd
Ashby-De-La-Z LE65 ....**68** F5
Leicester LE2 ....**180** D8
Riding The LE4 .....**128** B6
Ridings The
Mountsorrel LE7 ......**101** C7
Queniborough LE7 ....**103** E5
Ridley Cl Blaby LE8 ..**202** A6
Cropston LE7 ....**100** E2
Ridley St LE3 ....**154** D4
Ridlington Rd LE15 ..**164** B1
Riley Cl LE9 ....**199** D1
Rills The LE10 ......**197** C6
Ring Fence LE12 .....**50** B2
Ring Rd LE2 ....**180** E7

Ringer's Spinney LE2 ..**181** A8
Ringers Cl LE2 ......**181** A8
Ringway The LE7 ....**103** F6
Ringwood Cl Desford LE9 **151** B3
Wigston LE18 ....**180** C1
Ringwood Rd
Leicester LE5 ....**130** C1
Shepshed LE12 ....**50** C5
Rink Dr DE11 ....**44** B3
Ripley Cl LE16 ......**241** B3
Ripley Rd LE16 .....**229** D1
Ripon Dr LE8 ....**202** B6
Ripon St LE2 ....**155** C3
Rise The
Houghton on t H LE7 ...**157** F4
Narborough LE9 ......**178** A2
Rothley LE7 ....**102** A6
Risley La DE72 ......**9** E8
Riston Cl LE2 ....**181** B3
Ritchie Pk LE16 .....**250** E8
River Dr CV9 ....**170** D3
River Sence Way LE67 .**96** D6
River View LE7 .....**76** F5
Rivers St LE3 ....**154** D6
Riversdale Cl LE4 ...**129** B6
Riversdale Rd CV9 ..**194** A8
Riverside
Market Harborough LE16 **241** A4
Witherley CV9 ....**194** F7
Riverside Cl Bottesford NG13 **3** A3
Great Glen LE8 ....**182** B1
Sheepy Magna CV9 ....**171** B8
Riverside Com Coll LE3 **179** B8
Riverside Com Coll
(Annexe) LE2 ....**179** E4
Riverside Com Prim Sch
LE4 ....**129** B7
Riverside Ct
Littlethorpe LE9 ......**201** C7
Measham DE12 ....**93** A4
Riverside Dr LE2 ....**179** C7
Riverside Ind Est LE16 .**241** A4
Riverside Rd
Lutterworth LE17 .....**244** D5
Melton Mowbray LE13 ..**59** A3
Riverside Way LE9 ..**201** C7
Riverside Wlk
Asfordby LE14 ....**57** F2
Bottesford NG13 ......**3** A3
Riverview Ct LE4 ...**154** E1
Rivets Meadow Cl LE3 .**153** D1
Rivington Dr LE11 ..**51** B2
RNIB Vocational Coll
LE11 ....**51** F3
Robert Bakewell
Cty Prim Sch LE11 ....**51** D6
Robert Hall Rd LE8 ..**221** F5
Robert Hall St LE4 ..**128** F3
Robert Hardy Wharf LE1 **52** D4
Robert Hill Cl CV21 ..**257** A1
Robert Smyth Sch The
LE16 ....**240** E5
Roberts Cl DE74 ....**18** D1
Roberts Rd LE4 .....**129** A1
Robertsbridge Ave LE4 **128** E3
Robertsbridge Wlk LE4 .**128** E3
Robertson Cl
Clifton u D CV23 ......**257** A5
Stoney Stanton LE9 ...**199** D2
Robian Way DE11 ...**44** A4
Robin Cl Leicester LE2 **179** E7
Oakham LE15 ....**138** B8
Robin Cres LE13 ....**82** B8
Robin Hood Pl DE11 ..**44** C2
Robin Rd LE67 ......**96** F8
Robinia Cl LE17 ....**244** A5
Robins Field LE6 ...**152** D8
Robinson Rd
Leicester LE5 ....**155** C7
Swadlincote DE11 ......**44** A4
Whitwick LE67 ....**71** D5
Robinson Way
Hinckley LE10 ....**215** F4
Markfield LE67 ....**125** F8
Robinson's Hill DE73 ..**26** A6
Roborough Gn LE5 ..**156** E6
Robotham Cl
Huncote LE9 ....**200** D7
Narborough LE9 ......**201** B7
Roby Lea DE74 .....**16** F4
Rochdale Cres LE67 ..**72** D1
Roche Cl LE2 ....**179** C4
Rochester Cl
Kibworth Beauchamp LE8 **205** F2
Long Eaton NG10 ......**10** A7
Mountsorrel LE12 .....**101** C8
Rochester Gdns LE16 .**240** D1
Rock Rd PE9 ....**143** D3
Rock Terr PE9 ......**143** D3
Rock The NG32 .....**23** C7
Rockbridge Rd LE2 ..**181** D4
Rockcliffe Cl DE11 ..**44** B1
Rockhill Dr LE2 .....**76** E1
Rockingham Castle &
Gdns LE16 ....**230** B3
Rockingham Cl
3 Ashby-De-La-Z LE65 ..**69** C5
Blaby LE8 ....**202** B6
Leicester LE5 ....**156** B6
Shepshed LE12 ....**50** A2
Rockingham Dr LE13 ..**59** A4
Rockingham Ind Est
LE16 ....**241** B3
Rockingham Rd
Caldecott LE16 ....**230** B6
Corby NN17 ....**230** E2
Cottingham LE16 .....**229** C2

Rockingham Rd *continued*
Gretton LE16, NN17 ....**230** E7
Loughborough LE11 ....**51** E6
Market Harborough LE16 **241** B4
Mountsorrel LE12 .....**101** C8
Stamford PE9 ....**143** A4
Rockland Rise LE67 ..**71** F6
Rockley Rd LE4 .....**128** C1
Rodney Cl LE10 .....**197** D4
Roe House La CV9, DE12 **119** D3
Roebuck Cl LE8 .....**201** F5
Roecliff Cl LE67 .....**98** E1
Roecliffe Rd LE7 ....**100** B4
Roedean LE65 ....**69** A7
Roehampton Dr LE18 .**180** B5
Roesta Cl LE12 ......**49** B6
Rogerstone Rd LE5 ..**156** D4
Rogue's La
Cottesmore LE15 ......**87** D1
Hinckley LE10 ....**197** C6
Rolleston Cl LE16 ...**241** A3
Rolleston Inf Sch LE2 ..**179** D2
Rolleston Jun Sch LE2 ..**179** D2
Rolleston Rd
Billesdon LE7 ....**184** C8
Wigston LE18 ....**180** B3
Rollright Cl LE5 .....**155** D6
Roman Bank PE9 ....**143** D3
Roman Cl
Claybrooke Magna LE17 **232** E6
Earl Shilton LE9 ......**176** A1
Roman Hill LE18 ....**203** E8
Roman Rd LE4 ......**129** A5
Roman St LE3 ......**154** D4
Roman Way
Market Harborough LE16 **240** E4
Syston LE7 ....**102** E2
Romans Cres LE67 ..**72** D1
Romans The LE12 ...**76** E1
Romney Cl LE16 .....**197** A3
Romorantin Pl **1** NG10 **10** C7
Romway Ave LE5 ....**155** E2
Romway Cl LE12 ....**50** C3
Romway Rd LE5 .....**155** E2
Rona Gdns LE5 .....**156** E7
Ronald Toon Rd LE9 .**199** A8
Ronald West Ct LE11 .**51** D1
Roods The LE7 .....**101** E6
Rookery LE6 ....**126** F3
Rookery Cl
Fenny Drayton CV13 ...**195** A4
Kibworth Beauchamp LE8 **224** B8
Rookery La Groby LE6 .**126** F3
Stretton LE15 ....**88** F4
Thurmaston LE4 ....**129** D6
Wymondham LE14 .....**62** D2
Rookery The
Barrow-u-S LE12 ......**76** C8
Heather LE67 ....**95** B2
Langham LE15 ....**110** C3
Rookwell Dr LE16 ...**240** F1
Roosevelt Ave NG10 ..**10** C5
Ropewalk DE74 .....**18** C2
Rosamund Ave LE3 ..**179** A8
Rose Acre Cl LE7 ....**156** F7
Rose Cl LE15 ....**166** D3
Rose Cres LE3 ......**152** F2
Rose Farm Cl LE3 ...**153** F4
Rose Hill DE11 ......**44** E3
Rose St LE4 ....**128** F2
Rose Tree Ave LE4 ..**129** A8
Rose Valley DE11 ...**44** A5
Rosebank Rd LE4 ...**128** E6
Rosebarn Way LE5 ..**130** D1
Rosebery Ave
Asfordby Valley LE14 ..**58** B3
Kibworth Beauchamp LE8 **223** F8
Melton Mowbray LE13 ..**59** D3
Rosebery Prim Sch LE11 **51** E4
Rosebery Rd LE7 ....**127** E2
Rosebery St Leicester LE5 **155** D4
Loughborough LE11 ....**51** F4
Rosecroft Gdns DE11 .**44** C3
Rosedale LE67 ......**71** E7
Rosedale Ave LE4 ...**129** D2
Rosedale Cl NG10 ...**10** B6
Rosedale Rd LE18 ...**180** F2
Rosedene Ave LE4 ..**129** E6
Rosedene Cl LE9 ....**152** F4
Rosehill LE11 ....**51** C4
Rosemary Cres LE67 ..**72** A4
Rosemary Way LE10 ..**215** D6
Rosemead Dr LE2 ...**181** A4
Rosemoor Cl LE16 ..**241** B3
Roseneath Ave LE4 ..**129** E3
Roseway Leicester LE5 **129** D3
Stoke Golding CV13 ...**196** D7
Rosewood Cl LE10 ..**215** F6
Roslyn St LE2 ......**155** C4
Ross Cl LE13 ....**59** E5
Ross Wlk LE4 ......**129** A1
Ross' Wlk LE4 .....**155** A8
Rossal Dr LE65 .....**69** A7
Rossendale Rd LE9 ..**198** E7
Rossett Dr LE4 .....**128** E2
Rossetti Rd LE9 ....**178** A3
Rosslyn Cres LE5 ...**156** C1
Rosslyn Ave LE12 ..**76** C1
Rosslyn Rd LE67 ...**71** F4
Roston Dr LE10 ....**215** A8
Rotherby Ave LE4 ..**129** D1
Rotherby La LE14 ..**80** D3
Rotherby Rd LE7 ...**80** B1
Rotherwood Dr LE65 .**69** B7
Rothley CE Prim Sch
LE7 ....**101** D2
Rothley Rd LE12 ....**76** D1
Rothley St LE4 .....**129** A1

Rothley Sta LE7 .....**101** B5
Rouen Way LE65 ....**69** A6
Roughton St LE4 ...**129** B2
Roundhay Rd LE3 ...**154** C2
Roundhill LE9 ......**152** E5
Roundhill Cl LE7 ...**102** F2
Roundhill Com Coll LE4 **102** E1
Roundhill Rd LE5 ...**155** E3
Roundhill Way LE11 ..**51** B3
Roundhills The LE9 ..**198** F5
Roundway The LE4 ..**129** F5
Routh Ave DE74 ....**17** B2
Row The LE16 ......**209** B1
Rowan Ave Coalville LE67 **97** B8
Hathern LE12 ....**30** A2
Market Harborough LE16 **240** E1
Rowan Cl Measham DE12 **93** C5
Moira DE12 ....**68** B6
Rowan Ct NN17 .....**230** D1
Rowan Dr Ibstock LE67 .**95** E1
Lutterworth LE17 .....**244** B6
Rowan St LE3 ......**154** C7
Rowan Way LE9 ....**151** B3
Rowanberry Ave LE3 .**153** C6
Rowans The LE8 ....**202** E4
Rowan Way LE11 ...**51** B3
Rowden La LE16 ....**226** D4
Rowe Leyes Furlong LE12 **76** F1
Rowe Leyes Furlong LE7 **76** F1
Rowena Ct LE12 ....**101** E8
Rowena Dr LE65 ....**69** B7
Rowland Way CV9 ..**170** C2
Rowlands The LE67 ..**70** F6
Rowlanson Cl LE4 ..**101** D1
Rowlatts Hill Prim Sch
LE5 ....**156** A6
Rowlatts Hill Rd LE5 .**156** A6
Rowley Cl LE8 ......**223** A6
Rowley Ct DE11 ....**44** B4
Rowley Fields Ave LE3 .**179** B8
Rowsley Ave
Leicester LE5 ....**155** D4
Long Eaton NG10 ......**10** A5
Rowsley St LE5 .....**155** D4
Roxburgh Rd PE9 ...**143** B4
Roy Cl LE9 ....**201** C8
Royal Arc LE1 ....**259** B4
Royal Ct LE10 ......**215** D7
Royal East St LE1 ..**259** B5
Royal Kent St LE1 ..**259** A5
Royal Meadow Dr CV9 **170** E2
Royal Rd LE4 ......**129** B2
Royal Way LE11 ....**52** A6
Royce Cl Braunstone LE3 **153** C2
Corby NN17 ....**230** F1
Royce's Homes LE15 ..**138** A6
Roydale Cl LE11 ....**51** E6
Roydene Cres LE4 ..**128** C2
Royland Rd LE11 ...**52** B3
Royston Cl LE7 .....**179** D2
Ruby St LE3 ....**154** C7
Rudbeck Ave LE15 ..**59** A4
Ruddington Wlk LE4 .**128** E1
Ruding Cl LE3 ......**154** D4
Ruding St LE3 ......**259** A4
Rudyard Cl LE11 ...**51** B2
Rufford Cl Hinckley LE10 **215** D3
Loughborough LE11 ....**51** B5
Rufford Rd NG10 ....**10** D4
Rufford St LE5 .....**155** C6
Rugby Ashby-De-La-Z LE65 **69** A8
Market Harborough LE16 **240** D2
Rugby Rd Cotesbach LE17 **244** C2
Hinckley LE10 ....**215** D5
Lilbourne CV23 ....**257** F6
South Kilworth LE17 ..**254** E5
Swinford LE17 ....**254** B3
Rugby St LE3 ......**154** D7
Rugeley Ave **3** NG10 ..**10** F7
Rumsey Cl Quorn LE12 **75** E6
Thringstone LE67 .....**71** C8
Rumsey Dr LE8 .....**202** A8
Runcorn Cl LE2 ....**179** D3
Runcorn Rd LE2 ....**179** D3
Runnymede Gdns LE3 .**153** D7
Rupert Brooke Rd LE11 .**51** D4
Rupert Cres LE7 ...**103** E6
Rupert Law Cl LE12 .**75** F7
Rupert St LE1 ......**259** B3
Rupert Way LE8 ...**205** B8
Rush Cl LE9 ....**150** B3
Rush Leys NG10 ....**10** D5
Rushby Rd LE67 ....**96** E3
Rushden Ho LE5 ....**153** C6
Rushes La LE16 .....**239** F3
Rushes The
Loughborough LE11 ....**52** A4
Markfield LE67 ....**98** E1
Rushey Cl
Barlestone CV13 ......**149** D7
Leicester LE4 ....**129** C4
Rushey La LE7 ......**76** B2
Rushey Mead Prim Sch
LE4 ....**129** C2
Rushey Mead Sec Sch
LE4 ....**129** C4
Rushford Cl LE4 ...**129** D1
Rushford Dr LE4 ...**129** D1
Rushmere Wlk LE3 ..**153** A2
Rushton Dr LE2 ....**179** B4
Ruskin Ave
Long Eaton NG10 .....**10** B5
Syston LE7 ....**103** C2
Ruskington Dr LE18 ..**180** D5
Russ Cl LE12 ....**75** F7
Russell Ct LE2 .....**179** C6

Russell Sq **8** LE1 ...**155** A7
Russell St
Loughborough LE11 ...**52** C4
Swadlincote DE11 .....**44** C3
Russet Way LE4 ....**102** C3
Russett Cl LE16 ....**240** F5
Ruston Cl DE11 ....**44** B4
Rutherford Rd LE4 ..**128** A4
Rutland Ave
Hinckley LE10 ....**215** C7
Leicester LE2 ....**154** E1
Wigston LE18 ....**180** B3
Rutland Belle Cruise
LE15 ....**140** B4
Rutland Cl
Leicester Forest East LE3 **153** A3
South Witham NG33 ....**65** B3
Uppingham LE15 .....**189** A5
Rutland Coll The LE15 .**137** F7
Rutland Ctr LE1 ....**259** C4
Rutland Cty Mus LE15 .**138** A6
Rutland Dr LE4 ....**129** E7
Rutland Farm Pk LE15 .**138** A5
Rutland Ho LE15 ...**59** D3
Rutland La NG13 ...**3** B2
Rutland Meml Hospl
LE15 ....**137** E6
Rutland Open Air Theatre
PE9 ....**116** C2
Rutland Rd PE9 ....**143** F5
Rutland Rly Mus LE15 .**111** E3
Rutland Sq NG13 ...**6** C2
Rutland St Leicester LE1 **259** C3
Loughborough LE11 ...**52** C3
Melton Mowbray LE13 ..**59** D3
Rutland Terr PE9 ...**143** C2
Rutland Water LE15 ..**139** E1
Rutland Wlk LE16 ..**240** F5
Rutland Way PE9 ...**116** F1
Rycroft Rd DE74 ....**17** D6
Rydal Ave
Loughborough LE11 ...**51** D1
Nuneaton CV11 ......**214** A6
Rydal Cl LE10 ......**214** F7
Rydal Ho LE2 ......**179** C3
Rydal St LE2 ....**259** A2
Rydale Gdns LE65 ..**69** C4
Ryde Ave LE2 ......**180** D7
Ryder Rd LE3 ......**153** C6
Ryderway LE17 ....**244** B5
Rye Cl LE2 ....**179** E4
Rye Hill Ave LE17 ..**244** D5
Ryefield LE3 ....**138** A8
Ryegate Cres LE4 ..**128** F8
Ryhall CE Prim Sch PE9 **116** F2
Ryhall Rd
Great Casterton PE9 ..**142** E8
Stamford PE9 ....**143** E5
Rylands Cl LE16 ....**241** B3

S

Sacheverel Rd LE3 ..**153** D6
Sacheverell Way LE6 .**126** E1
Sackville Gdns LE2 ..**180** C8
Sacred Heart RC Sch
Leicester LE5 ....**155** C6
Loughborough LE11 ...**52** A1
Saddington Rd
Fleckney LE8 ....**223** A7
Mowsley LE17 ....**237** F7
Shearsby LE8, LE17 ...**222** C3
Smeeton Westerby LE8 .**223** E6
Saddlers' Cl LE7 ....**103** D7
Saddlers Cl Glenfield LE3 **153** B8
Hinckley LE10 ....**215** F6
Sadlers Wells LE12 ...**49** B6
Saffron Cl LE2 .....**198** C8
Saffron Ct LE2 .....**179** E8
Saffron Hill Rd LE2 ..**179** E8
Saffron La LE2 .....**179** E7
Saffron Rd LE18 ...**179** E8
Saffron Way LE2 ...**179** E6
Sage Cross St LE13 ..**59** C3
Sage Dr DE11 ......**44** F4
Sage Rd LE2 ....**154** D4
Saintbury Rd LE3 ..**127** D2
St Aidan's Ave LE7 ..**102** F3
St Albans Cl LE15 ..**138** B6
St Albans Rd **10** LE2 ..**155** B4
St Andrew's CE Prim Sch
LE17 ....**246** E3
St Andrew's Cl LE67 .**71** D8
St Andrew's Dr LE2 ..**155** F1
St Andrew's Rise DE74 **18** C1
St Andrews Cl
Burton-on-t-W LE12 ...**54** A7
Great Easton LE16 ....**229** D7
Whissendine LE15 ....**84** F1
St Andrews Dr CV11 ..**214** B1
St Andrews Rd LE2 ..**179** E7
St Anne Dr LE2 ....**179** D7
St Anne's La
Castle Donington DE74 .**17** B3
Sutton Bonington LE12 .**30** B6
St Annes Cl Oakham LE15 **137** F6
Syston LE7 ....**103** C2
St Augustine Rd
Leicester LE3 ....**154** D5
Leicester LE3 ....**259** A1
St Augustine's
RC Prim Sch PE9 ....**143** E4
St Austell Cl CV11 ..**214** A5
St Austell Rd LE5 ..**156** E7

St Barnabas CE Prim Sch
LE5 ....155 E7
St Barnabas Rd LE5 ....155 E7
St Bartholomew's
CE Prim Sch LE12 ....75 E5
St Bartholomews Way
LE13 ....58 F6
St Bernard St LE4 ....129 B2
St Bernard's Cl LE12 ...50 A3
St Bernard's Rd LE67 ...72 A4
St Bernards Ave LE4 ..129 B3
St Botolph Rd LE12 ....50 B3
St Botolph's CE Prim Sch
LE12 ....50 C4
St Catharines Terr LE7 .157 F4
St Catharines Way LE7 .157 F4
St Catherine's LE10 ...215 F7
St Catherines Ave CV13 .148 E3
St Chad's Cl DE72 ......9 A7
St Charles's Prim Sch
DE12 ....93 D5
St Christopher's Rd LE67 .96 E2
St Clares Ct LE67 ......96 E8
St Clares RC Prim Sch
LE67 ....96 D8
St Clement's PE9 ....143 C3
St Columba Way LE7 ..102 F4
St Crispin's Sch LE2 ...155 B2
St Crispin's Way LE4 ..102 E1
St Cuthbert's Ave LE8 .205 B8
St Cuthbert's
CE Prim Sch LE8 ....182 C1
St David's Cl LE2 .....155 E1
St David's Cres LE67 ...72 C1
St Davids Cl LE3 ......152 F3
St Davids Ct LE67 .....72 C1
St Davids Rd LE3 .....153 C6
St Debys CE Inf Sch LE67 .95 E1
St Denys' Cres LE67 ...95 E1
St Denys Rd LE5 ......156 B3
St Dunstan Rd LE3 ....154 C6
St Edward's CE Prim Sch
DE74 ....17 B3
St Edward's Prim Sch
DE11 ....44 B5
St Edward's Rd DE74 ...17 B2
St Faiths Cl LE67 ......96 C8
St Francis RC Prim Sch
LE13 ....59 B2
St George St LE1 .....259 C3
St George's Ave LE10 ..197 C1
St George's CE Prim Sch
Stamford PE9 ....143 E5
Swadlincote DE11 .....44 B1
St George's Hill LE67 ...71 A7
St George's Rd CV9 ...170 E1
St George's Ret Pk LE1 .155 B6
St George's Sq 9 PE9 .143 E3
St George's St PE9 ...143 E3
St Georges Ave PE9 ..143 F4
St.Georges Cl LE7 ....150 B5
St Georges Way LE1 ..259 C3
St Gilbert of
Semperingham
CE Prim Sch PE9 ....143 D3
St Giles Cl CV13 .....149 D8
St Gregory's Dr LE12 ...77 D3
St Hardulph's Prim Sch
DE73 ....26 F2
St Helen's Cl LE9 ....217 C4
St Helens Cl LE4 .....128 C1
St Helens Dr LE4 .....128 D1
St Hildas Cl LE7 .....103 C2
St Ives LE67 ....97 B8
St Ives Rd Leicester LE4 .129 C4
Wigston LE18 ....180 D1
St James Cl Huncote LE9 .200 D7
Leicester LE2 ....181 C3
St James Ct LE4 .....129 B7
St James' Ct LE2 ....155 C3
St James Rd
Leicester LE2 ....155 C3
Shepshed LE12 ....50 B3
St James St LE1 .....259 C4
St James Terr LE2 ....155 C3
St James's Cl LE10 ...215 D5
St John Fisher RC
Prim Sch LE18 ....180 E4
St John St LE1 ....259 B5
St John the Baptist CE
Prim Sch LE2 ....155 C2
St John's Ave LE7 ....103 C3
St John's Cl Coalville LE67 .96 D6
Heather LE67 ....95 B2
Lutterworth LE17 .....244 B5
Ryhall PE9 ....116 F2
St John's Dr LE13 .....59 C5
St John's St
Long Eaton NG10 ......10 D7
Stamford PE9 ....143 D3
St John's Terr 2 PE9 .143 C3
St Johns Hinckley LE10 .197 E1
Narborough LE9 ......178 E3
St Johns Ct LE13 .....59 D3
St Johns Rd
Asfordby Hill LE14 .....58 D3
Leicester LE2 ....155 C2
St Joseph's RC Jun &
Inf Sch LE5 ....156 D8
St Joseph's RC Prim Sch
LE16 ....240 E3
St Laurence Ct NG10 ...10 E6
St Laurence Prim Sch
NG10 ....10 E6
St Leonard's St PE9 ...143 D3

St Leonards Cl LE12 ...54 A7
St Leonards Rd LE2 ...155 B1
St Luke's CE Sch LE7 ..156 F4
St Luke's Cl LE7 ......156 F4
St Luke's Hospl LE16 ..240 D5
St Margaret Rd CV13 ..196 E7
St Margaret's CE
Prim Sch CV13 ......196 D7
St Margaret's St LE1 ..259 B5
St Margaret's Way LE4 .154 E8
St Margarets Dr LE7 ..233 E8
St Marks St 5 LE1 ...155 A7
St Martin's LE10 .....215 E6
St Martin's Cl PE9 ....143 C2
St Martin's Dr LE9 ....151 A3
St Martin's RC High Sch
CV13 ....196 F7
St Martins Leicester LE1 .259 B3
Stapleton LE9 ....174 E2
St Martins Sq LE1 ....259 B3
St Martins Wlk LE1 ...259 B3
St Martins Yd LE16 ...240 E3
St Mary's Ave Barwell LE9 .197 F5
Braunstone LE3 ......153 C3
Coalville LE67 ....96 B6
Draycott DE72 ....9 A7
St Mary's CE Prim Sch
Bitteswell LE17 ......244 B8
Hinckley LE10 ....215 D8
Melton Mowbray LE13 ..59 A6
St Mary's Cl Bottesford NG13 3 B3
Edith Weston LE15 ....166 B7
Loughborough LE11 ....51 F4
St Mary's Ct Barwell LE9 .198 A5
Braunstone LE3 ......153 C3
Market Harborough LE16 .241 A4
St Mary's Fields Inf Sch
LE3 ....154 C2
St Mary's Hill PE9 ....143 C2
St Mary's Hospl LE13 ..59 D3
St Mary's La LE67 .....96 A7
St Mary's Pl
Market Harborough LE16 .240 F3
Stamford PE9 ....143 E3
St Mary's Rd
Hinckley LE10 ....215 D8
Lutterworth LE17 .....244 B5
Manton LE15 ....164 D6
Market Harborough LE16 .240 F3
Sileby LE12 ....77 C4
St Mary's St PE9 .....143 D3
St Mary's Way LE13 ...59 C3
St Marys Ave LE5 ....156 C8
St Marys Cl
Broughton Astley LE9 .218 E6
Burton-on-t-W LE12 ...54 A7
Congerstone CV13 ....147 D7
St Marys Ct LE5 .....156 C8
St Marys Gr B79 ......118 D4
St Marys Rd LE2 .....155 B2
St Matthew's Ave LE65 .47 F6
St Matthews Bsns Ctr
LE1 ....259 C5
St Matthews Way LE1 .259 C4
St Mellion Cl LE4 .....128 B7
St Michael & All Angels
CE Prim Sch LE7 .....79 A1
St Michael's Cl
Ashby-De-La-Z LE65 ...69 C5
Markfield LE67 ....98 D1
St Michael's Ct LE4 ...129 E7
St Michael's Dr DE12 ..119 F8
St Michaels Ave LE4 ..129 C3
St Michaels Cl CV9 ...170 F1
St Michaels Dr LE67 ...95 E8
St Nicholas CE Prim Sch
LE15 ....112 C8
St Nicholas Circ LE1 ..259 A3
St Nicholas Cl
Austrey CV9 ....119 B2
Market Harborough LE16 .240 F2
St Nicholas Pl LE1 ...259 A3
St Nicholas Way LE16 .240 F2
St Nicolas Park Dr CV11 .214 A6
St Olaves Cl LE11 .....51 B5
St Oswalds Rd LE3 ...153 F8
St Patrick's RC Prim Sch
LE4 ....129 C4
St Paul's CE Prim Sch
LE12 ....75 A1
St Paul's Dr LE7 .....103 A3
St Paul's St PE9 .....143 E3
St Pauls Cl LE2 ......181 D6
St Pauls Ct LE7 ......103 B4
St Pauls Gdns LE1 ...197 E1
St Pauls RC Sch LE5 ..156 C4
St Pauls Rd LE3 .....154 C6
St Peter & St Paul CE
Prim Sch LE7 ....103 B5
St Peter's Ave CV9 ...194 B7
St Peter's CE Prim Sch
DE12 ....91 F6
St Peter's CE Prim
Sch Whetstone LE8 ..201 F7
St Peter's Cl Glenfield LE3 153 B8
Leire LE17 ....218 F1
Market Bosworth CV13 ..148 D3
Oakham LE15 ....138 A6
Witherley CV9 ....194 B7
St Peter's Ct LE7 ....103 B4
St Peter's Dr LE67 ...124 F3
St Peter's Hill 15 PE9 .143 D3
St Peter's Path LE2 ...181 A5
St Peter's RC Sch
Earl Shilton LE9 ......176 A1
Hinckley LE10 ....197 E1

St Peter's Rd LE8 ....221 F5
St Peter's St
Stamford PE9 ....143 D3
Syston LE7 ....103 A3
St Peter's Terr PE9 ...143 C2
St Peter's Vale 6 PE9 .143 D2
St Peters Ave LE12 ....30 A1
St Peters CE Prim Sch
Market Bosworth CV13 .148 D3
Wymondham LE14 .....62 D2
St Peters Ct CV13 ....148 F3
St Peters Dr LE8 .....201 F8
St Peters La LE1 .....259 B4
St Peters Rd
Atherstone CV9 ......194 A7
Leicester LE2 ....155 C4
St Peters Terr LE7 ...160 A8
St Philips Rd
Burton-on-t-W LE12 ...54 A7
Leicester LE5 ....155 D5
St Saviour's Hill LE5 ..155 C6
St Saviour's Rd LE5 ...155 C5
St Saviours Rd LE67 ...96 C8
St Stephens Ct DE11 ...44 E3
St Stephens Rd LE2 ..155 C4
St Swithin's Rd LE5 ...156 D5
St Thomas More RC Sch
LE2 ....180 C8
St Thomas Rd LE2, LE18 .179 C1
St Thomas's Rd LE8 ..182 C1
St Tibba Way PE9 .....116 E1
St Vincent Cl NG10 ....10 E6
St Vincents Cl LE67 ...96 C7
St Wilfrid's Cl LE8 ...206 A1
St Winefride Rd LE12 ...50 B3
St Winefride's
RC Prim Sch LE10 ....50 B4
St Wolstan's Cl LE18 ..180 C1
Salcombe Cl LE18 ....180 C1
Salcombe Dr LE3 .....153 C8
Salem Rd LE10 ......215 F5
Salford Cl NN6 ......256 E6
Salisbury Ave Croft LE9 .200 C4
6 Leicester LE2 ......155 B4
Melton Mowbray LE13 ..59 D4
Salisbury Cl Blaby LE8 .202 B6
Desford LE9 ....151 A2
Salisbury Dr DE11 .....44 E5
Salisbury Ho LE10 ....197 C4
Salisbury La DE73 .....26 B7
Salisbury Rd
Burbage LE10 ....216 B7
Leicester LE1 ....155 B4
Salisbury St
Long Eaton NG10 ......10 E7
Loughborough LE11 ....52 C4
Salkeld Rd LE2 ......179 C2
Salmon Mews LE12 ....50 B4
Salt St B79, CV9 ......119 B5
Salt's Cl LE2 ....178 B2
Saltash Cl LE18 ......180 C1
Saltby Rd
Croxton Kerrial NG32 ...24 B7
Sproxton LE14 ....41 F6
Saltcoates Ave LE4 ...129 C4
Salter Cl DE74 ....16 F4
Salter's Hill Dr LE14 ..106 E4
Saltersford Rd LE5 ...155 F7
Saltersgate Dr LE4 ...129 A8
Samphire Cl LE5 .....130 D2
Samson Rd
Coalville LE67 ....71 D3
Leicester LE3 ....154 B7
Samuel St LE1 ....155 B6
Sand Furrows PE9 ....167 F5
Sand Pit La LE14 ......20 C2
Sandacre St LE1 .....259 B4
Sandalwood Rd LE11 ...51 E1
Sandcliffe Pk DE11 ....44 D7
Sandcliffe Rd DE11 ...44 D6
Sandcroft Cl DE11 ....44 D5
Sanders Cl CV9 ......170 E1
Sanders Rd LE12 ......75 F5
Sanderson Cl LE8 ....202 A6
Sandfield Cl LE4 .....129 E5
Sandfield Close Prim Sch
LE4 ....129 E5
Sandford Ave NG10 ...10 E7
Sandford Cl
Hinckley LE10 ....197 F1
Leicester LE5 ....156 A6
Sandford Ct LE5 .....156 A6
Sandford Rd LE7 ....103 A3
Sandgate Ave LE4 ...128 F8
Sandham Bridge Rd LE7 .100 F3
Sandhill Dr LE9 ......178 D1
Sandhills Ave LE5 ....155 D3
Sandhills Cl Belton LE12 .49 B6
Measham DE12 ....93 C4
Sandhills The LE12 ....75 E6
Sandhole La LE12 .....49 D1
Sandhurst Cl LE3 .....154 B6
Sandhurst Rd LE3 ....154 B6
Sandhurst St LE2 ....181 A6
Sandiacre Dr LE4 ....129 F8
Sandlands The DE11 ...44 D6
Sandown Rd
Glenfield LE3 ....127 C1
Leicester LE2 ....155 D1
Wigston LE18 ....180 D4
Sandpiper Cl LE5 ....155 C7
Sandringham Ave
Earl Shilton LE9 ......198 D7
Leicester LE4 ....129 B3
Sandringham Cl
Oakham LE15 ....137 E5
Stamford PE9 ....143 D5
Sandringham Dr LE11 ...51 D5

Sandringham Rd
Coalville LE67 ....96 F8
Glen Parva LE2 ......179 E1
Sandringham Rise LE12 .49 F2
Sandringham Way LE16 .241 B3
Sands The LE14 ......20 D3
Sandtop Cl DE11 ......68 B8
Sandtop La DE11 .....68 C8
Sandwell Cl NG10 .....10 A6
Sandy Cres LE10 .....197 C1
Sandy La
Melton Mowbray LE13 ..82 D5
Newton Regis B79 ....118 D6
Scalford LE14 ....38 E5
Sandy Rise LE18 .....180 F4
Sanvey Cl LE2 ....179 C6
Sanvey Gate LE1 ....259 A5
Sanvey La LE2 ....179 C6
Sapcote Dr LE13 ......59 E1
Sapcote Rd
Burbage LE10 ....216 B7
Stoney Stanton LE9 ..199 E1
Sargent's Ct PE9 ....143 C4
Sarson Cl LE14 ....58 A2
Sarson High Sch LE14 ..82 E8
Sarson St LE12 ....75 F6
Saunderson Rd LE4 ..128 D4
Savernake Rd LE4 ...128 C1
Saville Cl LE10 ......197 E2
Saville Rd LE8 ....202 C6
Saville St LE5 ....155 E6
Sawbrook LE8 ....223 A7
Sawday St LE2 ....154 E3
Sawgate Rd LE14 .....83 D7
Sawley Inf Sch NG10 ..10 A5
Sawley Jun Sch NG10 ..10 A4
Sawley Rd Breaston DE72 ..9 E6
Draycott DE72 ....9 B6
Sawley St LE5 ....155 D3
Sawmand Cl NG10 ....10 C6
Saxby Rd LE13 ....59 E3
Saxby St LE2 ....155 B4
Saxelbye La LE14 .....57 B8
Saxelbye Rd LE14 .....57 E4
Saxon Cl
Breedon on t H DE73 ..26 F2
Market Harborough LE16 .240 F4
Saxon Dale LE2 ......179 C2
Saxon St LE3 ....154 D4
Saxon Way LE65 ......69 A7
Saxondale Rd LE18 ..203 E8
Saxons Lea LE14 .....108 D3
Saxons Rise LE6 .....126 C1
Scalborough Cl LE8 ..202 C4
Scalford CE Sch LE14 ..38 E5
Scalford Rd Eastwell LE14 .22 A5
Melton Mowbray LE13 ..59 C6
Scalpay Cl LE4 ......128 B3
Scarborough Rd LE4 .129 C2
Sch Cotts LE14 ......108 B2
Schofield Rd
Loughborough LE11 ....51 C3
Oakham LE15 ....138 A8
School Cl
Albert Village DE11 ....44 C1
Burbage LE10 ....216 A6
Croft LE9 ....200 C3
School Cres LE8 .....218 F7
School Farm Yd LE16 .227 B3
School Gdns CV21 ...257 A1
School Hill Sproxton LE14 .41 F5
Walton on t W LE12 ...54 A4
School House Cl LE14 ..38 E5
School La Barkby LE7 .130 D8
Barrowden LE15 .....191 F5
Belton LE12 ....49 B6
Birstall LE4 ....129 A6
Braybrooke LE16 .....251 F5
Castle Donington DE74 ..17 A4
Cottingham LE16 ....229 C1
Cranoe LE16 ....208 E3
Croxton Kerrial NG32 ..24 A7
Empingham LE15 ....141 B6
Gaulby LE7 ....183 D6
Harby LE14 ....12 B3
Houghton on t H LE7 ..157 F3
Huncote LE9 ....200 D7
Husbands Bosworth LE17 .247 E5
Leicester LE2 ....156 B2
Long Clawson LE14 ...20 C3
Lubenham LE16 .....239 F3
Market Harborough LE16 .240 F4
Morcott LE15 ....191 A6
Narborough LE9 .....201 B7
Newbold LE67 ....47 E2
Newton Burgoland LE67 .121 E6
Normanton le H LE67 ..94 F6
Peatling Magna LE8 ..221 B6
Peggs Green LE67 ....48 A1
Queniborough LE7 ...103 F5
Quorn LE12 ....76 A6
Rempstone LE12 ......32 C5
Scalford LE14 ....38 E5
Sedgebrook NG32 ......8 F8
Sewstern NG33 ....42 E1
Sharnford LE10 ......217 C4
South Croxton LE7 ...105 B1
Stapleton LE9 ....174 E2
Stathern LE14 ....13 A2
Swinford LE17 ....254 B4
Thistleton LE15 ....64 E1
Uffington PE9 ....144 E4
Uppingham LE15 ....189 B8
Whitwick LE67 ....71 D6
Woodhouse LE12 .....75 B3
School Rd Gretton NN17 .213 B1
Kibworth Beauchamp LE8 .224 A8
Oakham LE15 ....138 A7

School St
Churchover CV23 .....252 C6
Donisthorpe DE12 .....67 F2
Fleckney LE8 ....222 F7
Loughborough LE11 ....52 B4
Oakthorpe DE12 ......93 B6
Rothley LE7 ....101 F6
Rugby CV21 ....257 A1
Swadlincote DE11 .....44 B2
Syston LE7 ....103 B4
School View NG13 ......3 A2
School Wlk LE8 ......224 A8
Schoolgate LE2 ......179 C5
Scoborough Rd
LE16, LE17 ....239 A1
Scotgate
Harringworth NN17 ..213 F7
Stamford PE9 ....143 D3
Scotland End LE16 ...240 F1
Scotland La
Burton Overy LE8 ....182 F1
Houghton on t H LE7 ..157 F4
Scotland Rd LE16 ....241 A2
Scotland Way LE18 ..202 F3
Scotlands Dr LE67 ....96 D8
Scotlands Ind Est LE67 ..96 E8
Scotlands Rd LE67 ....96 E8
Scotswood Cres LE2 ..179 D3
Scott Cl LE16 ....240 E5
Scott Ct LE2 ....180 A8
Scott St LE2 ....180 A8
Scotts Cl LE65 ....69 B7
Scraptoft La Beeby LE7 .131 C4
Leicester LE7 ....156 C7
Scraptoft Mews LE5 ..156 A7
Scraptoft Rise LE7 ...156 F8
Scraptoft Valley Prim Sch
LE5 ....156 E8
Scrivener Cl LE7 .....157 B5
Scudamore Rd LE3 ...153 C5
Seacole Cl LE3 ......153 D2
Seaford Rd LE2 ......179 D5
Seaforth Dr LE10 ....197 A1
Seagrave Cl LE67 ....72 D1
Seagrave Dr LE2 ....180 F6
Seagrave Rd
Sileby LE12 ....77 D5
Thrussington LE7 .....78 E5
Seals Cl LE12 ....54 A7
Seals Rd DE12 ....67 C1
Seaton Cl LE10 ......216 B7
Seaton Rd
Barrowden LE15 .....191 C4
Glaston LE15 ....190 B4
Harringworth NN17 ..213 E8
Stamford PE9 ....143 D2
Uppingham LE15 ....189 E2
Wigston LE18 ....180 C1
Seaton Rise LE5 .....130 E1
Seckington La B79 ...118 C3
Seddons Cl LE4 .....128 D4
Sedgebrook Cl LE5 ..156 E4
Sedgebrook Rd
Allington NG32 ....4 F4
Leicester LE5 ....156 E4
Woolsthorpe by B NG32 ..8 B3
Sedgefield Dr
Leicester LE7 ....156 F6
Syston LE7 ....102 F3
Sedgemoor Rd NG10 ..10 E5
Segrave Rd LE3 .....154 B2
Seine La LE9 ....177 F4
Selbourne Ct LE11 ....52 C4
Selbourne St LE11 ....52 C4
Selbury Dr LE2 ......180 F5
Selby Ave LE5 ......130 C3
Selby Cl LE16 ....250 E8
Selina Cl DE74 ....17 A4
Selina St DE73 ....26 A7
Selkirk Rd LE4 ......129 D4
Selvester Dr LE12 ....76 B3
Selwyn Rd PE9 ......143 C5
Sence Cres LE8 ......205 A8
Sence Valley Forest Pk
LE67 ....95 E3
Sennen Cl CV11 .....214 A5
Seton Cl LE11 ....51 C7
Severn Ave LE10 ....215 A8
Severn Cl Cosby LE9 .201 D3
Oakham LE15 ....137 E5
Severn Cres LE15 ...166 D7
Severn Hill LE13 ......59 B1
Severn Rd LE2 ......181 D6
Severn St LE2 ....155 B4
Severn Wlk NN17 ....230 C1
Seward St LE11 ......52 A3
Sewstern La
Allington NG23 ....4 B8
Muston NG32 ....8 B8
Sewstern Rd NG33 ....64 D8
Sextant Rd LE5 .....156 C2
Seymour Cl LE11 .....51 B5
Seymour Rd
Burton-on-t-W LE12 ...53 F7
Leicester LE2 ....155 B4
Seymour St LE2 .....155 B4
Seymour Way LE3 ...152 F3
Shackelton Way LE17 .243 D5
Shackerdale Rd LE18 .180 B5
Shackerstone Rd CV13 .147 D8
Shackerstone Sta CV13 .121 F2
Shackland Dr DE12 ...93 D5
Shackleton St 4 LE1 .155 A7
Shadows La CV13 ....147 D7
Shadrack Cl LE9 .....199 D1
Shady La LE2 ....156 B1
Shaeffer Ct LE4 .....128 B2

Shaftesbury Ave
Leicester LE4 . . . . **129** B2
Long Eaton NG10 . . . . **10** B4
Shaftesbury Jun Sch
LE3 . . . . **154** D4
Shaftesbury Rd LE3 . . . . **154** D4
Shakespear DE74 . . . . **28** C5
Shakespeare Cl
Braunstone LE3 . . . . **153** E1
Swadlincote DE11 . . . . **44** C6
Shakespeare Dr
Diseworth DE74 . . . . **28** C5
Hinckley LE10 . . . . **197** C1
Leicester LE3 . . . . **153** F1
Nuneaton CV11 . . . . **214** A1
Shakespeare St
Leicester LE2 . . . . **179** F8
Loughborough LE11 . . . . . . **52** B4
Shangton Rd LE8 . . . . . . **207** B3
Shanklin Ave LE2 . . . . . . **180** D7
Shanklin Dr LE2 . . . . **180** D7
Shanklin Gdns LE2 . . . . . **180** D7
Shannon Way LE15 . . . . . **137** E5
Shanti Margh LE4 . . . . . . **129** C2
Shardlow Rd
Aston-on-T DE72 . . . . **16** C7
Wigston LE18 . . . . **180** C3
Sharmon Cres LE3 . . . . . **153** D6
Sharnbrook Gdns LE10 . **217** C4
Sharnford Rd
Aston Flamville LE10 . . . . . **216** F6
Sapcote LE9 . . . . **217** C4
Sharp Cl NG10 . . . . **10** C6
Sharp's Cl LE67 . . . . **124** F4
Sharpe Way LE9 . . . . **201** B7
Sharpe's Plain PE9 . . . . . **167** F5
Sharpland LE2 . . . . **179** C5
Sharpless Rd LE10 . . . . . **215** F7
Sharpley Ave LE67 . . . . . . **72** A2
Sharpley Dr LE4 . . . . **128** A6
Sharpley Rd LE11 . . . . . . **51** C2
Sharply Hill LE6 . . . . **99** E3
Sharpswood Manor DE11 **44** E4
Sharrads Way LE15 . . . . **110** D3
Shaw Cl LE8 . . . . **201** F6
Shaw La LE67 . . . . **97** E4
Shaw Wood Cl LE6 . . . . . **126** E3
Shawell Rd
Cotesbach LE17 . . . . **244** D1
Swinford LE17 . . . . **254** A4
Shearer Cl LE4 . . . . **129** E4
Shearsby Cl LE18 . . . . . . **180** D2
Shearsby Rd LE8 . . . . . . **222** E4
Sheene Rd LE4 . . . . **128** A4
Sheep Market PE9 . . . **143** D3
Sheepcote LE7 . . . . **101** E7
Sheepdyke LE15 . . . . **112** C8
Sheepy CE Sch CV9 . . . . **171** B8
Sheepy Cl LE10 . . . . **197** F1
Sheepy La CV9 . . . . **145** E3
Sheepy Rd
Atherstone CV9 . . . . **170** D2
Sheepy Magna CV9 . . . . . **170** E6
Sibson CV13 . . . . **172** A6
Twycross CV9 . . . . **146** C5
Sheet Stores Ind Est
NG10 . . . . **10** D5
Sheffield St LE3 . . . . **154** D3
Sheldon Cl LE11 . . . . **51** B6
Sheldon St LE5 . . . . **155** B6
Shelford La CV9 . . . . **120** C3
Shelford Wlk LE4 . . . . . **128** E3
Shellbrook Cl LE65 . . . . . **68** E6
Shellduck Cl LE8 . . . . . . **201** F4
Shelley Ave LE13 . . . . **59** B5
Shelley Cl Measham DE12 . **93** C3
Stamford PE9 . . . . **143** E4
Shelley Gdns LE10 . . . . . **197** E3
Shelley Rd
Narborough LE19 . . . . **178** A2
Swadlincote DE11 . . . . **44** C5
Shelley St Leicester LE2 . **180** A8
Loughborough LE11 . . . . . . **51** D5
Shelthorpe Ave LE11 . . . **52** B1
Shelthorpe Prim Sch
LE11 . . . . **52** C1
Shelthorpe Rd LE11 . . . . **52** B2
Shenley Rd LE18 . . . . . . **180** E4
Shenton Cl
Stoke Golding CV13 . . . . . **196** B4
Thurmaston LE4 . . . . **130** A6
Whetstone LE8 . . . . **201** F7
Wigston LE18 . . . . **180** C3
Shenton La
Market Bosworth CV13 . . . **148** C6
Shenton CV13 . . . . **173** C4
Sibson CV13 . . . . **172** C5
Upton CV13 . . . . **172** E4
Shenton Prim Sch LE5 . **155** C7
Shenton Rd LE9 . . . . . . **198** B7
Shenton Sta CV13 . . . . . **173** D5
Shepherd Cl LE3 . . . . . . **152** E3
Shepherd Wlk DE74 . . . . . **18** C1
Shepherd's Cl LE12 . . . . . **30** C5
Shepherd's Way LE5 . . . **188** F5
Shepherd's Wlk LE7 . . . **103** D7
Shepherds Cl
Loughborough LE11 . . . . . . **51** D1
Shepshed LE12 . . . . **50** C5
Shepherds Croft LE13 . . . **59** B5
Shepherds La LE15 . . . . . **88** B2
Shepshed High Sch LE12 . **50** C4
Shepshed Rd LE12 . . . . . **50** E8
Sherard Cty Prim Sch
LE13 . . . . **59** E1
Sherard Rd LE5 . . . . **155** C6

Sherborne Ave LE18 . . . **203** D8
Sherborne Rd LE10 . . . . **216** B7
Sherbourne Dr LE65 . . . . **69** A7
Sherford Cl LE18 . . . . . . **180** C2
Sheridan Cl LE4 . . . . **178** A2
Sheridan St LE2 . . . . **179** F8
Sheringham Rd LE4 . . . . **128** D2
Sherloyd Cl LE4 . . . . **129** F4
Sherrard Cl LE15 . . . . **84** F2
Sherrard Dr LE12 . . . . **77** C1
Sherrard Rd LE16 . . . . . . **240** E5
Sherrard St LE13 . . . . **59** C3
Sherrard Way LE3 . . . . . **153** D1
Sherrier CE Prim Sch
LE17 . . . . **244** C7
Sherrier Way LE17 . . . . . **244** C8
Sherwood Cl
Ellistown LE67 . . . . **96** D4
Stamford PE9 . . . . **143** B3
Sherwood Dr LE3 . . . . . . **59** A4
Sherwood Rd CV13 . . . . **196** E3
Sherwood St LE5 . . . . . . **155** E6
Shetland Rd LE4 . . . . . . **129** C1
Shetland Way Corby NN17 **230** C1
Countesthorpe LE8 . . . . . **202** F4
Shield Cres LE2 . . . . **179** C2
Shields Cl LE15 . . . . **189** A4
Shields Cres DE74 . . . . . . **17** A3
Shilling Way LE4 . . . . **10** A7
Shilton Rd Barwell LE9 . . **198** B6
Kirkby Mallory LE9 . . . . . . **175** E4
Shipley Rd LE5 . . . . **155** B4
Shipston Hill LE2 . . . . . . **181** A4
Shipton Cl LE18 . . . . **180** F2
Shire Cl LE3 . . . . **153** C3
Shire Rd NN17 . . . . **230** C1
Shires La LE1 . . . . **259** A4
Shires Orch NG32 . . . . . . **24** B7
Shirley Ave LE2 . . . . **180** D8
Shirley Cl DE74 . . . . **17** A3
Shirley Cres DE72 . . . . . . **9** D8
Shirley Dr LE7 . . . . **103** B5
Shirley Pk DE72 . . . . **16** B7
Shirley Rd LE2 . . . . **180** D8
Shirley St Leicester LE4 . **129** A2
Long Eaton NG10 . . . . **10** A4
Shirreffs Cl LE12 . . . . **76** A4
Shoby La LE14 . . . . **57** A8
Shoesmith Cl LE9 . . . . . . **198** A6
Shooting Close La LE12 . . **76** D7
Short Cl LE8 . . . . **222** F7
Short Hill DE73 . . . . **26** F6
Short La DE74 . . . . **16** F4
Short Row LE8 . . . . **204** D6
Short St LE1 . . . . **259** B4
Shortheath DE12 . . . . **67** C2
Shortheath Rd DE12 . . . . **67** E3
Shortridge La LE12 . . . . **178** B2
Shottens Cl LE4 . . . . **128** B2
Shottery Ave LE3 . . . . . . **153** F1
Shoulbard LE8 . . . . **222** E8
Shrewsbury Ave
Leicester LE2 . . . . **180** A6
Market Harborough LE16 . **241** B2
Shrewsbury Cl LE9 . . . . **198** A7
Shrewsbury Wlk LE67 . . . **71** D8
Shropshire Cl LE16 . . . . **240** E4
Shropshire Pl LE16 . . . . **240** E4
Shropshire Rd LE2 . . . . **179** D7
Shrubbery The DE11 . . . . **45** A2
Shuttleworth La LE9 . . . **219** D7
Sibbertoft Rd
Clipston LE16 . . . . **249** E1
Husbands Bosworth NN6 . **247** F2
Marston Trussell LE16 . . . **249** B6
Sibson Dr DE74 . . . . **18** B2
Sibson La CV13 . . . . **172** E6
Sibson Rd Birstall LE4 . . **129** A4
Ratcliffe Culey CV9 . . . . . **171** E4
Sheepy Magna CV9 . . . . . **171** D7
Sibton La LE2 . . . . **181** A4
Sickleholm Dr LE5 . . . . . **155** E2
Side Ley DE74 . . . . **18** C3
Side St NG32 . . . . **4** F5
Sidings The NG13 . . . . **2** F3
Sidmouth Ave LE5 . . . . . **156** A4
Sidney Ho LE13 . . . . **59** D3
Sidney Rd LE2 . . . . **180** D7
Sidney St NG10 . . . . **10** D5
Sidwell St LE5 . . . . **155** E5
Silbury Rd LE4 . . . . **128** C1
Sileby Rd Barrow-u-S LE12 **76** E6
Mountsorrel LE12 . . . . **76** E3
Sileby Sta LE12 . . . . **77** C3
Silkstone Cl DE11 . . . . . . **44** B1
Silsden Rise LE2 . . . . . . **179** D3
Silver Arc LE1 . . . . **259** B4
Silver Birch Way LE7 . . **103** E8
Silver Birches LE12 . . . . . **75** F6
Silver La PE9 . . . . **143** D3
Silver St Leicester LE1 . . **259** B4
Newton CV23 . . . . **253** A1
Oakthorpe DE12 . . . . **93** A6
Whitwick LE67 . . . . **71** F4
Silverbirch Way LE11 . . . **75** A6
Silverdale Dr LE4 . . . . . . **129** F6
Silverstone Dr LE4 . . . . **129** D5
Silverton Rd
Leicester LE2 . . . . **181** C6
Loughborough LE11 . . . . . . **74** F8
Silverwood Cl LE5 . . . . . **156** C6
Silverwood Rd NG13 . . . . . **3** A2
Simmins Cl LE2 . . . . **179** D4
Simmins Cres LE2 . . . . . **179** D4
Simmonds Way CV9 . . . . **170** D2
Simon's Orch LE17 . . . . **233** F5
Simons Cl LE18 . . . . **203** E8

Simpson Cl Blaby LE8 . . **202** A6
Syston LE7 . . . . **102** E2
Sir Henry's La DE73 . . . . **26** A4
Sir John Moore CE Sch
DE12 . . . . **119** E7
Sir Jonathan North
Com Coll LE2 . . . . **180** A7
Sir Robert Martin Ct LE11 **51** D5
Siskin Dr DE12 . . . . **93** B4
Siskin Hill LE2 . . . . **181** A4
Sisley Way LE10 . . . . **197** A3
Sitch Cl LE9 . . . . **219** A5
Sitwell Wlk LE5 . . . . **155** F2
Six Acres LE18 . . . . **218** E6
Six Hills La LE14 . . . . **56** C8
Six Hills Rd Ragdale LE14 . **56** C4
Walton on t W LE12 . . . . . . **54** D4
Skampton Gn LE5 . . . . . **156** B5
Skampton Rd LE5 . . . . . **156** B5
Skeffington Glebe Rd
LE7 . . . . **160** A6
Skeffington Rd LE7 . . . . **184** E6
Skeffington Wood Rd
LE7 . . . . **160** C3
Skeg Hill LE7 . . . . **133** C2
Skeg Hill Rd LE7 . . . . . . **133** B2
Skelton Dr LE2 . . . . **180** A6
Skelwith Rise CV11 . . . . **214** A6
Skerry La NG13 . . . . **4** A2
Sketchley Cl LE5 . . . . . . **156** D6
Sketchley Hall Gdns
LE10 . . . . **215** C5
Sketchley Hill
Cty Prim Sch LE10 . . . . . **215** E5
Sketchley La
Hinckley LE10 . . . . **215** C5
Ratcliffe Culey CV9 . . . . . **171** B4
Sketchley Lane Ind Est
LE10 . . . . **215** C5
Sketchley Manor La
LE10 . . . . **215** D5
Sketchley Mdws LE10 . . **215** C5
Sketchley Meadows
Bsns Pk LE10 . . . . **215** C5
Sketchley Old Village
LE10 . . . . **215** C5
Sketchley Rd LE10 . . . . . **215** E5
Skevington Ave LE11 . . . . **51** E4
Skillington Rd NG33 . . . . . **43** D3
Skinner's La LE67 . . . . . . **71** F5
Skippon Cl LE16 . . . . . . **240** D2
Skipworth St LE2 . . . . . . **155** C4
Skye Rd NN17 . . . . **230** B1
Skye Way LE8 . . . . **202** F3
Skylark Ave LE12 . . . . **76** F1
Skylark Cl LE12 . . . . **93** B4
Slack La DE11 . . . . **45** B6
Slackey La DE12 . . . . **67** C4
Slade Brook Cl LE6 . . . . **126** F3
Slate Cl LE3 . . . . **153** B8
Slate Dr LE8 . . . . **202** A7
Slate Drift PE9 . . . . **168** E3
Slate St LE2 . . . . **259** C3
Slater Prim Sch LE3 . . . **259** A5
Slater St LE3 . . . . **154** D7
Slawston Rd
Medbourne LE16 . . . . **227** E7
Slawston LE16 . . . . **209** A2
Welham LE16 . . . . **226** F6
Slaybarns Way LE67 . . . . **95** F2
Sloane Cl LE9 . . . . **178** A3
Sludge Hall Hill LE7 . . . **159** C7
Smallthorn Pl DE11 . . . . . **44** F2
Smart Cl LE3 . . . . **153** D2
Smedley Cl LE65 . . . . **68** F5
Smedmore Rd LE5 . . . . . **155** D8
Smeeton Rd LE8 . . . . . . **224** A7
Smisby Rd LE65 . . . . **69** B8
Smith Ave Melbourne DE73 **26** B8
Thurmaston LE4 . . . . **129** F4
Smith Cres LE67 . . . . **97** C8
Smith Ct LE67 . . . . **71** D5
Smith Dorrien Rd LE5 . . **155** E7
Smith Farm Dr LE9 . . . . **199** D2
Smithy La
Burbage LE9, LE10 . . . . . **198** C1
Long Whatton LE12 . . . . . . **29** A2
Odstone CV13 . . . . **122** C4
Smithy Rd LE65 . . . . **69** E7
Smithy Way LE12 . . . . **50** C4
Smockington La LE10 . . **231** B7
Smore Slade Hills LE2 . . **181** E4
Smyth Cl LE65 . . . . **240** E5
Snarestone CE Prim Sch
DE12 . . . . **120** E7
Snarestone Rd
Appleby Magna DE12 . . . . **120** B8
Newton Burgoland LE67 . . **121** C7
Snarrow's Rd LE67 . . . . . **48** E2
Snell's Nook La LE11 . . . . **74** A8
Snelston Cl LE15 . . . . . . **138** B7
Snibston Cty Prim Sch
LE67 . . . . **96** A7
Snibston Discovery Pk
LE67 . . . . **71** B1
Snibston Dr LE67 . . . . **71** A1
Snipe Cl LE67 . . . . **96** B7
Snow Hill Leicester LE4 . **128** C1
Melton Mowbray LE13 . . . . **59** D4
Snowdens End LE18 . . . . **180** E1
Snowdon Ave LE15 . . . . **137** E6
Snowdon Cl LE12 . . . . **50** C2
Snowdrop Cl LE9 . . . . . . **200** F8

Snows La LE7 . . . . **131** D1
Soar Cl LE13 . . . . **59** B1
Soar Gn NN17 . . . . **230** C1
Soar La Leicester LE3 . . . **259** A4
Normanton on S LE12 . . . . . **30** A3
Sutton Bonington LE12, DE74 **30** A8
Soar Rd Quorn LE12 . . . . . **76** B6
Thurmaston LE4 . . . . **102** E1
Soar Valley Coll LE4 . . . **129** D3
Soar Valley Way LE2, LE9 **179** A5
Soar Way LE10 . . . . **215** A8
Soarbank Way LE11 . . . . . **51** E7
Soho St LE13 . . . . **59** C3
Solway Cl LE13 . . . . **59** B1
Somerby Cl PE9 . . . . **143** D5
Somerby Dr LE2 . . . . **181** C5
Somerby Prim Sch LE14 **108** B2
Somerby Rd
Burrough on t H LE14 . . . . **107** E3
Cold Overton LE15, LE16 . **136** A8
Knossington LE15 . . . . . . **135** C6
Leicester LE7 . . . . **156** F6
Owston LE15 . . . . **135** F7
Pickwell LE14 . . . . **108** C2
Somerfield Way LE3 . . . . **152** F2
Somerfield Wlk LE4 . . . . **128** B2
Somers Rd LE5 . . . . **156** C6
Somerset Ave LE4 . . . . . **128** D2
Somerscales Wlk LE4 . . **155** B7
Somerset Cl
Burton-on-t-W LE12 . . . . . . **53** F7
Melton Mowbray LE13 . . . . **82** D8
Somerset Dr LE3 . . . . . . **153** C7
Somerset Rd LE15 . . . . . . **87** E2
Somerville Rd
Leicester LE3 . . . . **154** C1
Stamford PE9 . . . . **143** C4
Somes Cl PE9 . . . . **144** E4
Sonning Way LE2 . . . . . . **179** C2
Sopers Cl LE9 . . . . **200** C3
Sorrel Cl PE9 . . . . **142** F4
Sorrel Ct LE12 . . . . **76** E2
Sorrel Dr DE11 . . . . **44** E4
Sorrel Rd LE5 . . . . **130** C2
Sorrel Way LE9 . . . . **177** F1
South Albion St LE1 . . . **259** C3
South Ave
Leicester Forest East LE3 . **153** B3
Ullesthorpe LE17 . . . . **233** B4
Wigston LE18 . . . . **180** C2
South Charnwood
High Sch LE67 . . . . **125** A7
South Church Gate LE1 . **259** A5
South Cl Arnesby LE8 . . . **221** F5
Blackfordby DE11 . . . . **68** B8
Scalford LE13 . . . . **38** C5
South Cres NG13 . . . . **3** A2
South Croxton Rd
Queniborough LE7 . . . . . . **104** E4
South Croxton LE7 . . . . . **132** F8
South Dr Leicester LE5 . . **156** A8
Stoney Stanton LE9 . . . . . **199** E2
South Fields Coll LE2 . . **154** F3
South Kilworth
CE Prim Sch LE17 . . . . . **255** C8
South Kilworth Rd
North Kilworth LE17 . . . . . **246** E2
Walcote LE17 . . . . **245** D3
Welford NN6 . . . . **256** B5
South Kingsmead Rd
LE2 . . . . **180** C6
South Knighton Rd LE2 . **180** D7
South La LE67 . . . . **97** C4
South Par LE13 . . . . **59** C3
South Rd Clifton u D CV23 **257** A5
Ibstock LE67 . . . . **122** F8
South St Asfordby Hill LE14 **58** D3
Ashby-De-La-Z LE65 . . . . . **69** B6
Barrow-u-S LE12 . . . . **76** D7
Draycott NG10 . . . . **9** A7
Ellistown LE67 . . . . **96** D4
Leicester LE2 . . . . **181** A6
Long Eaton NG10 . . . . **10** A7
Loughborough LE11 . . . . . . **52** B3
Melbourne DE73 . . . . **26** A7
Oakham LE15 . . . . **138** A6
Scalford LE14 . . . . **38** C4
Woodville DE11 . . . . **44** F1
South View Asfordby LE14 . **57** E2
Burrough on t H LE14 . . . . **107** D2
Preston LE15 . . . . **164** C1
Uppingham LE15 . . . . **189** B4
South View Cl LE15 . . . . **164** E5
South Way LE8 . . . . **206** B1
South Wigston High Sch
LE2, LE18 . . . . **179** E1
South Wigston Sta LE18 **179** F2
South Witham
Com Prim Sch NG33 . . . . . **65** A4
South Witham Nature Res
NG33 . . . . **65** E3
South Wlk Leicester LE5 . **155** D6
Loughborough LE11 . . . . . . **75** A8
Southampton St LE1 . . . **259** C4
Southdown Dr LE4 . . . . . **129** E5
Southdown Rd
Leicester LE5 . . . . **155** D6
Loughborough LE11 . . . . . . **75** A8
Southernhay Ave LE2 . . **155** C1
Southernhay Cl LE2 . . . . **155** C1
Southernhay Rd LE2 . . . **155** C1
Southey Cl Enderby LE9 . **178** A2
Leicester LE15 . . . . **155** B8
Southfield Ave LE7 . . . . **103** B3
Southfield Cl
Glen Parva LE2 . . . . **179** A3
Scraptoft LE7 . . . . **156** F7
Southfield Com Prim Sch
LE15 . . . . **137** E5

Southfield Rd
Gretton NN17 . . . . **213** C1
Hinckley LE10 . . . . **215** E7
Loughborough LE11 . . . . . . **52** B3
Southfield Way CV13 . . . **148** E2
Southfields NG10 . . . . . . **10** E7
Southfields Ave LE2 . . . **180** F6
Southfields Coll LE3 . . . **127** F2
Southfields Dr LE2 . . . . **179** F5
Southfields Inf Sch LE2 . **179** F5
Southgates LE1 . . . . **259** A3
Southgates Underpass
LE1 . . . . **259** A3
Southland Rd LE2 . . . . . **180** D6
Southleigh Gr LE16 . . . . **240** D4
Southmeads Cl LE2 . . . . **181** A7
Southmeads Rd LE2 . . . **181** A7
Southview Ct LE3 . . . . . **152** F3
Southview Dr LE5 . . . . . **155** F2
Southway LE8 . . . . **202** B6
Southworth Rd DE73 . . . . **26** E2
Sovereign Gr NG10 . . . . . **10** B7
Sovereign Pk LE16 . . . . **240** F1
Sowters La LE12 . . . . **54** B6
Spa Cl LE10 . . . . **197** E1
Spa Dr LE9 . . . . **217** D8
Spa La Hinckley LE10 . . . **197** E1
Orston NG13 . . . . **2** B7
Wigston LE18 . . . . **180** D2
Spalding St LE5 . . . . **155** E6
Sparkenhoe Croft LE9 . . **200** C3
Newbold Verdon LE9 . . . . **150** C4
Sparkenhoe
Com Prim Sch LE2 . . . . . **155** B4
Sparkenhoe Com Prim Sch
(Gopsall Annexe)
LE2 . . . . **155** B4
Sparkenhoe Est LE67 . . . . **95** C3
Sparkenhoe St LE2 . . . . **155** B5
Sparrow Hill LE11 . . . . . . **52** B4
Speeds Pingle LE11 . . . . . **52** A4
Speedwell Cl Coalville LE67 **71** E1
Narborough LE9 . . . . **177** F1
Woodville DE11 . . . . **44** F4
Speedwell Dr
Broughton Astley LE9 . . . **219** A4
Hamilton LE5 . . . . **130** F4
Speedwell Rd LE12 . . . . . **76** F2
Speers Rd LE3 . . . . **153** E8
Spence St LE5 . . . . **155** D7
Spencefield Dr LE5 . . . . **156** B3
Spencefield La LE5 . . . . **156** C4
Spencer Ave LE4 . . . . . . **129** E7
Spencer St Hinckley LE10 **197** D1
Leicester LE2 . . . . **181** A4
Market Harborough LE16 . **240** D3
Spencers Rd PE9 . . . . . . **167** F5
Spendlove Dr NN17 . . . . **213** C1
Spendlow Gdns LE2 . . . **179** E4
Spendlow Gn LE2 . . . . . **179** E4
Spey Dr LE15 . . . . **137** E4
Spiers Cl LE9 . . . . **201** B7
Spindle Rd LE11 . . . . **75** A6
Spindles The LE10 . . . . . **215** F5
Spinney Ave LE8 . . . . . . **202** F4
Spinney Cl Gilmorton LE17 **235** C4
Glen Parva LE2 . . . . **179** A3
Groby LE6 . . . . **126** F2
Market Harborough LE16 . **240** D3
Melton Mowbray LE13 . . . . **59** E5
Ryhall PE9 . . . . **116** E2
Syston LE7 . . . . **102** E3
Spinney Ct LE9 . . . . **200** C4
Spinney Dr
Barlestone CV13 . . . . **149** D7
Botcheston LE9 . . . . **151** C8
Quorn LE12 . . . . **75** F5
Spinney Halt LE8 . . . . . . **201** F7
Spinney Hill
Market Bosworth CV13 . . . **148** D3
Melbourne DE73 . . . . **26** A7
Spinney Hill Dr LE11 . . . . **51** D2
Spinney Hill Prim Sch
LE5 . . . . **155** D5
Spinney Hill Rd LE5 . . . . **155** C7
Spinney La Ryhall PE9 . . **116** E2
Stretton LE15 . . . . **88** F4
Spinney Nook LE7 . . . . . **185** E6
Spinney Rd Hinckley LE10 **215** C6
Ketton PE9 . . . . **167** F5
Spinney Rise LE4 . . . . . . **129** A7
Spinney The
Atherstone CV9 . . . . **194** A7
Castle Donington DE74 . . . **17** A4
Coalville LE67 . . . . **96** C6
Cottesmore LE15 . . . . . . **112** B7
Thurnby LE7 . . . . **156** F4
Spinney View LE7 . . . . . **182** C1
Spinneyside LE6 . . . . . . **126** E2
Spire View NG13 . . . . **3** B3
Spittal DE74 . . . . **17** A4
Spittal Hill DE74 . . . . **17** A4
Sponne Rise LE2 . . . . . . **179** E4
Sports Field La LE9 . . . . **200** D8
Sports Rd LE3 . . . . **153** D8
Spring Back La LE15 . . . **189** A4
Spring Bank LE6 . . . . . . **227** F7
Spring Cl Breaston DE72 . . **9** C8
Lutterworth LE17 . . . . **244** C5
Ratby LE6 . . . . **152** D8
Shepshed LE12 . . . . **50** C2
Spring Cottage Rd DE12 . **67** D5
Spring Field Cl LE3 . . . . **153** B7
Spring Gdns LE9 . . . . . . **201** C6

Spring La Glaston LE15 . . .**190** B5
Long Whatton LE12 . . . .**29** D2
Packington LE65 . . . .**69** E1
Shepshed LE12 . . . .**50** B2
Swannington LE67 . . . .**71** B4
3 Wigston LE18 . . . .**180** D3
Wymondham LE14 . . . .**62** D2
Spring Rd LE67 . . . .**96** A2
Spring St DE11 . . . .**44** A1
Spring The NG10 . . . .**10** D5
Springbrook Dr LE7 . . . . .**156** F6
Springclose LE2 . . . .**179** D5
Springdale Rd LE4 . . . .**129** E6
Springfield Kegworth DE74 .**18** B2
Thringstone LE67 . . . .**71** E8
Springfield Ave
Long Eaton NG10 . . . .**10** F8
Market Bosworth CV13 . . .**148** D3
Springfield Cl
Broughton Astley LE9 . . . . .**218** F5
Burton-on-t-W LE12 . . . .**53** F7
Ibstock LE67 . . . .**95** F1
Kibworth Beauchamp LE8 . .**224** B7
Loughborough LE11 . . . .**74** E8
Swadlincote DE11 . . . .**44** B6
Springfield Cres LE18 . . .**224** B8
Springfield Cty Jun Sch
DE11 . . . .**44** C5
Springfield La LE8 . . . . . .**224** A6
Springfield Pk LE10 . . . . .**197** A3
Springfield Rd
Hinckley LE10 . . . .**215** D7
Leicester LE2 . . . .**155** C2
Shepshed LE12 . . . .**50** B3
Sileby LE12 . . . .**77** D4
Swadlincote DE11 . . . .**44** B6
Springfield St
Market Harborough LE16 . .**240** F2
Melton Mowbray LE13 . . . . .**59** B5
Springfield Way LE15 . . .**138** A8
Springhill DE11 . . . .**45** A8
Springs The LE17 . . . .**254** C4
Springside LE7 . . . .**156** E5
Springwell Cl LE8 . . . . . .**202** E4
Springwell Dr LE8 . . . . . .**202** D4
Springwell La LE8 . . . . . .**201** F4
Springwood Farm Rd
DE11 . . . .**44** B7
Sproxton Rd
Buckminster NG33 . . . .**42** D2
Skillington NG33 . . . .**43** A8
Spruce Ave LE11 . . . .**75** A7
Spruce Way LE17 . . . .**244** B7
Square The
Bagworth LE67 . . . .**124** B5
Bottesford NG13 . . . .**3** A3
Countesthorpe LE8 . . . .**202** F3
Frolesworth LE17 . . . .**218** B1
Littlethorpe LE19 . . . .**201** C6
Long Whatton LE12 . . . .**29** B4
Market Harborough LE16 . .**240** E3
Newton Harcourt LE8 . . . . .**204** D6
Oakthorpe DE12 . . . .**93** A7
Ryhall PE9 . . . .**116** F2
Shearsby LE17 . . . .**222** A2
South Luffenham LE15 . . .**191** D8
Sutton Cheney CV13 . . . . .**174** B6
Welford NN6 . . . .**256** E6
Squire's Ride LE7 . . . . . .**103** D8
Squires Cl LE15 . . . .**110** C3
Squires Gn LE10 . . . .**215** F6
Squirrel Cl LE9 . . . .**201** A7
Squirrel La DE12 . . . .**26** E4
Squirrel Way LE11 . . . .**51** F2
Squirrel Wlk LE67 . . . .**67** B3
Squirrel's Cnr LE7 . . . . . .**103** E8
Stable Cl LE9 . . . .**201** C7
Stable Yd The CV13 . . . . .**196** D7
Stablegate Way LE16 . . . .**241** A3
Stables La LE15 . . . .**137** F6
Stackley Rd LE8 . . . .**182** B1
Stadium Ind Pk NG10 . . . . .**10** F8
Stadium Pl LE4 . . . .**128** E2
Stadon Rd LE7 . . . .**127** D6
Staffa Wlk NN17 . . . .**230** B1
Stafford Ave LE13 . . . .**59** D4
Stafford Dr LE18 . . . .**179** F2
Stafford Leys LE3 . . . . . .**152** F3
Stafford Leys
Com Prim Sch LE3 . . . . . .**152** F2
Stafford St Barwell LE9 . .**198** A6
Leicester LE4 . . . .**129** C3
Long Eaton NG10 . . . .**10** F8
Staffords Acre DE74 . . . . .**18** C2
Stainby Rd
Buckminster NG33 . . . .**42** E2
Gunby NG33 . . . .**64** E8
Staindale LE18 . . . .**180** F2
Stainforth Cl CV11 . . . . . .**214** A2
Stainmore Ave LE9 . . . . .**178** A2
Stainsdale Gn LE67 . . . . . .**72** A2
Staley Ave LE65 . . . .**68** F5
Stamford Bsns Pk PE9 . . .**143** F4
Stamford Castle PE9 . . . .**143** E2
Stamford Cl Glenfield LE3 .**153** C8
Long Eaton NG10 . . . .**10** E4
Market Harborough LE16 . .**240** F2
Stamford Coll PE9 . . . . . .**143** E2
Stamford Dr Coalville LE67 .**72** D1
Cropston LE7 . . . .**100** F2
Groby LE6 . . . .**126** F2
Stamford End LE15 . . . . .**113** B3
Stamford High Jun Sch
PE9 . . . .**143** E2
Stamford High Sch PE9 .**143** E2

Stamford High Sch
for Girls PE9 . . . .**143** E2
Stamford High Sch Jun
PE9 . . . .**143** D2
Stamford Rd
Carlby PE9 . . . .**117** C8
Duddington PE9 . . . .**193** C7
Easton on t H PE9 . . . .**169** B5
Empingham LE15, PE9 . . .**141** C4
Essendine PE9 . . . .**117** A5
Exton LE15 . . . .**113** B3
Ketton PE9 . . . .**168** C8
Kirby Fields LE9 . . . .**152** E4
Oakham LE15 . . . .**138** B5
Sewstern NG33 . . . .**64** A8
South Luffenham LE15, PE9 **191** D7
Stamford & Rutland Hospl
PE9 . . . .**143** F4
Stamford Sch PE9 . . . . . .**143** E3
Stamford Sch Jun Sch
PE9 . . . .**143** E3
Stamford Sch
(Welland Ho) PE9 . . . . . .**143** E2
Stamford Sta PE9 . . . . . .**143** D2
Stamford Wlk **7** PE9 . . . .**143** E2
Stanage Rd LE12 . . . .**77** E4
Stanbrig LE18 . . . .**203** B8
Stancliff Rd LE4 . . . .**129** F5
Standard Hill LE67 . . . .**96** B7
Stanford Hill LE11 . . . .**52** B6
Stanford Hills LE12 . . . . . .**31** D4
Stanford La LE12 . . . .**52** D7
Stanford Rd
Normanton on S LE12 . . . . .**30** F2
Swinford LE17 . . . .**254** D3
Stanhope Rd
Swadlincote DE11 . . . .**44** B3
Wigston LE18 . . . .**180** E1
Stanhope St
Leicester LE5 . . . .**155** D5
Long Eaton NG10 . . . .**10** D8
Stanier Dr LE4 . . . .**130** A4
Stanier Rd
Broughton Astley LE9 . . . .**219** A6
Corby NN17 . . . .**230** F1
Stanilands LE15 . . . .**84** E1
Stanleigh Rd DE12 . . . .**67** B4
Stanley Cl Netherseal DE12 .**91** F7
Woodville DE11 . . . .**44** F3
Stanley Dr LE5 . . . .**156** A8
Stanley Rd Hinckley LE10 .**197** C2
Leicester LE2 . . . .**155** C3
Market Bosworth CV13 . . .**148** E2
Stanley St Barwell LE9 . . .**198** A6
Long Eaton NG10 . . . .**10** E7
Loughborough LE11 . . . . . .**52** B2
Melton Mowbray LE13 . . . . .**59** D3
Stamford PE9 . . . .**143** E3
Swadlincote DE11 . . . .**44** C4
Stanleys La LE14 . . . .**22** A6
Stanton La Croft LE9 . . . .**200** A5
Sapcote LE9 . . . .**217** B8
Stanton u B LE67 . . . .**97** F3
Thornton LE67 . . . .**124** E6
Stanton Row LE2 . . . .**179** F5
Stanton under Bardon
Comm Prim Sch LE67 . . . . .**97** F1
Stanway Cl LE16 . . . .**241** A3
Stanyon Cl LE8 . . . .**202** F4
Stapleford Rd
Leicester LE4 . . . .**128** D4
Whissendine LE15 . . . .**84** E3
Staplehurst Ave LE3 . . . .**178** E8
Stapleton La Barwell LE9 .**197** F8
Dadlington CV13 . . . .**174** A1
Kirkby Mallory LE9 . . . . . .**175** B5
Star La **3** LE9 . . . .**143** E3
Starkie Ave DE74 . . . .**16** F3
Starmer Cl LE9 . . . .**201** E3
Statham St LE9 . . . .**150** B5
Stathern Prim Sch LE14 . .**13** A2
Stathern Rd Eastwell LE14 .**22** B6
Harby LE14 . . . .**12** C3
Station App LE15 . . . .**137** F7
Station App The LE7 . . . .**133** F7
Station Ave
Loughborough LE11 . . . . . .**51** F5
South Witham NG33 . . . . . .**65** B3
Station Cl LE9 . . . .**152** E4
Station Cotts LE14 . . . .**21** B7
Station Dr Kirby Fields LE9 **152** E4
Moira DE12 . . . .**67** F4
Station Hill
Swannington LE67 . . . .**71** A4
Twyford LE14 . . . .**133** F4
Station Hollow LE8 . . . . .**224** A8
Station La Asfordby LE14 . .**57** F2
Old Dalby LE14 . . . .**35** F5
Scraptoft LE7 . . . .**156** F7
Station Mews LE65 . . . . . .**69** B5
Station Rd
Ashby-De-La-Z LE65 . . . . . .**69** B5
Bagworth LE67 . . . .**124** A6
Birstall LE4 . . . .**128** F5
Bottesford NG13 . . . .**3** B3
Broughton Astley LE9 . . . .**219** A6
Castle Bytham NG33 . . . . . .**90** C8
Castle Donington DE74 . . . .**17** B6
Coalville LE67 . . . .**96** D6
Countesthorpe LE8 . . . . . .**202** E3

Station Rd continued
Croft LE9 . . . .**200** C4
Cropston LE7 . . . .**101** A4
Desford LE9 . . . .**151** C3
Draycott DE72 . . . .**9** B7
Dunton Bassett LE17 . . . . .**219** E2
Earl Shilton LE9 . . . .**198** E7
Ellistown LE67 . . . .**96** F1
Elmesthorpe LE9 . . . .**198** F5
Essendine PE9 . . . .**117** B6
Glenfield LE3 . . . .**127** C1
Great Bowden LE16 . . . . . .**241** A6
Great Easton LE16 . . . .**229** E6
Great Glen LE8 . . . .**205** A6
Gretton NN17 . . . .**213** B1
Hemington DE74 . . . .**17** C5
Higham on t H CV13 . . . . .**195** F4
Hinckley LE10 . . . .**215** D8
Husbands Bosworth LE17 .**247** D3
Ibstock LE67 . . . .**95** D1
Kegworth DE74 . . . .**18** E3
Ketton PE9 . . . .**168** A5
Kirby Fields LE9 . . . .**152** E4
Leicester LE5, LE7 . . . . . .**156** F6
Lilbourne CV23 . . . .**258** A7
Littlethorpe LE19 . . . .**201** C7
Long Eaton NG10 . . . .**10** F8
Lutterworth LE17 . . . .**244** D5
Market Bosworth CV13 . . .**148** D3
Melbourne DE73 . . . .**26** C8
Morcott LE15 . . . .**191** B6
North Kilworth LE17 . . . . .**247** A4
Oakham LE15 . . . .**137** F7
Quorn LE12 . . . .**76** A6
Ratby LE6 . . . .**152** D7
Rearsby LE7 . . . .**79** A2
Shackerstone CV13 . . . . . .**121** E2
South Luffenham LE15 . . .**166** E2
Stamford PE9 . . . .**143** D2
Stoke Golding CV13 . . . . .**196** C7
Stoney Stanton LE9 . . . . .**199** C3
Syston LE7 . . . .**103** A3
Theddingworth LE17 . . . . .**248** C8
Ullesthorpe LE17 . . . .**233** B4
Upper Broughton LE14 . . . .**35** C8
Uppingham LE15 . . . .**189** B7
Waltham on t W LE14 . . . . .**22** F3
Whissendine LE15 . . . .**85** A4
Wigston LE18 . . . .**180** B2
Wing LE15 . . . .**164** E3
Woodville DE11 . . . .**44** F2
Station St
Castle Gresley DE11 . . . . . .**67** A8
Kibworth Beauchamp LE8 . .**224** A8
Leicester LE1 . . . .**259** C3
Long Eaton NG10 . . . .**10** F7
Loughborough LE11 . . . . . .**51** F5
Whetstone LE8 . . . .**201** F8
Wigston LE18 . . . .**180** A1
Station Terr
Bagworth LE67 . . . .**124** A7
Heather LE67 . . . .**95** D2
Staunton CE Prim Sch LE67.**17** A4
Staveley Cl Sileby LE12 . . .**77** D2
Wigston LE18 . . . .**180** E2
Staveley Ct LE11 . . . .**52** B5
Staveley Rd
Leicester LE5 . . . .**155** D4
Melton Mowbray LE13 . . . . .**59** A4
Staythorpe Rd LE4 . . . . . .**130** A5
Steadfold La PE9 . . . .**168** C8
Steadman Ave LE9 . . . . . .**201** E3
Steam Brewery Mus
PE9 . . . .**143** D3
Stebbings Rd LE2 . . . .**179** D5
Steele Cl LE5 . . . .**156** A5
Steeple Cl LE18 . . . .**180** E4
Steeple Cl LE11 . . . .**52** B4
Steeple Row LE11 . . . .**52** B4
Steins La LE5 . . . .**156** B8
Stemborough La LE17 . . .**219** A2
Stenor Cl LE8 . . . .**222** A4
Stenson Rd
Coalville LE67 . . . .**71** E2
Leicester LE5 . . . .**128** A1
Stephens Ct LE7 . . . .**102** F3
Stephenson Cl LE6 . . . . . .**126** E3
Stephenson Coll LE67 . . . .**96** D8
Stephenson Ct
Glenfield LE3 . . . .**127** C2
Ravenstone LE67 . . . .**71** A3
Stephenson Dr LE3 . . . . . .**154** C7
Stephenson Ind Est LE67 . .**71** B2
Stephenson Rd LE10 . . . . .**214** B2
Stephenson Way
Coalville LE67 . . . .**71** D3
Groby LE6 . . . .**126** E3
Sterndale Rd NG10 . . . .**10** B6
Stevens Cl
Stoney Stanton LE9 . . . . .**199** E2
Ullesthorpe LE17 . . . .**233** B4
Stevens La DE72 . . . .**9** D8
Stevens St LE16 . . . .**240** D3
Stevenson Ave DE72 . . . . . .**9** B8
Stevenson Gdns LE9 . . . .**201** D4
Stevenstone Cl LE2 . . . . .**181** D5
Stewards Ct LE9 . . . .**151** B3
Stewart Ave LE9 . . . .**178** A2
Stewart Dr LE11 . . . .**51** C6
Stewart House
(Rehabilitation Ctr)
LE9 . . . .**178** B2
Steyning Cres LE3 . . . . . .**127** D1
Stiles Cl LE18 . . . .**218** F5
Stiles The LE7 . . . .**103** B4
Stinson Way LE67 . . . .**71** E5
Stirling Ave Hinckley LE10 .**197** A1
Loughborough LE11 . . . . . .**51** D5

Stirling Cl
Mountsorrel LE12 . . . .**101** C8
Quorn LE12 . . . .**75** F7
Stirling Dr LE7 . . . .**156** F6
Stirling Pk LE10 . . . .**214** D8
Stirling Rd
Melton Mowbray LE13 . . . . .**59** B4
Stamford PE9 . . . .**143** B3
Stock's Hill LE7 . . . .**168** A5
Stockerston Cres LE15 . . .**188** F3
Stockerston Cross Rds
LE16 . . . .**210** F5
Stockerston La LE16 . . . .**211** B3
Stockerston Rd
Allexton LE15 . . . .**187** E4
Uppingham LE15 . . . .**188** D2
Stocking La DE73 . . . .**48** B8
Stockland Rd LE2 . . . .**179** E4
Stocks Hill LE15 . . . .**164** E6
Stocks Rd LE7 . . . .**156** F8
Stockton Ho LE3 . . . .**153** C6
Stockton Rd LE4 . . . .**129** E1
Stockwell Cl LE16 . . . . . .**241** B3
Stockwell Head LE10 . . . .**197** D1
Stockwell Rd LE2 . . . .**180** D7
Stockwell The LE12 . . . . . .**33** C3
Stockwood Dr NN17 . . . . .**230** F1
Stoke Albany Rd LE16 . . .**227** E1
Stoke La
Higham on t H CV13 . . . . .**196** A4
Stoke Golding CV13 . . . . .**196** E8
Stoke Rd
Hinckley LE10, CV13 . . . . .**197** A4
Lyddington LE15 . . . .**212** C2
Upton CV13 . . . .**172** D2
Stokes CE Prim Sch LE8 .**202** A7
Stokes Dr LE3 . . . .**154** B8
Stokes Wood Prim Sch
LE3 . . . .**154** B8
Stone Cl LE4 . . . .**128** A6
Stone Dr LE15 . . . .**66** A2
Stone Mdws NG10 . . . .**10** E5
Stone Row LE67 . . . .**71** D1
Stonebow Cl LE11 . . . .**51** B6
Stonebow Prim Sch LE11 .**51** B6
Stonebridge St LE5 . . . . .**155** D6
Stonechat Wlk LE15 . . . . .**155** C6
Stonecroft LE8 . . . .**202** C3
Stonehaven Cl LE67 . . . . . .**72** D1
Stonehaven Rd LE4 . . . . .**129** D4
Stonehill DE74 . . . .**17** B2
Stonehill Ave LE4 . . . . . .**129** A8
Stonehill Ct LE8 . . . .**182** C1
Stonehill Dr LE8 . . . .**182** C1
Stonehill High Sch The
LE4 . . . .**102** B1
Stonehills DE74 . . . .**18** C2
Stonehouse Ct LE3 . . . . . .**258** A6
Stonehurst La DE12 . . . . . .**30** C3
Stonehurst Rd LE3 . . . . . .**178** F8
Stoneleigh Cl CV10 . . . . .**194** B3
Stoneleigh Way LE3 . . . . .**154** C8
Stoneley Rd CV13 . . . .**196** D6
Stonepit Dr LE16 . . . .**229** D1
Stonepit La LE67 . . . .**43** B8
Stonepit Terr LE14 . . . . . .**108** D3
Stonesby Ave LE2 . . . . . .**179** F4
Stonesby Rd Saltby LE14 . .**24** C1
Sproxton LE14 . . . .**41** E5
Waltham on t W LE14 . . . . .**40** B6
Stoney Hollow LE17 . . . . .**244** C5
Stoney La
Appleby Magna DE12 . . . . .**92** F1
Coleorton LE67 . . . .**70** F8
Stanton u B LE67 . . . .**98** B1
Stoneycroft Rd LE19 . . . . .**198** E7
Stoneygate Ave LE2 . . . . .**155** C1
Stoneygate Coll LE2 . . . . .**155** C2
Stoneygate Ct LE2 . . . . . .**155** C2
Stoneygate Dr LE10 . . . . .**197** F3
Stoneygate Rd LE2 . . . . . .**155** D2
Stoneygate Sch
Great Glen LE8 . . . .**205** C6
Leicester LE2 . . . .**155** C3
Stoneywell Rd LE4 . . . . . .**127** F5
Stonton Rd LE16 . . . .**225** D8
Stoop La LE12 . . . .**76** A6
Stordon La LE67 . . . .**48** B2
Storer Cl LE12 . . . .**77** D3
Storer Rd LE11 . . . .**51** F4
Stores La LE8 . . . .**222** F7
Storey St LE3 . . . .**154** D7
Stornaway Rd LE5 . . . . . .**156** D6
Stornoway Rd NN17 . . . . .**230** C1
Stoughton Ave LE2 . . . . . .**155** D1
Stoughton Cl LE2 . . . .**181** B6
Stoughton Dr LE5 . . . .**155** F2
Stoughton Dr N LE5 . . . . .**155** D3
Stoughton Dr S LE2 . . . . .**180** F8
Stoughton Farm Pk LE2 . .**156** C1
Stoughton La LE2 . . . .**156** C2
Stoughton Rd Gaulby LE7 .**183** C6
Leicester LE2 . . . .**155** D1
Oadby LE2 . . . .**181** B7
Thurnby LE5, LE7 . . . .**156** F3
Stoughton St LE2 . . . .**155** B5
Stoughton St S LE2 . . . . .**155** B5
Stour Cl LE2 . . . .**181** D6
Stour Rd NN17 . . . .**230** D1
Stourdale Cl NG10 . . . .**10** A6
Stove Ct LE15 . . . .**89** A7
Stow Hill LE14 . . . .**41** F5
Stowe Cl LE65 . . . .**69** A7
Strachan Cl LE12 . . . .**76** F1
Strancliffe La LE12 . . . . . .**53** C1
Strasbourg Dr LE4 . . . . . .**128** C3
Stratford Rd LE3 . . . .**153** F1
Strathaven Rd LE4 . . . . . .**129** C4

Strathay Wlk NN17 . . . . . .**230** C1
Strathmore Ave LE4 . . . . .**129** D3
Strathmore Cl LE67 . . . . . .**97** C8
Strathmore Rd LE10 . . . . .**215** A7
Stratton Cl LE3 . . . .**240** D1
Strawberry Ct LE14 . . . . .**108** D3
Strawberry La DE11 . . . . . .**68** B8
Streamside LE9 . . . .**218** F5
Street The Goadby LE7 . . .**185** B2
South Luffenham LE15 . . .**191** E8
Strensall Rd LE2 . . . .**179** D3
Stretton Cl LE10 . . . .**215** D6
Stretton Ct Great Glen LE8 **205** B8
Hinckley LE10 . . . .**215** D3
Stretton Dr LE67 . . . .**72** C1
Stretton Hall Dr LE2 . . . .**181** F3
Stretton La LE7 . . . .**157** E2
Stretton Raod LE15 . . . . . .**89** C4
Stretton Rd Clipsham LE15 .**89** C4
Great Glen LE8 . . . .**182** C3
Leicester LE3 . . . .**154** C5
Stretton View DE12 . . . . . .**93** A6
Stroller's Way LE7 . . . . . .**103** E7
Stroma Way LE8 . . . .**202** F3
Stroud Rd LE5 . . . .**155** D7
Stroud's Cl LE14 . . . .**20** F8
Strudwick Way LE8 . . . . .**179** A1
Strutt Rd LE10 . . . .**216** A5
Stuart Cres LE14 . . . .**239** F7
Stuart Rd Glen Parva LE2 .**179** C3
Market Harborough LE16 . .**240** E2
Stuart St
Kibworth Beauchamp LE8 . .**224** A8
Leicester LE3 . . . .**154** D3
Stuart Way LE65 . . . .**69** B5
Stubbs Rd LE4 . . . .**155** B8
Studbrook Cl DE74 . . . .**16** F3
Studfarm Cl DE73 . . . .**26** E2
Sturdee Cl LE2 . . . .**179** D4
Sturdee Gn LE2 . . . .**179** C4
Sturdee Rd LE2 . . . .**179** D4
Sturrock Cl LE7 . . . .**156** F6
Stygate La LE14 . . . .**108** E5
Styon Rd LE3 . . . .**127** E1
Sudbury Ct NG10 . . . .**10** B4
Sudeley Ave LE4 . . . .**128** C2
Suffolk Cl
Melton Mowbray LE13 . . . . .**82** D8
Wigston LE18 . . . .**180** A3
Suffolk St LE5 . . . .**155** C5
Suffolk Way LE9 . . . .**151** B2
Sulby Hall Old Dr NN6 . . .**248** B1
Sulby Rd NN6 . . . .**248** B1
Sulgrave Rd LE5 . . . .**155** D7
Sullington Rd LE12 . . . . . .**50** C3
Sullivan Way LE11 . . . .**51** F6
Sulthorpe Rd PE9 . . . .**167** F5
Summerfield LE15 . . . . . .**138** A8
Summerlea Rd LE5 . . . . . .**156** D6
Summerpool Rd LE11 . . . . .**51** F7
Summers Cl LE9 . . . .**175** D6
Sun St DE11 . . . .**44** F2
Sun Way LE3 . . . .**153** D3
Sunbury Gn LE5 . . . .**156** E7
Sunbury Rise LE5 . . . . . .**202** C4
Sundew Rd LE5 . . . .**130** C2
Sunningdale Cl CV11 . . . .**214** A1
Sunningdale Rd LE3 . . . . .**153** C4
Sunny Side LE2 . . . .**181** C4
Sunnybank PE9 . . . .**143** E3
Sunnycroft Rd LE3 . . . . . .**154** A5
Sunnydale Cres LE10 . . . .**215** A7
Sunnydale Rd LE10 . . . . .**214** F7
Sunnyfield LE15 . . . .**138** A8
Sunnyfield Cl LE5 . . . . . .**156** C5
Sunnyhill LE10 . . . .**215** F7
Sunnyhill Rd LE11 . . . .**51** F1
Sunnyhill S LE10 . . . .**215** F6
Sunnyside LE8 . . . .**178** F1
Sunnyside Hinckley LE10 .**197** D3
Ibstock LE67 . . . .**122** E6
Sunnyside Hospl LE10 . . .**197** D5
Sunnyside Ind Est LE10 . .**197** D4
Surrey Cl LE10 . . . .**215** E4
Surrey St LE4 . . . .**155** B8
Susan Ave LE5 . . . .**156** B4
Sussex Ave LE13 . . . .**82** D8
Sussex Rd Stamford PE9 . .**143** D4
Wigston LE18 . . . .**179** F3
Sussex St LE5 . . . .**155** B6
Sutherington Way LE7 . . .**127** E7
Sutherland St **1** LE2 . . . .**155** C4
Sutherland Way PE9 . . . .**143** B3
Suthers Rd DE74 . . . .**18** C2
Sutton Ave LE4 . . . .**129** C2
Sutton Bonington Cty
Prim Sch LE12 . . . .**30** B6
Sutton Cl Hinckley LE10 . .**197** F3
Leicester LE2 . . . .**181** B3
Quorn LE12 . . . .**75** C2
Sutton Bonington LE12 . . . .**30** C5
Sutton Ct
Broughton Astley LE9 . . . .**218** E8
Market Harborough LE16 . .**240** E1
Sutton La Dadlington CV13 .**173** F1
Granby NG13 . . . .**5** D6
Market Bosworth CV13 . . .**148** F5
Sutton Cheney CV13 . . . . .**174** D8
Sutton Pl LE4 . . . .**129** C2
Sutton Rd
Great Bowden LE16 . . . . . .**241** B6
Kegworth DE74 . . . .**18** C1
Leicester LE2 . . . .**180** A8
Little Bowden LE16 . . . . . .**241** E7
Weston by W LE16 . . . . . .**227** B3
Swadlincote Rd DE11 . . . . .**44** E3
Swain St LE1 . . . .**259** C3

Swains Gn LE10 . . . . 215 F6
Swainson Rd LE4 . . . . 155 E8
Swale Cl Corby NN17 . . . . 230 D1
  Leicester LE2 . . . . 181 D6
  Melton Mowbray LE13 . . . 59 B1
Swallow Cl LE12 . . . . 76 F2
Swallow Dale LE67 . . . . . . 71 D7
Swallow Dr LE7 . . . . 102 F4
Swallow Rd DE11 . . . . 44 F3
Swallow Wlk LE12 . . . . 30 A1
Swallowdale Dr LE4 . . . . 128 B6
Swallowdale Prim Sch
  LE13 . . . . 82 B8
Swallowdale Rd LE13 . . . . 82 B8
Swallows Cl LE3 . . . . 152 E1
Swallows Dr LE14 . . . . 12 F3
Swan Cl Barrow-u-S LE12 . . 76 E8
  Melton Mowbray LE13 . . . 82 B8
  Mountsorrel LE12 . . . . . . 76 F2
Swan Ct LE12 . . . . 30 B6
Swan Rivers DE74 . . . . 28 A8
Swan St Leicester LE3 . . . 259 A4
  Loughborough LE11 . . . . . 52 B4
  Seagrave LE12 . . . . 77 F8
  Sileby LE12 . . . . 77 C3
Swan Way Coalville LE67 . . 96 F8
  Syston LE7 . . . . 102 E4
Swann Cl LE15 . . . . 166 D3
Swannington CE Sch
  LE67 . . . . 71 A5
Swannington Rd
  Broughton Astley LE9 . . 219 A6
  Leicester LE3 . . . . 154 C7
  Ravenstone LE67 . . . . 70 F2
Swannymote Rd
  LE67, LE12 . . . . 72 B7
Swanscombe Rd LE2 . . . . 154 D1
Swanson Ho PE9 . . . . 143 F4
Swedish LE16 . . . . 224 E1
Sweetbriar PE9 . . . . 142 E5
Sweetbriar Rd LE3 . . . . . . 154 C3
Sweethill DE12 . . . . 68 A5
Swepstone Rd
  Heather LE67 . . . . 95 A2
  Measham LE67 . . . . 94 B4
  Snarestone DE12, LE67 . . 94 C1
Swift Cl
  Melton Mowbray LE13 . . . 82 B8
  Syston LE7 . . . . 102 F4
  Woodville DE11 . . . . 44 F3
Swift Valley Ind Est
  CV21 . . . . 252 A1
Swift Way LE17 . . . . 244 C7
Swift's Cl LE12 . . . . 33 C3
Swifts LE67 . . . . 95 C7
Swinburne Rd LE10 . . . . . 197 C1
Swinfen LE67 . . . . 96 C3
Swinfield Ave LE2 . . . . . . 179 D2
Swinford CE Sch LE17 . . 254 B4
Swinford Cnr LE2 . . . . . . 254 A8
Swinford Ct LE2 . . . . 179 D2
Swinford Rd
  Cotesbach LE17 . . . . . . 244 E2
  Walcote LE17 . . . . 245 B2
Swingbridge Rd LE11 . . . . 51 F7
Swingbridge St LE16 . . . 239 E8
Swinstead Rd LE5 . . . . . . 156 D4
Swithland Ave LE4 . . . . . . 128 F1
Swithland Cl
  Loughborough LE11 . . . . . 51 C5
  Markfield LE67 . . . . 125 E8
Swithland Ct LE3 . . . . 178 F7
Swithland La LE7 . . . . 101 B7
Swithland Rd
  Coalville LE67 . . . . 97 C8
  Swithland LE12 . . . . 100 E4
Swithland Resr
  Nature Reserve LE7 . . . . 75 F1
Swithland St Leonard's
  CE Prim Sch LE12 . . . . 100 E7
Swithland Woods
  Nature Reserve LE12 . . 100 B5
Sword Cl LE3 . . . . 153 C7
Sword Dr LE10 . . . . 197 B3
Sybil Rd LE3 . . . . 154 E1
Sycamore Ave DE11 . . . . . 44 A7
Sycamore Cl
  Barton in t B CV13 . . . . 122 D1
  Corby NN17 . . . . 230 E1
  Hinckley LE10 . . . . 215 E5
  Ibstock LE67 . . . . 95 E1
  Leicester LE2 . . . . 155 F1
  Melton Mowbray LE13 . . . 59 B5
  Newbold Verdon LE9 . . . 150 A4
  Syston LE7 . . . . 103 B2
Sycamore Dr
  Ashby-De-La-Z LE65 . . . . 69 D7
  Groby LE6 . . . . 126 F2
  Lutterworth LE17 . . . . . . 244 A6
  Moira DE12 . . . . 68 B6
Sycamore Gr LE6 . . . . 126 F3
Sycamore La LE14 . . . . . . 62 D2
Sycamore Rd
  Birstall LE4 . . . . 129 A4
  Castle Donington DE74 . . 17 B5
  Coalville LE67 . . . . 97 A8
  East Leake LE12 . . . . 31 D8
  Long Eaton NG10 . . . . . . 10 C5
  North Luffenham LE15 . . 166 D3
Sycamore St LE8 . . . . 202 B8
Sycamore Way
  Littlethorpe LE9 . . . . . . 201 B6
  Loughborough LE11 . . . . . 75 A7
  Market Bosworth CV13 . . 148 F2
Sydney Rd DE72 . . . . 9 B7
Sykefield Ave LE3 . . . . . . 154 C4
Sykes La LE15 . . . . 140 E5

Sylvan Ave LE5 . . . . 155 D6
Sylvan St LE3 . . . . 154 C7
Sylvan Way LE3 . . . . 153 B4
Symington Way LE16 . . . . 240 E3
Sysonby Grange La LE13 . 58 F2
Sysonby St LE13 . . . . 59 A4
Syston Rd Cossington LE7 102 C7
  Queniborough LE7 . . . . . 103 E6
  South Croxton LE7 . . . . . 104 F1
Syston St E LE1 . . . . 155 B7
Syston St W LE1 . . . . 155 A8
Syston Sta LE7 . . . . 103 A3
Sywell Ave LE11 . . . . 51 C3
Sywell Dr LE18 . . . . 180 F2

T

Tadcaster Ave LE2 . . . . . . 179 D3
Tadcaster Gn LE2 . . . . . . 179 D3
Tailby Ave LE5 . . . . 155 E8
Tailor's Link LE7 . . . . 103 D7
Talbot La Leicester LE1 . . 259 A3
  Whitwick LE67 . . . . 71 C7
Talbot Pl DE12 . . . . 92 E8
Talbot St Leicester LE4 . . 129 A3
  Swadlincote DE11 . . . . . . 44 A1
  Whitwick LE67 . . . . 71 D6
Talbot Yd LE16 . . . . 240 E3
Talbott Cl LE9 . . . . 219 A4
Tamar Gn NN17 . . . . 230 D1
Tamar Rd Leicester LE4 . . 129 E2
  Leicester, Oadby LE2 . . . 181 D5
  Melton Mowbray LE13 . . . 59 B1
Tame Way LE10 . . . . 215 A8
Tamerton Rd LE2 . . . . 179 E5
Tamworth Cl LE12 . . . . 49 F2
Tamworth Rd
  Appleby Magna DE12 . . . 92 E2
  Ashby-De-La-Z LE65 . . . . 69 A5
  Long Eaton NG10 . . . . . . 10 C5
  Measham DE12 . . . . 93 B4
Tan Yd LE67 . . . . 71 B5
Tandy Ave DE12 . . . . 68 B5
Tanner's La LE12 . . . . 30 A1
Tannery The LE15 . . . . . . 192 A5
Tansey Cres LE9 . . . . 199 C2
Tansley Ave LE18 . . . . . . 180 A1
Tanyard St DE74 . . . . 17 B4
Tara St LE67 . . . . 97 B4
Tarbat Rd LE5 . . . . 156 D7
Tarragon Rd LE2 . . . . 154 D4
Tatlow Ho LE3 . . . . 153 D6
Tatmarsh LE11 . . . . 52 B5
Tatton Cl LE3 . . . . 128 A1
Taunton Cl LE18 . . . . 180 C1
Taunton Rd LE3 . . . . 154 B5
Taurus Cl LE2 . . . . 155 B5
Taverner Dr LE6 . . . . 152 D7
Taverners Rd LE4 . . . . . . 128 C7
Tavistock Cl LE67 . . . . 96 C6
Tavistock Dr LE5 . . . . 155 F3
Tay Cl Corby NN17 . . . . . . 230 D1
  Oakham LE15 . . . . 137 E4
Taylor Cl Moira DE12 . . . . . 68 A4
  Syston LE7 . . . . 103 A3
Taylor Ho LE11 . . . . 52 C4
Taylor Prim Sch LE1 . . . . 155 B7
Taylor Rd LE1 . . . . 155 A7
Taylor's Bridge Rd LE18 . 180 A1
Taylors Cl LE9 . . . . 199 D2
Teal Cl Coalville LE67 . . . . 96 F8
  Leicester Forest East LE3 152 F2
Teal Way LE17 . . . . 102 E4
Tealby Cl LE17 . . . . 235 C4
Teasel Cl LE9 . . . . 201 A8
Tebbs Cl LE8 . . . . 202 C1
Tedder Cl LE17 . . . . 244 A5
Tedworth Gn LE4 . . . . 128 D5
Tees Cl LE15 . . . . 137 F5
Teesdale Cl LE2 . . . . 259 A1
Teesdale Rd NG10 . . . . 10 A6
Teigh Rd Ashwell LE15 . . . 86 A1
  Market Overton LE15 . . . 86 D5
Teign Bank Cl LE10 . . . . . 197 D2
Teign Bank Rd LE10 . . . . 197 D2
Teignmouth Cl LE5 . . . . . 155 F3
Telford Way LE5 . . . . 156 E5
Tempest Rd LE4 . . . . 128 F6
Templar Way LE7 . . . . . . 101 E6
Templars Way
  South Witham NG33 . . . . 65 A4
  Whitwick LE67 . . . . 71 F5
Temple Cl LE12 . . . . 50 C1
Temple Hill LE67 . . . . 71 F6
Temple Rd LE5 . . . . 155 E5
Tendring Dr LE18 . . . . . . 180 F3
Tennis Ave LE13 . . . . 59 C1
Tennis Court Dr LE5 . . . . 156 A8
Tennyson Ave DE11 . . . . . 44 C6
Tennyson Cl DE12 . . . . 93 C4
Tennyson Rd
  Hinckley LE10 . . . . 197 C1
  Loughborough LE11 . . . . . 51 D4
  Lutterworth LE17 . . . . . . 244 C7
Tennyson St
  Leicester LE2 . . . . 155 C3
  Narborough LE9 . . . . . . 178 A1
Tennyson Way
  Melton Mowbray LE13 . . . 59 B6
  Stamford PE9 . . . . 143 A4
Tentas The LE67 . . . . 48 A2
Tenter Cl NG10 . . . . 10 D5
Tenter Ct PE9 . . . . 143 E2
Tenter La 18 PE9 . . . . . . 143 E3
Tentercroft Ave LE7 . . . . 103 C4
Tern Ave DE11 . . . . 44 F3
Terrace Cotts LE9 . . . . . . 200 C4

Terrace The LE17 . . . . . . 244 C5
Test Gn NN17 . . . . 230 D1
Tetbury Dr LE12 . . . . 49 F2
Tetuan Rd LE3 . . . . 154 C6
Teviot Cl NN17 . . . . 230 D1
Tewkesbury Rd NG10 . . . . 10 E5
Tewkesbury St LE3 . . . . . 154 D6
Thackeray St LE2 . . . . . . 179 F8
Thames Dr LE13 . . . . 59 B1
Thames St LE1 . . . . 259 B5
Thames Wlk NN17 . . . . . . 230 D1
Thatch Meadow Dr LE16 . 241 B3
Thatcher Cl LE4 . . . . 128 B4
Thatchers' Cnr LE7 . . . . . 103 D7
Theddingworth Rd
  Husbands Bosworth LE17 248 A6
  Lubenham LE16 . . . . . . 239 C2
  Marston Trussell LE16 . . 249 B8
  Mowsley LE17 . . . . 237 F5
Thimble Hall Rd
  LE7, LE14 . . . . 133 C8
Thirlmere LE67 . . . . 72 C1
Thirlmere Dr LE11 . . . . . . 74 D8
Thirlmere Gdns LE65 . . . . 69 C4
Thirlmere Rd
  Barrow-u-S LE12 . . . . . . 76 D8
  Hinckley LE10 . . . . 215 A7
  Wigston LE18 . . . . 180 E3
Thirlmere St LE2 . . . . 259 A1
Thistle Cl Cropston LE7 . . 100 F3
  Narborough LE9 . . . . . . 201 A8
Thistleton La NG33 . . . . . . 65 A2
Thistleton Rd LE15 . . . . . . 87 A6
Thistly Meadow Prim Sch
  LE8 . . . . 202 C7
Thomas Cl LE7 . . . . 157 F4
Thomas Cook Cl DE72 . . . 26 A4
Thomas Dalby Wlk LE15 . 137 F6
Thomas Estley Com Coll
  LE9 . . . . 218 F6
Thomas Fryer's
  Almshouses LE15 . . . . . 164 E6
Thomas Rd Kegworth DE74 18 C1
  Whitwick LE67 . . . . 71 D5
Thomas St LE11 . . . . 52 D3
Thomasson Rd LE5 . . . . . 156 B6
Thompson Ave LE12 . . . . . 49 B6
Thompson Cl LE12 . . . . . . 75 F6
Thompsons La LE15 . . . . 190 C1
Thomson Cl LE4 . . . . 129 D6
Thoresby Rd NG10 . . . . . . 10 C7
Thoresby St LE5 . . . . 155 E6
Thorn St DE11 . . . . 44 F2
Thornborough Cl
  Market Harborough LE16 241 A2
  Narborough LE9 . . . . . . 200 F7
Thornborough Rd LE67 . . 71 C3
Thornby Gdns LE18 . . . . . 180 E2
Thorndale LE67 . . . . 95 E1
Thorndale Rd LE4 . . . . . . 129 F7
Thorneycroft Cl LE9 . . . . 219 B4
Thorneywood Rd NG10 . . 10 F8
Thornfield Ave CV13 . . . . 196 E2
Thornfield Way LE10 . . . . 215 E8
Thornhills LE9 . . . . 178 A2
Thornhills Gr LE9 . . . . . . 178 A2
Thornholme Cl LE4 . . . . . 128 C4
Thornton Cl
  Broughton Astley LE9 . . 219 A4
  Coalville LE67 . . . . 72 C1
Thornton Com Prim Sch
  LE67 . . . . 124 E4
Thornton Cres LE16 . . . . 225 D7
Thornton Dr LE9 . . . . 201 C8
Thornton La
  Bagworth LE67 . . . . 124 C4
  Markfield LE67 . . . . 125 C5
  Stanton u B LE67 . . . . . 124 E7
Thorntop Cl DE11 . . . . . . 68 B8
Thorntree Cl Breaston DE72 9 E8
  Ravenstone LE67 . . . . 70 F2
Thornville Cl LE4 . . . . 129 E1
Thorny Cl LE11 . . . . 51 D6
Thornycroft Rd LE10 . . . . 215 E8
Thorpe Acre Inf Sch LE11 . 51 D4
Thorpe Acre Jun Sch
  LE11 . . . . 51 D4
Thorpe Acre Rd LE11 . . . . 51 D5
Thorpe Downs Rd DE11 . . 44 B1
Thorpe Dr LE18 . . . . 180 D4
Thorpe End LE13 . . . . 59 D3
Thorpe Field Dr LE4 . . . . 129 F8
Thorpe Hill LE11 . . . . 51 C4
Thorpe La LE7 . . . . 130 D8
Thorpe Langton Rd
  East Langton LE16 . . . . 225 D6
  Welham LE16 . . . . 226 D6
Thorpe Leys NG10 . . . . . . 10 D5
Thorpe Rd
  Lyddington LE15 . . . . . . 212 D6
  Melton Mowbray LE13 . . . 59 E4
  Shepshed LE12 . . . . 50 A3
Thorpe Satchville Rd
  Thorpe Satchville LE14 . 106 F7
  Twyford LE14 . . . . 106 F2
Thorpe Side LE14 . . . . 38 F4
Thorpe St LE3 . . . . 154 D5
Thorpe Way LE9 . . . . 178 D4
Thorpe's Terr LE15 . . . . . 189 A4
Thorpes La NG32 . . . . 24 B7
Thorpewell LE5 . . . . 155 F6
Threadgold Cl LE4 . . . . . 128 B6
Three Gates Rd LE7 . . . . 184 C2
Three Pots Rd LE10 . . . . 215 E4
Threshers Wlk LE7 . . . . . 103 E7
Thringstone Prim Sch
  LE67 . . . . 71 D8
Thrumpton Ave NG10 . . . 10 F7

Thrush Cl LE13 . . . . 82 B8
Thrussington Rd
  Hoby LE14 . . . . 79 C6
  Thrussington LE7 . . . . . . 78 D3
Thurcaston La LE7 . . . . . 101 B4
Thurcaston Rd Leicester,
  Mowmacre Hill LE4 . . . . 128 D6
  Leicester, Stocking
  Farm LE4 . . . . 128 F4
Thurcroft Cl LE2 . . . . 179 D3
Thurlaston CE Prim Sch
  LE9 . . . . 177 A3
Thurlaston La Croft LE9 . 200 B7
  Enderby LE9 . . . . 177 D4
  Thurlaston LE9 . . . . 176 B1
Thurlby Rd LE5 . . . . 155 D7
Thurlington Rd LE3 . . . . . 154 A3
Thurlow Cl
  Atherstone CV9 . . . . . . 170 D2
  Leicester LE2 . . . . 181 D4
Thurlow Rd LE2 . . . . 155 A1
Thurmaston Bvd LE4 . . . 129 F3
Thurmaston La LE4 . . . . . 130 A3
Thurnby Hill LE5, LE7 . . . 156 E5
Thurnby La LE2 . . . . 156 E2
Thurnby Lodge
  Cty Prim Sch LE5 . . . . . 156 D6
Thurncourt Cl LE5 . . . . . . 156 C7
Thurncourt Gdns LE5 . . . 156 F6
Thurncourt Rd LE5 . . . . . 156 D6
Thurnview Rd LE5 . . . . . . 156 C3
Thurso Wlk NN17 . . . . . . 230 D1
Thyme Cl LE2 . . . . 259 A2
Thythorn Com Prim Sch
  LE18 . . . . 203 D7
Tiber Way LE3 . . . . 178 D8
Tichborne Ct 5 LE2 . . . . 155 B4
Tichborne St LE2 . . . . . . 155 B4
Ticknall La DE11 . . . . 45 B7
Tickow La LE12 . . . . 49 E3
Tiffany Ct LE2 . . . . 155 D2
Tigers Cl LE18 . . . . 179 E2
Tigers Rd LE18 . . . . 179 E2
Tilbury Cres LE4 . . . . 130 A5
Tilford Cres LE2 . . . . 179 D2
Tillett Rd LE3 . . . . 153 D2
Tilley Cl LE3 . . . . 153 D1
Tillingham Rd LE5 . . . . . . 155 F8
Tilton CE Prim Sch LE7 . 160 A8
Tilton Dr LE2 . . . . 181 A3
Tilton La LE7 . . . . 159 C7
Tilton Rd Hinckley LE10 . . 215 E6
  Twyford LE14 . . . . 106 D1
Timber Hill NG33 . . . . 64 A8
Timber St LE18 . . . . 179 F1
Timbergate Rd PE9 . . . . . 167 E5
Timberwood Dr LE6 . . . . 126 E2
Tinker's Dell LE7 . . . . . . 103 D8
Tinsel La CV9, CV13 . . . . 172 D8
Tintagel Way CV11 . . . . . 214 A5
Tiverton Ave Coalville LE67 72 A2
  Leicester LE4 . . . . 129 C2
Tiverton Cl Leicester LE2 . 181 C5
  Narborough LE9 . . . . . . 200 F8
Tiverton Mews LE4 . . . . . 129 C2
Tiverton Rd
  Cottesmore LE15 . . . . . . 87 E2
  Loughborough LE11 . . . . . 74 F7
Tixover Grange PE9 . . . . 192 F8
Tobias Gr LE2 . . . . 142 E5
Tod's Terr LE15 . . . . 189 B4
Todd's Hill LE7 . . . . 193 B6
Toft The LE12 . . . . 49 B6
Toft's Hill LE14 . . . . 13 A3
Tofts The LE18 . . . . 180 D1
Tokye's Cl LE15 . . . . 187 D2
Tolcarne Rd LE5 . . . . 156 C8
Tolchard Cl LE5 . . . . 156 A5
Tolethorpe Sq PE9 . . . . . 143 C4
Toll Bar LE15 . . . . 112 D8
Toll Bar Ave LE10 . . . . 3 A3
Tollemache Ave LE4 . . . . 128 E2
Toller Rd Leicester LE2 . . 155 C1
  Quorn LE12 . . . . 75 D5
Tolton Rd LE4 . . . . 128 D4
Tolwell Rd LE4 . . . . 128 C5
Tom Eatough Ct LE9 . . . . 199 A8
Tom Paine Cl LE3 . . . . . . 153 D2
Tomlin Rd LE4 . . . . 129 E1
Tomlinson Ct LE2 . . . . . . 181 A6
Toms Cl LE17 . . . . 248 D8
Toms Ct DE74 . . . . 18 D2
Tonge La DE73 . . . . 27 A3
Toothill Rd LE11 . . . . 52 B5
Top Cl LE3 . . . . 153 D1
Top Gn LE14 . . . . 19 A1
Top La LE15 . . . . 189 C4
Top Mdw DE11 . . . . 44 B7
Top Rd
  Croxton Kerrial NG32 . . . 24 B7
  Griffydam LE67 . . . . 48 A2
  Ridlington LE15 . . . . 163 E2
Top St
  Appleby Magna DE12 . . . 119 F7
  Exton LE15 . . . . 113 B3
  Wing LE15 . . . . 165 A2
Topcliffe Wlk LE4 . . . . . . 128 F5

Tophall Dr LE8 . . . . 202 E3
Torch Cl LE16 . . . . 209 E6
Torcross Cl LE3 . . . . 153 E8
Torkington Gdns 4 PE9 . 143 D3
Torkington St PE9 . . . . . . 143 C3
Toronto Cl LE1 . . . . 259 C5
Torrance Dr LE2 . . . . 59 C6
Torridon Cl Corby NN17 . 230 C1
  Leicester LE4 . . . . 128 D3
Torrington Ave LE67 . . . . . 72 A2
Torrington Cl LE18 . . . . . 203 D8
Totland Rd LE3 . . . . 154 C8
Totnes Cl LE67 . . . . 96 C7
Toulmin Dr DE11 . . . . 44 B4
Toulouse Pl LE65 . . . . 69 A7
Tournament Rd LE3 . . . . 153 D7
Tovey Cres LE2 . . . . 179 D4
Tower Ct LE16 . . . . 239 F3
Tower Gdns LE65 . . . . 69 A6
Tower Rd Earl Shilton LE9 198 F8
  Hartshorne DE11 . . . . 45 A6
Tower St LE1 . . . . 259 B2
Towers Cl LE9 . . . . 152 E4
Towers Dr LE3 . . . . 152 E4
Towers Hospl The LE5 . . 129 F1
Towers The LE11 . . . . 51 E3
Towle Rd LE3 . . . . 153 E8
Towle St NG10 . . . . 10 A4
Towles Fields LE12 . . . . . . 53 F6
Towles Pastures DE74 . . . 17 A3
Town End
  Barkestone-le-V NG13 . . . . 6 C2
  Somerby LE14 . . . . 108 C1
Town End Rd DE72 . . . . . . 9 B7
Town Green St LE7 . . . . . 101 E5
Town Hall Mews 8 LE65 . 69 B6
Town Sq LE7 . . . . 103 B4
Town St LE8 . . . . 205 F8
Townend LE7 . . . . 132 B3
Townend Cl LE14 . . . . 57 E2
Townend Rd LE9 . . . . 198 A7
Townlands CE Prim Sch
  LE9 . . . . 198 F7
Townsend Cl
  Broughton Astley LE9 . . 219 B5
  Leicester LE4 . . . . 129 D5
  Newton Regis B79 . . . . . 118 D4
Townsend La LE67 . . . . . . 96 B5
Townsend Rd
  Enderby LE9 . . . . 178 B3
  Stoney Stanton LE9 . . . 199 D1
Townsends Cl CV11 . . . . 215 A1
Townside Cl NG10 . . . . . . 10 B4
Towpath Cl LE11 . . . . 52 C5
Towpath Link LE18 . . . . . 203 A8
Trafalgar Rd NG10 . . . . . . 10 D6
Trafalgar Sq NG10 . . . . . . 10 E7
Trafalgar Terr
  Long Eaton NG10 . . . . . . 10 F7
  Stamford PE9 . . . . 143 E4
Trafalgar Way LE2 . . . . . 179 D1
Trafford Cl CV9 . . . . 170 D2
Trafford Rd Hinckley LE10 197 F2
  Leicester LE5 . . . . 155 F7
Tranter Pl LE4 . . . . 129 D2
Travell's Hill LE12 . . . . . . 31 A7
Treasure Cl LE3 . . . . 153 C7
Treaty Rd LE3 . . . . 153 D7
Tredington Rd LE3 . . . . . 127 D1
Treetops Cl LE5 . . . . 156 B7
Trefoil Cl
  Broughton Astley LE9 . . 219 B4
  Hamilton LE5 . . . . 130 C2
Trelissick Cl LE11 . . . . . . 51 B5
Tremaine Dr LE18 . . . . . . 180 C1
Trenant Rd LE2 . . . . 179 F4
Trent Ave LE4 . . . . 128 D3
Trent Bank LE13 . . . . 59 A1
Trent Cl
  Broughton Astley LE9 . . 219 A6
  Leicester LE2 . . . . 181 D5
Trent Coll NG10 . . . . 10 C8
Trent Cotts NG10 . . . . 10 F6
Trent Ho NG10 . . . . 10 A4
Trent La
  Castle Donington DE74 . . 17 A5
  Long Eaton NG10 . . . . . . 10 F5
Trent Rd Corby NN17 . . . 230 D1
  Hinckley LE10 . . . . 215 A8
  Oakham LE15 . . . . 137 E4
Trent St NG10 . . . . 10 E8
Trentham Rd CV10 . . . . . 194 B2
Trescoe Rise LE3 . . . . . . 153 E5
Tressall Rd LE67 . . . . 72 A3
Tressall Way LE3 . . . . . . 153 D2
Trevanth Rd LE4 . . . . 129 F3
Trevino Dr LE4 . . . . 129 E5
Trevor Rd LE10 . . . . 197 F1
Trevose Gdns LE5 . . . . . . 156 E7
Trigo Cl LE4 . . . . 128 A4
Trillium Cl LE5 . . . . 130 C3
Trinity
  Ashby-De-La-Z LE65 . . . . 69 A5
  Syston LE7 . . . . 103 B3
Trinity Cres LE12 . . . . 33 B3
Trinity Ct
  Ashby-De-La-Z LE65 . . . . 69 B6
  Hinckley LE10 . . . . 215 C8
Trinity Gr LE11 . . . . 44 B3
Trinity La Hinckley LE10 . 215 C8
  Leicester LE1 . . . . 259 B2
Trinity Rd Narborough LE9 178 E2
  Stamford PE9 . . . . 143 C4
  Whetstone LE8 . . . . 201 F8
Trinity St LE11 . . . . 52 C3

Trinity Vicarage Rd LE10 .215 C8
Tristram Cl LE3 . . . . .153 A2
Triumph Rd LE3 . . . . .153 D7
Trojan Way LE7 . . . . .102 E2
Troon Cl PE9 . . . . .143 A4
Troon Ind Area LE4 . . . . . .130 A4
Troon Ind Est LE4 . . . . . . .129 F3
Troon Way LE4 . . . . .129 E4
Troon Way Bsns Ctr LE4 .129 F4
Trowell La LE12 . . . . .30 E7
Truesdale's 5 PE9 . . . . . .143 D3
Trueway Dr LE12 . . . . .50 C2
Trueway Dr S LE12 . . . . . . .50 C2
Trueway Rd LE5 . . . . .155 E2
Truro Cl Hinckley LE10 . . .197 E4
Swadlincote DE11 . . . . . . .44 E5
Truro Dr LE3 . . . . .180 D1
Trustee Hos CV23 . . . . . .252 C5
Tuckers Cl LE11 . . . . .52 C2
Tuckers Rd LE11 . . . . .52 D2
Tuckett Rd LE12 . . . . .74 F2
Tuckey Cl LE7 . . . . .217 E7
Tudor Cl
  Ashby-De-La-Z LE65 . . . . .69 B5
  Leicester LE3 . . . . .154 D5
  Market Bosworth CV13 . .148 E2
Tudor Cres CV9 . . . . .170 D1
Tudor Dr Cosby LE9 . . . . .201 D2
  Leicester LE2 . . . . .181 B6
Tudor Gr LE6 . . . . .126 F1
Tudor Hill LE13 . . . . .82 C8
Tudor House Cl DE11 . . . .44 A7
Tudor Rd Hinckley LE10 . .197 C3
  Leicester LE3 . . . . .154 D6
Tudor Way NG10 . . . . .10 C4
Tugby CE Prim Sch LE7 .185 E6
Tugby Rd Goadby LE7 . . .185 C3
  Tilton on t H LE7 . . . . . . .160 F6
Tugwell La LE12 . . . . .209 D6
Tunstall Cres LE4 . . . . . . .155 E8
Turn St LE7 . . . . .103 A4
Turnbull Cl LE7 . . . . .103 A4
Turnbull Dr LE17 . . . . . . .159 B2
Turnbull Dr LE3 . . . . .178 F8
Turnbury Way LE2 . . . . . .155 E1
Turner Ave LE11 . . . . .52 A2
Turner Cl LE2 . . . . .75 F7
Turner Dr LE10 . . . . .197 A4
Turner Rd Leicester LE5 . .155 F7
  Long Eaton NG10 . . . . . . .10 C4
Turner Rise LE2 . . . . .181 B4
Turner St LE1 . . . . .259 B2
Turnpike Cl LE17 . . . . . . .244 D8
Turnpike Rd PE9 . . . . . . .116 E3
Turnpike Way LE67 . . . . .125 E8
Turnpole Cl PE9 . . . . .143 F5
Turnstone Wlk LE5 . . . . . .155 C7
Turolough Rd LE67 . . . . . .71 E7
Turvey La LE12 . . . . .29 D2
Turville Cl LE18 . . . . .203 E8
Turville Rd
  Gilmorton LE17 . . . . .235 C5
  Leicester LE3 . . . . .154 B3
Tuskar Rd LE5 . . . . .156 D7
Tutbury Cl 5 LE65 . . . . . . .69 C5
Tuxford Rd LE4 . . . . .130 A3
Tweed Dr LE13 . . . . .59 B1
Tweedside Cl LE10 . . . . . .197 F3
Tweentown LE67 . . . . .96 C5
Twickenham Rd LE2 . . . . .179 C2
Twitchbed La LE15 . . . . . .189 B5
Twitchell La CV9 . . . . .171 B7
Twycross House Prep Sch
  CV9 . . . . .146 D6
Twycross La
  Bilstone CV13 . . . . .147 A7
  Orton-on-t-H CV9 . . . . . .145 F6
Twycross Rd
  Bilstone CV13 . . . . .147 C7
  Hinckley LE10 . . . . .215 F6
  Sheepy Magna CV9 . . . . .146 C4
  Sibson CV13 . . . . .172 B7
Twycross St LE2 . . . . .155 C5
Twycross Zoo CV9 . . . . . .119 F1
Twyford Cl LE67 . . . . .72 C1
Twyford Ct LE9 . . . . .198 B7
Twyford Rd
  Burrough on t H LE14 . . . .107 C1
  Long Eaton NG10 . . . . .9 F4
  South Croxton LE7 . . . . . .105 C4
  Thorpe Satchville LE14 . .106 E3
  Twyford LE7 . . . . .133 F5
Tyers Cl LE9 . . . . .177 A3
Tyes End LE4 . . . . .128 A3
Tyler Ave LE11 . . . . .51 F5
Tyler Cl LE15 . . . . .166 B7
Tyler Ct LE12 . . . . .50 C6
Tyler Rd LE6 . . . . .152 D8
Tylers Rd LE12 . . . . .49 B6
Tymecrosse Gdns LE16 . .240 D5
Tyndale St LE3 . . . . .154 D4
Tyndale Cl
  Oakham LE15 . . . . .137 F5
  Long Eaton NG10 . . . . . . .10 A6
Tynedale Rd LE11 . . . . . . .74 C8
Tyringham Rd LE18 . . . . .180 E2
Tyrrell St LE3 . . . . .154 D6
Tysoe Hill LE3 . . . . .127 D1
Tythe The DE11 . . . . .44 B7
Tythorn Dr LE18 . . . . .180 A5

U

Uffington CE Sch PE9 . . .144 E4

Uffington Rd PE9 . . . . . . .144 A4
Uist Wlk NN17 . . . . .230 C1
Uldale Gr DE11 . . . . .44 C1
Ullesthorpe CE Prim Sch
  LE17 . . . . .233 B4
Ullesthorpe Ho LE17 . . . .233 A4
Ullesthorpe Rd
  Ashby Parva LE17 . . . . . .233 E5
  Bitteswell LE17 . . . . .233 F2
  Gilmorton LE17 . . . . .234 E4
Ulleswater Cres LE65 . . . .69 C4
Ullswater Ave
  Barrow-u-S LE12 . . . . .53 D1
  Edith Weston LE15 . . . . . .165 F7
  Nuneaton CV11 . . . . .214 A6
Ullswater Cl LE9 . . . . . . .198 F7
Ullswater Dr LE2 . . . . . . .181 C5
Ullswater St LE2 . . . . . . .259 A2
Ullswater Wlk LE2 . . . . . .181 C5
Ulvers Croft LE67 . . . . . . .98 E1
Ulverscroft Dr LE6 . . . . . .126 F2
Ulverscroft La LE6 . . . . . .99 B3
Ulverscroft Rd
  Leicester LE4 . . . . .155 C8
  Loughborough LE11 . . . . .74 E8
Una Ave LE3 . . . . .179 A8
Underwood Cres LE9 . . . .217 E8
Underwood Dr LE9 . . . . . .199 D1
Unicorn St LE4 . . . . .129 E8
Union Rd DE11 . . . . .44 B5
Union St Long Eaton NG10 . .10 E8
  Loughborough LE11 . . . . .52 A4
  Melbourne DE73 . . . . .26 A7
Unitt Rd LE12 . . . . .76 B4
Unity Cl DE11 . . . . .44 A1
Unity Rd LE3 . . . . .153 C8
Univ of Leicester LE1 . . . .155 A3
Univ of Nottingham Dept
  of Ag Economics LE12 . .30 B8
University Cl LE17 . . . . . .103 B3
University Rd
  Leicester LE1 . . . . .155 A3
  Loughborough LE11 . . . . .51 D2
Upex Cl LE8 . . . . .201 F4
Upland Cl LE67 . . . . .98 D1
Upland Dr LE67 . . . . .98 D1
Uplands Farm LE12 . . . . . .29 A4
Uplands Jun Sch LE2 . . . .155 C5
Uplands Rd Leicester LE2 .179 F5
  Leicester, Oadby LE2 . . . .181 C6
  Measham DE12 . . . . .93 C4
Uplands The LE13 . . . . . . .59 B2
Upper Bond St LE10 . . . . .197 D1
Upper Brown St LE1 . . . . .259 B3
Upper Charnwood St
  LE2 . . . . .155 B6
Upper Church Rd LE65 . . . .69 C4
Upper Church St LE1 . . . .103 B4
Upper George St LE1 . . . .259 C5
Upper Gn LE11 . . . . .74 D8
Upper Hall Cl LE5 . . . . . .156 C8
Upper Hall Gn LE5 . . . . . .156 C8
Upper King St LE1 . . . . . .259 B2
Upper Nelson St LE1 . . . .259 C2
Upper New Wlk LE1 . . . . .155 B4
Upper Packington Rd
  LE65 . . . . .69 C5
Upper Temple Wlk LE4 . . .128 A3
Upper Tichborne St LE2 . .155 B4
Upperton Rd LE3 . . . . . . .154 D3
Upperton Rise LE3 . . . . . .154 C4
Uppingham CE Prim Sch
  LE15 . . . . .189 A5
Uppingham Cl LE5 . . . . . .156 C1
Uppingham Com Coll
  LE15 . . . . .189 B2
Uppingham Dr
  Ashby-De-La-Z LE65 . . . . .69 A7
  Broughton Astley LE9 . . .218 D8
Uppingham Rd
  Billesdon LE7 . . . . .159 C2
  Bisbrooke LE15 . . . . .189 F5
  Blaston LE16 . . . . .210 D3
  Caldecott LE16 . . . . .212 B2
  East Norton LE7 . . . . . . .186 C5
  Houghton on t H LE7 . . . .157 E5
  Leicester LE5 . . . . .156 C6
  Oakham LE15 . . . . .138 A5
  Preston LE15 . . . . .189 B8
  Stockerston LE15 . . . . . .211 B8
  Thurnby LE7 . . . . .157 A5
Uppingham Sch LE15 . . . .189 A4
Upton Dr LE18 . . . . .180 F2
Upton La Sibson CV13 . . .172 C5
  Upton CV13 . . . . .172 B2
Utah Cl LE7 . . . . .153 C7
Uttoxeter Cl LE4 . . . . . . .129 D5
Uxbridge Rd LE4 . . . . . . .129 C4

V

Val Wilson Ct LE11 . . . . . .51 B2
Vale Cl LE5 . . . . .156 C2
Vale End LE7 . . . . .156 F5
Vale of Catmore Coll
  LE15 . . . . .137 E7
Vale Hartshorne DE11 . . .45 A3
  Swadlincote DE11 . . . . . .44 B6
Vale The LE15 . . . . .138 A5
Valence Rd LE3 . . . . .154 B4
Valentine Dr LE2 . . . . . . .180 F6
Valentine St LE3 . . . . . . .156 D5
Valerie Rd DE72 . . . . .16 A7
Valiant Cl LE1 . . . . .153 D7
Valjean Cres LE3 . . . . . . .152 E3
Valley Ct LE15 . . . . .189 B4

Valley Dr Braunstone LE3 .153 D2
  Rugby CV21 . . . . .252 A1
Valley La Bitteswell LE17 .244 B8
  Long Bennington NG23 . . . . .1 D8
Valley Rd
  Asfordby Hill LE14 . . . . . . .58 B3
  Ibstock LE67 . . . . .95 E1
  Leicester LE5 . . . . .130 B4
  Loughborough LE11 . . . . .74 E8
  Markfield LE67 . . . . .125 E8
  Melton Mowbray LE13 . . . .82 B8
  Overseal DE12 . . . . .67 A3
  Weston by W LE16 . . . . .227 B3
Valley Rise DE11 . . . . .44 B5
Valley View DE11 . . . . .47 E3
Valley Way
  Market Harborough LE16 . .241 D5
  Whitwick LE67 . . . . .71 D5
Vancouver Rd LE1 . . . . . .155 A7
Vandyke Rd LE2 . . . . .181 B4
Vanguard Rd
  Diseworth DE74 . . . . .28 A8
  Long Eaton NG10 . . . . . . .10 D5
Vann Wlk LE4 . . . . .129 A2
Vaughan Ave NG13 . . . . . . .3 C2
Vaughan Cl LE16 . . . . . . .250 E8
Vaughan Coll LE1 . . . . . . .259 A3
Vaughan Rd LE2 . . . . . . .179 E7
Vaughan St Coalville LE67 . .96 C8
  Leicester LE3 . . . . .154 D6
Vaughan Way LE1 . . . . . .259 A3
Velbert Ho NN17 . . . . . . .230 E1
Vence Cl PE9 . . . . .143 C3
Ventnor Rd LE2 . . . . .180 D7
Ventnor Rd S LE2 . . . . . .180 D6
Venture St LE5 . . . . .155 D5
Vercor Cl LE67 . . . . .72 D1
Verdale Ave LE4 . . . . .130 A5
Verdon Cres LE67 . . . . . . .72 B1
Vernon Rd LE2 . . . . .179 E7
Vernon St LE3 . . . . .154 D6
Vero's La CV13 . . . . .123 B3
Verona St CV11 . . . . .214 A1
Vestry St LE1 . . . . .259 C4
Vetch Cl LE9 . . . . .200 F8
Vicarage Cl Billesdon LE7 .159 C1
  Blackfordby DE11 . . . . . . .68 C8
  Kirby Muxloe LE9 . . . . . .152 E7
  Newbold LE67 . . . . .47 E3
  Syston LE7 . . . . .103 B4
Vicarage Ct LE9 . . . . .198 F8
Vicarage Dr LE16 . . . . . . .224 E1
Vicarage Gdns DE11 . . . . .44 C4
Vicarage La Barkby LE7 . .130 D8
  Belton LE12 . . . . .49 B6
  Eaton NG32 . . . . .22 F7
  Leicester, Belgrave LE4 . .129 A3
  Leicester, Humberstone
  LE5 . . . . .156 B8
  Whetstone LE8 . . . . .178 F1
Vicarage Rd
  Oakham LE15 . . . . .138 A6
  Swadlincote DE11 . . . . . .44 C4
  Woodville DE11 . . . . .44 E2
Vicarage St
  Earl Shilton LE9 . . . . .198 F8
  Whitwick LE67 . . . . .71 F5
Vicars Cl LE15 . . . . .113 B2
Vicary La LE12 . . . . .75 C3
Victor Rd LE4 . . . . .129 B3
Victoria Ave Draycott DE72 . .9 A7
  Leicester LE2 . . . . .155 B4
  Market Harborough LE16 .240 D5
Victoria Cl LE67 . . . . .71 D5
Victoria Ct Leicester LE2 . .155 C2
  Leicester, Oadby LE2 . . . .180 F7
  4 Long Eaton NG10 . . . . .10 E7
Victoria Dr LE67 . . . . . . .126 F2
Victoria Gdns LE2 . . . . . .155 C3
Victoria Mews LE1 . . . . . .259 C3
Victoria Par LE1 . . . . .259 B4
Victoria Park Rd LE2 . . . .155 B2
Victoria Pas 3 LE2 . . . . .155 B4
Victoria Rd Coalville LE67 . .71 D1
  Draycott DE72 . . . . .9 A7
  Heather LE67 . . . . .95 F3
  Hinckley LE10 . . . . .215 F5
  Ibstock LE67 . . . . .97 A1
  Stamford PE9 . . . . .143 D4
  Whetstone LE8 . . . . .201 F8
  Woodhouse Eaves LE12 . . .99 F8
Victoria Rd E LE5 . . . . . . .129 E1
Victoria Rd N LE4 . . . . . . .129 B3
Victoria St
  Castle Donington DE74 . . . .17 B5
  Fleckney LE8 . . . . .222 F7
  Hinckley LE10 . . . . .197 D1
  Long Eaton NG10 . . . . . . .10 B5
  Loughborough LE11 . . . . .52 B3
  Melbourne DE73 . . . . .26 A7
  Melton Mowbray LE13 . . . .59 C1
  Narborough LE19 . . . . . . .201 C8
  Quorn LE12 . . . . .76 B6
  Syston LE7 . . . . .103 B3
  Thurmaston LE4 . . . . . . .129 E8
  Wigston LE18 . . . . .180 D3
Victors Cl LE2 . . . . .179 C4
Victory Cl NG10 . . . . .10 E5
Viking Bsns Ctr DE11 . . . .44 F3
Viking Rd LE18 . . . . .180 A4
Vilia Cl LE10 . . . . .215 F4
Villa St DE72 . . . . .9 B7
Village St Sedgebrook NG32 . .8 F8
  Woolsthorpe by B NG32 . . .15 B8
Villas The LE8 . . . . .206 A1
Vincent Cl LE3 . . . . .154 B6

Vine Cl NG13 . . . . .3 A1
Vine St Leicester LE1 . . . .259 A4
  Stamford PE9 . . . . .143 E2
Vine Tree Terr LE12 . . . . . .32 C1
Vinehouse Cl LE7 . . . . . . .101 D3
Vineries The LE8 . . . . . . .202 D3
Viscount Beamonts
  CE Prim Sch LE67 . . . . . .70 D6
Viscount Rd DE74 . . . . . . .28 C7
Vostock Cl LE2 . . . . .155 B5
Vulcan Cl LE67 . . . . .71 D2
Vulcan Rd LE5 . . . . .155 C6
Vulcan Way Coalville LE67 . .71 D2
  Lutterworth LE17 . . . . . . .243 C7
Vyse Dr NG10 . . . . .10 C6

W

Wade St LE4 . . . . .128 F3
Wade's Terr LE15 . . . . . . .189 B4
Wadkins Way LE7 . . . . . . .157 B5
Wain Dr LE11 . . . . .51 C6
Waingroves Wlk 2 LE4 . .128 F3
Wainwright Rd LE67 . . . . .96 D6
Wakefield Ct DE74 . . . . . .17 B4
Wakefield Dr
  Welford NN6 . . . . .256 D5
  Whitwick LE67 . . . . .71 E5
Wakefield Pl LE4 . . . . . . .129 C2
Wakeley Cl LE9 . . . . .201 A7
Wakeling Cl LE8 . . . . .201 D1
Wakerley Cl LE5 . . . . .155 D6
Wakerley Great Wood
  Forest Trail LE15 . . . . . .192 C2
Wakerley Great Wood
  Orienteering Course
  LE15 . . . . .192 B2
Wakerley Rd
  Barrowden LE15 . . . . . . .192 A4
  Harringworth NN17 . . . . .213 F7
  Leicester LE5 . . . . .155 F3
Wakes Cl LE17 . . . . .219 D2
Wakes Rd LE18 . . . . .180 D3
Walcot Rd LE16 . . . . .240 E2
Walcote Cl LE10 . . . . .214 F8
Walcote Rd Leicester LE4 .129 C2
  South Kilworth LE17 . . . . .246 B2
Waldale Dr LE2 . . . . .155 D2
Waldron Cl LE11 . . . . .52 A6
Waldron Dr LE2 . . . . .181 C5
Wale Rd LE8 . . . . .201 F7
Wales Orch LE17 . . . . . . .218 E1
Walford Cl NG13 . . . . .3 A2
Walk Cl DE72 . . . . .9 A7
Walker Cl LE9 . . . . .219 A4
Walker- Manor Ct LE17 . .244 D6
Walker Rd Bardon LE67 . . .97 C4
  Birstall LE4 . . . . .128 F6
  Thurmaston LE4 . . . . . . .129 F6
Walkers Cl LE7 . . . . .101 C5
Walkers Way LE7 . . . . . . .103 A4
Walks The PE9 . . . . .168 D2
Wallace Dr Groby LE6 . . . .126 D5
  Sileby LE12 . . . . .77 C1
Wallace Rd LE11 . . . . .52 A2
Wallingford Ave CV11 . . .214 A4
Wallingford Rd LE4 . . . . .128 F2
Wallis Cl Draycott DE72 . . .9 A7
  Thurcaston LE7 . . . . .101 B3
Walney Cl LE10 . . . . .197 B1
Walnut Ave LE4 . . . . .128 F7
Walnut Cl
  Aston-on-T DE72 . . . . . . .16 B8
  Bisbrooke LE15 . . . . .189 E3
  Broughton Astley LE9 . . .219 A6
  Leicester LE2 . . . . .181 A5
  Markfield LE67 . . . . .125 D8
  Stathern LE14 . . . . .13 A2
  Stretton LE15 . . . . .88 F4
  Swadlincote DE11 . . . . . .44 A5
Walnut Gr LE2 . . . . .179 B4
Walnut Leys LE2 . . . . . . .201 D2
Walnut Paddock LE14 . . . .12 B3
Walnut Rd Bottesford NG13 . .3 A2
  Loughborough LE11 . . . . .75 A8
Walnut St LE2 . . . . .259 A1
Walnut Way Blaby LE8 . . .202 B6
  Countesthorpe LE8 . . . . .202 E4
Walpole Cl LE3 . . . . .153 F5
Walsgrave Ave LE5 . . . . .156 D5
Walshe Rd LE5 . . . . .156 B6
Walsingham Cres LE3 . . .153 B3
Walter Hull Ct LE11 . . . . . .52 C2
Walter St DE72 . . . . .9 A7
Waltham Ave LE3 . . . . . . .154 A2
Waltham Cl NN17 . . . . . . .230 D1
Waltham Ho LE15 . . . . . . .137 F5
Waltham La Eaton NG32 . . .22 F5
  Harby LE14 . . . . .12 B1
  Long Clawson LE14 . . . . .20 E2
Waltham on the Wolds
  CE Prim Sch LE14 . . . . . .40 A6
Waltham Rd
  Branston NG32 . . . . .23 C7
  Eastwell LE14 . . . . .22 B4
  Stonesby LE14 . . . . .40 D6
Waltham Rise LE13 . . . . . .59 E2
Walton Cl Kirby Fields LE9 .152 E7
  Swadlincote DE11 . . . . . .44 A3
  Whissendine LE15 . . . . . .84 E1
Walton Ct DE74 . . . . .18 C2
Walton Hill
  Castle Donington DE74 . . . .17 A4
  Isley Walton DE74 . . . . . .27 D7
Walton La LE12 . . . . .53 C4
Walton Rd LE17 . . . . .235 F2

Walton St Leicester LE3 . .154 D3
  Long Eaton NG10 . . . . . . .10 D8
Walton Way LE12 . . . . . . .101 C8
Wand St LE4 . . . . .129 A1
Wanlip Ave LE4 . . . . .129 B8
Wanlip La LE4 . . . . .129 B8
Wanlip Rd LE7 . . . . .102 E3
Wanlip St LE1 . . . . .155 A7
Wansbeck Gdns LE5 . . . .156 C8
Wanstead Ind Pk LE3 . . . .153 A5
Wanstead Rd LE3 . . . . . . .153 A5
Ward Cl LE2 . . . . .179 C7
Ward's Cres LE17 . . . . . . .77 D3
Ward's End LE11 . . . . .52 A3
Ward's La DE72 . . . . .9 D8
Wardens Wlk LE3 . . . . . . .153 C3
Wards Closes LE18 . . . . . .203 B8
Wareham Rd LE8 . . . . . . .202 B6
Warehouse The LE16 . . . .240 D4
Warmsley Ave LE18 . . . . .180 C4
Warn Cres LE15 . . . . .137 D5
Warner Cl LE8 . . . . .202 A5
Warner Pl LE11 . . . . .52 C4
Warner St LE12 . . . . .76 D7
Warren Ave LE4 . . . . .130 A5
Warren Cl Leicester LE5 . .156 A8
  Markfield LE67 . . . . .125 E8
Warren Ct LE11 . . . . .178 B5
Warren Dr LE4 . . . . .130 A5
Warren Hill LE6 . . . . .99 C5
Warren Hills Cty Prim Sch
  LE67 . . . . .72 D2
Warren Hills Rd LE67 . . . .72 D2
Warren La
  Leicester Forest East LE3 .152 E2
  Long Eaton NG10, DE74 . . .10 B2
  Whitwick LE67 . . . . .71 F7
Warren Park Way LE9 . . .178 A5
Warren Rd
  Narborough LE19 . . . . . . .178 D1
  Wothorpe PE9 . . . . .169 E7
Warren St LE3 . . . . .154 D6
Warren The LE7 . . . . .103 C7
Warren View LE4 . . . . . . .130 A5
Warrene Keep PE9 . . . . . .143 E2
Warrington Dr LE6 . . . . . .126 E2
Wartnaby St LE16 . . . . . .240 D3
Warton La Austrey CV9 . . .119 A1
  Orton-on-t-H CV9 . . . . . .145 C4
Warwick Ave LE12 . . . . . . .75 C4
Warwick Cl Desford LE9 . .151 A2
  Market Bosworth CV13 . .148 F3
  Market Harborough LE16 .240 F5
  Swadlincote DE11 . . . . . .44 E5
  Thornton LE67 . . . . .124 F3
Warwick Ct LE11 . . . . .51 D5
Warwick Dr CV9 . . . . .170 D1
Warwick Flats NG13 . . . . . .3 A2
Warwick Gdns LE10 . . . . .214 E5
Warwick La CV13 . . . . . . .148 E3
Warwick Rd
  Broughton Astley LE9 . . .218 E5
  Kibworth Beauchamp LE8 .205 E1
  Littlethorpe LE8, LE9 . . .201 E6
  1 Long Eaton NG10 . . . . .10 F7
  Melton Mowbray LE13 . . . .59 C1
  Wigston LE18 . . . . .180 B3
Warwick St LE3 . . . . .154 D4
Warwick Way
  Ashby-De-La-Z LE65 . . . . .69 C5
  Loughborough LE11 . . . . .51 E6
Wash La LE67 . . . . .70 C1
Washbrook La LE8 . . . . . .182 E1
Washdyke La LE14 . . . . . . .58 B3
Washdyke Rd LE15 . . . . . .134 F4
Washington Cl
  Barwell LE9 . . . . .198 A6
  Melbourne DE73 . . . . .26 A7
Washpit La CV13 . . . . . . .149 D8
Washstones La LE14 . . . . .80 B8
Watchcrete Ave LE7 . . . . .103 D5
Watchorn Ct LE15 . . . . . .137 F7
Water La Ashwell LE15 . . .111 B8
  Eastwell LE14 . . . . .22 B6
  Frisby on t W LE14 . . . . . .80 C8
  Long Clawson LE14 . . . . .20 E4
  Seagrave LE12 . . . . .77 F8
  South Witham NG33 . . . . .65 B3
  Stainby NG33 . . . . .43 D2
  Stathern LE14 . . . . .13 A2
Water Leys Cty Prim Sch
  LE18 . . . . .180 B4
Water St PE9 . . . . .143 E2
Waterfall Way
  Barwell LE9 . . . . .198 A5
  Medbourne LE16 . . . . . . .227 F6
Waterfield Cl LE5 . . . . . . .156 B5
Waterfield Pl LE16 . . . . . .240 E5
Waterfield Rd LE7 . . . . . .100 F2
Waterfield Way LE10 . . . .215 C5
Waterfront The LE3 . . . . .259 A4
Waterfurlong PE9 . . . . . . .143 C2
Watergate
  East Goscote LE7 . . . . . .103 E7
  12 Stamford PE9 . . . . . .143 E3
Watergate La LE3, LE9 . . .178 E2
Waterloo Cres
  Countesthorpe LE8 . . . . .202 D3
  Wigston LE18 . . . . .180 E4
Waterloo Pl DE11 . . . . . . .44 B4
Waterloo Rd 10 LE10 . . . .215 D8
Waterloo Spinney La
  LE12 . . . . .75 B4
Waterloo Way LE2 . . . . . .259 C2
Watermead Ctry Pk LE4 .129 C6
Watermead Way LE4 . . . .129 C6
Watermeadows The NG10 .10 A8
Waters End LE9 . . . . .198 A5

Waterside PE9 . . . . .116 F2
Waterside LE11 . . . . .52 B5
Waterside Rd LE5 . . . . . . .130 A4
Waterworks Rd LE67 . . . .97 A7
Waterworks Way LE17 . . .247 F5
Watery Gate La LE9 . . . .199 F8
Watling Cl LE10 . . . . . . .215 C4
Watling Cres CV23 . . . . .253 C1
Watling Dr LE10 . . . . . . .215 C4
Watling St Leicester LE1 . .259 B5
  Mountsorrel LE12 . . . . .76 E2
  Nuneaton CV11 . . . . .214 C8
Watson Ave LE16 . . . . . .250 D8
Watson Rd LE4 . . . . .129 C2
Watson's La LE14 . . . . . . .12 B2
Watt La LE8 . . . . .221 A6
Watts Cl LE4 . . . . .128 A3
Waudby Cl LE9 . . . . .201 C6
Waughs Dr LE12 . . . . . . .101 D8
Waveney Cl LE10 . . . . . .215 A8
Waveney Rise LE2 . . . . . .181 D6
Waverley Cl LE11 . . . . . . .51 B5
Waverley Ct LE13 . . . . . . .59 D1
Waverley Gdns PE9 . . . . .143 B4
Waverley Pl PE9 . . . . . . .143 B4
Waverley Rd Blaby LE8 . .202 C6
  Rugby CV21 . . . . .257 A1
  Wigston LE18 . . . . .179 F2
Waverley St NG10 . . . . . . .10 E8
Wavertree Cl LE9 . . . . . .201 D4
Wavertree Dr LE4 . . . . . .129 B3
Wayfarer Dr LE7 . . . . . . .103 E8
Wayne Way The
  Birstall LE4 . . . . .129 A7
  Leicester LE5 . . . . .155 F6
Wayside Dr Leicester LE2 .181 C5
  Thurmaston LE4 . . . . .129 E6
Weares Cl LE9 . . . . .191 B5
Weaver Cl LE11 . . . . .52 C1
Weaver Gn LE13 . . . . . . .59 B4
Weaver Rd
  Earl Shilton LE9 . . . . .199 A8
  Leicester LE5 . . . . .156 E7
Weaver's Wynd LE7 . . . . .103 E7
Weavers Close
  CE Prim Sch LE9 . . . . . . .198 F8
Weavers Ct LE9 . . . . . . .201 B7
Webb Cl LE3 . . . . .153 B2
Webbs Way LE9 . . . . . . .199 D2
Webster Rd LE3 . . . . . . .153 E4
Weddington La CV10 . . . .195 A3
Weddington Rd CV10 . . . .195 B1
Weir La LE7 . . . . .158 A3
Weir Rd
  Kibworth Beauchamp LE8 .224 A7
  Saddington LE8 . . . . .223 B4
Welbeck Ave
  Hinckley LE10 . . . . .215 D3
  Leicester LE4 . . . . .128 E2
Welbeck Cl LE8 . . . . . . .202 C6
Welby La LE13 . . . . .58 E6
Welby Rd LE14 . . . . .58 D4
Welcombe Ave LE3 . . . . .153 F1
Weldon Ave LE12 . . . . . . .77 D4
Weldon Rd
  Loughborough LE11 . . . . . .51 E7
  Wigston LE18 . . . . .180 D4
Welford Ct LE2 . . . . .180 B7
Welford Pl LE1 . . . . .259 B3
Welford Rd Blaby LE8 . . .202 B8
  Husbands Bosworth LE17 . .247 E3
  Kilby LE8, LE18 . . . . .203 E5
  Leicester LE1, LE2 . . . . . . .259 B2
  Leicester, Knighton LE2 . . .180 B7
  Shearsby LE17 . . . . .222 B2
  Sibbertoft LE16 . . . . .248 D2
  South Kilworth LE17 . . . . .255 D7
Welford Sibbertoft &
  Sulby Sch NN6 . . . . .256 E5
Welham La LE16 . . . . . . .208 D2
Welham Rd
  Great Bowden LE16 . . . . . .241 B8
  Slawston LE16 . . . . .209 B1
  Thorpe Langton LE16 . . . . .226 B5
  Weston by W LE16 . . . . . . .227 A4
Welham Wlk LE4 . . . . . . .129 F4
Well Cl LE15 . . . . .166 B7
Well Field La LE14 . . . . . .80 C8
Well La Ab Kettleby LE14 . .37 D2
  Blackfordby DE11 . . . . .45 B1
  Hinckley LE10 . . . . .197 D1
Well Spring Hill LE18 . . .203 E8
Well St LE15 . . . . .110 C3
Well Yard Cl LE12 . . . . . . .50 C3
Welland Ave LE16 . . . . . .239 E7
Welland Cl LE16 . . . . . . .230 C8
Welland Ct LE16 . . . . . . .240 F2
Welland Ind Est LE16 . . . .241 B4
Welland Mews PE9 . . . . .143 F2
Welland Park Com Coll
  LE16 . . . . .240 E2
Welland Park Rd LE16 . . .240 E2
Welland Rd
  Barrow-u-S LE12 . . . . .76 D6
  Edith Weston LE15 . . . . . .166 D7
Welland Rise
  Melton Mowbray LE13 . . . . .59 C1
  Sibbertoft LE16 . . . . .248 D2
Welland St LE2 . . . . .155 B4
Welland Vale Rd
  Corby NN17 . . . . .230 E1
  Leicester LE5 . . . . .156 D4
Welland View LE15 . . . . .142 F1
Welland View Rd LE16 . . .229 D1
Welland Way LE15 . . . . . .137 E5
Wellbrook Ave LE12 . . . . .77 D3
Welles St LE1 . . . . .259 A4
Wellesbourne Dr LE3 . . .127 D1

Wellfield Cl
  South Witham NG33 . . . . . . .65 B4
  Tugby LE7 . . . . .185 E6
Wellgate Ave LE4 . . . . . .129 A8
Wellhouse Cl LE18 . . . . .203 C8
Wellinger Way LE3 . . . . .153 E4
Wellington La [9] PE9 . . .143 D3
Wellington Parkway
  LE17 . . . . .243 D6
Wellington St
  Leicester LE1 . . . . .259 B3
  Loughborough LE11 . . . . . .52 C3
  Syston LE7 . . . . .103 B3
Wellington Way LE13 . . . .59 A5
Wells Ave LE18 . . . . .203 F3
Wells Cl LE17 . . . . .247 E5
Wells Rd LE65 . . . . .68 F4
Wellsborough Rd
  Sheepy Parva CV9, CV13 . . .146 E1
  Wellsborough CV13 . . . . . .147 D2
Wellsic La LE7 . . . . .101 E6
Wellwood Rd DE11 . . . . . .44 A6
Welwyn Rd LE10 . . . . . . .197 F1
Wembley Rd LE3 . . . . . . .153 B5
Wembrook Coppice CV9 .171 B8
Wembury Gdns LE4 . . . . .128 E4
Wendover Dr LE10 . . . . . .197 E4
Wendys Cl LE5 . . . . .156 D7
Wenlock Way LE4 . . . . . .130 A3
Wensley Rise LE2 . . . . . .179 C2
Wensleydale Ave LE9 . . .198 A5
Wensleydale Rd LE9 . . . .198 A5
Wensleydale Rd
  Long Eaton NG10 . . . . .10 B6
  Wigston LE18 . . . . .180 F1
Wensum Cl LE10 . . . . . . .215 B8
Went Rd LE4 . . . . .129 A6
Wentbridge Rd LE4 . . . . .129 D3
Wenton Cl LE15 . . . . . . .112 B7
Wentworth Cl
  Hinckley LE10 . . . . .197 E3
  Kibworth Beauchamp LE8 . .224 B7
Wentworth Dr CV11 . . . . .214 A1
Wentworth Gn LE9 . . . . .152 D4
Wentworth Rd
  Coalville LE67 . . . . .96 C8
  Fleckney LE8 . . . . .223 A4
  Leicester LE3 . . . . .154 C6
Wesley Cl Hathern LE12 . . .30 A1
  Loughborough LE11 . . . . . .51 B6
  Ratby LE6 . . . . .152 C8
  Sapcote LE9 . . . . .217 E7
Wesley Hillman Ct DE12 . .93 C5
Wesley St LE4 . . . . .128 E3
Wesley Way LE67 . . . . . .125 F8
Wessex Dr LE3 . . . . .153 E5
West Ave Leicester LE2 . . .155 B2
  Melton Mowbray LE13 . . . . .59 A4
  Wigston LE18 . . . . .180 B3
West Bank Mews DE74 . . .18 C2
West Cl LE10 . . . . .215 D7
West Cross La LE12 . . . . .101 C7
West Ct LE1 . . . . .259 C2
West Dr LE5 . . . . .156 A8
West End
  Barlestone CV13 . . . . .149 D8
  Barton in t B CV13 . . . . . .122 C1
  Exton LE15 . . . . .113 A3
  Long Clawson LE14 . . . . . . .20 C3
  Long Whatton LE12 . . . . . . .29 A4
  Welford NN6 . . . . .256 D4
  Wymondham LE14 . . . . .62 D2
West End Cl NG10 . . . . .3 A3
West End Cotts LE14 . . . .108 C3
West End Villas [5] PE9 . .143 C3
West Gate NG10 . . . . .10 E7
West Holme St LE3 . . . . .154 D5
West La Bardon LE67 . . . . .97 C3
  Billesdon LE7 . . . . .159 B2
  Ridlington LE15 . . . . .163 D2
West Langton Rd LE16 . . .224 E7
West Mill PE9 . . . . .168 F4
West Orch LE12 . . . . .77 C1
West Park Ct NG10 . . . . . .10 D7
West Rd LE15 . . . . .137 F6
West Side LE14 . . . . .58 D3
West St Blaby LE8 . . . . . .179 A1
  Clipsham LE15 . . . . .89 D5
  Earl Shilton LE9 . . . . .175 F1
  Easton on t H PE9 . . . . . . .169 A5
  Enderby LE19 . . . . .178 B2
  Glenfield LE3 . . . . .127 C1
  Leicester LE1 . . . . .259 C2
  Stamford PE9 . . . . .143 D3
  Swadlincote DE11 . . . . .44 B4
  Syston LE7 . . . . .103 A4
  Welford NN6 . . . . .256 E5
West St Open LE3 . . . . . .154 D4
West Street Gdns PE9 . . .143 C2
West Thorpe LE12 . . . . . . .34 C7
West View Somerby LE14 . .108 B1
  Stamford PE9 . . . . .142 D7
West View Ave LE2 . . . . .179 B3
West Wlk Ibstock LE67 . . . .95 F1
  Leicester LE1 . . . . .259 C2
Westbourne St LE4 . . . . .155 A8
Westbridge Cl LE3 . . . . . .259 A3
Westbridge Ind Pk LE3 . .259 A3
Westbrook Specl Sch
  NG10 . . . . .10 C7
Westbury Rd LE2 . . . . . . .155 A1
Westcotes Dr LE3 . . . . . .154 A1
Westdale Ave LE2 . . . . . .179 A2
Westdale Cl NG10 . . . . . . .10 A5
Westdown Dr LE4 . . . . . .129 E6
Westerby Cl LE18 . . . . . .180 D4
Westerby Ct LE17 . . . . . .244 B5
Westerby La LE8 . . . . . . .223 F6

Westerdale Rd LE18 . . . . .180 F2
Western Ave
  Easton on t H PE9 . . . . . . .168 F5
  Fleckney LE8 . . . . .222 F6
  Market Harborough LE16 . . .240 D1
  Ravenstone LE67 . . . . .71 A2
Western Bvd LE2 . . . . . . .259 A2
Western Cl LE65 . . . . .69 B4
Western Cotts LE17 . . . . .246 F4
Western Dr Blaby LE8 . . . .202 B7
  Claybrooke Parva LE17 . . . .232 E5
Western Park Rd LE3 . . . .154 A5
Western Park Sch LE3 . . .153 F6
Western Rd Asfordby LE14 . .57 F3
  Leicester LE3 . . . . .154 D4
Westernhay Rd LE2 . . . . .155 C1
Westfield Ave
  Countesthorpe LE8 . . . . . .202 D4
  Oakham LE15 . . . . .137 D6
  Wigston LE18 . . . . .180 B4
Westfield Cl
  Market Harborough LE16 . . .240 C3
  Rearsby LE7 . . . . .103 F8
Westfield Cres NN6 . . . . .256 E6
Westfield Ct LE10 . . . . . .215 C7
Westfield Cty Jun & Inf
  Schs LE10 . . . . .215 B7
Westfield Dr LE11 . . . . . . .51 F4
Westfield La LE7 . . . . . . .101 D5
Westfield Rd
  Hinckley LE10 . . . . .215 B7
  Leicester LE3 . . . . .154 A6
  Swadlincote DE11 . . . . .44 B6
Westfields
  Barlestone CV13 . . . . .149 D8
  Easton on t H PE9 . . . . . . .168 F5
Westfields Ave LE65 . . . . .68 C4
Westfields Terr LE65 . . . . .68 F7
Westgate LE4 . . . . .128 E8
Westgate La LE16 . . . . . .239 E3
Westgate Rd LE2 . . . . . . .180 B6
Westgate St LE15 . . . . . .137 F6
Westhaven PE9 . . . . .169 A5
Westhaven Ct CV13 . . . . .148 A3
Westhill Rd LE3 . . . . .154 A6
Westhorpe Ashley LE16 . . .227 E2
  Sibbertoft LE16 . . . . .248 F2
Westhorpe Cl LE15 . . . . .165 A3
Westhorpe Dr NG10 . . . . .10 C8
Westland Cl LE16 . . . . . .239 E3
Westland Rd LE15 . . . . . .112 D8
Westleigh Ave LE3 . . . . . .154 C3
Westleigh Grange LE18 . .180 B3
Westmeadow La LE12 . . . .28 F3
Westmeath Ave LE5 . . . . .156 B6
Westminster Cl LE13 . . . .59 A6
Westminster Dr
  Glen Parva LE2 . . . . .179 D1
  Hinckley LE10 . . . . .215 F4
Westminster Ind Est DE12 .93 B4
Westminster Rd LE2 . . . . .155 E1
Westminster Way LE65 . . .69 A8
Westmorland Ave
  Leicester LE4 . . . . .129 C2
  Loughborough LE11 . . . . . .51 D1
  Wigston LE18 . . . . .179 F2
Westoby Cl LE12 . . . . . . .50 D4
Weston Cl Hinckley LE10 . .197 A1
  Leicester LE2 . . . . .181 E4
  Rearsby LE7 . . . . .78 F1
Weston Cres NG10 . . . . . . .9 F4
Weston Dr CV13 . . . . . . .148 E2
Weston Rd Ashley LE16 . . .227 D3
  Aston-on-T DE72 . . . . .16 A7
  Edith Weston LE15 . . . . . .166 A7
  Sutton Bassett LE16 . . . . . .227 A2
  Welham LE16 . . . . .226 F5
Weston St DE11 . . . . .44 B3
Westons La LE15 . . . . . . .110 C3
Westonville PE9 . . . . .168 D2
Westover Rd LE3 . . . . . . .153 D3
Westray Dr LE10 . . . . . . .197 C1
Wetherby Cl LE7 . . . . . . .103 E6
Wetherby Rd LE4 . . . . . . .129 D3
Wexford Cl LE2 . . . . .181 D4
Weymouth Cl LE18 . . . . .203 D8
Weymouth St LE4 . . . . . .155 B8
Whaddon Chase LE15 . . . .87 C2
Whaddon Dr LE11 . . . . . . .52 C1
Whall Cl LE12 . . . . .76 A5
Wharf La CV13 . . . . .174 A4
Wharf Rd PE9 . . . . .143 E3
Wharf St LE4 . . . . .129 E8
Wharf St N LE1 . . . . .259 C5
Wharf St S LE1 . . . . .259 C4
Wharf The DE72 . . . . .9 A1
Wharf Way LE2 . . . . .179 B2
Wharfedale Rd
  Corby NN17 . . . . .230 E1
  Long Eaton NG10 . . . . .10 A6
Wharncliffe Rd LE11 . . . . .52 C4
Whatborough Rd
  LE7, LE15 . . . . .135 B2
Whatoff Lodge Farm
  LE12 . . . . .75 D5
Whatton Oaks LE7 . . . . . .101 E4
Whatton Rd Hathern LE12 . .29 E2
  Kegworth DE74, LE12 . . . . . .29 C7
Whatton's Cl NG32 . . . . . . .4 F1
Wheat St LE1 . . . . .259 C4
Wheatfield Cl LE3 . . . . . .153 C7
Wheatfield Way LE10 . . . .197 C4
Wheatland Cl LE2 . . . . . .181 D4
Wheatland Dr LE11 . . . . . .52 C2

Wheatland Rd LE4 . . . . . .128 D5
Wheatlands DE11 . . . . . . .44 B7
Wheatlands Cl PE9 . . . . .167 F5
Wheatlands Dr LE8 . . . . .202 D4
Wheatley Ave LE15 . . . . .189 B5
Wheatley Rd LE4 . . . . . . .129 D3
Wheatley's Rd LE4 . . . . .129 D7
Wheatsheaf La LE15 . . . . .88 B1
Wheel La LE15 . . . . .191 F5
Wheeldale LE18 . . . . .180 F2
Wheeldale Cl LE4 . . . . . .128 D3
Whetstone Ct LE8 . . . . . .201 F7
Whetstone Dr LE67 . . . . . .71 E1
Whetstone Gorse La LE8 .202 A1
Whiles La LE4 . . . . .129 B7
Whinchat Ct DE12 . . . . . . .93 B4
Whinchat Cl LE5 . . . . . . .155 C6
Whinham Ave LE4 . . . . . .218 D7
Whissendine CE Prim Sch
  LE15 . . . . .84 F1
Whissendine Rd
  Ashwell LE15 . . . . .110 C8
  Leesthorpe LE14 . . . . .83 E3
Whiston Cl LE5 . . . . .156 D7
Whitby Cl
  Broughton Astley LE9 . . . . .218 E8
  Loughborough LE11 . . . . . .51 B5
Whitcroft Cl LE67 . . . . . .125 E8
Whitcroft's La LE67 . . . . . .98 D6
White Cl LE9 . . . . .219 A6
White Gate Cl LE18 . . . . .180 E1
White Hart Cl LE7 . . . . . .159 B2
White Horse La LE4 . . . . .129 B6
White House Cl
  Bagworth LE67 . . . . .124 B5
  Groby LE6 . . . . .126 E3
  Leire LE17 . . . . .218 E1
White Leys Ct LE67 . . . . . .71 C1
White Post Ct NN17 . . . . .230 E2
White St
  Kibworth Beauchamp LE8 . .223 F8
  Quorn LE12 . . . . .75 F6
Whiteacres LE8 . . . . .201 E5
Whitebeam Cl LE4 . . . . . .201 A8
Whitebeam Rd LE2 . . . . .181 A7
Whitefield Rd LE4 . . . . . .128 F3
Whitegate LE11 . . . . .52 C5
Whitehall Prim Sch LE5 . .156 B4
Whitehall Rd LE5 . . . . . . .156 B4
Whitehead Cres LE18 . . . .180 B3
Whitehill Rd LE67 . . . . . . .96 E3
Whitehouse Ave LE11 . . . .52 C2
Whitelake Cl LE13 . . . . . .59 A1
Whitemoors Cl LE13 . . . . .196 E7
Whitemoors Rd CV13 . . . .196 E7
Whiteoaks Rd LE2 . . . . . .181 C3
Whitesand Cl LE3 . . . . . .127 D1
Whitley Cl LE3 . . . . .154 B8
Whitlock Way LE14 . . . . . .57 F3
Whitman Cl LE3 . . . . .153 D6
Whitteney Dr LE2 . . . . . . .179 A1
Whittier Rd LE2 . . . . .179 F7
Whittington Dr LE6 . . . . .126 C1
Whittington La CV9 . . . . .170 B2
Whittle Cl LE8 . . . . .201 F6
Whittle Rd Hinckley LE10 . .214 E7
  Lutterworth LE17 . . . . . . .244 B5
Whitwell Rd LE15 . . . . . .140 C5
Whitwell Row LE2 . . . . . .179 E5
Whitwick Bsns Pk LE67 . . .71 D2
Whitwick CE Prim Sch
  LE67 . . . . .71 E6
Whitwick Moor LE67 . . . . .71 D7
Whitwick Rd Coalville LE67 . .71 D2
  Copt Oak LE67 . . . . .98 C4
Whitwick Way LE3 . . . . . .154 C8
Wicken Rise LE18 . . . . . .180 E4
Wickham Rd LE2 . . . . . . .181 B4
Wicklow Ave LE13 . . . . . . .59 D1
Wicklow Cl LE12 . . . . .50 D2
Wicklow Dr LE5 . . . . .156 A6
Wicklow Lo LE13 . . . . . . .59 D1
Wiclif Way LE17 . . . . . . .244 C6
Wide La Hathern LE12 . . . .30 A1
  Wymeswold LE12 . . . . .34 C3
Wideshaft DE11 . . . . .44 C4
Widford Cl LE15 . . . . . . .156 A8
Widgeon Dr DE12 . . . . . . .93 B4
Widmerpool La LE12 . . . . .34 D8
Widon The LE12 . . . . .74 E8
Wightman Cl
  Shepshed LE12 . . . . .50 B3
  Stoney Stanton LE9 . . . . . .199 D3
Wightman Rd LE9 . . . . . .198 C2
Wigley Rd LE5 . . . . .156 C8
Wigston All Saints
  CE Prim Sch LE18 . . . . . .180 C2
Wigston Coll of F Ed
  LE18 . . . . .180 B2
Wigston La LE2 . . . . .179 D6
Wigston Rd Blaby LE8 . . .202 B8
  Leicester LE2 . . . . .180 F4
  [3] Rugby CV21 . . . . .257 A1
Wigston St
  Countesthorpe LE8 . . . . . .202 F4
  Leicester LE1 . . . . .259 C3
Wilberforce Rd LE3 . . . . .154 B2
Wild Rose Wlk LE7 . . . . . .103 E8
Wileman's Cl LE9 . . . . . . .198 E6
Wilf Brown Cl LE9 . . . . . .176 B1
Wilfred Gdns LE65 . . . . . .69 A5
Wilfred Pl LE65 . . . . .69 B5
Wilkes Ave LE12 . . . . .50 A3
Wilkes Gdns LE15 . . . . . .189 B4
Willars Way LE67 . . . . . . .95 F4
Willcox Dr LE13 . . . . .59 E1

Willday Dr CV9 . . . . .170 D2
Willersley Ho NG10 . . . . . .10 A5
Willesley Cl LE65 . . . . . . .68 F4
Willesley Cty Prim Sch
  LE65 . . . . .69 A4
Willesley Gdns LE65 . . . . .68 F4
Willesley La Moira DE12 . . .68 B4
  Willesley LE65 . . . . .68 D3
Willesley Wood Side
  Packington LE65 . . . . .93 E8
  Willesley LE65 . . . . .68 D2
William Bradford
  Com Coll LE9 . . . . .198 C8
William Cl LE7 . . . . .103 E6
William Iliffe St LE10 . . . .215 B7
William Nadin Way DE11 . .44 A4
William St Leicester LE1 . .259 C4
  Loughborough LE11 . . . . . .52 A3
  Narborough LE9 . . . . .201 B7
Williams Cl LE9 . . . . .201 B6
Willn Cl LE67 . . . . .97 B8
Willoughby Cl
  Breaston DE72 . . . . .9 F8
  Melton Mowbray LE13 . . . . .59 E2
Willoughby Ct LE15 . . . . .189 A4
Willoughby Dr LE15 . . . . .141 A6
Willoughby Gdns
  Leicester Forest East LE3 . .153 A3
  Oakham LE15 . . . . .137 F6
Willoughby Rd
  Ashby Magna LE17 . . . . . .220 B4
  Countesthorpe LE8 . . . . . .202 C2
  Morcott LE15 . . . . .191 A6
  Stamford PE9 . . . . .143 E5
Willoughby-on-the-Wolds
  Prim Sch LE12 . . . . .34 C7
Willow Brook Cl LE3 . . . .127 C2
Willow Brook Rd LE5 . . . .155 D7
Willow Cl Aston-on-T DE72 . .16 B7
  East Leake LE12 . . . . .31 D8
  Hinckley LE10 . . . . .215 E5
  Littlethorpe LE9 . . . . .201 C6
  Moira DE12 . . . . .68 B6
  Newbold Verdon LE9 . . . . . .150 B3
  Uppingham LE15 . . . . .189 B5
Willow Cres
  Market Harborough LE16 . . .240 C2
  Oakham LE15 . . . . .138 B7
Willow Ct Braunstone LE3 .178 F4
  [10] Leicester LE2 . . . . . . .155 B5
Willow Dr
  Countesthorpe LE8 . . . . . .202 E4
  Groby LE6 . . . . .126 E1
  Melton Mowbray LE13 . . . . .59 C4
Willow Gn LE67 . . . . .72 C2
Willow Gr LE12 . . . . .76 C1
Willow Park Dr LE18 . . . .180 C3
Willow Park Ind Est
  DE72 . . . . .196 C7
Willow Park Way DE72 . . . .16 A7
Willow Pl LE18 . . . . .180 D2
Willow Pool La LE12 . . . . .30 C5
Willow Rd Barrow-u-S LE12 . .53 D1
  Blaby LE8 . . . . .202 B7
  Castle Donington DE74 . . . .17 B5
  Loughborough LE11 . . . . . .75 A8
  Stamford PE9 . . . . .142 F5
Willow St Desford LE9 . . .151 A3
  Leicester LE1 . . . . .155 A7
Willow Tree Cl LE9 . . . . .198 B8
Willow Tree Cres LE17 . . .244 A6
Willow Way LE67 . . . . . . .95 E1
Willow Wlk LE7 . . . . .102 F3
Willowbank Rd LE10 . . . .215 C7
Willowbrook Cl
  Ashby-De-La-Z LE65 . . . . . .69 B8
  Broughton Astley LE9 . . . . .218 F7
  Sharnford LE10 . . . . .217 C4
Willowbrook Prim Sch
  LE5 . . . . .156 C4
Willowbrook View LE5 . . .156 E6
Willowcroft LE12 . . . . . . .75 E5
Willowdale LE10 . . . . . . .215 A7
Willowdene Way LE19 . . .198 B6
Willowfields Rd CV11 . . . .214 A1
Willows The
  Atherstone CV9 . . . . .170 E2
  Burton-on-t-W LE12 . . . . . .53 F6
Willowtree Cl LE5 . . . . . .130 C2
Wilsmer Cl LE9 . . . . .219 A5
Wilson Cl LE16 . . . . .241 A3
Wilmington Ct
  Leicester LE2 . . . . .180 F8
  Loughborough LE11 . . . . . .52 C2
Wilmington Rd LE3 . . . . .154 C3
Wilmore Cres LE3 . . . . . .153 D3
Wilmot Ho NG10 . . . . .10 A5
Wilmot Rd DE11 . . . . .44 B3
Wilmot St NG10 . . . . .10 A5
Wilne Cl NG10 . . . . .9 F4
Wilne Rd Long Eaton NG10 . .10 A4
  Shardlow DE72 . . . . .9 B4
Wilne St LE2 . . . . .155 C4
Wilnicott Rd LE3 . . . . . . .153 F1
Wilsford Cl LE18 . . . . . . .203 C8
Wilshere Cl LE9 . . . . .152 D5
Wilson Cl LE3 . . . . .153 D2
Wilson Ct LE15 . . . . .89 A7
Wilson Rd LE18 . . . . .179 E1
Wilson Rise DE73 . . . . . . .26 F6
Wilson St LE2 . . . . .155 C6
Wilsthorpe Rd
  Breaston DE72 . . . . .9 F8
  Long Eaton NG10 . . . . .10 B6
Wilstone Cl LE11 . . . . .51 C3

Wilton Ave LE11 . . . . .52 C2
Wilton Cl LE2 . . . . .181 C5
Wilton Ct LE13 . . . . . . .59 B2
Wilton Pl LE13 . . . . .59 C3
Wilton Rd LE13 . . . . .59 C3
Wilton St LE1 . . . . .259 B5
Wiltshire Rd
  Leicester LE4 . . . . .128 D2
  Wigston LE18 . . . . .180 B3
Wimbishthorpe Cl NG13 . . .3 A3
Wimbledon St LE1 . . . . .259 C4
Wimborne Cl LE18 . . . . .180 C5
Wimborne Rd LE2 . . . . . .180 D6
Winchendon Cl LE5 . . . . .155 E8
Winchester Ave
  Blaby LE8 . . . . .179 A1
  Leicester LE3 . . . . .154 C3
Winchester Ct LE67 . . . . . .95 F2
Winchester Dr
  Burbage LE10 . . . . .216 B7
  Melton Mowbray LE13 . . .59 A6
  Swadlincote DE11 . . . . . .44 D6
Winchester Rd LE8 . . . . .202 C6
Winchester Way LE65 . . . .69 A7
Winchilsea Dr NN17 . . . .213 B1
Winckley St LE1 . . . . . . .157 F4
Winder's Way LE2 . . . . . .179 D5
Windermere Ave
  Ashby-De-La-Z LE65 . . . . .69 C5
  Nuneaton CV11 . . . . . . .214 A6
Windermere Cl LE9 . . . . .198 E8
Windermere Dr LE9 . . . . .200 D4
Windermere Rd
  Barrow-u-S LE12 . . . . . . .76 D8
  Edith Weston LE15 . . . . .166 A4
  Wigston LE18 . . . . .180 F3
Windermere St LE2 . . . . .259 A1
Windleden Rd LE11 . . . . . .51 B3
Windley Rd LE2 . . . . . . .180 A5
Windmill Ave LE4 . . . . . .129 B8
Windmill Bank LE18 . . . .180 E1
Windmill Cl
  Ashby-De-La-Z LE65 . . . . .69 C5
  Castle Donington DE74 . . . .17 B2
  Cottingham LE16 . . . . . .229 D1
  Mountsorrel LE12 . . . . . .76 E3
  Ratby LE6 . . . . .152 D8
  Thurmaston LE4 . . . . . .129 F8
Windmill End LE7 . . . . . .101 E7
Windmill Gdns LE8 . . . . .206 A1
Windmill La CV9 . . . . . . .119 C3
Windmill Rd
  Atherstone CV9 . . . . . . .170 D1
  Loughborough LE11 . . . . .52 D3
Windmill Rise
  Cottingham LE16 . . . . . .229 D1
  Groby LE6 . . . . .126 E3
  Woodhouse Eaves LE12 . . .74 F2
Windmill St DE11 . . . . . . .44 A1
Windmill View LE67 . . . . . .71 A6
Windmill Way
  Kegworth DE74 . . . . .18 B2
  Lyddington LE15 . . . . . .212 D6
Windrush Dr
  Hinckley LE10 . . . . .215 A8
  Leicester LE2 . . . . .181 D6
Windsor Ave
  Glen Parva LE2 . . . . . . .179 E1
  Groby LE6 . . . . .126 F2
  Leicester LE4 . . . . .129 B2
  Melbourne DE73 . . . . . . .26 A8
Windsor Cl Coalville LE67 . .72 B1
  Leicester LE2 . . . . .181 C3
  Mountsorrel LE12 . . . . . .101 D8
  Quorn LE12 . . . . .76 B6
  Stamford PE9 . . . . .143 D5
  Swadlincote DE11 . . . . . .44 A6
Windsor Ct
  2 Long Eaton NG10 . . . . .10 E7
  Market Harborough LE16 . .240 D4
  Shepshed LE12 . . . . .50 A2
Windsor Dr Oakham LE15 .137 E5
  Shepshed LE12 . . . . .50 A2
Windsor Rd
  Ashby-De-La-Z LE65 . . . . .69 B5
  Loughborough LE11 . . . . .51 D5
  Waltham on t W LE14 . . . .40 B7
Windsor St Burbage LE10 .216 A5
  Melton Mowbray LE13 . . . .59 C3
Windyridge PE9 . . . . . . .142 D7
Winforde Cres LE3 . . . . . .153 D4
Wing Rd Glaston LE15 . . .190 B6
  Manton LE15 . . . . .164 E5
  Morcott LE15 . . . . .190 F7
Wingfield St LE4 . . . . . . .129 B2
Winifred St LE2 . . . . . . .259 A2
Winkadale Hill
  Uppingham Rd LE7 . . . . .157 C4
Winser Ct DE74 . . . . .18 D2
Winslow Dr LE18 . . . . . .180 E4
Winslow Gn LE5 . . . . . . .156 C8
Winstanley Com Coll
  LE3 . . . . .153 E1
Winstanley Dr LE3 . . . . .154 A4
Winster Cres LE13 . . . . . .59 B1
Winster Dr LE4 . . . . . . .129 E8
Winster Way NG10 . . . . . . .9 F5
Winston Ave LE9 . . . . . .200 D4
Winston Cl PE9 . . . . . . .167 F5
Winterbeck Cl NG13 . . . . . .3 A3
Winterburn Gdns LE8 . . .201 F7
Winterburn Way LE11 . . . .51 B3
Winterfield Cl LE3 . . . . .153 B7
Wintersdale Rd LE5 . . . . .156 D5
Winterton Cl LE4 . . . . . .129 F8
Winton Ave LE3 . . . . . . .154 C2
Wire La LE16 . . . . .228 D2
Wisp The LE15 . . . . .136 D1
Wistow Cl LE18 . . . . . . .204 A3
Wistow Rd
  Kibworth Beauchamp LE8 . .205 D2
  Kilby LE18 . . . . .204 B3
  Newton Harcourt LE8 . . . .204 D6
  Wigston LE18 . . . . .180 E1
Witham Ave LE15 . . . . . .137 E5
Witham Cl
  Melton Mowbray LE13 . . . .59 B1
  Stamford PE9 . . . . .143 E4
Witham Rd Gunby NG33 . . .64 F8
  Thistleton LE15 . . . . .65 A1
Withcote Ave LE5 . . . . . .156 C6
Withens Cl LE3 . . . . .154 A7
Witherdell LE4 . . . . .128 A3
Witherley CE Prim Sch
  CV9 . . . . .194 B7
Witherley Rd CV9 . . . . . .194 B6
Withers Way LE3 . . . . . .153 D1
Withington Cl LE3 . . . . . .153 D2
Wittering Cl NG10 . . . . . .10 E5
Woburn Cl Hinckley LE10 .197 E3
  Leicester LE2 . . . . .179 C4
  Loughborough LE11 . . . . .51 C4
  Market Harborough LE16 . .241 A3
  Wigston LE18 . . . . .180 E1
Wokingham Ave LE2 . . . .179 D2
Wolds La LE10 . . . . .231 B3
Wolds The LE7 . . . . .103 E8
Wollaton Ave LE11 . . . . . .51 C4
Wollaton Cl LE3 . . . . . . .153 B8
Wolsey Cl Fleckney LE8 . .222 F8
  Groby LE6 . . . . .126 E2
  Leicester Forest East LE3 . .152 F2
Wolsey Dr LE8 . . . . .126 B1
Wolsey House Prim Sch
  LE4 . . . . .128 E3
Wolsey La LE8 . . . . .222 F8
Wolsey Rd LE67 . . . . .71 C2
Wolsey St LE4 . . . . .154 E8
Wolsey Way
  Loughborough LE11 . . . . .52 C4
  Syston LE7 . . . . .102 F3
Wolston Prep Sch The
  CV13 . . . . .148 F3
Wolverton Rd LE3 . . . . . .154 C7
Wolvey Rd LE10 . . . . . . .215 E4
Wood Cl LE12 . . . . .50 D3
Wood End LE3 . . . . .154 A7
Wood Farm La DE11 . . . . .44 E4
Wood Gate LE11 . . . . . . .52 B3
Wood Hill Leicester LE5 . .155 D6
  Old Dalby LE14 . . . . .35 E3
Wood La
  Barkestone-le-V NG13, LE14 .13 E6
  Braunston-in-R LE15 . . . .137 A1
  Cadeby CV13 . . . . .149 C1
  Higham on t H CV13 . . . . .195 E3
  Norton-J-T CV9 . . . . . . .120 C2
  Quorn LE12 . . . . .76 B4
  Stathern LE14 . . . . .13 B4
  Swadlincote DE11 . . . . . .44 A1
  Tugby LE7 . . . . .185 F8
Wood Rd LE67 . . . . .123 E6
Wood St
  Ashby-De-La-Z LE65 . . . . .69 C6
  Earl Shilton LE9 . . . . . . .198 E8
  Hinckley LE10 . . . . .197 D1
  Leicester LE1 . . . . .259 B5
  Swadlincote DE11 . . . . . .44 B2
Wood Street Cl LE10 . . . .197 E1
Woodbank Burbage LE10 .216 A7
  Glen Parva LE2 . . . . . . .179 B2
Woodbank Rd Groby LE6 .126 D3
  Leicester LE2 . . . . .180 C6
Woodbine Ave **8** LE2 . . .155 B4
Woodbine Cres LE17 . . . .244 C5
Woodborough Rd LE5 . . .156 B4
Woodby St LE1 . . . . .155 A7
Woodbreach Dr LE16 . . . .241 B3
Woodbridge Rd LE4 . . . . .129 B3
Woodbrook Rd LE11 . . . . .51 E1
Woodbrook Vale High Sch
  LE11 . . . . .74 F7
Woodbury Rise LE8 . . . . .182 C1
Woodby La LE17 . . . . . . .243 E8
Woodcock Cl LE17 . . . . . .235 C4
Woodcock Dr LE13 . . . . . .82 B8
Woodcock Way LE65 . . . . .69 C7
Woodcote Prim Sch

LE65 . . . . .69 B7
Woodcote Rd LE3 . . . . . .178 E7
Woodcroft Ave LE2 . . . . .180 A6
Woodcroft The DE74 . . . . .28 C5
Woodfield PE9 . . . . .168 D1
Woodfield Cl LE9 . . . . . .201 B8
Woodfield Dr DE11 . . . . . .44 C5
Woodfield Rd
  Hinckley LE10 . . . . .215 C6
  Leicester LE2 . . . . .181 B7
  Rothley LE7 . . . . .101 E6
Woodfold La LE14 . . . . . . .60 D5
Woodford Cl LE18 . . . . . .203 C8
Woodford Glebe NN6 . . . .256 E5
Woodford La CV10 . . . . . .194 C4
Woodgate Foxton LE16 . . .239 E8
  Leicester LE3 . . . . .154 D7
  Rothley LE7 . . . . .101 E6
Woodgate Cl LE16 . . . . . .241 B2
Woodgate Dr LE4 . . . . . .128 F8
Woodgate Rd
  Burbage LE10 . . . . .216 A8
  East Leake LE12 . . . . . . .31 C8
Woodgon Rd LE7 . . . . . .127 D6
Woodgreen Rd LE4 . . . . .129 D1
Woodgreen Wlk LE4 . . . .129 D1
Woodhall Cl
  Leicester LE3 . . . . .153 D5
  Nuneaton CV10 . . . . . . .214 A2
Woodhead Cl PE9 . . . . . .143 F5
Woodhouse Cl LE67 . . . . .98 E1
Woodhouse La LE11 . . . . .74 C5
Woodhouse Rd
  Asfordby LE14 . . . . .57 F3
  Coalville LE67 . . . . .97 B8
  Narborough LE9 . . . . . .201 A8
  Quorn LE12 . . . . .75 E6
Woodhouse St DE11 . . . . .44 D3
Woodland Ave
  Breaston DE72 . . . . .9 F8
  Burbage LE10 . . . . .216 A7
  Claybrooke Magna LE17 . .232 E6
  Leicester LE2 . . . . .155 C1
  Melton Mowbray LE13 . . . .59 D1
  Narborough LE9 . . . . . .178 B1
Woodland Cl LE67 . . . . . .125 E8
Woodland Dr LE3 . . . . . .153 D3
Woodland Grange
  Prim Sch LE2 . . . . .181 D4
Woodland Rd
  Cottesmore LE15 . . . . . . .87 E2
  Hinckley LE10 . . . . .197 F1
  Leicester LE5 . . . . .155 D7
Woodland View LE5 . . . . .138 B7
Woodlands Ave NN17 . . . .230 F1
Woodlands Cl **3**
  Melbourne DE73 . . . . . . .26 A8
  Wymeswold LE12 . . . . . . .33 C3
Woodlands Cres DE12 . . . .67 B4
Woodlands Day Hospl
  LE9 . . . . .201 B8
Woodlands Dr Groby LE6 .126 D3
  Loughborough LE11 . . . . .52 A2
  Shepshed LE12 . . . . .50 C5
Woodlands La LE9 . . . . . .152 E6
Woodlands Rd DE12 . . . . .67 B4
Woodlands The
  Countesthorpe LE8 . . . . .202 D4
  Hartshill CV10 . . . . .194 A1
  Market Harborough LE16 . .240 C4
  Melbourne DE73 . . . . . . .26 A8
  Wigston LE18 . . . . .180 F4
Woodlands Way
  Melbourne DE73 . . . . . . .26 B8
  Moira DE12 . . . . .68 B6
Woodlea Ave LE17 . . . . . .244 A6
Woodley Rd LE6 . . . . . . .152 C8
Woodman's Chase LE7 . . .103 D7
Woodmans Way LE12 . . . . .50 C5
Woodmarket LE17 . . . . . .244 C5
Woodnewton Dr LE5 . . . .156 C4
Woodpecker Cl LE3 . . . . .152 E2
Woods Cl Coalville LE67 . . .96 C6
  Leicester LE2 . . . . .181 C7
Woodshawe Rise LE3 . . . .153 E2
Woodside
  Ashby-De-La-Z LE65 . . . . .68 F5
  Barrow-u-S LE12 . . . . . . .76 C8
Woodside Cl
  Leicester LE4 . . . . .129 D1
  Narborough LE9 . . . . . .200 F8
Woodside Cres NG10 . . . . .10 B8
Woodside Rd LE2 . . . . . .181 D3
Woodstock Cl
  Burbage LE10 . . . . .216 A5
  Leicester LE4 . . . . .128 E4
Woodstock Cty Prim Sch
  LE4 . . . . .128 E4
Woodstock Rd LE4 . . . . . .128 E4
Woodthorpe Ave LE11 . . . .52 B1
Woodthorpe Rd LE11 . . . . .52 B1
Woodview NG13 . . . . .6 A1
Woodville CE Jun & Inf
  Schs DE11 . . . . .44 F2
Woodville Gdns LE18 . . . .180 C5

Woodville Rd
  Hartshorne DE11 . . . . . . .45 A5
  Leicester LE3 . . . . .154 B5
  Overseal DE12 . . . . .67 B4
Woodward Ave LE12 . . . . .75 E6
Woodward's Pl DE11 . . . . .44 C3
Woodway La LE17 . . . . . .232 D4
Woodway Rd LE17 . . . . . .244 B5
Woodyard La LE8 . . . . . .178 F1
Wooldale Cl LE7 . . . . . . .127 E7
Woolden Hill
  Com Prim Sch LE7 . . . . .127 E7
Woolley's La NG33 . . . . . .66 B7
Woolrooms The LE67 . . . . .70 F8
Woolsthorpe by Belvoir
  Cty Prim Sch NG32 . . . . .15 B8
Woolsthorpe La
  Harston NG32 . . . . .15 B5
  Muston NG13 . . . . .8 C5
Woolsthorpe Rd NG33 . . . .43 F5
Woolston Ct NN17 . . . . . .213 C1
Wootton Cl LE8 . . . . . . .201 F6
Wootton Rise LE2 . . . . . .179 D5
Worcester Ave LE4 . . . . .129 C8
Worcester Cl LE9 . . . . . .198 A2
Worcester Cres PE9 . . . . .143 D4
Worcester Dr
  Market Harborough LE16 . .240 E5
  Melton Mowbray LE13 . . . .82 D8
  Wigston LE18 . . . . .179 F2
Worcester Rd LE2 . . . . . .179 D7
Wordsworth Ave
  Corby NN17 . . . . .230 C1
  Swadlincote DE11 . . . . . .44 C6
Wordsworth Cl LE67 . . . . .70 E7
Wordsworth Cres LE9 . . . .178 A1
Wordsworth Rd
  Leicester LE2 . . . . .180 A8
  Loughborough LE11 . . . . .51 D4
Wordsworth Way LE12 . . . .93 C3
Workhouse La LE10 . . . . .216 A4
Workspace 17 LE67 . . . . . .96 C7
Worrall Cl LE3 . . . . .153 D4
Worrall Rd LE3 . . . . .153 D4
Worsley Way LE9 . . . . . .202 A6
Worthington La
  Breedon on t H DE73, LE65 . .26 F1
  Newbold LE65, LE67 . . . . .47 E4
  Woolsthorpe by B NG32 . . . .8 B1
Worthington Sch LE65 . . . .47 F6
Worthington St LE2 . . . . .155 C5
Wortley Cl Coalville LE67 . .71 E1
  Shepshed LE12 . . . . .50 C6
Wortley Cotts LE9 . . . . . .198 F5
Wortley Ct LE11 . . . . .52 B4
Wothorpe Mews PE9 . . . .143 D2
Wothorpe Rd PE9 . . . . . .143 D2
Wranglands The LE8 . . . .223 A7
Wreake Cres LE14 . . . . . . .57 C2
Wreake Dr LE7 . . . . .79 A3
Wreake Rd LE4 . . . . .129 E8
Wreake Valley Com Coll
  LE7 . . . . .103 C5
Wreake Wlk LE15 . . . . . .137 E5
Wreford Cres LE5 . . . . . .156 E7
Wrekin Cl LE65 . . . . .69 C4
Wren Cl
  Appleby Magna DE12 . . . .119 C8
  Leicester LE2 . . . . .179 E7
  Melton Mowbray LE13 . . . .82 B8
  Oakham LE15 . . . . .138 A8
  Syston LE7 . . . . .102 E4
  Woodville DE11 . . . . .44 F3
Wrendyke Cl LE15 . . . . . .191 A6
Wright Cl LE8 . . . . .202 A4
Wright La LE2 . . . . .181 E4
Wrights Acre LE12 . . . . . .77 B4
Wrights Cl LE12 . . . . .75 F5
Wrights La LE14 . . . . .62 E2
Wroxall Way LE3 . . . . . . .154 C8
Wyatt Cl LE3 . . . . .153 C4
Wyatt Rd LE67 . . . . .71 E2
Wych Elm Cl LE8 . . . . . . .182 B1
Wych Elm Rd LE2 . . . . . .181 A7
Wychwood Rd LE8 . . . . . .202 A5
Wycliffe Ave
  Barrow-u-S LE12 . . . . . . .76 C8
  Melton Mowbray LE13 . . . .59 C4
Wycliffe Com Coll LE16 . .153 F4
Wycliffe Ind Est LE17 . . . .244 C6
Wycliffe St LE1 . . . . .259 B3
Wycomb La LE14 . . . . . . .22 B1
Wycombe Gr LE13 . . . . . .59 E2
Wycombe Rd LE5 . . . . . .155 F8
Wye Cl LE10 . . . . .215 A8
Wye Dean Dr LE18 . . . . . .180 D2
Wyfordby Cl LE13 . . . . . .59 E1
Wyggeston Ave NG13 . . . . .3 B2
Wyggeston & Queen
  Elizabeth I Coll LE1 . . . .155 A3
Wyggeston Rd
  Bottesford NG13 . . . . .3 B3
  Coalville LE67 . . . . .96 D8
Wyggeston's Hospl LE3 . .154 C4
Wygston's House Mus . . .

LE1 . . . . .259 A3
Wykeham Cl LE8 . . . . . . .202 B6
Wykin La CV13, LE10 . . . .196 E5
Wykin Rd LE10 . . . . .196 F3
Wylam Cl LE3 . . . . .154 A8
Wymar Cl LE4 . . . . .128 C3
Wymeswold CE Prim Sch
  LE12 . . . . .33 C3
Wymeswold Ind Est LE12 . .33 A1
Wymeswold La LE12 . . . . .33 C3
Wymeswold Rd Hoton LE12 .32 F2
  Rempstone LE12 . . . . . . .32 F5
  Wysall NG12 . . . . .33 C8
Wymondham Way LE13 . . .59 C6
Wyndale Dr LE2 . . . . . . .103 B5
Wyndale Rd LE2 . . . . . . .180 B7
Wyndham Ave LE13 . . . . .59 C1
Wyndham Rd LE11 . . . . . .51 B6
Wynfield Rd LE3 . . . . . . .154 B5
Wyngate Dr LE3 . . . . . . .154 B4
Wynthorpe Rise LE3 . . . . .154 A4
Wynton Cl LE8 . . . . .202 C6
Wysall La LE12 . . . . .33 D5
Wysall Rd LE12 . . . . .32 F6
Wytchley Rd PE9 . . . . . .167 E5
Wythburn Cl LE11 . . . . . . .51 D1
Wyvelle Cres DE74 . . . . . .18 C3
Wyvern Ave Leicester LE4 .129 D2
  Long Eaton NG10 . . . . . . .10 C5
Wyvern Cl LE9 . . . . .219 A5
Wyvern Prim Sch LE4 . . . .129 D2
Wyvern Terr LE13 . . . . . . .59 C3
Wyvernhoe Dr LE12 . . . . .75 C5
Wyville Row LE3 . . . . . . .154 A1

Y

Yard Cl DE11 . . . . .44 B4
Yardley Ct NN17 . . . . . . .230 D1
Yardley Dr LE2 . . . . .180 B5
Yarmouth St LE1 . . . . . . .259 B5
Yarrow Cl LE5 . . . . .130 C1
Yarwell Dr LE18 . . . . . . .180 E2
Yates Ave DE72 . . . . .16 A7
Yates Cl DE12 . . . . .68 A5
Yaxley Cl LE7 . . . . .157 A5
Yeates Cl LE3 . . . . .153 C4
Yelvertoft Rd CV23 . . . . .258 D6
Yelverton Ave LE5 . . . . . .156 C4
Yeoman La LE1 . . . . .259 C4
Yeoman St LE1 . . . . .259 C4
Yeoman's Dale LE7 . . . . .103 D8
Yeomanry Ct LE16 . . . . . .240 E3
Yew Cl Corby NN17 . . . . .230 E1
  East Leake LE12 . . . . . . .31 D8
  Leicester Forest East LE3 . .152 F1
Yew Tree St Barwell LE9 . .198 C8
  Lutterworth LE17 . . . . . .244 A6
  Willoughby Waterleys LE8 . .220 D6
Yew Tree Cres LE13 . . . . .59 C5
Yew Tree Ct CV9 . . . . . . .119 A2
Yew Tree Dr LE3 . . . . . . .153 C6
Yews The LE2 . . . . .181 B6
York Ave CV9 . . . . .170 E1
York Cl Glen Parva LE2 . . .179 E1
  Market Bosworth CV13 . . .148 E2
  Measham DE12 . . . . .93 C5
  Mountsorrel LE12 . . . . . .101 D8
  Swadlincote DE11 . . . . . .44 D6
York Pl Coalville LE67 . . . .72 D1
  Leicester LE1 . . . . .259 C3
York Rd Hinckley LE10 . . .197 D3
  Leicester LE1 . . . . .259 B3
  Loughborough LE11 . . . . .52 A4
  Stamford PE9 . . . . .143 D4
  Swadlincote DE11 . . . . . .44 B2
York St Leicester LE1 . . . .259 C3
  Market Harborough LE16 . .240 F3
Yorkshire Rd LE4 . . . . . .129 C2
Yukon Way LE1 . . . . . . .259 C5

Z

Zealand Cl LE10 . . . . . . .197 F3
Zebra Cotts PE9 . . . . . . .143 B4
Zetland Cl LE67 . . . . .96 C8
Zetland Sq LE15 . . . . .87 F4
Zetland Wlk LE4 . . . . . . .128 E5
Zion Hill LE67 . . . . .71 A8
Zion Ho DE11 . . . . .44 C1
Zouch Mill LE12 . . . . .30 B3
Zouch Rd LE12 . . . . .30 A3

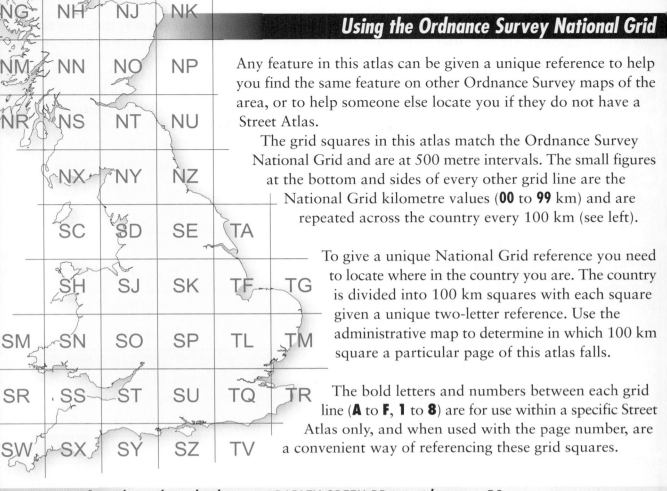

Any feature in this atlas can be given a unique reference to help you find the same feature on other Ordnance Survey maps of the area, or to help someone else locate you if they do not have a Street Atlas.

The grid squares in this atlas match the Ordnance Survey National Grid and are at 500 metre intervals. The small figures at the bottom and sides of every other grid line are the National Grid kilometre values (**00** to **99** km) and are repeated across the country every 100 km (see left).

To give a unique National Grid reference you need to locate where in the country you are. The country is divided into 100 km squares with each square given a unique two-letter reference. Use the administrative map to determine in which 100 km square a particular page of this atlas falls.

The bold letters and numbers between each grid line (**A** to **F**, **1** to **8**) are for use within a specific Street Atlas only, and when used with the page number, are a convenient way of referencing these grid squares.

Example   The railway bridge over DARLEY GREEN RD in grid square B1

Step 1: Identify the two-letter reference, in this example the page is in **SP**

Step 2: Identify the 1 km square in which the railway bridge falls. Use the figures in the southwest corner of this square: Eastings **17**, Northings **74**. This gives a unique reference: **SP 17 74**, accurate to 1 km.

Step 3: To give a more precise reference accurate to 100 m you need to estimate how many tenths along and how many tenths up this 1 km square the feature is (to help with this the 1 km square is divided into four 500 m squares). This makes the bridge about **8** tenths along and about **1** tenth up from the southwest corner.

This gives a unique reference: **SP 178 741**, accurate to 100 m.

Eastings (read from left to right along the bottom) come before Northings (read from bottom to top). If you have trouble remembering say to yourself "Along the hall, THEN up the stairs"!

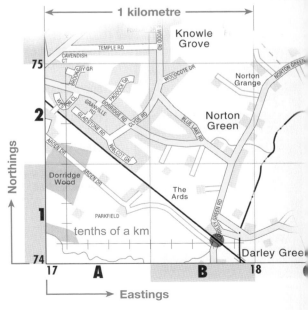

STREET ATLASES ORDER FORM

PHILIP'S

The Street Atlases are available from all good bookshops or by mail order direct from the publisher. Orders can be made in the following ways. **By phone** Ring our special Credit Card Hotline on **01933 443863** during office hours (9am to 5pm) or leave a message on the answering machine, quoting your full credit card number plus expiry date and your full name and address. **By post or fax** Fill out the order form below (you may photocopy it) and post it to: **Philip's Direct, 27 Sanders Road, Wellingborough, Northants NN8 4NL** or fax it to: **01933 443849**. Before placing an order by post, by fax or on the answering machine, please telephone to check availability and prices.

COLOUR LOCAL ATLASES	PAPERBACK Quantity @ £3.50 each	£ Total
CANNOCK, LICHFIELD, RUGELEY	☐ 0 540 07625 2	➤ ☐
DERBY AND BELPER	☐ 0 540 07608 2	➤ ☐
NORTHWICH, WINSFORD, MIDDLEWICH	☐ 0 540 07589 2	➤ ☐
PEAK DISTRICT TOWNS	☐ 0 540 07609 0	➤ ☐
STAFFORD, STONE, UTTOXETER	☐ 0 540 07626 0	➤ ☐
WARRINGTON, WIDNES, RUNCORN	☐ 0 540 07588 4	➤ ☐

COLOUR REGIONAL ATLASES

	HARDBACK	SPIRAL	POCKET	
	Quantity @ £10.99 each	Quantity @ £8.99 each	Quantity @ £4.99 each	£ Total
MERSEYSIDE	☐ 0 540 06480 7	☐ 0 540 06481 5	☐ 0 540 06482 3	➤ ☐
	Quantity @ £12.99 each	Quantity @ £8.99 each	Quantity @ £5.99 each	£ Total
BERKSHIRE	☐ 0 540 06170 0	☐ 0 540 06172 7	☐ 0 540 06173 5	➤ ☐
	Quantity @ £12.99 each	Quantity @ £9.99 each	Quantity @ £4.99 each	£ Total
DURHAM	☐ 0 540 06365 7	☐ 0 540 06366 5	☐ 0 540 06367 3	➤ ☐
	Quantity @ £12.99 each	Quantity @ £9.99 each	Quantity @ £5.50 each	£ Total
GREATER MANCHESTER	☐ 0 540 06485 8	☐ 0 540 06486 6	☐ 0 540 06487 4	➤ ☐
TYNE AND WEAR	☐ 0 540 06370 3	☐ 0 540 06371 1	☐ 0 540 06372 X	➤ ☐
	Quantity @ £12.99 each	Quantity @ £9.99 each	Quantity @ £5.99 each	£ Total
BEDFORDSHIRE	☐ 0 540 07801 8	☐ 0 540 07802 6	☐ 0 540 07803 4	➤ ☐
BIRMINGHAM & WEST MIDLANDS	☐ 0 540 07603 1	☐ 0 540 07604 X	☐ 0 540 07605 8	➤ ☐
BUCKINGHAMSHIRE	☐ 0 540 07466 7	☐ 0 540 07467 5	☐ 0 540 07468 3	➤ ☐
CHESHIRE	☐ 0 540 07507 8	☐ 0 540 07508 6	☐ 0 540 07509 4	➤ ☐
DERBYSHIRE	☐ 0 540 07531 0	☐ 0 540 07532 9	☐ 0 540 07533 7	➤ ☐
EDINBURGH & East Central Scotland	☐ 0 540 07653 8	☐ 0 540 07654 6	☐ 0 540 07656 2	➤ ☐
NORTH ESSEX	☐ 0 540 07289 3	☐ 0 540 07290 7	☐ 0 540 07292 3	➤ ☐
SOUTH ESSEX	☐ 0 540 07294 X	☐ 0 540 07295 8	☐ 0 540 07297 4	➤ ☐
GLASGOW & West Central Scotland	☐ 0 540 07648 1	☐ 0 540 07649 X	☐ 0 540 07651 1	➤ ☐
NORTH HAMPSHIRE	☐ 0 540 07471 3	☐ 0 540 07472 1	☐ 0 540 07473 X	➤ ☐

COLOUR REGIONAL ATLASES

	HARDBACK	SPIRAL	POCKET	
	Quantity @ £12.99 each	Quantity @ £9.99 each	Quantity @ £5.99 each	£ Total
SOUTH HAMPSHIRE	☐ 0 540 07476 4	☐ 0 540 07477 2	☐ 0 540 07478 0	➤ ☐
HERTFORDSHIRE	☐ 0 540 06174 3	☐ 0 540 06175 1	☐ 0 540 06176 X	➤ ☐
EAST KENT	☐ 0 540 07483 7	☐ 0 540 07276 1	☐ 0 540 07287 7	➤ ☐
WEST KENT	☐ 0 540 07366 0	☐ 0 540 07367 9	☐ 0 540 07369 5	➤ ☐
LEICESTERSHIRE	☐ 0 540 07854 9	☐ 0 540 07855 7	☐ 0 540 07856 5	➤ ☐
NORTHAMPTONSHIRE	☐ 0 540 07745 3	☐ 0 540 07746 1	☐ 0 540 07748 8	➤ ☐
OXFORDSHIRE	☐ 0 540 07512 4	☐ 0 540 07513 2	☐ 0 540 07514 0	➤ ☐
SURREY	☐ 0 540 07794 1	☐ 0 540 07795 X	☐ 0 540 07796 8	➤ ☐
EAST SUSSEX	☐ 0 540 07306 7	☐ 0 540 07307 5	☐ 0 540 07312 1	➤ ☐
WEST SUSSEX	☐ 0 540 07319 9	☐ 0 540 07323 7	☐ 0 540 07327 X	➤ ☐
WARWICKSHIRE	☐ 0 540 07560 4	☐ 0 540 07561 2	☐ 0 540 07562 0	➤ ☐
SOUTH YORKSHIRE	☐ 0 540 06330 4	☐ 0 540 07667 8	☐ 0 540 07669 4	➤ ☐
WEST YORKSHIRE	☐ 0 540 07671 6	☐ 0 540 07672 4	☐ 0 540 07674 0	➤ ☐
	Quantity @ £14.99 each	Quantity @ £9.99 each	Quantity @ £5.99 each	£ Total
LANCASHIRE	☐ 0 540 06440 8	☐ 0 540 06441 6	☐ 0 540 06443 2	➤ ☐
NOTTINGHAMSHIRE	☐ 0 540 07541 8	☐ 0 540 07542 6	☐ 0 540 07543 4	➤ ☐
	Quantity @ £14.99 each	Quantity @ £10.99 each	Quantity @ £5.99 each	£ Total
STAFFORDSHIRE	☐ 0 540 07549 3	☐ 0 540 07550 7	☐ 0 540 07551 5	➤ ☐

BLACK AND WHITE REGIONAL ATLASES

	HARDBACK	SOFTBACK	POCKET	
	Quantity @ £11.99 each	Quantity @ £8.99 each	Quantity @ £3.99 each	£ Total
BRISTOL & AVON	☐ 0 540 06140 9	☐ 0 540 06141 7	☐ 0 540 06142 5	➤ ☐
	Quantity @ £12.99 each	Quantity @ £9.99 each	Quantity @ £4.99 each	£ Total
CARDIFF, SWANSEA & GLAMORGAN	☐ 0 540 06186 7	☐ 0 540 06187 5	☐ 0 540 06207 3	➤ ☐

Name...

Address...

....

....

....

...............................Postcode..............

◆ Add £2 postage and packing per order

◆ All available titles will normally be dispatched within 5 working days of receipt of order but please allow up to 28 days for delivery

☐ Please tick this box if you do not wish your name to be used by other carefully selected organisations that may wish to send you information about other products and services

Registered Office: 2-4 Heron Quays, London E14 4JP
Registered in England number: 3597451

Total price of order £ ☐

(including postage and packing at £2 per order)

I enclose a cheque/postal order, for £ ☐

made payable to *Octopus Publishing Group Ltd*,

or please debit my ☐ Mastercard ☐ American Express

☐ Visa   account by £ ☐

Account no

☐☐☐☐ ☐☐☐☐ ☐☐☐☐ ☐☐☐☐

Expiry date ☐☐ ☐☐

Signature...

Post to: Philip's Direct, 27 Sanders Road, Wellingborough, Northants NN8 4NL

STREET ATLASES ORDER FORM

STREET ATLAS South Essex *BEST BUY AUTO EXPRESS*

Unique comprehensive coverage

SOUTHEND-ON-SEA

Plus Chingford, Dagenham, Ilford, Romford

PHILIP'S

STREET ATLAS Northamptonshire Plus town maps of Banbury, Buckingham, Rugby and Stamford *BEST BUY AUTO EXPRESS*

Unique comprehensive coverage

WELLINGBOROUGH

Includes Market Harborough

PHILIP'S

STREET ATLAS Surrey Dorking, Epsom, Guildford, Kingston, Leatherhead and Woking at extra-large-scale

Unique comprehensive coverage

LEATHERHEAD

BEST BUY AUTO EXPRESS

Includes Heathrow and Gatwick Airports

PHILIP'S

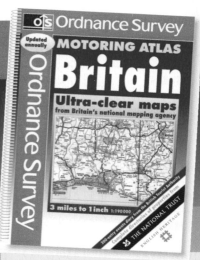